Rechter Savage

Andere titels van Tim Parks bij De Arbeiderspers:

FICTIE

Nieuwe kleren voor Massimina
De geest van Massimina
Europa
Bestemming

NON-FICTIE

Italiaanse buren
Italiaanse opvoeding
Een seizoen met Hellas-Verona

Tim Parks

Rechter Savage

Roman

Vertaald door C.M.L. Kisling

Uitgeverij De Arbeiderspers · Amsterdam · Antwerpen

Oorspronkelijke titel: *Judge Savage*
Oorspronkelijke uitgave: Secker & Warburg, Londen

Omslagontwerp: Nico Richter
Omslagfoto: Adri Berger

ISBN 90 295 3654 3 / NUR 302
www.boekboek.nl

I

Geen leven zonder dubbelleven. En toch word je het beu op den duur. Op 22 maart 1999, na eindelijk het conflict te hebben opgelost dat hun huwelijk jarenlang had achtervolgd, en met een goede financiële positie in het vooruitzicht door zijn recente benoeming als strafrechter, werden Daniel Savage en zijn vrouw Hilary het eens over de aankoop van een huis dat op de heuvels ten noorden van hun stad gebouwd werd. Het was een heldere dag, zou Daniel zich later herinneren; er viel een scherp licht over een winderig, verstild winterlandschap. En de belangrijkste indruk bij het nemen van die zwaarwichtige beslissing was ook ongekend helder en krachtig geweest. Hij en zijn vrouw omhelsden elkaar tussen de muren van wat een praktische, vrijstaande woning zou moeten worden met vier slaapkamers en een grote tuin. Ik zou graag een open haard willen, zei Hilary. Om samen bij te zitten. Daniel vond het best. Ze hadden het elkaar al lang genoeg moeilijk gemaakt. In de lente moet het hier fantastisch zijn, lachte hij, en die avond schreef hij geheel ongebruikelijk iets in zijn agenda: Ik heb het gevoel, schreef hij, dat ik eindelijk alle belangrijke beslissingen in mijn leven genomen heb, en daarmee bedoel ik de allermoeilijkste en de zwaarwichtigste. Van nu af aan ben ik vrij om me te concentreren op de baan die ik tot mijn grote geluk heb, om zo goed als ik kan te houden van de vrouw aan mijn zij, en om mijn kinderen naar best vermogen te helpen. Eindelijk is alles duidelijk. De tijd van metamorfosen is voorbij. Ik ben mezelf geworden.

Na een kort gesprek met de aannemer genoot het echtpaar rustig van een drankje in de kroeg die geknipt leek om hun stamcafé te worden, en toen ze weer thuiskwamen deelden ze hun besluit mee aan hun kinderen. Zoals te verwachten was, was Sarah niet onder de indruk, terwijl de jongere Tom het fantastisch vond. Liefdevol en welgemeend spoorde Daniel zijn dochter aan toch eens te bedenken hoeveel beter ze het buiten de stad zou hebben. In een groter huis zou ze veel meer privacy hebben. Het meisje trok een zuur gezicht en knalde de deur dicht. We kunnen een hond nemen, riep Tom. Hilary knuffelde de jongen. We zullen bij een open haard zitten, zei ze. Morgen spreek ik er met de aannemer over. In de lente moet het fantastisch zijn boven op die heuvel, herhaalde Daniel.

Kort nadat Daniel en Hilary naar hun slaapkamer waren gegaan, ging de telefoon. Hilary nam op en legde de hoorn weer neer. Wie het ook was heeft opgehangen, zei ze, en toen ze naar hem keek, wist Daniel wat ze zich afvroeg. Luchtig zei hij: Nu ik rechter ben krijgen we misschien wel meer van dat soort telefoontjes. Ze deden het licht uit. In het nieuwe huis zorgen we ervoor dat we niet meer in het telefoonboek staan, zei ze. Hilary, fluisterde hij. Ze lagen hand in hand in de schemerige kamer. Deze flat was al een paar jaar te krap voor hen. Misschien kan ik een betere piano voor je kopen, beloofde hij, voor ons twintigjarig huwelijk. Die datum zat eraan te komen. Ik vind het zo spannend, Daniel, zei ze. Ze was gerustgesteld.

De week daarop kreeg Daniel een aanrandingszaak te behandelen. Het was allemaal nog nieuw voor hem en hij genoot ervan. Een man die vele jaren bij de gemeentelijke jeugdzorg had gewerkt werd ervan beschuldigd een zestienjarig meisje seksueel te hebben lastiggevallen. Waar Daniel van genoot was het gevoel van vrijheid; het gevoel noch aan de ene noch aan de andere kant ingeschakeld te worden, voor aanklacht noch verdediging. Het meisje was zwakbegaafd. De verdachte had haar naar huis gereden in het personenbusje van de gemeente. Vroeger, dacht Daniel, die onbewogen en met een pruik op achter zijn donkere glimmende tafel zat, had ik mijn uiterste best moeten doen om de aanklager op een foutje te betrappen teneinde die man vrijgesproken te krijgen, terwijl ik zelf misschien wel dacht dat hij schuldig was. Het vermeende slachtoffer zat niet in de rechtszaal. Of ik had mijn uiterste best moeten doen om er een veroordeling plus bijbehorende gevangenisstraf uit te slepen, terwijl ik er misschien van overtuigd was dat een gevangenisstraf geen enkele zin had voor een man van een jaar of veertig die voor een keertje een meisje had gezoend en gevingerd op de voorbank van een personenbusje. Als hij dat al gedaan had. Er was geen sprake van geweld.

Bij het verhoor, opgenomen op video, had het meisje er lichamelijk volwassen en onmiskenbaar aantrekkelijk uitgezien, maar een babytaaltje gebrabbeld. Ze droeg een strakke, diep uitgesneden blouse, niet erg gepast voor de situatie. Nu kun je gewoon alles observeren, zei Daniel tegen zichzelf, het hele strijdgewoel registreren zonder een druppeltje zweet. Ze had grote, volle borsten. Je staat onder geen enkele druk om te presteren of te winnen, dacht hij, terwijl hij een halfslachtig bezwaar van de verdediging afwees, het enige wat je moet doen is goed reageren op het optreden van een ander. Gepastheid, daar ging het om. Hij was altijd als de dood geweest een inzinking te krijgen tijdens een juridisch steekspel.

De vrouw van de verdachte trok een minachtend en smalend gezicht tijdens de getuigenverklaringen. Ze was veel te dik, en ze was zeer potig en bazig aanwezig. Haar man had geen enkel charisma. Zijn stem trilde. Op de tweede dag werd de moeder van het meisje verhoord over haar bewering dat er een spermavlek op de kleding van het meisje had gezeten. De verdediging wilde weten waarom het kledingstuk in de was was gedaan, waarom ze het niet beschikbaar had gehouden voor de politie. Maar Daniel zag dat de jury geheel overtuigd was door de moeder van het meisje. Vooral de jonge Indiase man. Ze vonden haar walging, haar wens om zo snel mogelijk van die vlek verlost te zijn volstrekt geloofwaardig. Het was een fout van de verdediging, vond Daniel, om het meisje een kind te blijven noemen. Ze was per slot van rekening zestien jaar. Wat hij zelf misschien onder de aandacht van de jury zou hebben gebracht, was de gevaarlijke combinatie van een rijpe sensualiteit enerzijds, en anderzijds de afwezigheid van verdedigingsmechanismen die een onzekere man normaal gesproken zouden hebben afgeschrikt lang voor hij ook maar een vinger naar haar had durven uitsteken. De verdediging had misschien beter op wederzijdse instemming gemikt. Maar het is niet de taak van de rechter om de verdachte en diens advocaat te vertellen wat ze moeten doen. De rechter staat geheel alleen en buiten het strijdgewoel. Hij houdt zijn raad voor zich. Beide advocaten waren ouder dan hij, wist Daniel. Misschien wel jaloers.

Op de video deed het meisje gedetailleerd en overtuigend verslag van wat er was gebeurd, vaardig verhoord door politie-experts. De jury keek streng, de vrouw van de verdachte zat ongemakkelijk te draaien, de moeder huilde. Pas na zo'n veertig minuten naar haar getuigenis te hebben gekeken, besefte Daniel wat er zo vreemd was aan dit alles: het meisje was bijzonder kalm terwijl ze in de camera sprak, een beetje afwezig zelfs, alsof ze eigenlijk ergens anders was met haar gedachten! Hier had de verdediging misschien wel de aandacht op kunnen vestigen. Hijzelf had er misschien wel op gewezen dat de móéder overstuur was en niet het slachtoffer. Zoals het hoogstwaarschijnlijk ook de moeder was – een alerte en welbespraakte vrouw – die de diep uitgesneden, modieuze blouse had uitgezocht en dure make-up voor het meisje had gekocht, misschien – en even moest Daniel aan zijn eigen moeilijke dochter denken – misschien omdat ze graag pronkte met haar dochters lichamelijke charmes, juist omdát ze op andere gebieden zo'n hopeloos geval was. Maar de verdediging was niet uit op verzachtende omstandigheden. Mogelijk omdat hij banger was voor zijn vrouw dan voor het gerecht, pleitte de verdachte niet alleen onschuldig, maar hield bovendien vol dat hij het kind niet eens had aangeraakt. Hij gebruikte het woord 'kind'. Onverstandig. En gedurende het hele proces zat hij kaal en gebogen naar zijn zondige handen te turen, en was niet in staat om de jury aan te kijken. Geen woord over de vader van het meisje.

In de samenvatting van woensdag werd door de aanklager het woord 'monster' gebruikt. Door deze – zeer voorspelbare – overdrijving werd Daniel zich plotseling bewust van de grote verandering in perspectief die was ontstaan nadat men hem tot rechter had benoemd, al was het alleen maar omdat hij die tactiek in het verleden zelf vaak had gebruikt of bestreden. In plaats van deel te nemen, van te proberen de gebeurtenissen een bepaalde richting op te sturen met overdreven taalgebruik, twijfel te zaaien bij de ene partij of overtuiging te oogsten bij de andere, sloeg hij het hele gebeuren nu gade met een helderheid die zowel intellectueel genot als emotionele spanning bood. Het was zeer waarschijnlijk, dacht hij, terwijl hij naar het proces zat te luisteren en in het bijzonder naar de ergerlijke aarzelingen van de verdachte die toegaf dat hij zijn ronde inderdaad zodanig had kunnen aanpassen dat hij zich niet alleen met het meisje in het personenbusje zou hebben bevonden – het was zeer waarschijnlijk dat die man en dat meisje al allerlei geflikflooi achter de rug hadden vóór de moeder die vervloekte vlek had ontdekt. Hij reed haar al maanden iedere dag naar huis. Hij had er ruim de gelegenheid voor gehad. En het was misschien omdát die vlek niet beschikbaar was als bewijs, dat de verdachte had gehoopt dat hij zijn angstaanjagende echtgenote ervan zou kunnen overtuigen dat hij het meisje nooit had aangeraakt, terwijl het meisje van haar kant zo geschrokken was van haar moeders reactie op een vochtige vlek op haar rok dat ze niet had willen zeggen dat dit haast elke dag gebeurde zonder dat ze het erg vond.

En dus gooide je je enige veelbelovende argument van verdediging overboord uit angst voor schut te staan voor de persoon die je het meest na stond, dacht Daniel. Uit angst om verlaten te worden. Het was op z'n minst een mogelijk scenario. Eenmaal veroordeeld en naar de gevangenis gestuurd, kun je nog altijd volharden in je onschuld. Je wordt misschien zelfs wel als martelaar gezien. Misschien houdt je vrouw nog wel meer van je. Begint ze een campagne voor je vrijlating. Het belangrijkste is niet te bekennen. Maar het bleef louter speculatie.

In zijn instructie ten behoeve van de jury verzocht Daniel hun zoals gebruikelijk na te denken over de woorden 'wettig en overtuigend bewijs'. Als nieuwe rechter met een wellicht omstreden benoeming, hield hij graag vast aan de oude formulering die zovele anderen hadden laten vallen. U moet er zeker van zijn dat er sprake is van wettig en overtuigend bewijs, herhaalde hij, eer u tot een veroordeling komt. Maar hij was er zelf van overtuigd dat hij de man weldra een strenge straf zou opleggen. De jury zou het schuldig uitspreken en dan hoorde een rechter met een gepast vonnis te komen. Je bent weliswaar bevrijd van die knokpartij tussen aanklager en verdediging, bracht hij zichzelf in herinnering, maar niet van de publieke opinie. De kranten eisen een exemplarische straf voor dit soort overtreders, geen genuanceerde overpeinzingen. Het is verkeerd en een grote schending van vertrouwen om misbruik te maken van een achterlijk kind dat aan je zorgen is toevertrouwd. De volgende morgen al, nadat de jury tot een oordeel was gekomen, stond hij op en gaf de beschuldigde drie jaar. Gedurende een seconde ontmoetten hun ogen elkaar. Hij zal zijn baan kwijtraken, dacht Daniel. En terecht. Het is met hem gedaan. Iemand leidde de dikke vrouw de rechtszaal uit.

Er heeft een vrouw voor u gebeld, meneer Savage. Twee keer. Ze wilde geen naam achterlaten. Ik heb gezegd dat u meestal op uw kamer bent tegen het eind van de middag.

Het was donderdag. Daniel maakte zich geen zorgen. Hij wist dat Jane niet meer zou bellen. Hij was eraan gewend geraakt. In hun wederzijdse stilte lag een medeplichtigheid die er een zekere bekoring aan verleende. Daniel was er gerust op. Ik wíl zelfs niet dat ze belt, merkte hij, terwijl hij zijn pruik in de doos legde. Het zou een anticlimax zijn, weer een schending van vertrouwen. Esthetisch verkeerd, vertelde hij zichzelf; een uitdrukking van zijn vrouw. Op een bepaalde manier waren Hilary en hij echt twee delen van dezelfde entiteit. Hij voelde zich veilig.

Ik ben er niet vanmiddag, zei hij tegen de jonge secretaresse. Ook een charmant meisje. Wie het ook moge zijn, ze kan het beter morgen nog eens proberen. Morgen was de eerste zaak van de dag een vrij eenvoudig geval van inbraak, wist hij. Een veelvuldig recidivist die onschuldig pleitte. Maar hoe is het mogelijk, vroeg Daniel zich af terwijl hij het desbetreffende dossier in zijn aktetas stopte, hoe is het mogelijk dat je een eenheid vormt met een vrouw die zo muzikaal is, wier leven met muziek en esthetiek te maken heeft, een vrouw met een absoluut gehoor, terwijl jijzelf geen enkel muzikaal gevoel hebt en niets van esthetiek weet buiten wat je zelf mooi vindt en wat niet? Liever Bach dan Brahms. Liever het achterlijke meisje dan de dikke echtgenote. Daniel glimlachte. Lieve Jane. Toch had Hilary gelijk gehad toen ze zei: Wat jij doet is lelijk. Van de weinige opmerkingen die in het geheugen bleven gegrift, die een omslag markeerden, of plotseling hele mentale landschappen belichtten, was dit de opmerking die het diepste had gesneden, het helderste had geschenen. Wat jij doet is lelijk; het morele en het esthetische op overtuigende wijze bijeengebracht in één woord.

In de stad constateerde hij zorgelijk dat de prijs van een Steinwayvleugel hun maandelijkse hypotheeklasten aanzienlijk zou verhogen. Kennelijk waren nog niet alle beslissingen achter de rug. Maar dit was een technisch detail. Hij glimlachte. Hij kende zichzelf. Zijn vrouw had altijd een échte piano willen hebben. Ze zouden een goede prijs krijgen voor hun flat, die centraal gelegen was en een aantal pluspunten had. Terwijl de verkoper een paar arpeggio's speelde om het instrument te laten klinken, merkte Daniel dat hij eropuit was –

kinderlijk eropuit – om Hilary te laten zien dat hij om haar gaf, om haar te laten zien, zoals hij nu al ongeveer een jaar lang dagelijks aan het doen was, dat alles in orde was. En dat was ook zo! Hij zou naast haar staan terwijl zij Chopin speelde in het flakkerende licht van de open haard. Haar kleine, hoekige handen bewogen snel en doortastend over het klavier. Het leven begon een heerlijke evidentie te krijgen. Hij was niet getrouwd met een vette, bazige buldog van een vrouw. Hij was geen slapjanus gevangen in een alledaagse job waarin hij voortdurend werd blootgesteld aan de charmes van zijn hulpeloze passagiers. Een strafrechter kon het nog wel opbrengen een knappe secretaresse met rust te laten.

Terwijl hij de cheque voor het voorschot tekende, onderging Daniel weer het gevoel dat inmiddels een vertrouwde emotie was geworden sinds het verschrikkelijke conflict met zijn vrouw definitief uit de wereld was geholpen – daar waren ze het over eens; een opwelling van vrolijkheid gepaard met de heldere en dankbaar geformuleerde gedachte: wat heb jij geluk gehad! Wat heb je nog steeds een geluk! Wat ben je daar goed van afgekomen! Een beeld dat hem in dit opzicht soms voor ogen kwam, was dat van zijn goede vriend Martin Shields die vlak voor Kerstmis met hoge snelheid van de weg was geraakt, aan weerszijden tegen de vangrail botste, over de kop was geslagen terwijl andere auto's remden en uitweken, om uiteindelijk totaal ongedeerd uit zijn verpletterde Audi te stappen. Hij was niet eens veroordeeld voor gevaarlijk rijden! Hoe kun je zo depressief zijn, lachte Daniel, nadat je er zo goed van af bent gekomen! Martin, een collega van zijn vorige kantoor, had ernstige problemen die allemaal tussen zijn oren zaten, en dus in zekere zin onvergeeflijk waren. Zijn vrouw was heel aantrekkelijk. Ze hadden geen kinderen die hun pleziertjes in de weg stonden. Terwijl hij in zijn eigen auto stapte, bedacht Daniel dat zijn dochter misschien wel weer zou gaan spelen wanneer de nieuwe piano geïnstalleerd was in het nieuwe huis met de open haard en de hond. Wat voor hond? Hij besloot Sarah en Tom van school te gaan halen, een ongebruikelijke daad.

Het is altijd interessant om je kinderen samen met hun vrienden te zien, zeker als ze niet weten dat je naar ze kijkt. Vanuit zijn auto bij de bushalte viel het Daniel ineens op dat zijn dochter zich wat leek af te zonderen, zelfs in dit groepje levendige zeventienjarigen.

Haar schouders leken smal en gespannen. Haar hoofd was gebogen. Het zal wel een voorbijgaande fase zijn, dacht hij.

Wat doe jij hier? vroeg Sarah door het raampje. Waar is Tom? vroeg hij. Kinderen dromden voorbij. Sarah wilde achterin zitten. Daniel kon haar gezicht niet zien. Ze wachtten. Kun je een geheim bewaren? vroeg hij. Waarom ben je in vredesnaam hiernaartoe gekomen? herhaalde ze. Het leek me leuk je van school te komen halen, zei hij hartelijk. Ik ga net zo lief met de bus, zei ze.

Ze wachtten. Een geheim tegenover wie? vroeg ze. Daniel zat in de achteruitkijkspiegel te spieden naar zijn zoon. Wat sprak Sarah netjes! Tegenóver wie! Jongelui werden geacht slordig met hun taal om te gaan. Tegenover mama, zei hij. Weet je, ik... Nee, protesteerde ze. Ik ben namelijk zojuist naar... Nee! herhaalde ze. Wat nee? Daniel had niet opgelet. Tom is toch tegelijk met jou uit? vroeg hij. Ik wil niets horen dat ik geheim moet houden tegenover mama, zei zijn dochter. Mensen zouden geen geheimen moeten hebben voor elkaar. Niet binnen het gezin. Maar het is iets leuks, protesteerde Daniel. Nee, ik zei toch nee!

Daniel stapte uit de auto en zwaaide naar Tom, die zijn vriendjes achterliet en kwam aanrennen. Papa! Het was een leuke, mollige knaap, buiten adem, bepakt met rugzak en sporttas. Toen hij weer was ingestapt voelde rechter Savage een zachte tengere arm rond zijn nek en een mond bij zijn oor. Bedankt dat je gekomen bent, papa, fluisterde ze warm tegen zijn oorlelletje. Haar adem was vochtig en haar haren roken lekker. Heel lief van je. Zo ken ik m'n meisje weer, antwoordde hij meteen. Stelletje plakkers, riep Tom. Hij sloeg het portier dicht. Waar gaan we naartoe? Ik dacht eens naar het nieuwe huis te rijden, stelde Daniel voor, om te kijken hoe het opschiet, en om onze kamers uit te kiezen. Nee! Weer sprak zijn dochter een hard veto uit. Ik heb te veel huiswerk, zei ze. En ik moet naar de kerk. Vroeg. Haar stem schakelde van verleidelijk intiem over op extreem autoritair. Daniel ging er niet tegenin. Hij kocht een groot ijsje voor zijn zoon. En een voor zichzelf. Ik ga net zo lief met de bus als jullie samen een ritje willen maken, zei Sarah.

Rare knaap is dat, zei Daniel later die avond. Hij legde zijn papieren neer. Aan de keukentafel zat Max Jordan aan de koffie na zijn pianoles. Fantastisch hoe Hilary die jongen op zijn gemak stelt, vond

Daniel. Hoezo? vroeg Max beleefd. O, hij ontkent álles, lachte Daniel. De politie plukt een stukje leer van een jack van het raam dat door dieven is ingeslagen. De politie doet een inval in het huis van de verdachte waar ze het leren jack vinden. De scheur in het leren jasje past precies bij het stukje gevonden op de plek van het misdrijf. De verdachte wordt gearresteerd en aangeklaagd, maar ontkent alles. Beweert dat hij het jack nog nooit gezien heeft. Iemand had het in zijn flat gelegd.

O nee, lachte Max. Ongelooflijk dat ze sommige zaken nog laten voorkomen, merkte Hilary op. Ze boog voorover om in de oven te kijken. Mijn vrouw is een fantastische kokkin, een fantastische musicus en een fantastisch persoon, zei Daniel bij zichzelf. Max oefende zijn Mozart, de sonates waar Gould op had zitten ploeteren. Boven haar linkeroor waren een paar lokken uit de haarspelden ontsnapt. Haar achterste was nog steeds stevig in een strakke jeans. Ze rookt niet, drinkt niet en verft haar haar niet, dacht Daniel bewonderend. Hij kon gewoon niet geloven hoe comfortabel het leven was, en hij zei: Helemaal niet. Die knaap komt er misschien nog wel goed van af.

Hij stopte het dossier weer in zijn tas. Het was tijd voor zijn whisky, zijn avondwhisky. Ik mag die Max wel, dacht hij. Het is prettig om een knappe jonge gast te ontvangen. Dat bedoelde ik juist, protesteerde Hilary. De formaliteit en beleefdheid van de jongen bevielen hem wel. Ik word er gek van, zei ze, hoeveel mensen er goed van afkomen. Toen vulde de kamer zich ineens met de geur van vers gebak. Hilary stond trots met een mes in haar hand. Maar hoe kan dat dan? vroeg Max. Zijn oren waren een beetje aan de grote kant. Hij had een zekere jeugdige naïviteit, voelde Daniel – wilde hij misschien een whisky? –, die perfect harmonieerde met Hilary's nerveuze, nogal bazige wens om te behagen. Maar Daniel genoot wel van haar bazigheid de laatste tijd. Max was heel meegaand als ze zei hoe dit of dat stuk gespeeld moest worden, en verviel vervolgens weer snel – dat kon zelfs een leek horen – in een natuurlijke, warme sentimentaliteit. Hij speelt prachtig, dacht Daniel. Mensen geven zich bloot achter het klavier, zei Hilary altijd als ze over haar leerlingen sprak. En nu zei ze: O je zou niet geloven, Max, je zou niet geloven hoeveel mensen Dan vrij heeft weten te krijgen als advocaat. Die kerel die zijn eigen auto had gestolen voor de verzekering en erin rond bleef rijden! Ongestraft! De dealers die altijd beweren dat de politie de drugs zelf bij hen heeft neergelegd. Terwijl het ijs kraakte onder de whisky en de cake lag te stomen, voelde Daniel zich perfect gelukkig. Je wordt er niet goed van, lachte ze. Max lachte ook. Straks gaan we vrijen, beloofde de rechter zichzelf. Hij was zich bewust van zijn geluksgevoel. Ik zal dik worden, dacht hij, een gezellige zelfvoldane dikkerd.

Maar – Max had al kruimels op zijn vochtige jonge lippen – maar als de politie dat stukje leer heeft, en als dat stukje, ik bedoel van het leren jack, overeenkomt met... Wat je niet moet onderschatten... onderbrak Daniel zijn gast, en werd meteen zelf onderbroken. In de salon begon de telefoon te rinkelen. Er was even een ongemakkelijk moment toen man en vrouw een blik wisselden. Wat je nooit moet onderschatten, herhaalde Daniel, is het effect dat een verontwaardigde ontkenning kan hebben op twaalf juryleden. Maar Hilary was verstijfd. Het was op precies hetzelfde tijdstip als het telefoontje van gisteravond. Daniel bleef bewust zitten. Gewoonlijk nam Hilary de telefoon op. Hij wilde haar niet laten denken dat hij er het eerst bij wilde zijn. Die tijd was voorbij. Maar er zijn toch getuigen, protesteerde Max. De plotselinge spanning leek hem te ontgaan. Er zijn toch mensen die kunnen getuigen dat het zíjn jasje is!

De telefoon bleef gaan. Hilary weifelde. Daniel liet zich er niet door storen. Hij genoot van de conversatie. Hij maakte een komisch breed gebaar. Stel je eens voor, zei hij, er verschijnt een rood aangelopen East-Ender van een jaar of dertig die evengoed vijftig kan zijn, wiens vrouw en drie kinderen in de getuigenbank allemaal hebben verklaard dat hij met hen naar een soap zat te kijken op het moment van het misdrijf; hij kijkt de jury recht in de ogen, slaat met een vlezige vuist op de balustrade en roept: Keppet verdomme niet gedaan! Kep dat jassie of wattet ook is nog nooit van me leve gesien!

Weer lachte Max, en wat Daniel graag deed was zijn whisky twee keer ronddraaien in zijn glas en dan de helft in één keer achteroverslaan zodat de drank net zo snel naar zijn hoofd steeg als de bakgeur zich had verspreid. Hilary liep naar de deur. We zorgen ervoor dat we niet meer in het telefoonboek staan als we verhuizen, grimaste ze. We krijgen te veel telefoontjes. Weet ik veel hoe dat jassie daar is gekomme! Daniel was goed in accenten. Hij verhief zijn stem boven de rinkelende telefoon en imiteerde de vuistslag. Het enige wat die man moet doen, zei hij tegen de pianoleerling van zijn vrouw, is een heel klein beetje twijfel zaaien. Bij de jury. Een héél klein beetje twijfel zaaien en in minder dan geen tijd is dat opgeschoten tot een bonenstaak van onschuld. Weer bracht hij het whiskyglas naar zijn lippen. Het ijs rinkelde. Max' vader was naar het scheen wiskundeleraar. Zijn ouders waren gescheiden, had Hilary gezegd. Een aardige jongen, had ze gezegd, alsof ze moest uitleggen waarom ze een privé-leerling had aangenomen na zo'n lange tijd zonder te hebben gezeten. Hij heeft al een paar kleine concerten gegeven. Daniel leunde naar voren over zijn whisky: Ik ken alleen maar segge dat asser drie gaste een kraak hebben geset, het toch wel verdomd eigenaardig is dat de pliesie meteen naar het huis van die goser komt lopen die een stukkie van z'n jassie mist. Dat vind ik verdomd eigenaardig.

De telefoon rinkelde. Als het antwoordapparaat aanstond, zou het nu aanspringen. Er ging een deur open in de salon. Daniel ving een glimp op van zijn dochter die juist vanuit de hal binnenkwam. Meteen veranderde zijn vrouw van richting. O, maar je bent drijfnat, Sarah, riep ze. Het meisje was doorweekt. De telefoon rinkelde. De whisky steeg naar Daniels hoofd. Maar hoe zit het met de buit? vroeg Max. Hij leek geheel op te gaan in het gesprek. Of met vingerafdrukken? Pas nu viel het Daniel op dat de jongeman een nogal opvallende oorbel droeg. Doe meteen je schoenen uit, riep Hilary. Ze overdreef altijd tegen Sarah. Je maakt het tapijt vuil! Computeronderdelen, zei Daniel. Allemaal een paar uur later teruggevonden in een gestolen bestelauto. Geen vingerafdrukken.

Uiteindelijk was het Tom die vanuit het slaapkamergedeelte van de flat kwam binnenstormen om op te nemen. Het gerinkel was ten slotte kennelijk door zijn discman heen gekomen. Waarom neemt er nooit eens iemand de telefoon op, brulde hij en spurtte door de kamer. Met zijn sinds kort gezakte stem, zei hij: Hallo, Savage. En daarna: Nee, met zijn zoon. Hilary was geheel onnodig Sarahs natte jas aan het uittrekken. Het meisje gedroeg zich uitdagend, haar haren dropen. Tom riep: Papa, voor jou! Een zekere Minnow of Minnie.

Sorry, Dan, ik dacht dat jij het was. Een fluisterstem. Dan? En pas nu – hoewel hij de herinnering had voelen aankomen toen hij door de kamer liep – legde rechter Savage de link. Minnie! Pas bij het horen van de typische stem, het gebroken accent. Hij hield zijn adem in, sloot zijn ogen. En toen kon ik niet meer ophangen, verklaarde ze. Ze klonk alsof ze fluisterde met een verstopte neus. Dat zou toch te verdacht zijn geweest? Het geeft niet, zei hij rustig. Het gaf wel. Wat kan ik voor u doen? Hij klonk te beleefd. Hij was er zich van bewust dat hij normaal probeerde te doen. Zijn hand beefde. Verdomme, verdomme en nog eens verdomme. Kun je niets zeggen? vroeg ze. Nee, dat is prima. Maar nu werd Daniel afgeleid door zijn vrouw die overdreven druk deed: O, ga alsjeblieft nog niet weg, zei Hilary tegen Max, Sarah doet alleen even die natte kleren uit, hè schat, en dan komt ze erbij zitten. Ze wil absoluut niet meeluisteren, besefte Daniel, om te laten zien dat ze me vertrouwt. In zijn andere oor klonk Minnies stem ergerlijk zwak: Zeg gewoon dat je het te druk hebt morgen als er een probleem is. Het geeft echt niet, herhaalde Daniel. Maar waarom sprak zíj zo zacht? Hij kon haar nauwelijks verstaan. Waarom belde ze in vredesnaam? Achter hem liet zijn zoon Tom zich zwaar op de bank vallen en pakte de afstandsbediening. Even klonk er lawaai voor hij het geluid had afgezet. Hé, hallo, riep Max, die uit de keuken kwam. Kennelijk kende hij Sarah al. Daniel draaide zich half om, de hoorn tegen zijn oor gedrukt. Sst, siste Hilary. Je vader is aan het telefoneren! De zenders flitsen een voor een aan. Een man op zijn scooter in de woestijn. Het punt is dat ik al tijden probeer te bellen, zei Minnie, maar er neemt steeds iemand anders op. Dat geeft niet, herhaalde hij. Nee heus, drong Hilary aan, het is niet laat, blijf nog wat! Daniel voelde zich gedesoriënteerd. Ik zou geschrokken moeten zijn, dacht hij. Hij zei: Ik zit meestal op mijn kamer aan het eind van de dag, begin van de avond, als u iets wilt bespreken. Nou, ik kan me kwalijk staan uitkleden in de voorkamer, zei Sarah. Ze glimlachte sarcastisch naar haar vader alsof het belachelijk was dat hij aan het telefoneren was terwijl zij in de deuropening stond te druipen en haar moeder aan haar kleren trok. Max was gegeneerd achter Tom gaan staan om naar de tv te kijken. Maar hoe ben je zo doorweekt geraakt? ging Hilary door. Je lijkt Ophelia wel die uit haar lelievijver is gevist! Nee, luister eens, zei Minnie. Daniel probeerde zich te concentreren. Dit was angstaanjagend. Het is een beetje moeilijk. Ik wil je een gunst vragen. Laten we afspreken...

Laat me los! Au! Gerinkel. Gedurende een fractie van een seconde – met één oor op het thuisfront gericht en het andere stevig tegen het storende verleden gedrukt, om contact te houden, contact uit te sluiten – meende Daniel dat het geluid van de televisie was gekomen, zo plotseling was de toename van volume. Maar het scherm zweeg. Een man in een gele broek ging een vrije trap nemen. Nee, het was het meisje, Minnie. Laat me met rust! schreeuwde ze. Rot op, laat me met rust! Toen volgde er een verwensing in haar eigen taal en een pesterige mannenstem. Ik moet op een ander toestel overschakelen, zei ze. Ze fluisterde niet meer. Mijn vader, legde ze uit. Daniel rolde met zijn ogen ten behoeve van zijn dochter, waarmee hij wilde zeggen: Die lui die me na het werk lastigvallen met hun stomme problemen! Hoewel hij nooit werd lastiggevallen. Nadat ze eerst gezegd had dat ze zich niet kon uitkleden, was Sarah nu haar trui aan het uittrekken, waardoor haar T-shirt even boven haar bh schoof. Het een of andere moffenelftal, legde Tom uit aan de immer beleefde Max. Dat kun je zien aan de reclameborden rond het veld.

Terwijl hij stond te wachten tot het meisje op een ander toestel was overgeschakeld, zag Daniel een stapeltje ruw bedrukte traktaten op het lage tafeltje bij de deur liggen: Naar zijn evenbeeld, voor uw heil. Rot op, hoorde hij een zwakke stem zeggen. Dat kerkgedoe was hopelijk een fase. Ik bel met mijn zwarte pooiervriendje, riep Minnie, als je het moet weten! Daniel knipperde met zijn ogen. Briljant, zei Tom. In het hoofd van rechter Savage maakte de whisky het precies dát beetje moeilijker om de dingen uit elkaar te houden of juist samen te brengen. Hoe geschrokken moet ik zijn, vroeg hij zich af. Die is ook nat, zei zijn vrouw, je moet even naar je kamer gaan. Hilary's stem klonk vreemd dreigend. Ga maar even naar je kamer om je te verkleden, lieverd, en dan drinken we allemaal samen iets. Weer klonk er een kreet in de verte. Iets kwaads in het Koreaans. Om een of andere reden wilde Sarah zich niet verplaatsen. Staande bij de deur leek hun dochter plotseling tevreden met zichzelf, een ongewoon schouwspel. Nu trok ze haar gele T-shirt ook uit. Sarah! Hilary probeerde te spreken met haar ogen. Te smeken. Max moest het gezien hebben, maar had zich weer snel naar het voetbal gewend.

Daniel schoot zijn vrouw te hulp, met de hoorn nog tegen zijn oor, en begon een reeks grimassen om Sarah naar haar slaapkamer te krijgen. Op de achtergrond bleven Koreaanse stemmen ruziën. Het leken er meer dan twee te zijn. O alsjeblieft zeg, lachte Sarah, en knoopte haar jeans los. Toen begon ze hem na te doen. Ze rolde met haar ogen en bootste allerlei waarschuwingen na. Hij moest er bijna om lachen van pure wanhoop. Hilary leed. Het is precies hetzelfde als een bikini op het strand, mam, zei het meisje kalm, en stapte uit haar jeans. Als ik me dan toch moet verkleden. Maar dat was niet waar. Het witte katoen van haar ondergoed was vochtig. Haar tepels en haar waren donkerder. Max bleef braaf naar de bal kijken. Minnie was nog steeds niet teruggekomen. Tegen alle gewoonte in was Hilary totaal de kluts kwijt, merkte Daniel. Waar ging dit telefoontje over? Hoeveel jaar had hij dat meisje al niet meer gesproken? Hoe gevaarlijk was het? Hilary had de natte kleren opgeraapt. Sarahs lijf was pezig en gespierd. Weer hoorde Daniel een geschreeuw door de telefoon, gevolgd door Toms klote-Borussia, dat is toch niet waar zeker! Ik begrijp je niet, lachte Sarah. Ze schudde haar hoofd.

Toen schrok zijn andere oor ineens op door een gesnik. Minnie moest de andere telefoon met een kreet hebben opgepakt. O alsjeblieft, begon de stem, Daniel! Daniel! Toen, juist op het moment dat Hilary gedwongen was naar de slaapkamer te gaan om zelf droge kleren te halen, werd de verbinding verbroken. De stem van het meisje was verdwenen. Daniel vermande zich. Luider en hoogdravender dan nodig was, zei hij in de hoorn: Als het alleen maar de taakverdeling betreft in de tussentijd, wil ik best behulpzaam zijn. Zodra hij de telefoon had neergelegd vroeg hij zijn dochter wat haar in hemelsnaam bezielde. Hoe haalde ze het in haar hoofd om bij de voordeur te staan strippen! Maar zijn ogen zochten al naar zijn whiskyglas.

2

De secretaresse meldde dat er geen telefoontjes of berichten voor hem waren toen hij op de rechtbank aankwam. Daniel had slecht geslapen. Het was stom om zoveel te drinken. Hij krabde aan een vlek op zijn toga. En om die arme jongen verplicht mee te laten drinken. Arme Max. Maar Hilary leek zijn plotselinge zin om een feestje te bouwen, zijn radicale partystemming, niet verdacht te vinden. Als er wijn in de koelkast ligt, voor de dag ermee, had hij gezegd. Ik heb een belangrijke verklaring af te leggen, verkondigde hij. Hij knipoogde naar Sarah. Ik heb een belangrijke mededeling te doen, zei de aanklager zodra de zitting werd geopend. Daniel was tien minuten te laat. De jury was nauwelijks binnengekomen of ze werd weer naar buiten gestuurd. Door een hoog raam waren kale takken te zien die glommen van de regen. Ik heb een vleugel gekocht voor in het nieuwe huis, zei hij. Sarah had de leuke kleren geweigerd die haar moeder had gehaald en was op haar kamer de slonzigste spullen gaan aantrekken die ze kon vinden. Waarom? Voor ons twintigjarig huwelijk, zei hij. Een Steinway. Ja, precies dezelfde als waar Hilary altijd achter ging zitten bij Blumenthal als ze een piano moest uitkiezen voor vrienden. En die die vrienden vervolgens nooit kochten. Maar híj wel. Hij had al een voorschot gegeven. En nu al, dacht Daniel toen Tom en Max in hun handen klapten en Hilary naar adem hapte en hem om zijn nek viel, nu al deed het instrument zijn werk, en verdreef zijn muziek het onaangename van Sarahs provocerende gedrag en van dat rare en verontrustende telefoontje. Zijn vrouw sloeg haar armen om hem heen. Het was een goede investering geweest. Ze lachte en huilde. Wat zijn die Engelsen toch dilettanten, had Hilary geklaagd bij het verlaten van Blumenthal, altijd het goedkoopste nemen, een Yamaha, of Oost-Europees spul. Hoe was het toch mogelijk, vroeg Daniel zich af met zijn zeer Engelse vrouw in zijn armen, dat ze altijd over de Engelsen sprak alsof ze zelf Duits was en zij Spaans of Grieks. Mag ik roken, had Max gevraagd in de algehele feestvreugde. Zijn beleefdheid was ontroerend. Natuurlijk Max, zei Hilary, die een hekel had aan rook.

Edelachtbare, zei de oudste van de twee advocaten tegen rechter Savage, edelachtbare, de politie heeft ons zojuist verteld dat de gestolen goederen in kwestie, die, zoals u zich zult herinneren vlak na het misdrijf werden gevonden, eh, gisteravond wéér zijn gestolen. Op precies dezelfde manier en op dezelfde plek, voegde de advocaat van de tegenpartij er met een zweem van een glimlach aan toe. Het verschil in leeftijd, stand en karakter buiten beschouwing gelaten, vervulden beide advocaten hun rol voorbeeldig, dacht Daniel. De aanklager kuchte. Omdat de goederen in kwestie, te weten computeronderdelen ter waarde van meer dan dertigduizend pond, essentieel waren voor het functioneren van het bedrijf dat er eigenaar van was, hebben we toegestaan dat voornoemde goederen weer in gebruik genomen mochten worden op voorwaarde dat sommige voorwerpen als bewijsstuk beschikbaar zouden worden gesteld indien gewenst. Dat is nu helaas niet meer mogelijk. De glimlach van de verdediging werd breder. Het intelligente jongmens leek bijzonder met zichzelf ingenomen. Waarom? vroeg Daniel zich af. Die toestand met dat jasje woog toch al zwaar genoeg? De aanklager had met geen woord gerept over eventuele seponering van de zaak. En de herhaling van het misdrijf sloot niet uit dat de verdachte aan de eerste diefstal had meegedaan. Kunt u een aspirientje voor me halen? vroeg hij aan de deurwachter.

Toen de verdachte ten slotte werd binnengeleid bleek hij zwart te zijn. Was dat misschien de reden, vroeg Daniel zich af, waarom de zaak aan hem was toegewezen? 's Mans accent zou dus eerder West-Indisch zijn, en helemaal geen cockney. Toen hij de rechtszaal rondkeek zag hij dat hij en de man in de beklaagdenbank in feite de enige twee niet-blanken waren. Waarom had Minnie hem gebeld, Minnie nota bene, na bijna zeven jaar? De enige niet-blanke rechter in dit arrondissement. Een bijzondere gunst, zei ze. Wat voor gunst? Daniel verzocht de verdachte de rechtszitting niet steeds te onderbreken door voortdurend binnensmonds te mompelen. Ze had sindsdien ongetwijfeld andere relaties gehad. De man zat voorovergebogen op zijn stoel, had een stierennek en was op een ruwe manier knap. Waarom hém bellen? U krijgt de gelegenheid om een verklaring af te leggen, meneer Conway, alles op z'n tijd. Meneer Cunningham? Hij verzocht de aanklager zijn verhaal te doen. Een rechter hoorde ieders naam paraat te hebben, had Daniel langgeleden besloten, hoewel hij zich plotseling realiseerde dat hij vandaag helemaal geen tijd had gehad om zijn gedachten op een rijtje te zetten. Zijn slaap was een huiveringwekkend melodrama geweest waarvan hij zich alleen het ruwe ontwaken herinnerde toen hij de ochtend in geworpen werd als uitgespuwd door een ziedende zee.

Wat een gelul, onderbrak Conway weer. Wat een zielige vertoning! Hij verhief zijn stem. Weer waarschuwde Daniel hem dat hij uit de rechtszaal verwijderd zou worden en bij verstek veroordeeld als hij zich niet aan de meest elementaire regels wist te houden. Ik kan u laten verwijderen, meneer Conway, totdat mijn hooggeleerde collega u een aantal vragen wil stellen. Terwijl hij hem met zachte maar ferme stem toesprak, moest het contrast tussen zijn eigen gematigde Oxbridge-accent en het platte Jamaicaans wel duidelijk illustreren hoe slim degenen waren die hem hadden aangesteld. Zijn goede vriend Martin Shields had het zo gezegd: Ze hebben de enige van ons gekozen die echt een van ons ís, maar met schoensmeer op zijn gezicht.

Dat was tijdens het feestje op kantoor. Chromosomatisch! grapte Martin. Ze hadden veel gedronken. Martins vrouw Christine had geprobeerd hem het zwijgen op te leggen, maar Daniel zei dat hij het niet erg vond. Ze waren oude vrienden, hij en Mart. Hij was het er juist mee eens. Natuurlijk ging het om politieke correctheid. Hij was gekozen om een gênante onevenwichtige situatie te herstellen. Ik mag dan een kleurtje op mijn wangen hebben, maar ik ben tenminste wel een viriele heteroseksueel, lachte hij. Hij bulderde van het lachen. Het was per slot van rekening zíjn feestje. Hilary had er geen aanstoot aan genomen. Ze dansten samen. Martin was wéér gepasseerd. Er is geen plaats voor ons allemaal, stelde hij. Niet nu de anderen ook allemaal moeten meedoen. Hij bedoelde de zwarten, de Indiërs, de vrouwen. Het was de derde keer dat ze Martin Shields voor een gesprek hadden uitgenodigd, en de derde keer dat ze hem zelfs geen baan als griffier hadden aangeboden. Nu kon hij het wel vergeten. Maar de onevenwichtigheid wás echt gênant: geen enkele niet-blanke rechter in dit arrondissement. Het heeft geen zin om bitter te zijn, zei Martin. Hij was Engelse zwammen gaan verzamelen. Hij begon over zwammen te praten. En nachtvlinders. Engelse nachtvlinders.

Toen de aanklager de zaak voor de jury uiteenzette, bracht hij de kwestie naar voren van de herhaling van de diefstal de vorige avond. Een saai maar geheel overtuigend betoog: de diefstal van dezelfde goederen, volgens dezelfde werkwijze, was op de avond voor dit proces gepleegd met de bedoeling de positie van de aanklager te verzwakken en aldus vrijspraak te verkrijgen. Edelachtbare! De jonge Harper sprong meteen overeind. Dit is je reinste speculatie!

Daniel wees het bezwaar toe, zoals Cunningham ongetwijfeld had voorzien. Toen de rechter de jury bekeek, deprimeerde het hem te zien hoe vaak er twaalf mensen bijeengebracht konden worden zonder dat er ook maar eentje verleidelijk genoeg was om het een inmiddels trouwe echtgenoot moeilijk te maken op zijn werk. De enige knappe kandidaat was afgevallen tijdens de juryselectie. Hoe weet ik nu, had Hilary gevraagd op het hoogtepunt van hun crisis, of je niet gewoon steeds meer op die ellendige vader van je gaat lijken! Wie dat ook was, voegde ze er gemeen aan toe. Je weet heel goed wie mijn vader was, protesteerde Daniel. Hij bedoelde uiteraard de onlangs overleden kolonel Henry Savage die zoveel geld had uitgegeven om zijn beide zoons naar Rugby te sturen. Kolonel Savage zei altijd: mijn beide zonen. Je bent het kind van de mensen die je hebben opgevoed. Zeker net zoveel als broer Frank. De jury gniffelde bij het horen van het verhaal van het jasje. De verdediging, zag Daniel, zag er een stuk zelfgenoegzamer uit dan zou moeten. Maar dat was misschien theater. Je moest een jury weten te overtuigen, net als je vrouw, je kinderen.

Geven we niet te veel geld uit?

Rond lunchtijd hadden de rechter en zijn vrouw afgesproken bij het nieuwe huis om het een en ander op te meten. Hilary zag er zowel bezorgd als opgetogen uit. Dit soort bezoekjes waren al een aangename gewoonte geworden. Ze slenterden door de kamers, klommen via een ijzeren ladder naar boven. Ik wou dat we er drie hadden, zei ze. Hier zou een oud meubelstuk uit de flat kunnen staan, daar zou iets anders gekocht moeten worden. Vanaf haar plaats achter de piano – ze had de vorm uitgetekend op de kale grond – zou ze opzij kunnen kijken naar een vuur dat brandde in een nieuwe gietijzeren haard, gevat in een fraaie stenen schoorsteenmantel in Regencystijl. Kijk maar – ze gaf hem de brochure. Hoe was het mogelijk dat ze geen ruzie meer maakten, vroeg Daniel zich af, terwijl hij de bladzijden omsloeg. Die grijze steen? vroeg hij. Drie kinderen zouden hier gelukkig zijn geweest, zei ze. De crisis die ze achter de rug hadden, leek zijn tevredenheid niet helemaal te verklaren, meende hij, deze afwezigheid van spanning. Of dat marmer?

In de brochure staarden glimlachende gezichten in de vlammen. Jonge gezichten. Verbranding en warmteverdeling (er stonden grafieken en tabellen bij) waren het beste wat de moderne technologie te bieden had. Denk je dat Sarah weer zal gaan spelen, vroeg hij, als we eenmaal een nieuwe piano hebben? Tot dusver weigerde hun dochter nog steeds om zelfs maar naar het huis te komen kijken. Hilary lachte. Ze staken hun neuzen naar buiten in de regen. Dat was een vreselijke vertoning die ze heeft weggegeven voor Max gisteravond. Voor Max? Daar stond Daniel van te kijken. Ze speelde vroeger zo goed, zei hij weemoedig. Een beetje te mechanisch, zei Hilary. Zouden ze de voortuin in terrassen moeten aanleggen, daar waar het nogal steil afliep? Dat religieuze gedoe is volgens mij alleen maar om te provoceren, zei ze.

Toen riep Hilary uit: O, mijn hemel, helemaal vergeten; Christine heeft vandaag gebeld om te zeggen dat ze misschien geïnteresseerd zijn in de flat. Ze was in feite heel enthousiast. Wat, Christine van Martin? De Shields? Sorry, ik had het meteen moeten zeggen. Waar zat ik met mijn gedachten? Plotseling draaide zijn vrouw zich om en omhelsde hem onder hun paraplu op een modderige vloer. Zodra de deuren erin zitten nemen we een tapijt mee en vrijen we, oké? Oké, zei Daniel, hoewel dat volgens hem meer iets was wat je met een maîtresse deed dan met de vrouw met wie je al twintig jaar getrouwd was. Maar hij voelde zich heel gelukkig, uitkijkend over de heuvels in de regen. Een paar arbeiders stonden naar hen te kijken vanuit een van de andere huizen. Heel gelukkig, zei hij tegen zichzelf. De piano was een uitstekende zet geweest. Het was waar dat Sarah een tikje te mechanisch gespeeld had. En het zou te mooi zijn om waar te zijn als ze de flat in Carlton Street meteen konden verkopen aan oude vrienden. Toch had hij tegelijkertijd – of eigenlijk maakte dit op een of andere manier deel uit van dat geluk – de vluchtige indruk dat zijn leven al voorbij was, opgebrand. Nu waren het Tom en Sarah die de vonk in hun ogen hadden. Hun vader van middelbare leeftijd zou alleen maar wat relaxen op het gazon of op het tapijt voor de haard, luisterend naar de ingestudeerde stukken van Bach en Mozart.

Op welk tijdstip is bewijsstuk een gevonden? vroeg de verdediging. De jury had het stukje leer van het jack te zien gekregen. De ochtend na het misdrijf, zei de politieagent. Ik vroeg op welk tijdstip precies. De politieman bekeek zijn aantekeningen. Om halfelf. En het bewijsstuk is uiteraard meteen meegenomen naar het bureau? Ja. Dat was dus op 12 februari? Ja. En wanneer is er huiszoeking gedaan bij de verdachte? De volgende ochtend. 13 februari? Ja, we dachten... Hoe laat, brigadier? Vroeg. Halfzes. En jullie hebben het jack meteen gevonden? Het hing in het halletje bij de voordeur. En er was een stukje uit? Ja. En u bent er ongetwijfeld meteen mee naar het bureau gereden om het te vergelijken met bewijsstuk een? Inderdaad. En u hebt meneer Conway voor alle veiligheid maar meegenomen? We dachten dat...

Wat was dit saai! Daniel hield een oog op de klok. Er was toch niets dat de verdachte zou kunnen redden. Het bewijsmateriaal was overweldigend. De verdediging was gewoon tijd aan het rekken. En een niet-blanke rechter, hoe chic z'n accent ook mocht zijn, dacht Daniel, maakte het voor een geheel blanke jury alleen maar gemakkelijker om tot een veroordeling te komen. Hij had Minnie gezegd dat hij op zijn kamer zou zitten aan het eind van de middag en het was al kwart over vier. Dat knappe jurylid dat uitgeloot was, was Aziatisch. Zou ze komen? Wilde hij dat? Ja, maar alleen om haar probleem – wat het ook was – uit de wereld te helpen. Geen zin om het nog eens over te doen. Integendeel, hij was er nog nooit zo op uit geweest om naar huis te gaan na het werk, om op veilig te spelen. Over een paar minuten zou hij de verdediging verzoeken terzake te komen.

Hoe laat zou bewijsstuk twee dan in het logboek zijn ingeschreven op het bureau? Daniel schraapte zijn keel: Wil de verdediging nu, eh, terzake komen? Er werd wat ironisch geglimlacht. De politieman vertelde duidelijk de waarheid. De jury zat zich te vervelen. De verdachte, die voortdurend binnensmonds zat te mompelen, leek het onvermijdelijke te hebben geaccepteerd. Hij zag eruit als een man die alleen maar uit de gevangenis was gelaten om hem te laten zien hoe snel hij weer achter de tralies zou zitten. Zijn alibi was zo zwak dat de verdediging niet eens getuigen had opgeroepen – allemaal familieleden – om het te staven. We zouden graag vernemen waarheen uw vragen leiden, meneer Harper.

Natuurlijk, edelachtbare!

Pas op dat moment, toen de jongeman zich nogal dramatisch naar de rechterstafel wendde om uitleg te verschaffen, begreep Daniel dat het een valstrik was. Wat stom van hem! Na zoveel jaar. De verdediger, een jonge en vurige man bij wie de ambitie uit zijn ogen straalde en van zijn glimmende lippen droop, had erom gesmeekt geïnterrumpeerd te worden. Erom gesmeekt. Hij had de zaak zo gerekt óm geïnterrumpeerd te worden. De interruptie beklemtoont de verrassing – dat weet elke advocaat – net zoals een geluid harder klinkt als je ervan wakker schrikt, als het je uit je slaap rukt. Een telefoontje of zo. Daniel had de jury wakker gemaakt met zijn verzoek, had hun aandacht optimaal gewekt voor wat de verdediging nu ging zeggen. Edelachtbare – de knaap droeg zelfs zijn toga met zwier – edelachtbare, ik wil alleen maar aantonen dat de aankomst van het fragment van het leren jack, bewijsstuk een, pas in het logboek is ingeschreven nádat de politie het jack zelf, bewijsstuk twee, in beslag heeft genomen, daar bewijsstuk een om tien uur op 13 februari is ingeschreven, bijna vierentwintig uur na de inbeslagname en bewijsstuk twee weer ruim vierentwintig uur later, om halfeen van de veertiende februari. Feit is dat de politie het jasje al in bezit had vóór het stukje leder is ingeschreven. Deze discrepantie met betrekking tot het enige – hum – bewijs dat de aanklager te bieden heeft, sluit bijzonder goed aan bij de nadrukkelijke bewering van de verdachte dat de feiten gemanipuleerd zijn om zijn veroordeling te bewerkstelligen.

Daniel keek naar de aanklager. De man had even zijn ogen gesloten. Hij hief een hand naar zijn voorhoofd en schudde langzaam zijn hoofd, vroeg vervolgens: Edelachtbare, gezien deze ontwikkeling, vraag ik me af of u me een kwartier uitstel wilt toestaan voor overleg? Daniel stond het toe, hoewel hij heel goed wist dat de man bij zijn terugkeer zou zeggen dat hij de zaak wilde seponeren. Zodat het uiteindelijk maar een halfuur zou duren voor de verdachte, verbijsterder dan ooit, zou horen hoe de rechter de jury om vrijspraak vroeg, en vervolgens nog maar een paar minuten voor de man vrijgelaten zou worden, hoewel rechter, aanklager noch verdediging er echt aan twijfelde dat hij bij het misdrijf betrokken was geweest. Soms gaat het erom tot welk oordeel de jury komt, en soms wordt hun elke gelegenheid ontzegd om tot een oordeel te komen. Wanneer alles geregeld lijkt, kan alles nog teruggedraaid worden. Wat je eerst nog als bewijs zag, is ineens niet meer relevant. Het is niet op de juiste wijze ingeschreven. Zou nooit standhouden in hoger beroep. Hoe kon de politie zo'n blunder begaan? Het was een slimme zet van de jonge Harper dat hij zoiets gezien had. Beide oudere mannen complimenteerden hem, en toen Daniel zich naar zijn kamer spoedde was hij zich wederom bewust, zonder het echt te moeten uitspreken tegenover zichzelf, van de kloof tussen de realiteit en het theater van de rechtbank. Hij schudde zijn hoofd. De CPS* zou woedend zijn. Zoveel van het leven kwam voor de rechtbank en zoveel ontsnapte weer, verdween, of dook op in een vreemde vorm: een hoeveelheid geld die betaald moest worden, of jaren celstraf die uitgezeten moesten worden als je nog eens gepakt werd. Het is niet zozeer arbitrair, zei Daniel tegen zichzelf, als wel losgekoppeld, als in een ander vliegtuig. In elk geval is de echte schade voor een veroordeelde niet, of niet noodzakelijk, de straf zelf, maar de manier waarop die veroordeling iedereen om je heen conditioneert, die jury met wie je je leven dag in dag uit moet delen. Het zou voor Daniel bijvoorbeeld een stuk minder schadelijk zijn een maand te moeten zitten wegens rijden onder invloed, dan als het algemeen bekend zou worden hoe hij Minnie ontmoet en verleid had.

Hij zat te wachten op haar telefoontje. Of misschien kwam ze wel naar de rechtbank. Om zes uur belde hij naar huis en zei dat hij nog een uurtje zou blijven om wat dossiers voor morgen door te nemen. Martin en Christine zijn hier, zei Hilary ademloos. Ze willen een aanbetaling doen. Nu al! Op de vraagprijs? Ja, zei zijn vrouw. Zonder te onderhandelen? Precies. Ik kan het niet geloven. Sarah is weer

* de CPS: Crown Prosecution Service; vergelijkbaar met Openbaar Ministerie. (Noot van de vert.)

onuitstaanbaar geweest, klaagde zijn vrouw. Is met slaande deuren vertrokken omdat ik iets over haar uiterlijk heb gezegd. Zeg maar, zei Daniel, dat we zo snel mogelijk een contract laten opstellen. Op de achtergrond hoorde hij Toms onstuimige gehamer op de piano. 'Get back Joe!' We hebben vast te weinig gevraagd, lachte hij. Toen hij de telefoon neerlegde stond hij versteld van deze buitengewone meevaller. Al die zorgen die hij had voorzien, de problemen met het afbetalen van het nieuwe huis terwijl ze nog zaten te wachten wanneer en voor hoeveel ze hun oude huis zouden verkopen, voorbij. Verkocht, klaar!

Iemand heeft een bod op de flat uitgebracht, zei hij tegen de vertrekkende secretaresse. O, fantastisch, zei ze. Gefeliciteerd. Haar stem was oprecht. Wat een schat, dacht hij. Minnie was ook een schat geweest. Hij glimlachte in zichzelf en nam een aantal dossiers door.

Een sociaal werker vroeg clementie voor een man die de pols van zijn zoon had gebroken. De moeder had het gezin in de steek gelaten. Een ouder kind, een van de vier, beweerde dat zo'n uitbarsting van geweld nog nooit was voorgekomen, en het gevolg was van spanning en zorgen. Daniel begreep de aandrang tot geweld. Hij had zijn eigen kinderen ook een paar keer te hard geslagen. Voorafgaande aan het incident had het slachtoffer (zes jaar oud) expres heel het keukenservies kapotgeslagen. Zo was het gegaan. Met een hamer! Maar Daniel had nooit op het punt gestaan om Tom bij zijn hand te pakken en zijn pols te breken. Hij hoopte dat ze gelukkig zouden zijn in het nieuwe huis. Ook Hilary kon soms gewelddadig zijn. Ze had een mes naar hem gegooid toen ze het te weten was gekomen van Jane. Hoe was ze het te weten gekomen? Een groentemes. Iemand moet haar iets ingefluisterd hebben. Het heft had hem boven zijn oor geraakt. Hoe zou ze het anders kunnen weten? Ze wilde het niet zeggen. En ze had zichzelf ook geweld aangedaan. Haar vingers bloedden rond de nagels; ze had zichzelf diepe krabben toegebracht in het vel boven haar knieën. Hij had haar hysterie gerespecteerd. Hij was onder de indruk. Hij had gesteld dat het jaren geleden was dat ze nog gelukkig waren geweest samen, had zijn koffers gepakt en was vertrokken. Hij was naar het Cambridge Hotel gegaan. Maar de veroordeelde man had een kinderarm gepakt en hem op de tafelrand gebroken. Hij had gedronken. Hoorde je zoiets knappen? Ten minste vijftig procent van de mensen die ik heb verdedigd of aangeklaagd had gedronken op het moment van het vermeende misdrijf. Dit was iets wat hij vaak zei in een gesprek. Als Daniel niet clement was, zou hij de jongen zijn vader afnemen. Daar maakte de sociaal werker zich bezorgd over. En zijn thuis. Dat was waar. In dit soort gevallen waren er ruime discretionaire bevoegdheden. Anderzijds was wat de moeder had gedaan, haar gezin in de steek laten, zelfs niet onwettig. Ze was niet in staat, had ze verklaard, voor haar kinderen te zorgen in haar huidige situatie. Zoals het ook niet onwettig was geweest toen Daniel zijn intrek in het Cambridge Hotel had genomen. De sociaal werker deelde haar mening. Absoluut niet in staat. Maar lelijk, had Hilary gezegd. Lelijk. De moeder was alcoholiste. De vader deed zijn best. Hij dronk alleen maar af en toe. Anderzijds, hoe clement was clement? En kon je van een kind van zes jaar verwachten dat het de vragen van een sociaal werker beantwoordde voor zijn eigen bestwil?

Het was halfzeven en nog had het meisje niet gebeld. Het doet er niet toe. Het enige belangrijke was dat ze hem niet meer thuis zou bellen. Dat het verleden begraven zou blijven. Terwijl hij zijn stoel van zijn bureau afduwde, herinnerde Daniel zich weer het rare gevoel dat hij rond lunchtijd in het nieuwe huis had gehad: dat er iets onverklaarbaars was aan dit nieuwe geluk van hen. Was het echt alleen maar door de oplossing van de crisis? De drama's van een jaar eerder leken nu onmogelijk ver weg. Hij wist zeker dat hij het product was van al die gebeurtenissen, maar vaak was het alsof ze iemand anders waren overkomen; niet hem en zijn vrouw, muzieklerares en rechter, maar iemand anders, deze man bijvoorbeeld, deze automonteur, die zijn zoon wel meteen naar het ziekenhuis had gebracht, maar weigerde zijn verantwoordelijkheid toe te geven tegenover de artsen en pas had bekend toen hij verhoord werd door de politie. Zelfs na die bekentenis had de jongen nog gezworen dat de breuk het gevolg was van een val uit het keukenraam. De alcoholistische echtgenote bevestigde dat haar echtgenoot haar drie of vier keer geslagen had, maar nooit ernstig. Ze kon onmogelijk voor haar kinderen zorgen. Wat betekende dat, nooit ernstig? De vader had nooit gedacht, schreef de sociaal werker in zijn rapport, dat hij in zijn eentje voor de kinderen zou moeten zorgen. Hij zou baat hebben bij een periode van reclassering. Mijn vader, had Minnie gezegd toen ze hem vertelde dat ze naar een ander toestel zou overschakelen. Mijn vader.

Daniel legde het dossier neer. Het was raar, bedacht hij, dat wat hem het meest zou hebben moeten kwetsen en wat zijn besluit om haar te verlaten nog vaster had moeten maken, hem juist met een nieuwe blik naar Hilary had doen kijken waardoor hij een vergeten tederheid opnieuw had ontdekt. Hij herinnerde zich dat hij diezelfde tederheid ooit in Toms ogen had gezien toen hij, Daniel, in zijn woede over een of ander spel dat ze speelden, op hun slaapkamerdeur had geslagen en zijn vuist het dunne triplex had versplinterd. Toms ogen waren vol trieste liefde geweest, vol bewondering, vol nieuwe waardering. Maar het was niet het voorval met het mes dat hem weer naar Hilary had gebracht. Het was toen ze het hele verhaal over haar ex, over Robert, boven had gehaald. Ze had dat oude verhaal weer bovengehaald om hem te tarten, om hun huwelijk voorgoed kapot te maken. Ze stonden in de foyer van het Cambridge Hotel. Ze had alleen maar van Robert gehouden, zei ze. Bijna spottend. Híj was de enige liefde van mijn leven. Ze was blij dat hun huwelijk voorbij was, riep ze. De enige! Blij! Het was een lachertje, zei ze. Nadat Robert zelfmoord had gepleegd, kon het haar allemaal niet meer schelen. Dat is de waarheid, als je het wilt weten. Daar zou ze nooit meer overheen komen, zei ze. Ik ben uitsluitend met jou getrouwd vanuit een emotionele reactie, zei ze koud, keurig, in de foyer van het hotel. Ze beklemtoonde het woord uitsluitend. Hilary kan een behoorlijk staaltje keurigheid ten beste geven, wist Daniel. Daarna had hij uren, dagen, verdoofd voor de televisie gehangen, wachtend tot er iets zou gebeuren, iets dat vanuit hemzelf moest komen, een besluit. Martin had voor hem gezorgd. 's Avonds gingen ze samen snooker spelen. Je moet voor mama zorgen, zei hij op een avond tegen zijn dochter Sarah bij het schoolhek. Hij en Hilary waren het erover eens dat de kinderen het niet hoefden te weten van Jane. Ik heb nooit iets om je gegeven, vertelde Hilary hem resoluut in de foyer van het hotel, noch om iemand anders behalve Robert. Ik ben meer met je getrouwd om mijn ouders te pesten, zei ze, dan om wat anders. Om mezelf te pesten. Ze probeerde hem in zijn gezicht uit te lachen. Ik wist dat je nooit de man kon zijn die Robert was. Je kunt je niet eens voorstellen hoe gevoelig hij was, zei ze. Hij was geniaal. Je kunt het je niet eens voorstellen. Ze barstte in snikken uit. Het enige wat jij te bieden had, was dat je niet blank was. Zelfs als ze huilde was ze keurig. Je hebt geen idee wat een doodsteek dat was voor papa.

Terwijl hij wachtte op Minnie, en het dossier doornam over de familieomstandigheden van een automonteur die had bekend de pols van zijn zoon te hebben gebroken – zowel spaakbeen als ellepijp – dacht Daniel na over die cruciale confrontatie in de foyer van het Cambridge Hotel. Die had plaatsgevonden te midden van het heen-en-weergeloop van andere gasten die deden alsof ze niet luisterden, zoals dat hoorde. Ze was van plan geweest een opwindend leven te leiden, ging Hilary door, woorden spuwend, met een musicus, een rebel, iemand met echte uitstraling, een echte man. Maar toen Robert zelfmoord pleegde, had ze alle hoop verloren. Ze zou nooit begrijpen waarom hij het had gedaan. Waarom hadden ze het er nooit over gehad? Liefde had hem niet geholpen. Mijn liefde had niet geholpen. Wij hebben nooit over iets belangrijks gesproken, schreeuwde ze. Liefde is zinloos. Toen ze zijn lichaam in de garage zag, wist ze dat ze nooit meer zou liefhebben. Ik wist dat ik nooit meer van iemand zou houden. Toen was ze op hem teruggevallen, op Daniel, en op het saaie conventionele bestaan dat hij haar had geboden. Jij was gewoon een reserve, schreeuwde ze. Begrijp je dat? Ik zal nooit meer van iemand houden. Het leven dat jij me hebt gegeven was je reinste saaiheid. Een zielige reserve! Ze siste de woorden. Hoe kan iemand huilen en toch keurig blijven? Gewelddadig keurig, dacht hij. Je doet je uiterste best om zo conventioneel mogelijk te zijn, ging ze door, en er klonk minachting in haar stem, omdat je denkt dat het de enige manier is waarop een zwarte kan slagen. Ik ben niet echt zwart, bracht hij haar in herinnering. Waarom zei hij dat steeds? Nou, je bent in elk geval niet wit! riep ze. In de foyer van het hotel. Ze spuugde het haast uit, alsof hun huwelijk iets walgelijks was. Ik heb nooit van je gehouden, schreeuwde ze. Ze kon haar huwelijk uitkotsen. Ik walg van ons huwelijk en ik kots het uit. Dat zei ze.

Ze stonden elkaar aan te kijken. En ineens – hij herinnerde zich het moment nog precies, het plotselinge opborrelen van onverwachte emotie – ineens voelde Daniel een grote tederheid voor haar. Omdat ze dat gezegd had. Hij wist dat het niet waar was. Maar wat droevig dat zelfs het verháál van ons huwelijk zo kapotgemaakt moet worden. Hilary moet ons huwelijk kapotmaken om wat ik haar aandoe, omdat ik haar verlaat. Wat je doet is lelijk, had ze gezegd. Toch had hij Jane nu al weken niet gezien. Hij had Jane niet meer gezien sinds hij thuis was weggegaan. Waarom niet? Dat is onzin, zei hij en nam zijn vrouw in zijn armen. Daar in de foyer van het Cambridge Hotel. Hij stak zijn armen uit naar zijn vrouw. We hebben het fantastisch gehad, zei hij, we hebben Sarah en Tom toch verdorie. Om een of andere reden begreep hij niet dat hij Jane echt niet wilde zien. Hij bleef maar smoezen verzinnen. Ze stonden in elkaars armen, bij de draaideuren. Mensen deden alsof ze niets zagen. Ze hield zich stijf, ze huilde. Het was de eerste omhelzing in weken. Dat wéét je, zei hij. Dat kun je niet veranderen, Hilary. En hoewel het verblijf in het hotel nog bijna een maand zou duren, was hun huwelijk vanaf dat moment weer op gang gekomen, vanaf die omhelzing in de foyer bij de draaideuren, met zijn armen stevig om haar rigide, weerspannige lijf. Al het andere viel weg. Jane viel weg. Alsof het voornaamste bewijs verkeerd was ingeschreven, dacht Daniel. De politie had geblunderd. De zaak moest geseponeerd worden. Natuurlijk wíst iedereen het van Jane, zoals iedereen het wist van Robert en zijn zelfmoord, haar verloren eerste liefde, haar muzikale passie, maar daar zou in de rechtszaal niets van overeind blijven. Er is een fout gemaakt, edelachtbare, een vergissing. In de rechtszaal, voor een jury van gelijken, verschenen Sarah en Tom, en alle leuke momenten die ze met elkaar hadden meegemaakt, degelijk vastgelegd in het familiealbum. Er glom al een toekomstig haardvuur in de ogen van de kinderen. En als ze niet wilde zeggen wat ze nu precies wist over Jane en van wie ze dat wist, dan kon dat toch nooit gewicht in de schaal leggen? Hij had het grootste deel ontkend – allemaal van horen zeggen, edelachtbare – en had met geen woord gerept over de andere avontuurtjes. Waarom zou hij? Een jury krijgt geen informatie over het strafblad van de verdachte. En hij hád ook echt geen belangstelling meer. Raar was dat. Je kunt de geschiedenis niet herschrijven, mompelde hij in haar oor, in de foyer. Ik dacht dat jij dat probeerde te doen, zei ze.

Het was dus precies door de beslissing uit elkaar te gaan, uitgeput na jarenlange strijd, dat ze eindelijk hadden ingezien – zonder zichzelf helemaal bloot te geven tegenover de ander – dat hun lotsbestemmingen onlosmakelijk verbonden waren; dit waren de rollen die ze zouden spelen, zo zeker als een rechter een pruik draagt in de rechtszaal. Dat kon je maar beter accepteren. Nee, ze moesten het vieren! Ze moesten dat prachtige bruine kleurtje vieren waar hun kinderen mee pronkten. Hmm, ik hou van sterk gebrande koffie, lachte Hilary als ze Daniel kuste bij zijn thuiskomst – dat kleurtje dat alleen van hen samen kon komen. Hilary hield van zijn huid, de conventionele Engelse man, zei ze, in het mysterieuze buitenlandse lichaam: Daniel Savage!

Toch kon niets van dit alles hun huidige geluk verklaren. Er was iets waar hij niet precies de vinger op kon leggen. Juist op het moment dat rechter Savage opstond om zijn kamer te verlaten, ging de telefoon. Christine zei: Hilary wilde je niet storen, m'n beste Dan, maar ik wel. Ze had een aangenaam zwoele stem. Kom een glas champagne drinken voor we weer weg moeten. Ik bedoel, het is zo'n belangrijke dag. We kopen de flat. Toen voegde ze er zachtjes aan toe, profiterend van wat als Chopin klonk op de achtergrond: Je weet dat Mart altijd opmontert als jij erbij bent, Dan. Ik word er wanhopig van. Ik stond net op het punt te vertrekken, lachte hij. Kennelijk, dacht Daniel toen hij de telefoon neerlegde, zat zijn vriend Martin weer eens in een depressie, ondanks die koop van hun flat.

Maar weer riep de telefoon hem terug. Hij had de deur al op slot gedraaid en moest hem nu weer opendoen. Daniel? vroeg Minnie. Kunnen we in de stad afspreken? Nu? Met iets als een giechel in haar stem noemde ze een straathoek van een winkelcentrum. Hij begon te zeggen dat het nog even zou moeten wachten, toen ze zei, alsjeblieft. Je zult wel begrijpen waarom. Ik ben wanhopig. Kan nu niets zeggen. En daarna had ze opgehangen.

Het zou maar drie minuten kosten om naar huis te rijden. Daniel stond op de hoek van Salisbury en Drummond. Er was geen vergissing mogelijk. Minnie was hier geboren en getogen. Maar hoe lang bleef je wachten? Hij was het meisje niets verschuldigd, maar voelde zich toch betrokken. Christine was wanhopig met een depressieve Martin. Minnie was wanhopig om redenen die hij niet kon bevroeden. Minnie was gevaarlijk. Hij stond in het portiek van Hill's en stapte van tijd tot tijd naar buiten. Het was druk in de stad in het vuile neonlicht van een regenachtige avond. Om zich in te dekken, liep hij haastig honderd meter verder naar een slijterij en kocht een fles champagne. Toen hij Kingscote Ave passeerde, realiseerde hij zich dat zijn dochter hem zou kunnen zien, die hier naar de kerk ging. Ze noemde het De Kerk. Of soms De Gemeenschap. Sarah was met slaande deuren vertrokken, zei Hilary. Tenzij dit De Kerk was en De Gemeenschap iets en ergens anders was. Toen hij zijn gezicht afwendde bij het oversteken bracht dat allerlei herinneringen boven. De smoezen van al die waanzinnige jaren. Wat was het opwindend geweest! Mijn dubbelleven. En wat dom en gevaarlijk. Een meisje van de jury neuken! Tijdens het proces, verdorie! Een belangrijk proces. Daniel lachte. Een Koreaans meisje. Maar het was ook beschamend. Echt beschamend. Wat zou ik gedaan hebben, had Daniel zich vaak afgevraagd, als ik erachter was gekomen dat mijn opponent met iemand van de jury de koffer indook terwijl ik de verdediging voerde? Het was je roeping verraden. Hij schaamde zich echt. Ik zou geen woord meer tegen hem zeggen. Niet dat het iets aan het vonnis had veranderd. En hij had de opwinding destijds zo nodig gehad. Een onstilbare honger naar opwinding en gevaar. En ermee wegkomen. Hij was gek geweest. Maar nu kon hij het missen als kiespijn, zei hij tegen zichzelf. Nu je weer met zo'n smoes bezig bent, zie je dat je het kunt missen als kiespijn. Hij was veranderd, besloot hij. Bleef plotseling staan. Hij fronste zijn wenkbrauwen. Hij had behoefte aan helderheid. Had het te maken met de geïsoleerdheid die je als rechter voelde, de eenzame afzondering? Hij keek op zijn horloge. Op seksueel gebied was het meisje beslist een teleurstelling geweest. Hij herinnerde zich de helderheid waarmee hij die zeldzame aantekeningen in zijn agenda had gemaakt, op de dag dat ze het huis kochten. Ik ben mezelf geworden, had hij geschreven. Misschien was dit eerder de verklaring voor hun nieuwe geluk dan de crisis. Iets fysiologisch. De tijd van metamorfosen is voorbij. Zo had hij het gesteld. Ik ben volwassen geworden.

Er krijste een taxi op het kruispunt bij Drummond. Daniel wilde dat hij thuis was bij zijn vrouw en kinderen, het nieuwe huis vieren, de nieuwe piano, de verkoop van het oude, champagne drinken met goede vrienden. Een kleine man kwam haastig aangelopen door de regen om te schuilen in het portiek van Hill's. Een Aziaat, zag Daniel. Hij bestudeerde de goedkope bijouterie achter het ijzeren hek. Ze had geprobeerd hem uit te leggen hoe je ze uit elkaar kon houden, Koreanen, Maleisiërs, Chinezen, Japanners, Vietnamezen. De wind deed het hek ratelen. Hij was nooit verder gekomen dan het kunnen uitsluiten van Japanners. Mijn biologische ouders waren Braziliaans, had hij tegen haar gezegd. God weet wat voor mengelmoes van rassen dat is. De man draaide zich plotseling om en keek hem recht aan. In de dertig misschien. Verschrikkelijke acne. Hij herinnerde zich Minnies verhalen veel beter dan haar seksuele prestaties. Haar voortdurende gebabbel met dat leuke accent. Alsof haar neus verstopt zat. Een heel mooi meisje. Beter in dan uit de kleren. Misschien kende de man haar. De Koreaanse gemeenschap was heel hecht. Gingen daar al haar verhalen niet over? In dat geval riskeerde ze betrapt te worden als ze nu zou arriveren.

Dat zijn oude denkpatronen, overpeinsde Daniel. Inschatten van risico. Nu wilde hij thuis zijn. Toch wees het feit dat je het altijd als een risico zag, dat je nooit betrapt wilde worden, op een investering in de huidige stand van zaken, je verlangde naar opwinding, ja, maar binnen een conventioneel kader waarin alles substantieel hetzelfde bleef. Je gaat tot de rand en niet verder. Hilary had ook een opwindend leven gewild. Ik neem een groter risico dan jij, had Minnie gezegd. Meer dan eens. Ze hadden maar een keer of vier, vijf de liefde bedreven. Onmogelijk, had hij gelachen. Hij had ten onrechte gedacht dat ze zich ongerust maakte om haar vriendje, haar verloofde. Maar ze scheen de jongen te verachten. Mijn papa zou me vermoorden, herhaalde ze. Het was haar vader van wie ze doodsbang was. Je bent twintig, zei Daniel, ga het huis uit en doe wat je wilt. Gewoon doen. Het enige wat je tegenhoudt zit tussen je oren. Hij wilde het meisje helpen. Hij mocht haar wel. Och, lul toch niet, zei ze.

Hoe laat alstublieft, vroeg de Aziatische man. Hij wees op zijn pols. Bijna halfacht. Dit is belachelijk, zei Daniel tegen zichzelf, maar toen bedacht hij dat de man er misschien wel bij betrokken was. Minnie zou niet komen met hem in de buurt. Wat werd je er opwindend paranoïde van, van risico's nemen! Wat bruiste het leven! Carrière afgelopen als er iets van uitlekte. Of misschien was ze aangekomen toen hij de champagne was gaan halen en had ze gedacht dat hij er niet was. Was ze weggegaan. Een halfuur is genoeg, zei Daniel tegen zichzelf, met een koude fles in zijn handen. Misschien wachtte ze tot hij naar zijn auto zou gaan. Zou ze hem dan aanklampen. We zijn een hechte gemeenschap, zei ze, iedereen weet dat ik met Ben ga trouwen. Ze giechelde. Arme Ben, als hij me nu eens zag! Ze was naakt geweest, maar helemaal niet sexy. Eerder kinderlijk, herinnerde hij zich. Hij herinnerde zich niet veel. Ze zag het nut van Daniels vraag niet in of ze echt met die jongen wilde trouwen. Zijn ouders waren vrienden van de familie. En tijdens het proces, een verkrachtingszaak, had ze het nut niet ingezien van het lange debat over de geestelijke gezondheid van de verdachte, de kwestie van *mens rea*, het schuldige geweten. Hij heeft het gedaan, zei ze. Hij heeft dat oude mens verkracht en haar flat overhoopgehaald. Als ze dat eenmaal hebben toegegeven, zie ik niet in waarom het proces nog moet doorgaan. Als advocaat van de eisende partij vond Daniel Savage het niet zijn plicht om ertegenin te gaan.

Ze hebben het dus gedaan, zuchtte Hilary. Ze hebben het gedaan! Maar waarom? Waarom willen ze onze flat kopen? Daniel en zijn vrouw maakten zich klaar om naar bed te gaan. Ik vind het moeilijk de laatste tijd, zuchtte hij, om met Martin om te gaan. Hij is zo somber. Dat is je eigen schuld, zei ze. Hij probeert je helemaal geen schuldgevoel te geven. Maar jij gaat in de verdediging. Hij weet dat het puur geluk was.

Toen hij het licht uitdeed ergerde Daniel zich vaag aan het geluid van een computerspelletje uit Toms kamer. Wat ging euforie gauw over. Maar als hij het ding ging afzetten, zou zijn vrouw de kant van de jongen kiezen. Hij had per slot van rekening zijn piano-oefeningen gedaan. Ze houden het grote huis natuurlijk ook, zei Hilary. Christine zei dat ze denkt dat een pied-à-terre in de stad handig is als Martin laat moet werken, of wanneer ze naar vrienden gaan. Een pied-à-terre, lachte ze, ons huis! Zo klein was de flat nou ook weer niet. Ik begrijp dat gedoe met die zwammen niet, zei Daniel. Ik bedoel, als je geen wetenschappelijk onderzoek doet zie ik niet in waarom je paddestoelen en dergelijke zou verzamelen. Hij maakt er foto's van. En nu nachtvlinders! zei Hilary. Toen zei ze dat ze het eigenlijk wel prachtig vond. Het was origineel. Wie verzamelde er nu zwammen? Wie fotografeerde er nu nachtvlinders? Je mag toch weleens aan iets anders denken dan aan Archbold.* Hij vond zijn werk vervelend. En Engelse bovendien! Engelse zwammen. Engelse nachtvlinders. Ik denk dat het Christine is, zei Hilary later. Ze zitten daar een beetje afgezonderd, ze wil dichter bij de stad zitten om zijn depressies te ontvluchten.

Het echtpaar lag rustig in elkaars armen toen de telefoon ging. Daniel wist dat zijn vrouw had gevoeld hoe hij plotseling was verstijfd. O, het zal die rare Sarah wel zijn, lachte Hilary, terwijl ze uit bed stapte. Nog zo'n depressieveling! Daniel hield zijn adem in. We hebben de flat verkocht, schat, zei Hilary meteen. Aan Martin en Christine! Ja, ja, ik weet het! En haar echtgenoot ontspande zich. Maar waarom had het meisje hem zo voor joker laten wachten? Nee, dat mag niet, zei Hilary. Haar toon was ineens veranderd. Het kan me niet schelen of het een christelijke gemeenschap is. Het kan me niet schelen of het allemaal Vestaalse maagden zijn. Ik stuur je vader om je te komen ophalen. Je hebt belangrijke examens over een maand. Ik zei nee! Geef me het adres nog eens. Nee is nee is nee is nee! Je kunt niet zomaar bellen en zeggen dat je vannacht niet thuiskomt. Even later trok Daniel zijn kleren aan om naar de auto te gaan.

Langs de ringweg stonden meisjes te wachten, precies op het suggestieve punt waar het licht van een straatlantaarn overging in donkere massa's haagdoorn. Dit was een plek, dacht Daniel, waar nooit een symbolische niet-blanke benoemd hoefde te worden. En op dat moment besloot hij dat hij niet clement kon zijn voor die arme vader. Hij zou wel de laatste zijn, na zijn benoeming tot strafrechter, om met een milde uitspraak te komen voor een man die de pols van zijn zoon had gebroken. Je stelde andere mensen aan, nieuwe mensen, opdat alles hetzelfde kon blijven, om te laten zien dat het altijd goed was geweest. Het toneelstuk kon doorgaan. Het was een goed toneelstuk, ook al was Lear zwart. Of Hamlet een Aziaat. De man kon de volgende keer wel een nek breken. De nek van zijn kind breken. Hoe zelden hij ook dronk. Langs de weg vielen politieagenten een potentiële klant lastig, controleerden een rijbewijs. Het was een buitenlandse vrachtwagen. Zich ervan bewust dat hij zelf ook wel-

* Archbold's Criminal Pleading, Evidence & Practice.

eens een beetje boven de limiet kon zitten, concentreerde Daniel zich op zijn rijden en terwijl hij zich zat af te vragen hoe lang de straf zou moeten zijn, reed hij de straat de eerste keer voorbij. Broughton Street. De tweede keer vond hij hem. Goed. Hij nam de volgende straat rechts. Een jonge vrouw deed meteen de deur open van een grillig Victoriaans huis net buiten de stadsgrens. Daniel was stomverbaasd. Niet dat hij zijn dochter niet herkende, maar het duurde even voor hij inzag hoezeer ze was veranderd. Op de achtergrond klonk gezang, iets bevlogens met gitaren. Er verscheen een tonvormig figuur met een dienblad. Sarah had al haar haar af laten knippen.

Dat is de Gemeenschap, zei ze toen ze naast hem ging zitten. Het was dus iets anders dan de Kerk! Hij reed achteruit. Ze hebben genoeg bedden over en ik wilde je niet lastigvallen om me te komen halen. Het was grof geknipt, woest zelfs. De meesten zijn mishandelde vrouwen, legde ze uit, of daklozen. Meisjes die thuis zijn weggelopen. Er zijn geen mannen. Toen hij nog steeds niet antwoordde, protesteerde ze: Mama is gefixeerd op die examens. Het is idioot. Ze zocht naar een zender op de radio, vond iets, luisterde, zette hem toen ontevreden weer af. Alsof ik elke avond om negen uur naar bed zou moeten.

Zijn dochter klonk strijdlustig. Daniel realiseerde zich plotseling dat hij onderworpen werd aan een belangrijke oudertest. Je hebt je haar geknipt, zei hij ten slotte. Nu zaten ze weer op de ringweg: de lange streep gele lichten, de schaduwmeisjes op de rand van licht en donker. Zowel vader als dochter wist dat ze er waren. Waarom? vroeg Daniel. Dat is mijn zaak, zei ze. Hij aarzelde: Het is niet verboden, gaf hij toe. U Edele kan het weten. Ze noemen me geen U Edele. Edelachtbare dan, glimlachte ze. Zijn dochter legde een arm achter zijn nek en duwde haar vingers in haar vaders haar. Bedankt dat je gekomen bent, edelachtbare, zei ze. Ik wed dat ik je wakker heb gebeld. Haar vingers waren teder. Maar stel nu – Daniel probeerde er een grapje van te maken – dat ik plotseling thuis zou komen in een geel rokje met kantjes en een jarretelgordeltje, wat míjn zaak is, dan zou je me waarschijnlijk ook vragen waarom, denk je niet? Ze haalde haar arm weg. Hij vroeg zich af of hij haar zou zeggen dat ze er afgrijselijk uitzag. Het was er zomaar af geknipt. Ik bedoel, wanneer je samenleeft met mensen, ging hij door, dan ben je hun een beetje meer verschuldigd dan de strikte letter der wet, vind je niet? Maar zijn dochter was in een gegiechel uitgebarsten. Het zou heel duidelijk zijn waarom, pap, lachte ze. Maar nu ik eraan denk: het zou je misschien wel staan, zo'n kanten rokje. Je hebt er het kontje voor.

Toen ze geparkeerd hadden hield hij haar nog even in de auto. Hij zei: Ik bedenk net dat je het misschien echt zou moeten laten knippen, ik bedoel, als je het dan toch kort wilt dragen. Je begrijpt wel wat ik bedoel, zei hij. Ze zat naar buiten te kijken. Het is iets van de Gemeenschap, legde ze uit met afgewende blik. Om te laten zien dat we geen lustobject zijn. Een beetje zoals de sluier bij de moslims. Een moslimsluier dient om datgene te bedekken waarover iedereen het eens is dat het een lustobject ís, zei hij. We zijn allemaal lustobjecten, beweerde hij. Met een beetje geluk. Haar stem verhardde tot een kilte die hij maar al te goed kende. Dat vind jij, zei ze.

Geen van beiden maakte aanstalten om uit te stappen. Een voorbijganger zou kunnen denken dat ze geliefden waren die moeilijk afscheid konden nemen. Hij probeerde: En wat als een van de universiteiten een kennismakingsgesprek wil? Wat dan nog? Nou, dan zou je er toch beter... Wat? Ze was plotseling heel agressief. Dan zou ik beter wat, papa? Nou? Ze klonk vlijmscherp. Geef dan raad, papa! Vertel me wat het beste is. Daniel was woedend: Ik denk alleen maar aan je eigen bestwil. Hoe zullen ze reageren als jij binnenkomt en eruitziet als... Wat? vroeg ze. Wat? Zeg dan hoe ik eruitzie. Ik denk alleen aan jou, herhaalde hij kalmer. Dat weet je. Je weet dat je provoceert met zulk haar. Ik denk alleen aan jou.

Er volgde weer een stilte. Het meisje boog haar hoofd. Ze zat in dezelfde verkrampte, ineengedoken houding die hij de laatste tijd vaker had gezien. Schouders naar voren. Misschien ga ik wel niet naar de universiteit, zei ze. Pardon? vroeg hij. Ik denk niet dat ik naar de universiteit ga, papa. Wat krijgen we nu in godsnaam! De Heer wil niet dat ik ga, zei ze. Toen hij wilde protesteren, begon ze te huilen en keerde zich naar hem toe om hem te knuffelen. Ze zaten wang tegen wang. Hij hield haar stevig vast. Hij wilde haar zijn liefde laten voelen. Na een tijdje ontspande haar lichaam. God weet wat je moeder zal zeggen als ze dat haar ziet, mompelde hij. Niet huilen. Niet meer huilen alsjeblieft. O, mama heeft het al gezien. Zijn dochter zat ineens te lachen. Ze vrolijkte op. Ze trok zich terug. Daniel kon het moeilijk geloven. Hoe kon Hilary haar haar hebben gezien en er niets over hebben gezegd? Toen hij eindelijk in bed stapte, zei hij: Ik word nog gek van dat kind, als je ziet wat ze met haar haar heeft gedaan krijg je een beroerte. Er kwam geen antwoord. Niet in staat om te slapen, probeerde Daniel weer te bepalen wat voor gevangenisstraf hij de man zou moeten geven die de pols van zijn zoon had gebroken. Wat wilde Minnie van hem? Eindelijk lachte Hilary zacht. Het is maar een fase, mompelde ze. Dat verandert wel als ze een vriendje krijgt.

3

Wat Martin las, las Daniel ook. Vroeger. Aristoteles, Montesquieu, Nietzsche, Sartre. Inmiddels jaren geleden. Als ik een bepaalde richting kies voor mezelf, dan kies ik die voor de hele mensheid. Dat had zijn sporen nagelaten. Maar in het weekend, en hier kon Daniel niet goed volgen, had Martin hun zijn vlinderval laten zien, een tl-buis in een grote zak van neteldoek aan het einde van het gazon. Dit tijdens een bezoekje om over het taxatierapport te praten. Het opbollende voorwerp was, halverwege de ochtend toen ze het te zien kregen, één fladderende troep doezelig bruin leven. Hij maakt foto's en laat ze dan gaan, legde Christine uit. Martin haalde er een zacht bruin lijfje uit. Zijn knappe vrouw was dikker geworden. En aan de telefoon de maandag daarop smeekte ze: Alsjeblieft, help me alsjeblieft, Dan! Ze hadden ooit een kus uitgewisseld. Na een feestje. Verder was er niets gebeurd. Nu speelde Daniel een spelletje snooker met zijn oude vriend, zijn oude mentor, met de smoes dat hij zijn advies ergens over nodig had. Waarom voel ik me altijd meer op m'n gemak met Martin, vroeg Daniel zich af, wanneer ik hem met achting benader, wanneer ik doe alsof ik advies vraag in plaats van het te geven?

Onderweg naar het café kon Daniel dit mysterie niet doorgronden, maar wist wel dat het typerend was voor de manier waarop hij zich altijd had gedragen tegenover Martin. Hun vriendschap had haar meest recente bloei gekend toen Daniel hulp had gevraagd tijdens de crisis met Hilary. Als strenge verdediger van monogamie, was Martin toen meedogenloos geweest aan de snookertafel, en had steeds volgehouden dat Daniel het huis uit moest gaan om consequent te blijven. Je houdt van een ander, dus ga je weg! Ongetwijfeld de beste toneelspeler van de raadkamer, zei iedereen over Martin. Hij bewoog zijn keu met groot zelfvertrouwen en zat nooit verlegen om een geleerd citaat. '*Mauvaise foi*!' Hij potte een gekleurde bal.

Wat ik voor mezelf kies, kies ik voor de hele mensheid. Sartre. Je kunt toch niet verlangen dat de hele mensheid bij één vrouw blijft terwijl je van een ander houdt, vroeg hij.

Daniels handen waren toen beverig geweest, hadden elke bal gemist. Als Martin de beste advocaat was, dan was Jane in elk geval de jongste en de knapste. Maar Martin sprak nooit over vrouwen. Daar was hij de man niet naar. Hij sprak ook nooit over kinderen. We hebben ervoor gekozen geen kinderen te nemen, zei hij. Hij had een soort gemakkelijke strengheid. Een magere, bijna broodmagere man. Hij had Daniel absoluut met de grond gelijkgemaakt aan de snookertafel in die moeilijke tijd in het Cambridge Hotel. Toch had deze briljante advocaat en beste vriend overdreven ontdaan geleken toen Daniels huwelijk weer gered leek. Jane was naar het zuiden verhuisd. Het was alsof hij een gemakkelijke zaak had verloren en niet begreep waarom.

Was dat de eerste keer geweest dat Daniel de raad van zijn vriend niet had opgevolgd? In elk geval hadden ze sindsdien geen snooker meer gespeeld. Of tennis. Ze hadden elkaar nauwelijks onder vier ogen gesproken sinds dat onaangename moment tijdens het feestje op kantoor ter gelegenheid van Daniels benoeming. De enige van ons, had Martin gezegd, die echt een van ons ís, maar met... O, Mart, riep Christine. Alsjeblieft! Het was een lange intense kus geweest, jaren geleden. Chromosomatisme! In feite niet lang nadat de Shields waren getrouwd. In hun tuin na een feest. Martin lachte. Alsjeblieft zeg! protesteerde ze. Alsjeblieft! En ze was behoorlijk wanhopig geweest aan de telefoon maandagochtend: Het loopt helemaal mis, Dan, ik weet niet. Martin doet zo raar, hij is zo veranderd. Ik heb geen idee wat ik moet doen of wat er gaat gebeuren. En dus richtte Daniel, die de beruchte opmerking op het feestje niet eens erg had gevonden, zich nu instinctief niet als de winnaar tot zijn oude vriend, niet als de gelukkige en succesvolle man, maar als iemand die weer in de problemen zit, een kwetsbaar persoon die de hulp van een oude vriend nodig had; ze zaten nog maar nauwelijks aan de tafel of hij diepte het velletje papier op dat vijf dagen geleden met de post op de rechtbank was aangekomen. Geachte confrater Shields, zei hij, wilt u eens kijken alstublieft?

Martin speelde lusteloos. Iets in de manier waarop hij zijn keu vasthield en de ballen snel en ondoeltreffend speelde, zonder commentaar, suggereerde dat hij wilde laten zien dat het spel niet langer belangrijk voor hem was. Hij wilde het niet meer serieus nemen. Zijn overhemd was vuil, er zaten vlekken eigeel op zijn gilet. Het begon Daniel te ergeren. Een jaar geleden, op het hoogtepunt van de crisis, had hijzelf nog wanhopig geprobeerd in het spel op te gaan, maar had het niet gekund, overweldigd als hij was door de beslissing die hij zou moeten nemen, door het afschuwelijke proces te moeten doormaken van deze of gene persoon te worden, de man die zijn vrouw verliet, de echtgenoot die bleef. Dat waren erg verschillende levens. Soms had hij het gevoel dat het een keuze was tussen een gevangeniscel en een kale, onbewoonde planeet. En nu was hij het die de ballen griezelig accuraat wegwerkte, maar geen tegenstand had. Hij slaagde er niet in zijn vriend bij het spel te betrekken of aan de praat te krijgen.

Had Martin een fatale klap opgelopen bij dat auto-ongeluk, vroeg hij zich af? En waarom koopt hij ons appartement? Zo'n gewone flat was niets voor de machtige Shieldsfamilie. Als ze een pied-à-terre wilden, dan hadden ze een pied-à-terre kunnen kopen, midden in het centrum. En je mocht toch aannemen, dacht Daniel, die merkte dat de ballen alweer prachtig voor hem klaarlagen – je mocht toch aannemen dat een rare anonieme brief een oude intimiteit zou aanzwengelen. Maar Martin had niets gezegd, het briefje gelezen en het neergelegd. En daar lag het nog op tafel naast hun drankjes. In kinderachtige hanenpoten stond er: EN DE MAN DIE MET ZIJNS NAASTEN VROUW OVERSPEL GEDAAN HEEFT, ZAL ZEKERLIJK GEDOOD WORDEN, DE OVERSPELER EN DE OVERSPEELSTER.

Krankjorum! lachte Daniel. Hij was meer onthutst door het zwijgen van zijn vriend, bedacht hij, dan door deze practical joke van twijfelachtige kwaliteit. Had niets te maken met Minnie, dat wist hij zeker. De bekende linkerhand ter vermomming, de hoofdletters, het afgescheurde wc-papier. Een kwajongensstreek. Zal wel iets uit de bijbel zijn, denk ik. Martin bromde alleen maar wat met zijn vingers in zijn baard. Hij liet een blonde baard staan, zijn gewoonlijk magere gezicht was pafferig. Dat kwam door zijn depressie, had Christine gezegd. Dat niet scheren. Zichzelf niet verzorgen. Aan de telefoon had haar warme stem, anders altijd zo intiem en zwoel, geschommeld tussen berusting en paniek.

Daniel had er bijna meteen spijt van dat hij zijn vriend dat stomme briefje had laten zien. Waarom heb ik dat gedaan? Op de kostschool was Martin altijd de oudere jongen geweest die zich over de jongere, niet-blanke en bovendien geadopteerde Daniel had ontfermd. Zich over hem had ontfermd en hem had verdedigd. Vooral tegenover zijn oudere broer Frank. Daniel was dankbaar geweest. Frank was ten slotte van school gestuurd, weggestuurd. En ook in Oxford had Martin hem altijd met raad en daad bijgestaan in een crisis. Hij was intelligent, beminnelijk, mager en atletisch. Hij moedigde zijn jongere vriend op alle manieren aan. Het was vooral Martin die Daniel in de advocatuur had gekregen, en zijn superieuren had gewezen op de voordelen van een niet-blanke raadsman. De helft van de verdachten was zwart, niet soms? Wie kon er beter een zwarte aanklagen dan een zwarte? En des te beter dat Daniel nu ook weer niet zó zwart was. Meer een soort respectbetuiging aan zwart-zijn. Daniel was dankbaar. Maar hij kon met geen mogelijkheid iets terugdoen. Martins oom Piers was Queen's Counsel. Een grootvader was lid van het Hogerhuis geweest. Christines ouders waren beiden rechterlijk ambtenaar geweest. En twintig jaar later leek er nog steeds geen sprake van te zijn dat de rollen omgedraaid konden worden in zo'n oude alliantie, ook al leek Martin nu de kluts kwijt te zijn, droeg hij plotseling een slonzige baard, had hij een onverklaarbaar ongeluk gehad – over de honderdvijftig kilometer per uur, op weg naar niemand wist waar – en had hij nu die rare verzamelmanie: de zwammen, de nachtvlinders. Hun relatie had een vast patroon dat niet verbroken kon worden. Zo vast als de zwarte en de roze bal, dacht Daniel. Ik geef een linkshandige afstoot, zei hij. Misschien zou hij zo verliezen.

Hij gaf de afstoot en begon meteen daarna over de anonieme telefoontjes te praten. Iemand belt me steeds en hangt dan weer op, zei hij. Weer ergerde hij zich aan zichzelf. Het was per slot van rekening niet eens waar. Minnie belde niet meer en Daniel beschouwde de eerdere telefoontjes niet meer als anoniem. Op magische wijze, zelfs linkshandig, verdwenen de ballen in de zakken.

Na een tijdje zei Martin: In *Twins* was er vorige week ook een anonieme brief. Zijn vingers woelden in zijn baard. Daniel kon maar niet wennen aan die baard op zijn anders zo gladgeschoren vriend. Rachel, je weet wel – Martins stem was laag en toonloos – krijgt een briefje waarin staat dat Nikki, dat is haar tweelingzus, een verhouding heeft met haar man. Toen hij naar soaps begon te kijken wist ik dat er iets serieus mis zat, had Christine hem toevertrouwd. Soaps! Martin! En is dat zo? vroeg Daniel. Voor de eerste keer overviel hem de gedachte dat zijn vriend weleens echt geestesziek kon zijn. Dat het ongeluk dementie had veroorzaakt. Hij kijkt naar álle soaps, klaagde Christine. Er lag een kinderachtig ontzag in haar stem en een soort gefrustreerde irritatie: Dan, echt waar, hij zit de héle dag op de bank.

Niet echt, zei Martin. Hij zweeg even om zich te concentreren. Nikki, ken je Nikki? Die met dat korte blonde haar. Nou, ze flirt wel met hem, met Rachels man – Daniel had het programma nog nooit gezien – maar Troy, de man, is een toonbeeld van rechtschapenheid. In feite is Nikki slecht omdát Rachel en Troy goed zijn. Begrijp je? Hij sprak langzaam en zacht. En vice versa. Hoe meer het een het een is, hoe meer het ander het ander wordt. Begrijp je wat ik bedoel? Na rijp beraad stootte Martin en miste weer. Knap gedaan eigenlijk. Iemand komt op het terrein van iemand anders, dus moeten ze iemand anders worden. Jij bent goed, maar als iemand anders goed is, word jij de slechterik. Het was zijn eerste flauwe glimlachje van de avond. Het gevolg is natuurlijk dat noch goed noch slecht echt iets kan betekenen, als je begrijpt wat ik bedoel, maar intussen maakt de brief Rachel wel ongelukkig. Dat wil zeggen, het geeft haar een reden van bestaan.

Je doet je best niet, beschuldigde Daniel zijn vriend. Het was een doodeenvoudig schot geweest in een rechte lijn naar een vrije hoekpocket. Martin leek er de tijd voor te hebben genomen. Het gevoel dat Daniel misschien het meest irriteerde was wanneer hij niet wist hoe hij zich moest gedragen, de situatie niet helemaal overzag. Dat was in het verleden vaak gebeurd met Hilary, alsof ze geen van beiden eigenlijk zeker wisten of ze man en vrouw waren of niet, of wat dat inhield. Nu wilde Martin absoluut spelen, maar weigerde het spel serieus te nemen.

Wat zou ik doen? vroeg Daniel. De blauwe nemen natuurlijk. Er lag een cynische botheid in de stem van zijn vriend. Wist hij dat dit avondje was geregeld door zijn vrouw? Ik bedoel met dat briefje, zei Daniel. Ik wil dat je me een eerlijk advies geeft over dat rare briefje.

Zoals vroeger, voegde hij eraan toe.

Zoals vroeger. Martin rustte met zijn miezerige baardje op zijn keu. Zijn ogen waren op de tafel gericht. Ten slotte zei hij: Wat ik niet begrijp, Dan, is waarom je bent teruggegaan naar Hilary als je nog steeds blijft vreemdgaan. En dan nog met iemand uit de buurt, af te gaan op dat 'zijns naasten vrouw'.

Maar dat doe ik niet, lachte Daniel. Het was niet in hem opgekomen dat Martin zou denken dat die krankzinnige brief naar een recente of reële gebeurtenis zou verwijzen. Dat is het rare ervan, beklemtoonde hij. Ik gedraag me als een heilige. Ik ben zelfs gelukkig dat ik me als een heilige gedraag. Niet te geloven. En dan krijg ik die brief. Martin zei niets. Om het gesprek gaande te houden vervolgde Daniel: Als íémand zich de laatste tijd verdacht gedraagt is het Hilary wel. Krijgt steeds zo'n mooie blonde knaap op bezoek voor pianoles. Joods. Ze heeft al jaren geen privé-les meer gegeven. Hij is er vanavond weer.

Deze keer potte Martin de witte bal. Zou hij antidepressiva slikken of zo? Daniel wist dat zijn vriend al bijna een maand niet op de rechtbank was verschenen. Ik zou liegen, had Christine bekend aan het einde van het telefoongesprek maandag, als ik deed alsof er geen financiële problemen waren doordat hij niet werkt. Dat red ik maar een bepaalde tijd. Haar stem klonk schril, een verontwaardigd verzet tegen rauwe emotie. Zodra hij de hoorn had neergelegd, nam hij hem weer op om Hilary te bellen. Ze hadden kinderen moeten nemen, zei zijn vrouw meteen. Hilary had het nooit goedgekeurd dat haar man zich altijd had onderworpen aan zijn intelligente vriend. Nu leek ze erg opgetogen met Martins ernstige instorting. Werkt hij helemaal niet? vroeg ze. Nee.

Maar je moet toch íéts gedaan hebben, zei Martin, waarom zouden ze anders schrijven? Mensen schrijven toch niet zomaar onaangename brieven? Niks, hield Daniel vol. Ik heb geen flauw benul waar het over gaat. Nou, beschouw het dan maar als een zegen, zei Martin. Hij zette ineens de keu weg, in het midden van het spel, alsof snooker geen spel was met een begin en een einde. Hij zette de keu in het rek en ging aan hun tafel zitten. Ja, een zegen, zei hij in zijn handen wrijvend. Zijn gebaren waren vreemd, dacht Daniel, vreemd moeilijk, vreemd uit de hoogte en tegelijkertijd een beetje dierlijk. Hij heeft de nerveuze gebaren van een alert dier.

Door die brief, begon Martin, heb je de indruk dat je in gevaar verkeert, weet je, en derhalve de illusie dat je iets hebt om voor te leven. Je belt oude vrienden op, zoals dat gaat in dergelijke omstandigheden, en begint erover te praten. Het houdt de gedachten bezig. Zo'n goeie ouwe dreigbrief. Wat wil je nog meer? Iedereen zou er een moeten krijgen.

Daniel trok een stoel bij, en zonder te protesteren over het afgebroken partijtje, zei hij dat hij zo'n stimulans niet nodig had. Zijn gedachten waren al genoeg bezig met het bepalen hoe lang een vent de cel in moest voor zijn derde autodiefstal, of met wat hij moest doen met een dochter die hem vertelde dat God niet wilde dat ze naar de universiteit ging. Dat is niet hetzelfde, zei Martin. Die dingen zetten jou persoonlijk niet op het spel, en dus worden je gedachten er nooit honderd procent door in beslag genomen. Ze vormen geen bedreiging voor het landschap. We sturen haar naar Italië, zei Daniel. Van de zomer. Ziet ze eens wat anders. Toen protesteerde hij: Maar de persoon die de brief heeft geschreven had toch zeker niet de bedoeling om mijn gedachten in beslag te nemen, of wel soms? Martin grinnikte. Dat is het mooie ervan. Het is echt. Alleen een echte idioot zou zoiets schrijven.

Voor de eerste keer die avond was er oogcontact tussen de mannen. De oude verstandhouding is weer terug, dacht Daniel. Hij voelde zich opgelucht. Zijn vriend speelde weer voor mentor; het vertrouwde schoolmeesterstoontje sloop weer in zijn stem. Maar Daniel had van Christine de instructie gekregen om Martin aan te spreken over het probleem van zijn depressie, over het feit dat hij geen opdrachten meer aannam; en Hilary's instructies waren om een definitieve bevestiging te krijgen van de betaling van de flat. Het laatste waar ze op zaten te wachten was een koper met geldproblemen. Ik moet mezelf dus als gelukkig beschouwen, vroeg Daniel, als iemand wil dat ik me doodpieker? Natuurlijk, glimlachte Martin. Onder bedreiging wordt je huidige situatie kostbaarder. Je leven lijkt meer de moeite waard omdat je ervoor moet vechten. Daniel boog zich over de tafel: Zou ik het in dat geval bij het verkeerde eind hebben, meneer Shields – hij trok komisch een wenkbrauw op – wanneer ik opper dat je zes maanden geleden met angstaanjagende snelheid van de weg bent gereden om je leven intenser te maken en jezelf er aldus aan te herinneren dat je huidige situatie de moeite waard is om voor te vechten?

Martin wendde zijn blik af. Zo vertrouwd als het café was met zijn vaste vloerbedekking en zijn pseudo-decor, zo totaal vervreemd waren de twee vrienden geworden. Daniel liet zich terugzakken. Het is maar een idee, zei hij. Twee andere mannen hadden de snookertafel in beslag genomen, volstrekt op hun gemak, lachend, geconcentreerd. Na een ongemakkelijke stilte vroeg Martin: Kan het je nog steeds schelen wat er in de rechtszaal gebeurt? Wat? Even zei zijn vriend niets, toen zei hij: Ik heb gehoord dat je een Colombiaanse vrouw tot acht jaar hebt veroordeeld. Daniel knikte. Drugssmokkel, zei hij. Dus jouw vonnissen luiden hetzelfde als die van een ander. En waarom zouden ze niet?

Martin schudde zijn hoofd. Met autoritaire ernst leunde hij over de tafel. Ongeveer zes maanden geleden heb ik een vent verdedigd voor gevaarlijk rijden – hij had een fietser doodgereden, een jongetje. Maar goed, op zeker moment, misschien kwam het door hoe die man eruitzag in de beklaagdenbank, weet ik veel, hij zat daar maar zo'n beetje en hij verveelde zich dood, was niet in staat al die juridische kletspraat te begrijpen – op zeker moment, zei ik, kreeg ik die, hoe moet ik het zeggen, kreeg ik die openbaring. Ineens komt het woord koolstof in me op. Weet je wel? Koolstof. Komen er bij jou ook weleens van die woorden boven? Het gonsde ineens in mijn hoofd. We zijn allemaal slechts een bepaalde hoeveelheid koolstof en water. Het doet er niet toe. Het is maar materie, het lost snel op. Of ik die zaak won of niet deed er niet toe. Als ik nu stierf, zou dat niets uitmaken.

Martin leunde achterover. Daniel begreep het niet. Ik heb het niet over een intellectueel bewijs, Dan. Begrijp je? Het komt niet uit een boek of zo. Boeken kunnen me al lang niet meer overtuigen. Het was een openbaring. Een opluchting eigenlijk. Plotseling wist ik het. Ik hoorde alleen dat ene woord dat al het andere uitschakelde: koolstof. De man is alleen maar koolstof, dacht ik. Nee, wist ik. Het jongetje dat hij had doodgereden ook. Ik ben het weken blijven denken. De samenstelling van zijn lichaam. Je kent die doodkist wel die ze in het British Museum hebben met de verschillende substanties van het menselijk lichaam. Een rijtje flesjes op de bodem. Koolstof. Scheikundige stoffen. En daarbovenop ligt die hele schijnvertoning, dat vernis – nee ik bedoel geen vernis – een soort kleverige oppervlakte, zo je wilt, een cocon-achtig omhulsel, dat overal omheen is gewikkeld. Van parodie. Onze levens. Hoe kun je het anders noemen. Parodie. Ironie. Soap. Dat het basismateriaal omhult. Moeilijk om serieus te nemen, hè? De manier waarop het zichzelf manifesteert. Het moet je zijn opgevallen, Dan. Je moet gezien hebben hoe niets zichzelf nog serieus kan nemen. Niemand doet dat. Toch? Niet écht. Hoewel, hoe minder je het kunt, hoe meer iedereen net wil doen alsof. Begrijp je? Hoe meer iedereen het probéért. Daarom praat iedereen zo hard tegenwoordig. Iedereen schreeuwt. Het is zo moeilijk jezelf te overtuigen. Ging het daar uiteindelijk niet om tussen Hilary en jou? Je probeert het leven serieus te nemen en het goede te doen, namelijk uit elkaar te gaan. Dan besef je plotseling dat het niet nodig is. Waarom die moeite doen? Het is alleen maar koolstof.

Martin legde zijn bierviltje op de rand van de tafel, tikte het in de lucht met de bovenkant van zijn vingers, slaagde er niet in het op te vangen, schudde zijn hoofd. Ik heb de zaak natuurlijk gewonnen. Hij lachte. Maar het grappige is – plotseling was hij weer opgewonden – dat ze jóú tot rechter benoemen, Daniel Savage, een snelle benoeming, een doorzichtige politiek van betrokkenheid tonen bij slachtoffers van discriminatie, etnische minderheden, en dan komt er een Colombiaanse vrouw voorbij die niets ergers gedaan heeft dan de Britse middenklasse de kick van een illegale substantie te bezorgen, een spelletje dat ze spelen met hun lege breinen, en jij, de nieuwe rechter, de plechtige zwarte rechter, stoomt achteloos door en stuurt haar de bak in voor acht jaar, hoewel je natuurlijk weet dat ze gehandeld heeft in opdracht van mannen, en hoewel je weet dat mensen die cocaïne willen hebben altijd wel iemand zullen vinden die gek genoeg is om het voor hen te gaan halen. Volgens mij gebruik je het zelf soms. Om kort te gaan, je vonnis was perfect volgens de norm, de grote charade. Je bent een instrument van de charade, Dan. Nee, luister. Kalm maar. Ik lever geen kritiek. Want het komische is – probeer het eens vanuit mijn standpunt te zien – dat je er nu een hele vertoning van maakt dat je mijn raad wilt over een rare anonieme brief, omdat je weer vreemdgaat, en net doet alsof je hier en daar verliefd wordt, ongetwijfeld om het leven op te vrolijken, terwijl je tegelijkertijd net doet alsof je getrouwd bent, en iemand anders net doet alsof hij je daarover lastigvalt, maar dat niet al te best doet. Je bent belachelijk, riep Martin plotseling uit. Belachelijk! Maar dat zijn we allemáál. Ik lever geen kritiek. Het gekke is niet dat we pruiken dragen, Dan, weet je, maar dat iedereen wil dat we ze afzetten als we de rechtbank verlaten!

Daniel was verbijsterd. Even staarde hij zijn oude en erg Engelse vriend aan. Hij had Martin altijd als ouder en erg Engels gezien. Instinctief protesteerde hij: Mart, zo zou je niet spreken als ze jou tot rechter hadden benoemd.

Meteen knikte Martin: Dat is helemaal waar! Dat is precies waar verantwoordelijkheid voor dient, dat heb ik vaak genoeg gedacht. Je hebt gelijk. We hebben meer en meer macht en respect nodig als we in het harnas willen blijven. Daarom krijgen oudere mensen meer verantwoordelijkheid, niet omdat ze meer terzake kundig zijn, alsjeblieft zeg, maar omdat als ze het niet krijgen, ze het leven beginnen te behandelen als de klucht die het is, en het risico dat ze dat ontdekken is er altijd. Ze gaan zich vervelen, ze beginnen te spelen. Oké, geef ze dan maar de kick van de macht. Op die manier kan het doen alsof een beetje langer doorgaan. Het is echt de enige verklaring waarom jongeren hun leven zouden laten leiden door ouderen.

Hij leunde achterover. De energie leek hem plotseling te verlaten. Toch, zei hij vaag, heb ik momenteel veel plezier van mijn vlinders. Weet je? Hij trok een vinger door wat gemorst bier. Ik hou van de manier waarop ze zo'n overduidelijk voorbeeld zijn van onbezonnen levendig materiaal, een stukje dons en silicium dat zoemend rondfladdert. Hij lachte nerveus. En dan die schijnvertoning van die overdreven patronen op hun vleugels. Fantastisch.

Ongevraagd stond Daniel op om nog een rondje te halen. Op de televisie achter de bar was een Hollywoodvuurgevecht te zien in het gebruikelijke verlaten magazijn. Latijns-Amerikaanse politieagenten, Chinese handelaren. Of was het andersom? Overigens had Daniel nog nooit een zaak te behandelen gehad waar vuurwapens bij te pas waren gekomen. Toen hij naar zijn stoel terugliep zag hij geen andere manier om door te gaan dan met volstrekte eerlijkheid. Met zijn glas in zijn hand zei hij: Twee dingen, Mart. Om kort te gaan: ten eerste is Christine in alle staten, over jou bedoel ik. Ik heb haar huilend aan de telefoon gehad. Ten tweede maken Hilary en ik ons zorgen dat als je niet werkt, het je plannen om onze flat te kopen kan veranderen. We zijn gebonden aan een aantal vaste afbetalingen die afhangen van jouw betalingen aan ons. We hebben niet veel cash in reserve.

Martin had zijn kin in zijn handen gelegd. De baard heeft zijn persoonlijkheid overwoekerd, dacht Daniel, onzichtbaar gemaakt. Er zat vuil onder zijn nagels. Heb je Hilary verteld over die anonieme brief? vroeg zijn vriend. Rechter Savage zei van niet. Waarom niet? Dat is toch duidelijk: omdat ze zou kunnen denken dat er iets achter zat. En je houdt vol dat dat niet zo is? Ja! Je beschermt je vrouw dus alleen maar tegen een gevaarlijke gedachte. Je betuttelt haar eigenlijk, de enige reden om het haar niet te vertellen is als er iets achter zit. O, in jezusnaam, Martin, ik wil gewoon niet dat ze verkeerde dingen denkt.

Het was even stil en toen vroeg Daniel: Vertel jij Christine dan alles? Eigenlijk wel, zei Martin. Hij keek hem recht aan over de tafel. Ja. Heb je helemaal geen geheimen? Nee. Hij was vreemd strijdlustig. Echt niet? Nee. Ik heb altijd gevonden dat dat de enige manier is om een huwelijk betekenis te geven, geen geheimen hebben. Nou, protesteerde Daniel, ik zie niet hoe dat mogelijk is; ik begrijp niet hoe je iemand anders alles kunt vertellen. Ik bedoel ook alles wat in je hoofd zit. Martin glimlachte. Hij is verschrikkelijk zelfgenoegzaam, dacht Daniel. En zij heeft geen geheimen voor jou? vroeg Daniel. Nee, waarom zou ze? Dus je weet dat ze me maandag gebeld heeft, ten einde raad, om me te vragen of ik met je wilde praten omdat ze denkt dat je gek wordt? Natuurlijk weet ik dat, zei Martin vlak. Ik vond het nogal grappig toen je me belde en zei dat je een probleem had dat je met me wilde bespreken.

En de kus? vroeg Daniel zich af.

Martin zei: Ik weet dat Christine zich zorgen maakt, maar ik heb haar gezegd dat ze dat niet moet doen. Je weet dat ze nogal dramatisch kan doen. Wat dat geld betreft, je weet dat onze familie niet arm is. Ik ben nog nooit een afspraak niet nagekomen. Ik kan werken of niet werken als ik dat wil. Hij stond plotseling op. En nu ga ik ervandoor. Daniel zat sprakeloos. Zonder nog iets te zeggen, liep

Martin Shields kwiek naar de deur. Op tafel stond een onaangeroerd glas shandy, zoals de snookertafel ook midden in het spel was verlaten, en ook in zekere zin, dacht Daniel, de carrière van zijn vriend.

Daniel Savage bleef een paar minuten alleen zitten, een knappe donkere man van onduidelijke gemengde oorsprong in een sober kostuum met das, in een overwegend blanke en erg Engelse voorstedelijke kroeg. Hij dronk zijn bier op en bleef daarna nog wat zitten achter het stuur van zijn auto. Wat bedoelde Martin met: Je vonnist dus als alle anderen? Waarom zou hij dat niet doen? De Colombiaanse vrouw was schuldig bevonden. Martin is ziek, dacht Daniel. De Savages, herinnerde hij zich, hadden flinke aderlatingen moeten doen voor Franks diverse verslavingen. Op een of andere manier had Frank de Savages uitgezogen met zijn eindeloze vraag om geld. Drugshandel is een serieuze materie. Materie in het algemeen, dacht Daniel, of het nu koolstof is of iets anders, is altijd serieus. Maar ineens besefte hij dat er iets anders was wat hem stoorde: wat als Minnie voor me moet verschijnen op de rechtbank? Minnie had altijd gezegd: Papa is de baas, papa zou me vermoorden. Wat als het meisje gedwongen werd een misdrijf te plegen, drugs te smokkelen? Minnie staat in de beklaagdenbank en zegt: Mijn vader heeft me hiertoe gedwongen. Ik heb mijn ex-vriendje Zijne Edelachtbare Rechter Savage gevraagd te helpen, maar...

De open haard voor hun nieuwe huis werd gemaakt op het industrieterrein ten zuiden van de stad. Daniel en Hilary waren er vrijdag naartoe gereden om over een paar laatste details te beslissen: gelakt of ongelakt, welke ornamenten er onder de schoorsteenmantel moesten komen. En toen ben je dus voorbij Minnies fabriek gereden, herinnerde Daniel zich, zonder zelfs aan haar te denken! Je hebt geparkeerd op honderd meter van Minnies fabriek, of liever gezegd die van Minnies vader. Je hebt door de lelijke vormeloze industriestraat gelopen, hand in hand met de vrouw met wie je twintig jaar getrouwd bent, pratend over de kleuren en vormen die je nieuwe woonkamer zal hebben – glanzende oppervlakken zijn gemakkelijker schoon te maken, had Hilary gezegd – allemaal in het zicht van Kwans Aziatische Stoffen, en je hebt geen moment aan Minnie gedacht!

Daniel startte de auto en reed de straat uit. Ik heb zelfs niet gedacht – hij nam de ringweg met zijn snelle stukken en zijn drukke parkeerplaatsen –, geen enkele visuele herinnering gehad bedoel ik, aan de drie of vier keer dat we de liefde hebben bedreven in Kwans stoffenhandel, liggend op stapels oosterse tapijten. Maar waarom zou ik ook? Dat deel van zijn leven was nu voorbij. Twintig minuten later stopte hij naast een laag prefab gebouw achter hekken en prikkeldraad. Een vormeloze zanderige straat. Er waren vijf of zes sleutels geweest, herinnerde hij zich, en een nogal vervelende hond die haar meteen herkende. Papa vermoordt me, giechelde ze. Hij herinnerde zich hoe ze de sleutels had omgedraaid en Koreaans tegen de hond had gesproken. Na een paar weken watermarteling, voegde ze eraan toe.

De zaak was donker nu, zoals toen. Ze was niet goed geweest in bed, misschien niet eens seksueel geïnteresseerd. Wat ze wilde was contact met een oudere en, zo zag zij het vermoedelijk, intelligente man. Ze wilde kennis die van buiten haar besloten gemeenschap kwam. De Koreaanse gemeenschap is zo hecht, zei ze. Hij zou me doodslaan, zei ze. Ze had een komisch accent. Je hebt geen idee. En waar Daniel van had genoten, zoals met andere jonge vrouwen trouwens, was de gelegenheid om het rollenpatroon om te draaien waartoe hij verplicht leek met Martin. De grenzeloze achting die hij had leren tentoonspreiden als niet-blanke die werd geduld te midden van machtige blanken. Tenzij dat gewoon deel uitmaakte van zijn karakter. Iets wat hij toch gedaan zou hebben, van wat voor ras hij ook was. Hoe kwam je daarachter? Of had het te maken met geadopteerd zijn, met in een gezin te zijn opgenomen, in plaats van er te zijn geboren? Hij had achting geleerd, hij had geleerd braaf te zijn, zijn misdrijven te verbergen. Misschien was adoptie veel belangrijker dan ras. Andere zwarten vertoonden helemaal geen achting. Integendeel zelfs. Vele waren assertief, strijdlustig zelfs. Frank had een wrok gehad tegen Daniels adoptie, niet tegen zijn kleur. Dat had Daniel altijd gevoeld. Frank was geen racist. Met Minnie daarentegen kon Daniel Savage voor mentor spelen. Nu was híj het die wijze raad gaf. Hij kreeg gezag. In die zin waren zijn avontuurtjes een repetitie geweest voor promotie. Wat een rare gedachte! Om eindelijk zelf de hand te hebben die de zweep vasthield.

Minnies lichaam was eerder mooi dan verleidelijk, herinnerde hij zich, beter als je er van tevoren over fantaseerde dan wanneer ze echt naakt op de hoge stapel tapijten lag in het donker achter vuile ramen. Ze konden geen licht riskeren. En ze hield nooit op met praten, hield nooit op met haar problemen uit te storten, haar toekomst, haar vaders plannen voor de toekomst, het claustrofobische leven dat voor haar was uitgestippeld. Met Ben. Ben! Ze lachte. Ze werd er wanhopig van. Ben! Hij is zo dom! Ze giechelde. Zo hopeloos! Het enige wat je tegenhoudt, Minnie, zei Daniel, zit tussen je oren. Och, lul toch niet, zei ze. En toen zei ze: Misschien, kan zijn. Ze zeggen wel dat ze je zullen vermoorden, zei Daniel, maar dat doen ze toch nooit? Een vader vermoordt zijn dochter toch niet? Terwijl hij nog steeds in zijn auto zat, op straat, formuleerde de strafrechter de vraag eindelijk in zijn meest gepaste vorm: Wat als ik de enige persoon ter wereld was die wist dat Minnie was vermoord?

4

Edelachtbare, zoals ik al zei, heeft de politie om PII* gevraagd. Zoals u zult begrijpen uit het dossier dat hoofdinspecteur Mattheson heeft voorbereid, helpt de informant in kwestie de politie met verschillende andere onderzoeken en dus...

Rechter Savage had niet verwacht te maken te krijgen met een verzoek om immuniteit. In zijn zak zat een stukje papier waarop stond: Het oog des overspelers neemt de schemering waar, zeggende: Geen oog zal mij zien; en hij legt een deksel op het aangezicht. Rechter Carter, die had moeten presideren, was ziek. Meneer Nicholson, onderbrak Daniel. Ergerlijk dat de aanklager zich gedroeg alsof een verzoek om immuniteit een formaliteit was. Meneer Nicholson, ondanks de weinige tijd die ik heb gehad heb ik het dossier in kwestie zorgvuldig gelezen, en ik weet niet zeker of ik helemaal overtuigd ben. Rechter Carter is altijd ziek, dacht Daniel. Eigenlijk ben ik helemaal niet overtuigd. De enige aanwezige vrouw, van wie Daniel vermoedde dat ze van de CPS moest zijn, boog zich naar de politieman naast haar om iets tegen hem te fluisteren. Hij kwam half overeind: Edelachtbare, als u mij toestaat...

Maar nu verscheen de zaalwachter. Hij haastte zich door de rechtszaal om de rechter een briefje te geven. Uw vrouw vraagt of u zo snel mogelijk wilt bellen. Daniel was perplex. Hilary had nog nooit contact gezocht op zijn werk. Hoofdinspecteur, dames en heren, zei hij terwijl hij opstond, gelieve mij vijf minuten te excuseren.

Sarah wil niet uit de badkamer komen, zei Hilary. Ze klonk verbeten en eisend. Daniels aandacht begon te verbrokkelen. Hij hield niet van PII's en helemaal niet wanneer het erom ging informanten te beschermen. En wat voor doel heeft het, had hij zich afgevraagd,

* PII: Personally Identifiable Information. Indien toegekend, verleent dit anonimiteit en/of immuniteit aan de informant. (Noot van de vert.)

om een man vaag bedreigende brieven te sturen die hem half beschuldigen van iets wat hij tijden geleden had gedaan maar niet langer meer deed? Ze zit er al sinds jij bent vertrokken, zei Hilary. Ik word er gek van. Maar waarom? Moet je mij niet vragen. Ze wil het niet zeggen. Ze zit daar maar te huilen. Het enige wat ze heeft gezegd is dat het ongelooflijk gemeen was van ons om die avond zomaar uit te gaan. Daniel begreep het niet. Naar het concert? Ja. Maar waarom zouden we dat niet doen? We zijn al in geen tijden meer samen uitgeweest. Moet je mij niet vragen, herhaalde Hilary. Vraag het je dochter maar. Tom vond het in elk geval niet erg.

Toen schoot het Daniel te binnen dat zijn dochter die middag moest beginnen met haar examens. Ik begrijp niet wat ze van ons wil, zei Hilary, of waarom ze dit doet. Ik zou vanochtend naar het huis gaan om te zeggen hoe we de badkamer willen. Ik heb een les om elf uur. Daarna moet ik Charles spreken over het orgelconcert. Waarom, vroeg Daniel zich af, is Hilary zo inschikkelijk tegenover Tom en zo hard tegenover Sarah? Zoals ze gisteravond zo hard was geweest over de vertolking van Froberger door die Rus. Froberger op piano is al erg genoeg, had Hilary in de pauze gezegd op een toon die alle hoofden deed omkeren aan de bar. Maar er dan ook nog het pedáál bij gebruiken, alsof we op het hoogtepunt van de romantiek zaten, alsof de hele filologische beweging nooit had plaatsgevonden! In hemelsnaam! Zeg haar maar, zei rechter Savage, dat je me aan de telefoon hebt en dat ik haar wil spreken. Meteen.

Hij stond bij zijn bureau te wachten, spelend met een briefopener. Er flitste een lichtje aan naast het toetsenbord, wat aangaf dat iemand anders hem probeerde te bereiken. Hij negeerde het. Toen hij een jaar geleden tegen zijn dochter had staan praten bij het schoolhek en had gezegd: Ik wil dat je voor mama zorgt, had hij de indruk gehad dat het meisje plotseling rijp was geworden; ze was tot bloei gekomen in die korte maand dat hij weg was geweest. Er hadden een zekere beheersing en volwassenheid gelegen in de manier waarop ze zei: Maak je geen zorgen, papa. Ik kan het wel aan. Met mama zal het wel gaan. Op een zaterdag had hij ze bespied toen ze 's morgens boodschappen gingen doen zoals hij wist dat ze zouden doen. Ze hadden gebabbeld, heel vrolijk vond hij, terwijl ze het wagentje over de parkeerplaats duwden. Hij had een steek van jaloezie gevoeld.

Nu hoorde hij dat de hoorn weer werd opgepakt. Ze zegt dat ze niet met je wil spreken, verkondigde Hilary, tenzij je thuiskomt. Maar ik zit op de rechtbank in jezusnaam! Basil is weer ziek en ik moet zijn lijst afwerken. Er viel een stilte. Ze zegt dat ze haar examens niet wil doen. Wat? Ze gaat niet naar school. Reken maar dat ze gaat, zei Daniel. Ze zegt dat het er niet toe doet omdat ze toch niet naar de universiteit gaat. God wil niet dat ze gaat. Maar ik dacht dat we hadden afgesproken, zei rechter Savage, dat we die beslissing over de universiteit zouden nemen als ze terug was uit Italië. Kennelijk niet. Hilary's stem klonk droog, bijna sarcastisch. God heeft het besloten, zei ze.

Vreemd genoeg had Daniel nu het gevoel dat hij en zijn vrouw ruziemaakten. Hoewel ze het waarschijnlijk eens waren over Sarah. Jezus, zei hij, ze mag toch de richting kiezen die ze wil, niet soms? Dan kan ze nu verdomme ook wel dat examen doen. Sommige ouders laten hun kinderen niet eens een richting kiezen. Ik begrijp je niet, zei Hilary koeltjes. Ik bedoel, legde hij uit, dat sommige ouders hun kinderen geen theologie en klassieke talen zouden laten studeren. Ze laten ze iets doen wat een baan oplevert en dat is dat. Is dat zo? Zijn vrouw leek niet te begrijpen waar hij het over had. Wie dan? vroeg ze. Toen realiseerde Daniel zich dat hij alleen maar op Minnies vader had kunnen doelen. Hij dacht weer aan Minnie. De studie van het meisje was helemaal afgestemd op die ellendige zaak van haar vader. Ze zal verdomme gaan, al moet ik haar ernaartoe slepen, zei Daniel op het moment dat Adrian, de zaalwachter, zijn hoofd om de deur stak. Zaal drie wacht op u, edelachtbare, fluisterde hij; hij trok zijn wenkbrauwen op en glimlachte in gedeelde smart. Adrian was een komische homo. Wij minderheden, zei zijn glimlach, verdedigen het bastion! Luister, zei Daniel tegen zijn vrouw, ik zal proberen om voor één uur thuis te zijn en haar zelf naar school te brengen voor twee uur. Het is toch om twee uur? Halfdrie? Zeg maar dat ik thuiskom en met haar lunch. Beloofd.

Het punt is, zei inspecteur Mattheson – en hij had ongetwijfeld gelijk dat hij de hopeloze aanklager passeerde –, dat de jonge Harville ons heel behulpzaam is op allerlei manieren. Hij heeft allerlei contacten op allerlei terreinen. Het predikaat jong werkt verzachtend, zei Daniel tegen zichzelf, toen hij zijn bedachtzame juridische gezicht weer opzette boven het dossier in kwestie. Dat kan wel zo zijn, hoofdinspecteur, maar in dit speciale geval valt het me toch op dat hij ook de zwager is van de verdachte. Dat klopt, edelachtbare. Het is zelfs van betekenis dat de vrouw van de verdachte Iers is, en dat ze op allerlei manieren erg betrokken zijn bij de Ierse gemeenschap. Mattheson houdt van het woord 'allerlei', constateerde Daniel. Zijn naam openbaar maken in de rechtszaal zou betekenen dat we een – eh – potentieel voordeel verliezen inzake nationale veiligheid, hield de man vol. Vanuit allerlei standpunten, suggereerde Daniel. Precies, stemde Mattheson in. Nog afgezien van het feit, denk ik zo, hoofdinspecteur, dat 's mans leven dan wellicht gevaar loopt. Ik vrees het, edelachtbare.

Wat denkt de CPS ervan? vroeg Daniel. Edelachtbare... begon de vrouw. Ik ben bang dat ik uw naam niet heb, verontschuldigde Daniel zich. Mevrouw Connolly. Dank u. Edelachtbare, zoals u weet, behoort het tot de taak van de Crown Prosecution Service om de politie bij te staan bij het verkrijgen van informatie. We zijn natuurlijk uit op een veroordeling in deze zaak. Onze kansen staan er goed voor. Maar we zouden de politie niet in de weg willen lopen bij verder onderzoek. Dus lijkt het inderdaad belangrijk dat de naam van de informant geheim wordt gehouden.

Daniel keerde zich van mevrouw Connolly naar de forsgebouwde, zwaar ademende Mattheson. Hij kon zich niet meer herinneren bij welke zaak hun paden zich ooit gekruist hadden. Dat was jaren geleden. De man was oud geworden. Hoofdinspecteur, laten we de zaak nog eens doornemen alstublieft, alleen om zeker te weten dat ik de dingen juist voor ogen heb: de heer Colin Rigby, of de jonge Rigby zoals ik ook zou kunnen zeggen mocht ik dat willen, wordt aangehouden in zijn auto en gefouilleerd als gevolg van informatie verstrekt door de heer Harville, Rigby's zwager. Ruim een kilo cocaïne wordt gevonden in het handschoenenvakje van de auto. Rigby zweert dat hij er niets vanaf weet, het nooit heeft gezien, niet weet hoe het daar is gekomen. Om de zaak nog ingewikkelder te maken is Harville zelf negen maanden geleden voorgekomen wegens geweldpleging. Hij werd ervan beschuldigd een jongeman in elkaar te hebben geslagen die een strafblad had van drugsgerelateerde feiten. In die zaak beweerde het slachtoffer dat de aanval een reactie was op zijn onvermogen voor de drugs te betalen die hij gebruikt had en die, beweerde hij, Harville hem had geleverd. Heb ik het tot dusver juist? Edelachtbare – Mattheson zag direct waar dit naartoe ging – , Harville heeft altijd ontkend dat het gevecht iets te maken had met drugs. Hij beweerde dat beide mannen dronken waren en ruzieden om een vrouw.

Maar het slachtoffer was een cocaïneverslaafde.

Inderdaad, edelachtbare.

Daniel zweeg even. Hoofdinspecteur, mevrouw Connolly, meneer Nicholson, uiteraard moet ik bij het behandelen van een verzoek om immuniteit rekening houden met het belang van de informatie in kwestie voor de verdediging, hoe het hun zaak zou veranderen als die informatie zou vrijkomen. Natuurlijk, edelachtbare, zei de aanklager te gretig. Welnu, uit wat ik heb kunnen afleiden uit het proces waarbij de informant, de heer Harville, was betrokken, blijkt dat een aanvankelijke aanklacht wegens het toebrengen van zwaar lichamelijk letsel, een zeer zwaar misdrijf, veranderd is in lichamelijk letsel zonder meer, waarvoor hij, Harville, toentertijd nog geen politie-informant, schuld heeft bekend en een veroordeling heeft gekregen zonder gevangenisstraf. Twee weken later werd hij opgenomen in het register van politie-informanten.

Daniel wachtte even. Rechter zijn, besefte hij, betekende buiten de geheime agenda's blijven van de mensen die een verzoek tot je richten. Hij moest alleen kijken naar de eerlijke voortgang van het proces. Er zijn conclusies, zei hij uiteindelijk, die de verdediging zou kunnen trekken uit deze stand van zaken, of niet? De motieven van de informant kunnen in twijfel worden getrokken. De man is veroordeeld wegens betrokkenheid bij de drugswereld. Wil hij er misschien een rivaal in laten lopen? Heeft hij nog iets af te rekenen met Rigby? Is er een ruzie in de familie die Harville ertoe aanzet, nu hij toegang tot de politie heeft, zijn zwager voor een paar jaar achter de tralies te sturen? Dit zijn allemaal gebieden die de verdediging wellicht wenst te onderzoeken met Harville in de getuigenbank. In feite is dit een situatie waarbij de verdachte, op het moment dat hij de naam van de persoon te weten komt die informatie over hem gegeven heeft, wellicht een geheel overtuigende verklaring kan geven over hoe de cocaïne in de auto is gekomen.

De aanklager maakte een aantal zouteloze bemerkingen over dat er genoeg ander bewijs was waaruit zou blijken dat Rigby al jaren in drugs handelde. Desalniettemin, onderbrak Daniel hem, was inbeslagname en arrestatie alleen mogelijk na informatie verkregen van een informant die, meneer Nicholson – deze man is onbekwaam, dacht hij –, in een zeer problematische relatie lijkt te staan met zowel de verdachte als het misdrijf.

Mattheson stond op. Edelachtbare, zoals u ongetwijfeld weet, komen de meeste veroordelingen op het gebied van drugs en terrorisme, maar ook allerlei andere misdrijven, zoals bijvoorbeeld mensensmokkel, tot stand dankzij de diensten van een informant. We zijn hier allemaal om de misdaad te bestrijden en ik zie geen andere manier om dit te doen dan...

Hoofdinspecteur – Daniel was woedend – voorzover ik weet ben ik hier niet om iemand of iets te bestrijden, maar om te helpen een geschil te beslechten, dat wil zeggen, recht te doen geschieden. Hij zweeg. De politieman betuttelde hem. De man had een vaste, zelfgenoegzame blik. Ik herhaal, deze relatie tussen informant en verdachte is verdacht en zou een proces waarin deze relatie geheim wordt gehouden voor de verdediging onveilig maken. Maar toen bedacht de rechter plotseling dat waar hij werkelijk op reageerde, misschien Martins kwetsende kritiek was van de vorige avond. Het is niet waar dat ik me strikt aan de regels houd, besloot hij. Het verlenen van immuniteit is een hoogst serieuze zaak, zei hij.

Nu stond mevrouw Connolly op. Ze was tenger, beheerst, vóór in de veertig; ze leek een advocate die na het werk terug naar de kinderen zou gaan. Edelachtbare, als er geen immuniteit verleend wordt, vrees ik dat we deze zaak bijna zeker zullen moeten laten vallen en het dus zonder veroordeling moeten doen voor een bijzonder ernstige zaak. De vrouw had heldere ogen en keek hem recht aan. Ze was betrokken. Ze was nieuw in haar positie en was eropuit om iets te laten zien. Daniel Savage schudde zijn hoofd. Ik kan geen immuniteit verlenen in deze omstandigheden. Tenzij men me ervan weet te overtuigen dat de informant geen persoonlijk belang kan hebben bij de aanhouding van de verdachte, buiten zijn beloning als informant.

Mattheson aarzelde. Ongetwijfeld wist hij meer dan er in het dossier stond. Maar wat er ook op het spel mocht staan voor de politie, hij besloot het niet te zeggen.

U wilt dus geen PII verlenen, edelachtbare?

Nee.

Edelachtbare?

Ja, meneer Nicholson.

Edelachtbare, dit is echt hoogst...

De politieman sloot zijn ogen. Rechter Savage voelde met hem mee. Meneer Nicholson, hebt u nog verdere informatie waardoor ik misschien van mening zou kunnen veranderen, iets wat niet in de dossiers is opgenomen?

De jongeman aarzelde. Hij keek naar de anderen.

Ik zit hier om overtuigd te worden, ging Daniel door.

Nee, edelachtbare, zei de aanklager uiteindelijk. Misschien was er geen verdere informatie, dacht Daniel. Alleen de wens om de rechter de indruk te geven dat diens weigering ander belangrijk politiewerk ernstig zou belemmeren. Welnu, dat is dan dat, zei hij.

Edelachtbare?

Omdat de zitting nogal informeel was geweest, was rechter Savage niet al te verrast dat hij werd teruggeroepen door een vrouwenstem toen hij zich even later omdraaide om te vertrekken. Edelachtbare, ik wilde me even behoorlijk voorstellen. Ik ben Kathleen Connolly. Ondanks de tegenvaller die ze had gehad, glimlachte ze. Aangenaam, zei Savage. Hij gaf haar een hand. Ik meen dat u de Mishrazaak behandelt, ging mevrouw Connolly verder. Weer leek ze eropuit zijn blik te vangen. Een gretige dame. Hij knikte. Er zou die middag vooroverleg worden gehouden voor het proces. Ik zal er ook zijn, zei ze. Een hoogst eigenaardige zaak. Ik heb hem op de voet gevolgd. Het is een terrein waar ik bijzonder in geïnteresseerd ben. Toen ze zo samen bij zijn deur stonden vreesde Daniel even dat de vrouw op het punt stond het ondenkbare te doen en te proberen met hem over de zaak te praten. Inderdaad hoogst ongewoon, zei hij vriendelijk. Daar zullen we het maar bij laten, vindt u ook niet? Kathleen Connolly gaf hem een hand.

Nog iemand gebeld? vroeg hij aan Laura toen hij haastig naar zijn kamer terugkwam na een zitting te hebben geschorst voor de lunch.

Een man die geen naam wilde achterlaten, zei de secretaresse. O, en uw vrouw. Heeft een boodschap achtergelaten. Laura schudde haar krullen naar achter en las van haar notitieblok: De deuren zitten erin uitroepteken. Dat uitroepteken moest er absoluut bij, meneer Savage. Ze zei dat u het wel zou begrijpen. Het meisje glimlachte hartelijk, haar nagels waren lang en glanzend, alsof ook zij het begreep. Schitterend, zei Daniel. Hij glimlachte naar haar. Schitterend. Maar toen hij daarna te hard naar huis reed, merkte hij dat zijn gedachten onaangenaam betrokken. Zes weken geleden, toen ze het eens waren geworden over het huis, had alles zo duidelijk geleken. Nu lag het landschap versluierd onder de vochtige lucht van een vroege zomer. Ik moet Sarah behoeden voor een beslissing die ze zal betreuren, zei hij tegen zichzelf. Hij nam de bocht bij Primrose te snel. Wat wilden die anonieme briefjes? De enige persoon die me tegenwoordig in het halfduister tot iets gedurfds aanzet is mijn vrouw, glimlachte Daniel. Ze hebben er dus de deuren ingezet! Hilary kon het ene moment stekelig zijn, en het volgende moment vol passie. Mattheson, herinnerde hij zich terwijl hij naar binnen ging, had een getuigenis afgelegd in een diefstalzaak waarin hij als verdediger was opgetreden. Lang geleden. Daniel stopte, de sleutel in het slot. Had hij de politieman een leugenaar genoemd? Er was zeker sprake geweest van een zekere vijandigheid.

Sarah?

Eten staat klaar! werd er geroepen. Het klonk vrolijk. Daniel was opgelucht. In de keuken trof hij een zorgvuldig gedekte tafel aan, in Hilary's mooiste kristal stonden rode servetten gevouwen. Met haar rug naar hem toe stond zijn dochter over het fornuis gebogen zodat de strik van haar schort – ze droeg een schort! – om haar slanke blote middel sloot tussen een groene pyjamabroek en een wit topje, dat licht afstak tegen haar donkere huid. Sarahs huid was veel donkerder dan die van haar broer. Hoi, pap! zong ze. Het was raar, zei Daniel soms tegen zichzelf, dat hij nooit seks had gehad met een vrouw van zijn eigen kleur. Er zijn er zo weinig van mijn klasse, had hij eens gegrapt.

Fantastisch, zei hij tegen zijn dochter. Hij deed zijn jasje uit en ging zitten. Maar wat is dat voor een verhaal dat jij je examens niet wil doen? Christine Shields heeft gebeld, zei Sarah. Ze kwam van het fornuis gelopen met een dampende steak op het mooiste porselein. Waarom had ze dat voor de dag gehaald? Alleen het korte haar herinnerde hem nog aan haar recente overtuiging dat ze geen lustobject wilde zijn. Maar ook dat glansde, pas gewassen. Haar lange hals kwam er alleen maar beter door uit. Het meisje glimlachte ondeugend. Iets over problemen met het doorsluizen van geld. Nog een maand voor ze kunnen betalen. Alsjeblieft, Sarah, luister eens, mama heeft me verteld... Eet op, zei ze. Wijn? Ze had een fles wijn opengemaakt, een goede fles. Zijn glas was vol voor hij haar had kunnen stoppen. Het zou een drukke middag worden. Hoe zit dat nu? vroeg hij. Je moeder zei dat je niet uit de badkamer wilde komen. Sarah lachte. Ik heb haar flink aan het schrikken gemaakt, hè? Jij hebt míj flink aan het schrikken gemaakt. Maar toen is ze toch weggegaan, zei Sarah, om haar verschillende boodschappen te gaan doen, *n'est-ce-pas*?

Het meisje leek zowel boos als tevreden met zichzelf. Daniel at haastig. Ik breng je zodra ik klaar ben. Het is altijd het beste om er een halfuurtje eerder te zijn voor een examen. Als je de bus neemt maak je je zenuwachtig of je wel op tijd komt. Sarah pruilde: Mama zei dat U Edele me er schoppend en krijsend naartoe zou slepen. Daar kijk ik echt naar uit.

Er zat iets flirterigs in haar stem. Raar. Ze droeg make-up. Hij keek op zijn horloge. Je kunt je maar beter verkleden. Hoe was het concert? vroeg ze. Jullie zijn toch naar een concert geweest, hè? Ze at niet, maar keek naar hem. Ze had een maal voor hem bereid, maar alleen om te kijken. Haar ogen schitterden. Het concert? Hij probeerde te glimlachen: Mama zei dat Froberger nooit met pedalen gespeeld zou mogen worden. Ongepast en anachronistisch sentiment, zei ze. Je weet hoe ze haar oordeel velt.

Sarah lachte hartelijk met haar hoofd schuin. Toen stond ze op om met een paar grote stappen zout en sla voor hem te halen. Ze heeft mooie enkels, dacht hij. Hij wilde niet beginnen over haar geklaag dat het gemeen van hen was geweest om uit te gaan.

Maar vond jíj het mooi? vroeg ze plotseling.

Ik, de muziek? Hij zat zijn steak te eten. Zijn dochter stak een hand uit over de tafel en veegde iets van zijn kin. Ik luister eigenlijk niet naar muziek, weet je. Doe alleen mijn ogen dicht en laat mijn gedachten dwalen. Weer stond zijn dochter op met een te opgewekte glimlach: En waar heeft Froberger je naartoe gepedaald, als ik vragen mag? Daniel dacht niet na: Naar jou, zei hij. Je moet je nog verkleden, bracht hij haar in herinnering.

Ze pakte de fles en schonk zich snel een glas wijn in. Niet voor je examen! Maar ze had het glas al leeggedronken. En wat dacht je dan over mij? Haar stem werd scherp: Dat het stom van me was om bij een christelijke gemeenschap te gaan en in een kring te zitten zingen onder gitaarbegeleiding?

Wat ik dacht, zei hij, en stopte toen. Het stond allemaal zo mijlenver af van het gebeuren in de rechtszaal. Nee, ik vertel je pas wat ik dacht als je je eerst gaat verkleden. Vooruit, schat. Hij probeerde zijn stem licht te laten klinken alsof hij het tegen een veel jonger persoon had. Sarah keek op haar horloge en verliet de kamer zonder te protesteren. Ze leek lang weg te blijven. De minuten tikten voorbij. Daniel werd steeds ongeruster. Ik kan haar niet fysiek dwingen te gaan, zei hij tegen zichzelf. Ze deed er belachelijk lang over. Zou hij haar dwingen? Het was pure provocatie.

Toen verscheen Sarah weer in een strak rokje en blouse. Schoenen met hoge hakken. Trouwens – ze maakte een kleine pirouette – ik doe dit alleen maar voor jou, weet je. Het heeft echt geen zin dat ik mijn examens ga doen als God niet wil dat ik naar de universiteit ga. Ik heb er helemaal niets aan gedaan.

Daniel verkoos dit te negeren, hij wilde haar zo gauw mogelijk uit huis hebben en in het verstandige harnas van school en examenformulieren. Maar hij kon de waarheid niet voor zich houden: Het maakt me zo razend, Sarah. Wat heeft God er nu in vredesnaam mee te maken? Je bent te intelligent om te geloven dat je weet wat God denkt. Het enige wat we vragen is dat je je examens doet waar je voor geleerd hebt.

Ze schaterde het uit. Ze waren nu op de trap. Kalmpjes aan Daniel, zei ze. Ze had hem bij zijn naam genoemd, zijn voornaam. Daniel verstijfde. Heb je iets om te schrijven en zo? vroeg hij. Wat en zo? vroeg ze liefjes. Heb ik verder nog iets nodig?

Ze liepen naar de auto. Ging je me niet vertellen wat je over me dacht, vroeg ze weer terwijl ze haar veiligheidsgordel omgespte. Terwijl Froberger voortpedaalde, bedoel ik. Om precies te zijn, het was de artiest die pedaalde, corrigeerde Daniel haar, en niet Froberger. Froberger heeft geen pedaal gezien in zijn leven. Vul de tijd op met gebabbel, zei hij tegen zichzelf. De Russische pianist, ging hij door. Je weet wat je moeder van de Russische school vindt. Sarah glimlachte. Oké, wat zat je dan te denken terwijl de pianist pedaalde en mama zat te kronkelen? Hij gaf geen antwoord. Het meisje was zo scherp en balorig. Had ze hem ooit bij zijn voornaam genoemd? Je hebt klassieke geschiedenis vandaag, hè? vroeg hij. Ik geloof er niks van dat je er niets aan gedaan hebt. Dat zegt iedereen voor een examen. Papa, alsjeblieft, ik vroeg je wat je over me zat te denken. Vooruit.

Nou, eerst – hij reed nogal snel, maar was opgelucht weer papa genoemd te worden in plaats van Daniel – ja, eerst dacht ik dat het leuk zou zijn geweest als je bij ons was. Je hebt me niet uitgenodigd, wierp ze tegen. Nou, voorzover ik me herinner, zei hij, was het de eerste keer sinds eeuwen dat we samen uit zijn geweest, alleen wij tweetjes. Inderdaad, zei ze. Maar dat wil nog niet zeggen dat ik je niet graag bij het concert had gehad, wel soms? Dat zal wel. Ze leek verveeld nu. Misschien begon ze eindelijk aan haar examen te denken. Ze reden door. De stilte was veelbelovend. En daarna – Daniel nam het gesprek weer op – daarna dacht ik eerlijk gezegd, hoe vrolijk en verstandig je leek geworden, weet je, een jaar geleden toen ik een tijdje weg was geweest, en hoe...

Stommeling! Ze brulde. Plotseling roffelde ze met haar vuisten op zijn arm. Stommeling, riep ze. Ik doe dat stomme examen niet. Ik ga niet naar die stomme universiteit. En ik ga nooit, nooit, nooit, in dat stomme huis van je wonen. Doe maar geen moeite om een kamer voor me in te richten in dat stomme huis met die stomme hond en je open haard en stomme badkamer en terrassen.

Ze bewerkte hem met haar vuisten. Daniel moest de auto stilzetten. Ze brulde. Idioot! Idioot! Idioot! Hij sloeg haar in haar gezicht. Ze zakte achterover en keek hem aan. Het was een harde klap geweest. Sarah, alsjeblieft, kalmeer een beetje. Alsjeblieft! Het bleef even stil. Haar ogen stonden wijdopen, haar neus snoof als van een dier. Vergeet nu wat het ook mag zijn dat je zo kwaad maakte, beval Daniel haar. Vergeet het. Oké? Hij vertederde weer. Luister, we zullen erover praten na de examens. Maar alsjeblieft, alsjeblieft, mis dit moment niet, Sarah. Je zult er spijt van hebben.

Echt waar, lieverd. Voor mij. Nee, voor jezelf. Alsjeblieft, ga erheen en doe het.

Juist voor het schoolhek was een telefooncel waar de kinderen naar huis konden bellen wanneer ze om een of andere reden eerder naar huis mochten. Zodra hij had gezien dat zijn dochter zich bij haar vrienden had gevoegd bij de voordeur, stapte rechter Savage de cel in, belde de inlichtingen, en vervolgens het nummer dat ze hem gaven. Minnie Kwan, alstublieft, vroeg hij. Het was even stil. Kan ik Minnie Kwan spreken? Een ogenblik, alstublieft. Het accent was Koreaans. Ze is er, dacht hij opgelucht. Hij wachtte. Een andere mannenstem zei: Met wie spreek ik? Kan ik Minnie Kwan spreken, alstublieft? Daniel merkte dat hij zijn stem vervormde en zijn Oxbridge voor iets lokalers inwisselde. Ik vroeg wie daar was? De stem klonk agressief. Wie is daar? Daniel legde de hoorn neer. Misschien had hij gewoon naar de administratie kunnen vragen. Het was immers de bedoeling dat ze op de administratie zou gaan werken. Daar had ze toch zo'n hekel aan gehad? Dat ze niet mocht kiezen? Toen hij de zware deur openduwde, begon de telefoon te rinkelen. Rechter Savage aarzelde. Rondom hem boden glanzende visitekaartjes seksuele diensten aan, sommige met foto's van meisjes die wel iets van Minnie weg hadden, of van zijn dochter trouwens. Nieuw meisje in de wijk. Thais. Noors. Hij nam de hoorn op. Wie is daar? vroeg de buitenlandse stem. Wie is daar?

5

Het is niet één beslissing die een man maakt of breekt – Daniel had dit ergens gelezen, ongetwijfeld op Martins aanraden – maar de voortdurende aaneenschakeling van al zijn beslissingen gedurende een leven van actie en overpeinzing. Dat was ongetwijfeld waar. Toch zullen sommige keuzes onvermijdelijk belangrijker zijn dan andere. Daar was Daniel zich van bewust geweest in zijn smalle bed in het Cambridge Hotel, en ook op die lichte heuvel ten noorden van de stad toen hij en Hilary voor het eerst voor de lege vorm van een huis stonden dat beantwoordde aan een droom die ze deelden. Zeker nu hij rechter was zouden sommige uitspraken, sommige vonnissen, beter herinnerd worden dan andere, meer geprezen of feller betwist. Tijdens het Mishraproces kwam Daniel Savage nogal onverwacht in het middelpunt van de publieke belangstelling te staan.

De feiten waren als volgt: de Mishra's, man en vrouw, die een klein expeditiebedrijf runden, was de voogdij ontzegd over hun dertienjarige zoon omdat ze bij herhaling hadden geweigerd een beenamputatie toe te staan – de jongen had een zeer kwaadaardige vorm van botkanker – die volgens de Nationale Gezondheidsdienst noodzakelijk was om zijn leven te redden. De jongen werd onder de hoede van zijn arts geplaatst. Achtenveertig uur na deze uitspraak haalden de ouders het kind van de kankerafdeling van het plaatselijke ziekenhuis, reden naar Parijs en stapten op een vliegtuig naar India. Daar stierf de jongen uiteindelijk na alternatieve behandelingen te hebben ondergaan. Bij hun terugkeer in het Verenigd Koninkrijk werden de Mishra's gearresteerd op beschuldiging van ontvoering en doodslag van een minderjarige.

Zelfs na een eerste oppervlakkige lezing van het dossier had Daniel de uitzonderlijke problemen van dit proces al gezien. Eerst en vooral was er de kwestie van jurisdictie. Alle betrokkenen, ouders en kind, hadden de Britse nationaliteit, maar de dood had plaatsgevonden buiten het Verenigd Koninkrijk. En hoewel het onbetwistbaar leek dat de ouders een kind hadden ontvoerd waarover zij geen ouderlijke macht meer hadden, en aldus de indirecte oorzaak van zijn dood waren, zou het toch verderfelijk en impopulair zijn om de gebruikelijke vonnissen op de aanklacht toe te passen. Het was vreemd, dacht Daniel, dat de CPS zich zo vastbeet in de zaak. Terwijl er boeven vrij werden gelaten om hun zwagers te verlinken. Nog eigenaardiger, hoewel vleiend, was het feit dat hij, die nauwelijks bij de ervaren rechters gerekend kon worden, de zaak toegewezen had gekregen. Kwam dat door het acute tekort aan bevoegde rechters in het arrondissement op dit moment? Was het paranoïde van hem, vroeg hij zich af, om te denken dat het met een soort rassenovereenkomst te maken had? Hoe dan ook, de vraag of er sprake was van opzet zou cruciaal zijn, vermoedde Daniel, evenals de toelaatbaarheid van bewijs. Op dit laatste gebied zou een rechter de uitkomst zeer kunnen beïnvloeden. Wat hij echter niet verwacht had, was dat hij die hele middag vóór het proces zou discussiëren over een deel van Archbold waarmee hij geheel niet vertrouwd was.

Edelachtbare, mag ik u verwijzen naar hoofdstuk 11, paragraaf 24, 'Verklaringen op het sterfbed'. Dank u, meneer Stacey. De verdediging, zo bleek, had een video van het verjaardagspartijtje van de veertiende verjaardag van de jonge Lackbir, slechts dagen voor zijn dood, een feestje waarop hij verklaarde dat hij liever stierf bij zijn familie dan in een Engels ziekenhuis te blijven. Verklaringen op het sterfbed, protesteerde de aanklager, citerend uit Archbold, zijn alleen maar toegestaan als de dood van de overledene het onderwerp van de aanklacht is en de oorzaak van de dood het onderwerp van de verklaring. Edelachtbare, mag ik u erop wijzen...

Daniel keek naar de video. In een langdradig statische opname toonde de camera een schreeuwerig ingerichte flat, kennelijk in Chandigarh. De ouders, een oudere zoon en jongere kinderen waren bezig rond het betrokken gelaat van de stervende jongen. Geluid en taal vormden beide een probleem voor de van baard en tulband voorziene vader die een passage voorlas uit wat zo te zien een heilige tekst in het Punjabi was, terwijl de stem van de jongen zo zwak was dat zijn commentaar, gelukkig wel in het Engels maar versplinterd in brokstukken van zinnen tijdens twintig minuten van chaotische festiviteiten, alleen begrepen kon worden met behulp van de bijgeleverde transcriptie. Toch vond Daniel het bewijs toelaatbaar, niet als 'verklaring op het sterfbed', maar meer omdat de rechtbank wilde zien in hoeverre het kind, of beter gezegd de 'jongeman', na zijn veertiende verjaardag, in staat was voor zichzelf te beslissen, zelfs over kwesties van leven en dood, en ook om duidelijk te maken in welke mate de verschillende familieleden zich bewust waren geweest van de ernst van hun beslissingen. Mevrouw Connolly, die zoals beloofd de zitting bijwoonde, was duidelijk verveeld met de beslissing. Had ze er opdracht toe gekregen, vroeg Daniel zich af, of had ze op eigen houtje besloten een campagne te voeren tegen ouders die het recht in eigen hand namen? Zou er weldra een wet zijn die een vader achter de tralies zou zetten omdat hij zijn hysterische dochter had geslagen in de auto?

Maar wat zou je gedaan hebben, vroeg de rechter laat op de middag aan Hilary toen ze op de plaid lagen die ze de volgende zondag had meegebracht. Zou jij de jongen hebben meegenomen? Zijn vrouw gaf niet meteen antwoord. Deze gestolen uurtjes tussen Toms voetbal 's middags en het orgelconcert later op de avond waren een groter succes dan Daniel had verwacht. Principieel wantrouwde hij momenten van georganiseerde intimiteit, maar een serie obstakels was hen onverwacht te hulp geschoten. Niet alleen waren de deuren in het huis gezet, maar, in veel minder tijd dan mogelijk leek, ook alle ramen. De Savages hadden geen sleutel. We moeten inbreken, zei Hilary.

Ze hadden geparkeerd naast het hek. UITSLUITEND PERSONEEL TOEGESTAAN, stond erop. Daniel wilde het erbij laten. Waarom zouden we ons eigen bezit beschadigen? Ik verlang naar je, fluisterde ze. Echt. Staande bij de auto rustte ze met haar voorhoofd tegen zijn kin. Er zaten grijze draden in het eens gouden haar. Toen hij zijn arm om haar heen sloeg, huiverde ze. Ze wil datgene waarvan ze denkt dat ik het van haar gestolen heb met mijn verhouding, dacht hij. Ze moesten in hun eigen huis inbreken.

Ze leidde hem door lang gras naar een plek waar je gemakkelijk door de omheining heen kon. Hij had dat niet geweten. Maar zij kwam hier vaker dan hij. Ze dacht aan dit huis op een heel andere manier dan vroeger. Een nieuw gebouw heeft lucht nodig, zei ze. Ze kunnen het parket pas leggen als alles droog is. Dit is waanzin, protesteerde hij. Maar inderdaad was er aan de achterkant een raam opengelaten op de bovenverdieping. Waanzin, hij schudde zijn hoofd. Een hele klim.

Het was nog steeds licht op dat moment, nog steeds erg licht en winderig. De stad strekte zich onder hen uit, een scherp geconcentreerde warboel waarvan dit bouwproject, had de bouwer benadrukt, de laatste buitenpost zou zijn. De laatste grens, had de man gelachen. Daar hadden ze ook om gelachen. We zullen het Laramie noemen, had Hilary gegrinnikt. Nee, de Enterprise, zei Daniel. Toen had hij gevraagd of ze zich de naam kon herinneren van dat ene symbolische zwarte lid van Kirks originele bemanning. Hilary's preutsheid sneuvelde door een plotselinge giechel. Ze stopte haar hand in haar mond. Doordat hij hen zo gelukkig zag, wist de bouwer dat hij verkocht had. Achter het huis liepen de weiden snel omhoog. Een konijn! wees Hilary. Nu, twee maanden later, lachte ze weer toen haar echtgenoot een paar planken tegen de muur zette.

Je wordt te dik, rechter Savage, riep ze. Hij overdreef het gevaar van de klim, maar was ook echt een beetje nerveus. Ik ben trots op je, zei ze zachter. Met knikkende knieën balanceerde hij op een overeind gezette plank. Er zal geen water zijn! riep hij naar beneden. Wat doen we als we moeten plassen? We kunnen niet doortrekken. Hij hield zich in evenwicht op een uitstekend kozijn voor het keukenraam. Je ziet er zo grappig uit! Hij greep zich vast aan de goot. Plas maar uit het raam, lachte ze. Mijn reputatie, protesteerde hij, een strafrechter die uit het raam pist! O, doe toch niet zo flauw, smeekte ze.

Het was raar om in de lege kamer op de vloer te springen. Er was een droog gerammel te horen. Als we er eenmaal in zijn getrokken, wist hij, wordt Hilary verschrikkelijk drukdoenerig, en beschermt ze al haar nieuwe oppervlaktes. Dit was een moment van genade. Hij ging naar beneden, maar ze hadden er een veiligheidsslot opgezet. De voordeur ging zelfs niet van binnenuit open. Hij moest haar binnenlaten via een raam op de begane grond. Alvorens naar boven te klimmen, gaf ze hem de vuilniszak met de plaid en de fles champagne en glazen. Hij schudde zijn hoofd. We worden nog gearresteerd.

Maar het is ons eigen huis! We hebben nog niet betaald. Och, schei toch uit! De bankmanager had verrassend gemakkelijk gedaan over hun geldprobleem. Christine had gezegd dat het een louter logistiek probleem was. Alleen een kwestie van een overbrugging van een maand of twee. We beschouwen een rechter zo ongeveer als de veiligste garantie die een bank kan verlangen, lachte de man van Lloyds.

De knal van de kurk weerkaatste tegen de kale muren. Ze dronken het eerste glas met hun ellebogen onhandig ineengehaakt. Wat zijn die gevierde gebaren onhandig om te maken! Maar toen ze zich in de plaid wikkelden, zo ongeveer op de plaats waar de Steinway zou komen, was het ineens alsof ze nog nooit eerder zo naakt waren geweest samen. Sommige situaties kunnen deze tederheid genereren, dacht Daniel, dit afwerpen van de hardnekkigste kledij. Ze kusten langzamer en intenser dan gebruikelijk. Niet dat het licht bijzonder clement was voor hun niet meer jeugdige lijven. Maar op een of andere manier leende de genereuze leegheid van het huis zich voor de gedachte dat dit een bijzonder moment was, of zelfs symbolisch. Hij fluisterde obscene dingen in haar oor. Geile Savage, prees ze hem. In het verleden had hij vaag aan zijn vrouw gedacht als aan een soort door de voorzienigheid geleverde politieman die hem behoedde voor excessen, terwijl zij misschien had gehunkerd naar een exces dat hij niet kon geven. En nu, in de nasleep van een crisis die helemaal ongepland en in het begin zelfs destructief was geweest, leken ze – wat vreemd! – eindelijk voor elkaar bestemd. Ik hoor Chopin, fluisterde ze. Ze speelde een septime op zijn rug. Twee vingers in tremolo. O, ik hoor gewoon hoe perfect het gaat zijn. Ze knuffelden, lachten opgelucht. Ik kan niet geloven dat je die piano gekocht hebt, Dan. Wat ben je een roekeloze verkwister! Ik vind het zo lief van je dat je die piano hebt gekocht.

Toen ze elkaar loslieten, zei ze: Maak een vuur aan! Wat? Laten we een vuur aanmaken! Het gietijzeren binnenwerk van de open haard was al geïnstalleerd, zij het zonder de mooie stenen schouwmantel. Er was een rooster, er was een schoorsteen. Het kan best, zei ze. Maar wat als mensen de rook zien? O, doe toch niet zo flauw! riep ze. Je mag alles doen als je maar niet flauw doet. Kom op, er ligt hier genoeg houtafval. Maak een vuur aan.

Dan mis je je orgelconcert, zei Daniel. Hij stond onwennig op, wandelde naakt rond om stukjes hout te sprokkelen. O maar dat kan niet. Ik heb alles geregeld, de hele zaak opgezet. Je bent er vanavond niet echt bij betrokken, wierp hij tegen. Je hoeft niets te doen. Maar Dan... Laat toch gaan! zei hij. Ik moet Max ophalen, zei ze. Wat zullen de mensen denken als ik niet kom opdagen? Ze zullen denken dat je aan het vrijen bent met je echtgenoot. Na twintig jaar huwelijk! Ze barstte in zo'n spontaan gegiechel uit dat Daniel zelf ook in de lach schoot. We zijn gelukkig, merkte hij met enige verbazing.

Hikkend bleef Hilary in de plaid gewikkeld zitten terwijl hij in de andere kamers op zoek ging naar hout. Er waren overschotten van dekplaten, een stuk van een balk. Je weet dat we sociaal afwijkend zijn, riep ze. Twintig jaar getrouwd zijn. Je realiseert je toch wel dat we op Gordons feestje het enige stel waren dat nog in zijn eerste huwelijk zit? Het enige. Ze leek er ineens niet over uit te kunnen. Neuken na twintig jaar! Ze moest harder spreken toen hij naar boven ging. Het is obsceen! hikte ze. Zoiets doe je niet! We zullen uitgestoten worden. Het is veel erger dan een gemengd huwelijk, weet je. Mart en Christine zijn er ook nog, bracht hij haar in herinnering. Twaalf jaar, zei Hilary minachtend, en geen kinderen! Was Tom geen schat, voegde ze eraan toe. Arme jongen! In de laatste minuten van de wedstrijd had hun zoon een strafschop gemist. Hij had gehuild.

Daniel kwam terug met een stapeltje ruwe planken, een schram op zijn arm. Ze zaten vol spijkers en splinters. Ik weet niet hoe we het moeten aanmaken. Ze stak haar armen uit. Kom hier en geef me een kus. We zouden dit vaker moeten doen, zuchtte ze toen hij zich over haar boog. Je hebt niet elke dag een nieuw huis om in in te breken. Even keken ze elkaar aan. We zullen hier oud worden, fluisterde ze. Moeilijk te vermijden, stemde hij in. Het zal er vermoedelijk nog staan op de dag dat we ons realiseren dat we nooit meer zullen vrijen. Er zal in elk geval een grote tuin aan zitten, zei hij. Maar je hebt een hekel aan tuinieren! Ze kwam overeind op een elleboog. Je weet maar nooit, misschien maakt de opwarming van de aarde een paar slapende genen bij me wakker. Hij voelde zich blij geestig. We planten een kokospalm. Nu we het er toch over hebben, ik heb het ijskoud. Ze huiverde theatraal. Ze had nog steeds aantrekkelijke borsten. Ga je dat vuur nu nog aansteken of niet? Ga je dat concert laten schieten? vroeg hij.

Toen zei ze ja. Ja, ik zal het laten schieten. Daniel was stomverbaasd. Ik kan het niet geloven. Je laat het schieten? Ja, waarom niet? Hij werd beslopen door een vage angst. Ik begon te denken dat je verliefd was op Max. O, schei toch uit! Ze gooide een sok naar hem. Ik wil Max alleen maar in de buurt hebben in de hoop dat die pummel een oogje op Sarah krijgt. Hij gooide de sok terug. Ze gooide haar bh. Hij deed of hij hem in de haard wilde gooien. Ze sprong overeind, pakte hem, omhelsde hem, naakt, een tikje te dik, en fluisterde in zijn oor: Het meisje is zeventien en heeft nog steeds geen vriendje. Ze is een Jezusfreak. Wat kan een moeder anders doen dan een paar charmeurs rond haar verzamelen?

Daniel vond ten slotte in de keuken een aansteker in een van de overalls van de bouwvakkers. Wat zou jij hebben gedaan, vroeg hij, als we dat probleem hadden gehad? Ze lagen op hun buik, gewikkeld in de plaid. Hilary keek hoe de eerste vlammen vat kregen op de kleine piramide die hij had gebouwd. Is het niet fantastisch, zei ze. Ik vind het leuk als je over je werk praat. Je hebt er altijd over geklaagd, bracht hij haar in herinnering. Vooral in gezelschap. Nou, nu vind ik het leuk. Kijk die groene vlammetjes eens lopen! Ik kijk graag naar vuur.

Vaag was Daniel zich ervan bewust dat het leven echt zou kunnen veranderen. Dat bewees dit moment. Zelfs het verleden kan altijd veranderd worden, dacht hij, of gewoon anders begrepen worden. Hij boog naar haar toe en legde zijn wang tegen haar nek. Moet je die romige rook zien, fluisterde ze. Het hout knetterde. Hij trekt goed, hè? Wat zou jij gedaan hebben, vroeg hij nog eens, als je in de schoenen van de Mishra's had gestaan?

Het huis was donker geworden rond hen terwijl de vlammen helderder werden. De nog onbepleisterde muren waren ruw, trillend van schaduwen. Drie of vier nachtvlinders fladderden rond waar de schoorsteenmantel moest komen. Het is zo'n vreselijk verhaal, zei ze. Ze leunde tegen hem aan. Wat ik zou doen als het over Tom zou gaan, bedoel je? Of Sarah, zei hij.

Het geknetter van het hout leek bijzonder hard. Om een of andere reden fluisterden ze. Ik weet het niet, zei ze na een tijdje. Ik weet echt niet hoe je over zoiets kunt beslissen. Als ze echt geloofden dat de artsen het verkeerd hadden – je zegt dat ze ergens anders advies hebben gekregen – dan denk ik dat ik zou doen wat zij hebben gedaan. Ze dachten dat ze hem en zijn been konden redden. Ze geloofden in hun traditionele geneeskunst. Zodat hij kon spelen en rennen en strafschoppen missen. En de jongen wilde toch met hen meegaan, vroeg ze. Hoe heet hij?

Lackbir. In feite beweert de aanklager dat de ouders tegen hem hebben gelogen over de behandeling in India. Hij was natuurlijk doodsbang bij de gedachte dat zijn been eraf moest. Hilary zweeg. Wat ze graag deed was zijn handen masseren. Daniel had lange sierlijke handen. Mijn speelkameraadjes, noemde ze ze. Er zijn aanwijzingen, begon hij, dat ze...

Laten we het er niet over hebben. Ze greep zijn hand vast. Het is te erg. De levens van andere mensen zijn te erg. Ik wil er niet bij betrokken raken. Ze schudde haar hoofd, alsof ze stof of nachtvlinders uit haar haar wilde verjagen. Ik wil dat het alleen over jou en mij gaat.

Hij keek naar haar. Ze wist dat hij keek. Haar gezicht was somber, maar ook jeugdig; hij zag de vlammen in haar ogen branden, haar contactlenzen. In het licht van de vlammen verdween het grijs uit haar haar. En hij herinnerde zich wat Martin had gezegd, dat hij en Christine elkaar alles vertelden. Kon dat echt waar zijn? Plotseling verlangde hij hevig naar zo'n totale eenheid met zijn eigen vrouw, een volledig weten tussen hen dat hun verbondenheid voor eeuwig zou bezegelen. Hij aarzelde.

Ik vond het schitterend – hij reikte naar de fles om de laatste champagne in te schenken – hoe je die Rus hebt afgekraakt gisteren. Die met z'n Froberger? Ze glimlachte. Waarom? Ik dacht dat je het vreselijk vond als ik kritisch ben. Ben ik niet altijd te kritisch? Zegt iedereen dat niet? Mama, je bent zo kritisch! Hij streelde haar schouder. Dat is alleen maar omdat jij altijd verliefd werd op de pianist als we naar een concert gingen, eeuwen geleden, en dan voelde ik me klote. Ik kon er nooit tegenop. Niet echt verliefd, zei ze. In elk geval gaat het erom dat Froberger niet sentimenteel is, en het heeft dus geen zin om hem te laten zuchten en steunen als een jonge Romeo. Dat is verkeerd. Je verliest al de – ze woog haar woorden zorgvuldig af – al de strengheid, en op een of andere manier ook de lol. Hij luisterde naar haar. Een zekere koelheid en vrolijkheid, legde ze uit, gaan samen in dat soort muziek. Begrijp je?

Daniel gaf geen antwoord. Hij had het niet begrepen. Maar ten slotte, nadat ze de champagne hadden opgedronken en nog een beetje bedwelmd in het vuur lagen te staren, begon hij: O ja, er is trouwens iets wat ik wilde vertellen, maar toen dacht ik dat het een extra zorg voor je zou zijn. Kan niet erger zijn dan vijftigduizend pond moeten lenen, lachte ze. Ze zei: Nu moet je het me in elk geval vertellen. Ik krijg de laatste tijd van die rare dreigbrieven, zei hij. O ja? Ze kwam overeind op twee ellebogen. Anoniem. Het stervende vuur was nog slechts een rode gloed op haar schouders. Het was koud geworden. Ik begrijp ze niet, of waarom iemand ze zou sturen. Ik bedoel nu, in plaats van, nou ja, een jaar geleden als je begrijpt wat ik bedoel. Maar wat staat er dan in? Waar heb je ze gekregen? Op de rechtbank. Hij citeerde de twee brieven uit het hoofd. Hilary leek eerder verwonderd dan gekwetst. Raar! Plotseling lachte ze. O, dommerd, dat móét Sarah zijn, denk je niet?

Wat?

Het is Sarah!

Daniel Savage was verbijsterd, zowel bij de gedachte als bij de luchthartigheid waarmee Hilary het opvatte. Zijn dochter stuurde de brieven. Maar waarom... Overspel gedaan met zijns naasten vrouw! Hilary lachte. Het is toch van dat maffe religieuze gedoe? Citaten uit de bijbel. Lezen ze elke middag niet een hoofdstuk in de Kerk, Obadja, Hizkia? Maar waarom? Daniel spartelde tegen. Ik denk trouwens niet dat ze het wist. Ik bedoel over mij en, en... Ze keken elkaar aan. Natuurlijk wist ze het duvels goed, zei Hilary rustig. Het kind is toch zeker niet achterlijk? Na een tijdje zei ze vaag: Waarschijnlijk heb ík het haar verteld.

Daniel was ontzet. Maar waren we het er niet over eens dat we niet... dat de kinderen... Dat herinner ik me niet meer, zei ze. Ik was uitzinnig. We hebben absoluut gezegd dat we het hun niet zouden vertellen, herhaalde hij. Ze was ongeduldig: Wat verwachtte je dan dat ik zou doen, in jezusnaam? Terwijl jij weg was en God weet wat uitspookte. Ik dacht dat ik doodging, dat ik zou neervallen en doodgaan! Daniel krabbelde terug. Wat stom dat hij begonnen was iets te onthullen wat helemaal niet onthuld hoefde te worden. Voorzichtig vroeg hij: Maar waarom nu? Waarom een jaar later? Waarom me nu die rotzooi sturen? Hilary keek weer naar de sintels. Een nachtvlinder was in rondjes aan het sterven op het rooster. God weet waarom, mompelde ze. Het is zo mooi, vind je niet, hoe die laatste vonken nog opgloeien? Ze schudde haar hoofd. God weet wat haar heeft bezield.

Toen voelden ze beiden dat het tijd was om hun spullen te verzamelen en op te stappen voor er nog meer schade werd aangericht. Veertig minuten later, toen ze terugkwamen in de flat, troffen ze Max en Tom aan die op de bank naar het voetbal zaten te kijken, en bleek Sarah zich weer te hebben opgesloten in de badkamer. Ze was woedend, zei Tom, toen jullie te laat waren. De jongen daarentegen leek bijzonder tevreden met zichzelf.

6

Professor Mukerjee, zou het juist zijn te stellen dat de verhoudingen in traditionele sikh-gezinnen niet verschillen van de verhoudingen binnen het doorsnee Engelse gezin? De aanklager ondervroeg Peter Mukerjee, hoogleraar oosterse studies aan de universiteit van Birmingham. Driemaal had Daniel een bezwaar afgewezen tegen de relevantie van de vragen. Met mevrouw Connolly die nauwlettend toekeek en een volle perstribune, wilde hij niet vooringenomen tegen de aanklager lijken. Een mens wordt altijd een beetje geïntimideerd, besefte hij, ook al heeft een persoon geen officiële macht over je. Zelfs een paar ogen, dacht hij, oefenen een zekere druk uit. Hebbende de ogen vol overspel, en die niet ophouden met zondigen, zei het laatste briefje. Zou hij zijn dochter ermee confronteren, of afwachten of de briefjes stopten als ze naar Italië ging?

Nee, dat zou niet juist zijn, zei de professor plechtig. Integendeel, ik denk dat je moeilijk kunt overdrijven hoe diep die verschillen zijn op veel gebieden.

Is het ouderlijk gezag zo'n gebied, professor Mukerjee?

Inderdaad.

Kunt u de aard van dat verschil uitleggen?

De professor kuchte in zijn vuist. Zoals zovele getuige-deskundigen had hij er belang bij erop te wijzen dat op dit gebied speciale kennis was vereist. In het Engelse gezin, zei hij, is gehoorzaamheid maar zelden onvoorwaardelijk. Er wordt niet van een kind verwacht dat het elk bevel gehoorzaamt. Het kiest als het ware te gehoorzamen en door dat te doen toont het zijn liefde en respect. Maar in vele Indiase culturen, en uiteraard ook andere hiërarchische gemeenschappen, bestaat er een oude traditie van totale, onvoorwaardelijke en onmiddellijke gehoorzaamheid van kinderen tegenover hun ouders, in het bijzonder hun vaders. Als ik een metafoor mag gebruiken: de kinderen staan in een relatie tot hun vader als de vingers tot een hand. Ze zijn geen onafhankelijk handelende personen, zoals in het Engelse gezin.

Professor, zou u de cultuur van de sikhs , die u een groot deel van uw leven hebt bestudeerd, beschouwen als een cultuur waarin dergelijke onvoorwaardelijke gehoorzaamheid regel is? Stacey speelt dolgraag voor aanklager, merkte Daniel. Net als Martin trouwens.

Dat zou ik inderdaad, zei Mukerjee.

In onderhavige zaak, professor, is gezegd dat Lackbir Mishra, een dertien jaar oude jongen, ermee heeft ingestemd toen zijn ouders zeiden dat ze hem uit het ziekenhuis zouden halen. Denkt u, als deskundige op dit terrein, professor Mukerjee, dat we daaruit kunnen afleiden dat de jongen het ziekenhuis wilde verlaten?

Helemaal niet. Professor Mukerjee gaf Stacey precies wat hij wilde. Het is integendeel juist ondenkbaar dat hij niet zou gehoorzamen.

Mogen we dan concluderen dat hij het eens was met de mening van zijn ouders over zijn verdere behandeling?

Helemaal niet.

Mogen we dan concluderen dat hij besloten had dat de zogenaamde alternatieve behandelingen een haalbaar alternatief waren voor de behandeling geboden door de Nationale Gezondheidsdienst en de arts die hem onder zijn hoede had genomen?

Wederom, neen. Ziet u, dit is in feite een conceptueel probleem. Het zou waarschijnlijk niet in zo'n jongen opkomen om voor zichzelf te beslissen. Hij heeft die gewoonte niet ontwikkeld. Natuurlijk hangt er veel van zijn opvoeding af, maar in de strenggelovige gezinnen zou een kind er gewoon niet aan denken de pro's en contra's tegen elkaar af te wegen. Hij zou gewoon gehoorzamen. Dat is zijn lot.

Professor Mukerjee, u hebt een video gezien waarin de jonge Lackbir verklaart dat hij liever in India zou sterven bij zijn ouders dan in een Engels ziekenhuis te zijn gebleven. Wat voor gewicht zou u toekennen aan deze verklaring vanuit uw kennis van de cultuur van de sikhs?

Dat is een bijzonder moeilijke vraag, zei de professor. Hij schudde zijn hoofd, beet op zijn onderlip. Als ik naar de video kijk, is het duidelijk dat de jongen eerlijk is. Maar in zijn cultuur is dit wat je denkt. Het geeft geen persoonlijke keuze aan zoals het dat zou doen bij iemand met een westerse culturele achtergrond.

Stacey glimlachte. Stacey, merkte Daniel, deelt Martins talent, het talent van iemand die zijn ontwikkeling volgens een bepaalde traditie heeft gekregen, om deel te nemen aan een proces met afgewogen professionele passie. De jury lette aandachtig op. Er zat weliswaar een Indiër in de jury, of misschien zelfs een Pakistani, maar hij droeg geen tulband, dus zelfs in het onwaarschijnlijke geval dat hij een sikh zou zijn, was het moeilijk te zeggen in welke mate hij sympathiseerde. Waarom, vroeg Daniel zich af, was Martin ingestort en deze man niet? Een raadsel.

Professor Mukerjee, ik ga u nu een aantal algemene vragen stellen over de cultuur van de sikhs. Stacey pauzeerde, leek zich te vermannen voor een onaangename opmerking. Is het waar, professor, dat er onlangs gevallen zijn geweest waarbij vrouwelijke foetussen geaborteerd zijn omdat alleen een mannelijk kind gewenst was? In de rechtszaal hoorde je de adem stokken. De Indiër, die zijn gebalde vuisten stevig onder zijn kin had geplant, knikte heftig, alsof hij de vraag zelf wilde beantwoorden. Dat is waar, zei Mukerjee, in vele oosterse culturen. Hij pauzeerde even. En in vele traditionele en hiërarchische culturen in de gehele wereld. Daar is niets specifiek sikhs aan.

Kunt u de jury uitleggen waarom dat zo is?

Welnu, in dergelijke culturen is het gezin ook vaak een zakelijke onderneming en de grenzen tussen de twee zijn niet duidelijk bepaald. De zaak is het gezin en het gezin is de zaak. Maar dat geldt uiteraard ook voor oudere culturen van het Westen. In elk geval wordt een mannelijk kind gezien als waardevoller voor de zaak.

Professor Mukerjee, hoe zou in deze context gezien, ik bedoel van het gezin en de zaak, de broodwinning, hoe zou een mannelijk lid van het gezin die niet in staat is zijn plaats in het bedrijf in te nemen door ziekte of een handicap, worden beschouwd?

Pardon?

Zou een gehandicapt mannelijk kind worden beschouwd als een onaanvaardbare economische last? Net zoals de ongeboren vrouwelijke foetus?

Op de publieke tribune, die vol zat met familie van de verdachten, ontstond gemor. Een man verhief zijn stem. Rechter Savage interrumpeerde: Het publiek moet zwijgen of anders de zaal verlaten. Maar nu was de verdediger opgestaan.

Edelachtbare, ik maak bezwaar. Toen de toelaatbaarheid van deze, eh, getuige-deskundige is besproken, hebben we duidelijke grenzen van relevantie bepaald. Mag ik er nu op wijzen dat mijn geleerde vriend deze grenzen heeft overschreden.

Meneer Stacey – Daniel was vastbesloten zich niet te laten verleiden door de man – kunt u ons misschien heel kort uitleggen wat de relevantie van deze vragen is?

Stacey leek blij dat hij onderbroken werd. Misschien zou Mukerjee uiteindelijk een negatief antwoord hebben gegeven op wat de sluwste vraag van allemaal was. Misschien zou hij gezegd hebben dat een gehandicapte zoon helemaal niet als economische last gezien zou worden. Nu bleef de insinuatie in de lucht hangen als een onaangenaam geurtje.

Edelachtbare, met alles wat er al gezegd is en in de loop van dit proces nog gezegd zal worden over de positieve waarden van de traditionele gezinssolidariteit tegenover de bureaucratische procedures van onze Nationale Gezondheidszorg, probeer ik juist de aard vast te stellen van die, eh, traditionele solidariteit.

Savage wees het bezwaar van de verdediging toe. Meneer Stacey, u moet terzake doende vragen stellen.

Uiteraard edelachtbare. De aanklager wendde zich weer tot de getuige. Toen de Mishra's naar de Punjab reisden, namen ze hun oudste zoon met zich mee. Toen ze twee maanden later terugkwamen, werd hij begeleid door een jonge bruid die hij vóór die reis nog nooit had ontmoet. Is dat een normale gang van zaken in deze cultuur, naar uw deskundige mening?

Het is niet ongebruikelijk.

Zou de zoon zijn aanstaande bruid toevallig ontmoet kunnen hebben en verliefd zijn geworden?

Mukerjee legde uit dat gezinnen een tijdje met elkaar in contact stonden vóór dergelijke huwelijken.

Stacey aarzelde, uiterst geslepen. Gedurende een lange stilte wachtte de rechtszaal op de vreselijke vraag die zou proberen te suggereren dat het werkelijke motief voor de reis van de Mishra's naar India helemaal niet Lackbir was en diens alternatieve behandeling, maar het huwelijk van de oudste zoon die nu alleen verantwoordelijk was voor de toekomst van de familiedynastie. Lichtjes schommelend, terwijl hij met zijn vinger over zijn kin wreef, leek Stacey na te denken. Dat moge volstaan, dank u wel professor Mukerjee, zei hij ten slotte en ging zitten.

In de beklaagdenbank, met tulband en baard, en dicht naast zijn vrouw gezeten, bleef meneer Mishra onbewogen. Het besluit van beide verdachten om geen getuigenis af te leggen zou het verloop van het proces bedenkelijk kort houden.

Ja hoor, de openbare aanklager gaat echt voor de volle mep, zei Daniel op een avond later die week. Fashions in Fire had de stenen schouwmantel klaar. Ontvoering én doodslag. Ongetwijfeld in de hoop op een exemplarisch vonnis. Nadat ze Sarah hadden opgehaald van haar laatste examen, reden Daniel, Hilary en Tom naar het industriegebied om het kunstwerk te bekijken en te betalen voor de installatie. Daarna zouden ze in het centrum iets gaan eten om het te vieren. Het was het einde van Sarahs schooltijd, het begin van de zomervakantie. Ze gingen altijd ergens eten aan het eind van het schooljaar, een traditie overgenomen van kolonel Savages gezin. Welke tradities kan ik anders bewaren dan de tradities van de Savages, dacht Daniel? Nadat hij de Mishrazaak had geschorst tot de samenvatting van morgen, merkte hij tijdens een werkoverleg dat de zaak tegen Rigby geseponeerd was. De politie had verkozen hun informant te beschermen. Hij had die middag een paar keer gemerkt dat mevrouw Connolly heel gericht naar hem zat te kijken.

Maar willen ze die arme mensen echt naar de gevangenis sturen? vroeg Hilary. Iedereen was opgelucht dat Sarah haar examens had gedaan en niet had geprotesteerd tegen een uitstapje naar het nieuwe huis. Het leek beter er niet te veel aandacht aan te besteden. Er zijn de laatste tijd, zei Daniel, vier of vijf zaken tegen ouders geweest voor begane wreedheden tegenover hun kinderen, meestal in de vorm van 'buitensporige bestraffing'. Achter in de auto zaten zijn eigen kinderen mee te luisteren. En grappig genoeg komen de verdachten haast allemaal uit immigrantenkringen. Als ze rechter kunnen worden, lachte Hilary, dan kunnen ze ook de bak in. Daniel vertelde over een Japanse man die gearresteerd was omdat hij zijn zoon een weekend in zijn kamer had opgesloten. Maandagmorgen was de jongen niet naar school gegaan, maar rechtstreeks naar de politie. Jonge Tom zei vernietigend: Wat heeft het voor zin om die Mishra's in de cel te zetten, pap? Dan moeten wij betalen om hun kinderen op te voeden met ons belastinggeld. Tom deed graag mee in volwassen discussies, waarbij hij, wist Daniel, in zijn verlangen naar waardering op een vertederende manier een extreme vorm verkondigde van wat hij dacht dat het standpunt van zijn ouders was. Zo simpel is het niet, lieverd, zei Hilary. Sarah kwam niet uit haar schulp. O goed, mompelde ze toen Daniel haar nog eens vroeg hoe het examen was gegaan. Vertel dan eens waar je over hebt geschreven! Huwelijk in de vroege kerk, zei ze. Ze zat uit het raampje te kijken. Apostolische opvolging. Zoroaster en de vergelijkende theologie. Zorro-wie? vroeg Tom. Zijn er mensen die Zorro aanbidden? Knikkend naar links, alsof hij het voor de eerste keer zag, riep Daniel uit: O, over vergelijking gesproken, misschien kunnen we daar straks eens binnenwippen. Misschien hebben ze daar wel iets bijzonders aan gordijnen of tapijten. Hoi ping, mi pong, giechelde Tom. Wang snee wang pang! O hou toch je kop. Sarah gaf hem een stoot. Daniels plannetje was geweest voor Kwans Aziatische Stoffen te parkeren.

De Savages zaten nu aanzienlijk in de schulden. De termijnen voor de afbetaling waren overeengekomen met de bouwer om een vaste totaalprijs te garanderen bij oplevering eind juli. Daarna hadden ze een kleine tegemoetkoming gedaan aan de Shields in ruil voor twee grote voorschotten op de koop van de flat in Carlton Street. Met dit geld konden de Savages de eisen van de bouwer tegemoetkomen. Iedereen vertrouwde elkaar. Maar toen de Shields niet op tijd betaalden, hadden Daniel en Hilary een overbruggingskrediet genomen, dat hen in combinatie met hun oude hypotheek, zes cijfers in het rood deed staan. De positieve kant van de zaak was dat de bankier erop vertrouwde dat Daniel bijna elke verplichting zou kunnen nakomen. Rechters, lachte hij, de minst ontslagen categorie van het land. Dus voelde Daniel zich vol vertrouwen terwijl hij de cheque uitschreef voor Fashions in Fire. Stomme papierwinkel, had Christine gezegd. Kwestie van dagen. Martin had zich verontschuldigd voor hun avondje in de kroeg. Als ik depressief word, legde hij uit, dan zijn er van die momenten dat ik er van alles uitgooi. Naar het scheen had hij voortdurend lichte verhoging, maar hij weigerde het huis te verlaten en naar een dokter te gaan.

Het mag delicaat lijken, verzekerde een bediende hun toen hij een doek van de duifgrijze steen aftrok, maar in feite is het min of meer stootvast en kan het elke temperatuur verdragen. De schouwmantel was op zijn rug gelegd op een pallet, de fijne groeven aan de bovenkant waren met een glazige lak afgewerkt. Kunstharsen, verklaarde hij. Traditioneel ontwerp, moderne duurzaamheid. Ziet eruit alsof hij rechtstreeks uit Jane Austen komt, klaagde Sarah. Tom vroeg of hij de machines mocht zien waarmee de steen gezaagd werd. Ik kan me niet herinneren – Hilary stond op haar tenen om in haar mans oor te fluisteren – dat er iemand op het haardtapijt heeft gevreeën in *Pride and prejudice*. Daniel glimlachte en nam zijn dochter bij de arm. We kunnen gaan zitten kaarten bij het haardvuur, zei hij, terwijl de vlammen onze tenen roosteren. Mens erger je niet? vroeg het meisje agressief. Strippoker? giechelde Tom. Toen giechelde Sarah ook. Hun dwaze lach echode in de holle ruimte. Daniel vatte moed. Ik zie mijn whisky al staan op de schouwmantel, verkondigde hij luid grinnikend. Papa, alsjeblieft! Het meisje was gegeneerd. Hij snifte clownesk. Ruikt naar een dubbele malt. Hij is verschrikkelijk, zei Tom tegen de verkoper. Een tempelier! De stenen schouwmantel alleen al had tweeduizend pond gekost. De Steinwayvleugel stond nog ingepakt te wachten om afgeleverd te worden. Alles was klaar.

Maar ik heb altijd een hekel gehad aan oosterse tapijten! Hilary wilde niet bij Kwan naar binnen. Ze waren al laat. Het lijkt me niet waarschijnlijk dat ze iets hebben dat bij onze haard past, wel soms? Max zou om zeven uur in The Duck zijn. En ze moesten Crosby nog oppikken, een vriend van Tom, de zoon van de organist. Het verkeer zou een hel zijn. Hilary stapte al in de auto toen Sarah zei: Nou, ik wil weleens zien wat ze in huis hebben. Ik ben wel geïnteresseerd in oosterse spullen. O Sarah! Alsjeblieft! De open haard komt toch niet in míjn kamer te staan, zei het meisje. We hoeven toch niet allemaal dezelfde stijl te hebben, zoals in zo'n nors oud Engels herenhuis? We kunnen een Regencykamer nemen en een Mingdynastiekamer. En een heiligdom voor de spionkop van Liverpool, giechelde Tom.

Daniel trok een gezicht tegen zijn vrouw. Laten we even een kijkje nemen, zei hij. Een paar minuten maar. Maar luister nu toch, zei Hilary. Als we nu iets nodig hadden... Wie zegt er altijd tegen de mensen dat ze niet zo flauw moeten doen? vroeg Sarah. Haar moeder aarzelde even. Vader en dochter liepen arm in arm. Weer knipoogde Daniel. Met die examendruk achter de rug zou het meisje misschien weten te overwinnen wat haar zo onmogelijk had gemaakt. Ze zou zich voor het huis gaan interesseren. Misschien zouden ze gelukkig zijn. Zijn vrouw gaf toe, en ogenschijnlijk goedgezind pakte ze Tom bij een elleboog, zodat ze samen de straat overstaken, lachend. Een echte spionkop.

Binnen was de geur meteen vertrouwd, zoals Minnies stem meteen vertrouwd was geweest aan de telefoon die avond. Ik had meteen moeten reageren, dacht Daniel. Maar vaak wenste hij dat het zelfs nooit gebeurd was. Ze wachtten gedempt babbelend in een sombere ruimte, half showroom, half magazijn. De jonge Aziatische man die nu verscheen om hen te helpen leek van zijn stuk gebracht en richtte zich uitsluitend tot de blanke vrouw van de groep. Daniel had dit gedrag zo vaak meegemaakt dat hij zelfs niet beledigd was.

We zijn een groothandel, zei de Koreaan. We verkopen niet aan particulieren. Kunnen we niet alleen even naar een paar patronen kijken, vroeg Hilary. Typisch voor haar dat ze zich niet liet afschepen nu ze eenmaal binnen was. Ze liep meteen naar de grote stapels tapijten onder tl-licht bij de muur. Daar had haar echtgenoot Minnie voor het eerst uitgekleed. Als je denkt dat de Engelsen racistisch zijn, had het meisje gelachen, dan zou je de Koreanen eens moeten horen! Haar huid rook vaag anders. De jongeman was goedgekleed in een grijs kostuum met knalrode das. Alleen groothandel, herhaalde hij.

Ze stonden bij een fel kleurenspel van goud en blauw, terwijl de Koreaan laag na laag van de stapel afpelde, en alleen naar Hilary bleef kijken, hoewel het de donkere en plotseling mooie Sarah was die het materiaal betastte en van wie de oh's en ah's kwamen. Betekenen die karakters iets? vroeg het meisje. De jongeman met acne scheen het niet gehoord te hebben. Vijfennegentig procent, zei hij tegen Hilary. Daniel ergerde zich ineens. Mijn dochter vroeg of de karakters iets betekenen, zei hij. Maar het ontwerp was al bedekt door een ander. De Koreaan keek hem uitdrukkingsloos aan. O, het maakt niet uit, glimlachte Sarah. Dit is een groothandel, herhaalde de verkoper. Toen vroeg Daniel: Bent u meneer Kwan? Meteen voelde hij dat zijn stem een vals ondertoontje had gekregen. Maar als hij nu niet door zou gaan, had hij hier ook niet binnen hoeven komen. De zoon van meneer Kwan, antwoordde de Koreaan. En is het een grote familie? Zitten jullie allemaal in de zaak? Hilary keek verbaasd op. We zijn met twee broers, zei de jongeman, die hen door het sombere magazijn leidde. We zijn geen grote familie. Alleen groothandel.

In de eetzaal achter The Duck werd Sarah bijzonder spraakzaam. Ze plaagde Max genadeloos, maar leek in een goed humeur. Word je er niet gek van als mama steeds zegt dat je te sentimenteel bent? Word je er niet stapel van als ze zegt: O, wat een flauwe manier van spelen! Niet zo flauw, Max! Je hebt te veel gedronken, lachte Hilary. Nu ze haar examens achter de rug had, mocht ze een heel glas wijn drinken. Ze had er twee genomen, maar weigerde meer te eten dan een salade. Daniel, die gewoonlijk de gangmaker op feestjes was, verklaarde zijn stilte door te zeggen dat hij morgen zijn samenvatting van de Mishrazaak zou geven. Mijn eerste keer ten overstaan van de nationale pers, zei hij. Tom viel hem in de rede en vroeg of Max aan sport deed. Ze aten alle twee een steak. Ik heb genoeg aan de piano, zei Max. De piano is in z'n eentje alle stemmen, weet je, dus je hebt geen begeleiding nodig. Duidelijk een heerlijke jongeman. Terwijl ik me bijna altijd raar voel in gezelschap. Hij bloosde. En nee, natuurlijk vind ik het niet erg, zei hij tegen Sarah, wanneer ik te horen krijg dat ik iets niet goed doe. Hilary had ervoor gezorgd dat de jongelui naast elkaar zaten. Daar is een leraar toch voor? Maar wat is slecht? vroeg Sarah. Wie is mama om te beslissen wat slecht is? Heeft ze ooit gezegd dat iemand goed speelde?

Max had zijn vork in zijn mond gestopt. Tom en Crosby schoven patat naar binnen. Ik moet stoppen met aan Minnie te denken, beval Daniel zichzelf. Hilary zat te glimlachen boven haar vis en schuin naar Max te kijken met een blik van algemene zelfgenoegzaamheid. Rechter Savage zei ineens tegen zijn dochter: Waarom begin je niet weer met de piano, Sarah, lieverd? Nu de examens achter de rug zijn. Hij meende het oprecht. Het meisje zat tegenover hem. Dat zou fantastisch zijn. O nee! riep Tom met zijn mond vol. Bespaar me dat!

Hij bedekte zijn oren. Geen piano! Hou op, Tom, zei Daniel. O, dat is nog niks, zei Crosby, mijn zus speelt vióól! De twee jongens barstten in lachen uit. Toen voelde Daniel onder de tafel zijn dochters been tegen het zijne wrijven. Ik zal weer beginnen met spelen als jij dat ook doet, pa, zei ze. Er lag een vreemde mengeling van uitdaging en zelfbeheersing in haar stem. O, hebt u ook gespeeld, meneer Savage? vroeg Max. Soms leek de beleefdheid van de knaap op een haar na op spot. In vredesnaam, zeg toch Daniel! antwoordde de rechter. Het is al erg genoeg om de hele dag edelachtbare genoemd te worden. Ik zou het geweldig vinden als je weer opnieuw zou beginnen, Dan, zei Hilary met haar liefste stem. Ze droeg haar strak getailleerde fluwelen zwarte concertjurk, en een bleekgroen vest. Je bedoelt dat je hem dan kunt vertellen hoe slecht hij speelt, verkondigde Sarah. Te veel pedaal! aapte ze na. Laat zingen die piano!

O, in hemelsnaam! Hilary wendde zich tot Tom aan haar linkerkant. Vertel me eens, Tommy, ben ik echt zo'n slavendrijver? De lippen van de jongen zaten onder de ketchup. Daar de vraag in aanwezigheid van Crosby was gesteld, aarzelde hij. De jongelui wisselden een blik uit. Nou, wel een beetje, waagde de knaap. Iedereen schoot in de lach. Tom! Verrader! Hilary schudde haar hoofd maar kon toch nog glimlachen. Och m'n arme Riliree! lachte Daniel. De rechter vergat eindelijk zijn andere zorgen – hij was het meisje niets verplicht, dacht hij, en ze had trouwens niet de bedoeling zijn leven te verwoesten – en wendde zich naar links om zijn vrouw te omhelzen. Onverwacht hief ze haar lippen naar hem op om hem heftiger te kussen dan ze ooit deed in het openbaar. Ook zij had gedronken. Ze waren alle twee zo opgelucht dat Sarah haar examens had gedaan! School was voorbij. Het meisje zat aan de overkant toe te kijken. Max klapte hartelijk. Wanneer is dat twintigjarig huwelijksfeest eigenlijk? vroeg hij. Wanneer is de grote dag? Oktober! riep Tom. Met een beetje geluk gaan ze op een tweede huwelijksreis en hebben we het nieuwe huis voor ons alleen. Tof! riep Crosby. Hilary maakte zich los. Ze leek zowel te lachen als te huilen. Sarah zei koeltjes: En dan te bedenken dat papa vorig jaar rond deze tijd in een hotel woonde en iedereen dacht dat ze uit elkaar waren.

De eetzaal van The Duck was in trek bij gezinnen. Sarah was nauwelijks uitgesproken of het lawaai van de andere tafels leek hun eigen lawaai binnen te vallen, in het bijzonder dat van een dikke man met een rauwe lach. Nee, ik lach me dood, riep hij. Ik lach me dood, brulde de dikke man. Hilary had haar ogen gesloten. Ze liet haar voorhoofd op haar vingertoppen rusten. Max leek ontzettend gegeneerd. Tom keek schichtig van vader naar moeder, zijn hoofd dicht bij het tafellaken. Alleen Crosby was zich blijmoedig onbewust van elk onbehagen: Mijn ouders zeggen elke dag dat ze uit elkaar gaan, bromde hij, maar uiteindelijk doen ze het nooit. Roep ik dat kind tot de orde waar Max bij is, vroeg Daniel zich af. Het laatste wat ze nodig hadden was dat het meisje zou opstappen. Ze had haar vork neergelegd. Haar palmen drukten op tafel alsof ze op het punt stond op te staan. Papa is altijd aan het klagen, ging Crosby voort, dat hij liever in z'n eentje in het schuurtje gaat wonen met Camomile, onze kat. Hij zegt...

Hilary herstelde zich snel, tikte de zoon van de organist op zijn hoofd. Wil er iemand een dessert? Ze wenkte de dienster. Trouwens, richtte ze zich tot Max, Sarah vertrekt morgen naar Italië. Is het niet zo, lieverd? Doordat hij zijn mond had gevuld om zijn gêne te verbergen, duurde het even voor de knappe jongeman kon reageren. Wat fantastisch! Hij keerde zich naar het meisje naast hem. Sarah leek opgesloten in een onbereikbare wrok. De donkere huid rilde van boze spanning. Waar precies? vroeg Max. We hadden iets moeten zeggen, zei Daniel tegen zichzelf. We kunnen dat niet zomaar toestaan. Perugia, vertelde Hilary. Er is een soort algemene cursus over Italiaanse cultuur en taal. Of was het verstandiger te wachten tot het meisje zou vertrekken? Misschien had Minnie eindelijk het huis mogen verlaten. Of noemden Koreanen alleen de mannelijke leden van het gezin op? Misschien waren ze even chauvinistisch als sikhs.

Word je naar het vliegveld gebracht? vroeg Max onverwacht. Nadat ze besloten had op haar plaats te blijven zitten, stak Sarah haar hand uit om van haar vaders wijn te drinken. Mijn vlucht vertrekt 's middags, zei ze. 's Morgens ga ik naar papa's samenvatting luisteren en daarna neem ik de bus vanaf het station. Weer verbaasde ze haar ouders. Je hebt nog nooit interesse getoond voor de rechtbank, zei Hilary. Het is een groot moment voor papa, verklaarde Sarah, en ik ben klaar met school, dus waarom zou ik niet gaan? Ze giechelde een beetje en zei achteloos: Als mijn uitslag goed is, ga ik misschien wel rechten studeren. Dit was zulk goed nieuws voor Daniel dat hij zijn dochter meteen alles vergaf. Het kwam in orde met haar. Aan het einde van de zomer zou ze uit huis gaan en gaan studeren. Een heel normaal kind. Misschien kan ik ook meegaan, opperde Max, ik zou weleens willen zien hoe het eraan toe gaat tijdens een proces. Dan kan ik je daarna naar het vliegveld brengen. Daniel onderschepte Toms overdreven knipoog naar Crosby. De jongens begonnen te giechelen. Nou, doe maar wat je niet laten kunt, zei Sarah. Sarah, vroeg haar moeder streng, wat is dat nu voor een reactie! Als iemand zo'n vriendelijk aanbod doet! Ze leek eindelijk iets gevonden te hebben waarover ze openlijk scherp wilde zijn. Maar is het niet moeilijk voor je in verband met je werk? vroeg ze Max. De jongeman schudde zijn hoofd, hij had flexibel werk. En ik zou natuurlijk graag van dienst zijn. Daniel keek toe, probeerde het te begrijpen. Hoe lang blijf je weg? vroeg Max. Een paar weken maar, zei Sarah. Was het geen maand? vroeg Daniel snel. Weer voelde hij zijn dochters knie tegen de zijne. O ja, een maand, zei ze. Mazzelkont, zei Tom. Tom, lieverd, alsjeblieft! zei zijn moeder. Dat je een vriendje bij je hebt wil nog niet zeggen dat je kunt spreken alsof je op de speelplaats bent. Dan zul je mijn concert missen, zei Max. In de kerk. Vóór de zomervakantie moedigde Hilary haar leerlingen aan om een concert te geven. Met een verlegen glimlach voegde hij eraan toe: Misschien maar goed ook, met al de fouten die ik maak. Sarah aarzelde, en met een half glimlachje zei ze: Vraag dan om extra lessen, ik weet zeker dat mama het graag zal doen.

Rond twee uur die nacht ruilde Daniel zijn Opel Estate in voor een goudkleurige Aston Martin. De garage waar hij hem had geparkeerd lag een eind van huis. De acceleratie was slecht, maar om een of andere reden bleef de motorkap maar openspringen. Hilary zou niet blij zijn met de kleine bagageruimte. Op het moment dat hij in zijn bed stapte bedacht hij dat zijn Aston Martin niet verzekerd was. Hij had er gevaarlijk mee gereden en hem mijlenver weg geparkeerd in een goedkope prefab garage – het had er naar urine geroken – en het ding was niet eens verzekerd! Het kon gestolen worden en hij zou geen enkele vergoeding krijgen. Daniel werd wakker in paniek.

Later ging hij naar het medicijnkastje in de badkamer. De gebeurtenissen van een jaar geleden hadden hem geleerd die bijzondere chemische spanning in zijn hoofd te herkennen die opgelost kon worden door kalmeringsmiddelen. Hij bleef even in het donker in de woonkamer zitten wachten tot het medicijn zou gaan werken. Hilary was al begonnen met de ontmanteling van de flat en het inpakken. Te voorbarig, vond hij. De boeken waren van de planken verdwenen. Ze had zo'n haast om te vertrekken. Ze belde elke dag om te horen of het nieuwe huis niet eerder klaar was. Er stonden stoffige dozen, een rol tapijt, een stapel spelletjes van Tom. In onze gedachten is deze periode van ons leven al voorbij, dacht hij. De periode van problemen en crisis. Nadat Tom en Crosby die avond de eettafel hadden verlaten om in de speelruimte computerspelletjes te gaan spelen, was Sarah ook opgestaan en achter hen aan gegaan, en had Max aan haar ouders overgelaten. Er zijn dingen die ik nooit zal begrijpen, realiseerde Daniel zich.

Rechter Savage stond op en begon door de flat te lopen. Het was minstens tien jaar geleden dat ze de flat nog hadden opgeknapt. Waar Hilary de schilderijen van de muur had gehaald leek het behang op te lichten. Hij ging een kijkje nemen bij Tom. Zijn kamer noemden ze het hokje. Toen duwde hij Sarahs deur open. Haar gezicht stond plechtig in het duister, haar magere lijf was alleen bedekt met een laken. Hoeveel mensen had hij de gevangenis in gestuurd sinds hij rechter was geworden? De Colombiaanse vrouw kon niet naar haar kinderen gaan kijken. Ik zou die verantwoordelijkheid moeten koesteren, zei Daniel tegen zichzelf. De curve van zijn dochters nek was zo fraai, zo volmaakt gevormd dat je er alleen maar bewonderend naar zou willen blijven kijken. Maar ben ik verantwoordelijk voor Minnie? *Haal je alles voor de geest wat je weet over Minnie*, beval een stem plotseling. *Alles.*

Toen wist Daniel dat hij in paniek was. Mijn leven is aan het veranderen. Hij haastte zich naar de keuken, nam pen en papier. MINNIE, krabbelde hij. Genoemd naar de Koreaanse Koningin Min. Leeftijd? Destijds twintig. Nu vijfentwintig of zo. Gestudeerd? Al hun gesprekken, haar gesprekken, waren over haar studie gegaan. Accountancy. Ze hadden elkaar, wat zou het zijn, een keer of vijf, zes gezien. Maar ze had naar de kunstacademie gewild. Was dat zo?

Haar vader liet de kinderen verschillende richtingen nemen die nuttig waren voor het bedrijf. Het bedrijf was essentieel voor hun overleven. Ze waren immigranten. De gemeenschap is alles, zei ze. Ze had het over twee broers gehad. We zijn één persoon, zei ze. En ook een grootvader. Maar waarom hebben ze dat boekhouden voor mij bewaard? Hij hoorde haar stem in die woorden, die jammerklacht. Boekhouden! Ze lachte en huilde. Het was haar stem, haar accent om precies te zijn, dat hem het meest had aangetrokken.

Als enige dochter had ze verpleegster moeten spelen voor een aftandse grootvader. Dat was het. Boekhoudster en verpleegster. De oude man maakte haar 's nachts wakker. Hij was incontinent. Het meisje lag naast Daniel op de stapel katoen in het magazijn, en huilde van frustratie. Zodra ze hem verliet, zou ze haar grootvader moeten gaan verschonen. Misschien moest ze wel de hele nacht met hem doorbrengen. Al na hun tweede of derde ontmoeting wist Daniel dat hij ermee wilde stoppen. Ze voelde het. Je doet maar alsof je luistert, lachte ze. Ze werd uitgeput wakker voor een dag rekenwerk. Haar vader wilde geen professionele hulp. Niet voor een lid van de familie. Koreanen stoppen hun vaders niet in tehuizen. Moeder was dood. Hij zou me vermoorden als hij het wist, lachte ze, naakt op de stapel katoen.

Daniel legde zijn pen neer. Dat is alles wat ik me herinner, dacht hij. Nee, er was ook een vriendje, een vriendje met wie ze verondersteld werd te trouwen. Ben. Daniel had haar gezegd dat ze dat niet hoefde. Niemand móést trouwen. Het zat allemaal in haar hoofd. Lul toch niet, had ze gehuild. Lul toch niet. Dat was de laatste keer. Minstens vijf jaar geleden. Werkt Ben ook in het bedrijf? vroeg Daniel zich af. Had ze hem dat verteld?

Is er iets? Hilary's stem klonk zacht door de gang. Alleen maar geldzorgen, riep hij terug. Toen hij weer in bed stapte, zei hij: Dit is belachelijk, ik ga Martin opzoeken zodra ik een paar uur tijd heb, om te vragen wanneer ze nu precies gaan betalen. Slaap maar, fluisterde ze. Ze begon zijn rug te strelen. Grote dag morgen, Dan. Terwijl zij weer indutte, lag Daniel wakker en wist dat andere mannen zich niet zouden hebben laten verleiden door dit probleem.

7

Rechter Savage ging met rustige autoriteit te werk, en richtte zich uitsluitend tot de jury. Hij had mevrouw Connolly geen blijk van herkenning gegeven. Hij legde de rol van rechter en jury uit. Zijn dochter trouwens ook niet. Max was er niet bij. Hij gaf de begrippen bewijslast en wettig en overtuigend bewijs ter overweging. Op de perstribune moesten mensen staan. Hij gaf een definitie van ontvoering. Voor het gerechtsgebouw was gedemonstreerd, er was een televisiecamera bij geweest. Hij definieerde doodslag, door onrechtmatig handelen, door grove nalatigheid. Hij analyseerde de elementen van elk misdrijf dat bewezen moest worden. Kon een gezin dat alternatieve behandeling zocht voor een levensbedreigende ziekte beschuldigd worden van grove nalatigheid? Stacey hield zijn pen in de aanslag. Ongetwijfeld zat hij de routineonderdelen af te vinken die een goede samenvatting hoorde te bevatten. Zo ja, kon men dan stellen dat de kern van het misdrijf in het Verenigd Koninkrijk had plaatsgevonden, zelfs als het slachtoffer in Chandigarh was overleden?

Daniel keek op. Hij sprak zonder opsmuk, zich baserend op aantekeningen. De volle rechtszaal luisterde aandachtig. Hij zou zich niet laten verleiden door theatrale gebaren. *The Times* zou de volgende ochtend zeggen dat beide kanten, voor aanklager en verdediging, beknopt waren belicht. Iemand niesde. Als het gezin het kind mee naar India had genomen bij de eerste tekenen van zijn ziekte, bracht Daniel de jury in herinnering, zou er geen sprake van zijn dat ze vandaag voor de rechtbank moesten verschijnen. Zo'n beslissing zou geheel wetmatig zijn geweest. Toen sneed hij de kwestie aan van de *mens rea*, het schuldige geweten. Het was op dit punt dat de jury alles wat ze gehoord had moest interpreteren en tot een besluit moest komen. Niemand betwistte dat het kind aan botkanker leed. Niemand betwistte dat een amputatie van het rechterbeen het leven van de jongen op zijn minst zou hebben verlengd. Niemand betwistte dat de ouders het kind hadden meegenomen naar India toen ze al uit de ouderlijke macht ontzet waren, hoewel eveneens niemand beweerde dat ze geweld hadden gebruikt.

In de laatste twee eeuwen heeft er een aanzienlijke verandering plaatsgevonden, meldde Daniel en keek op, in de manier waarop we een misdrijf berechten en bestraffen. Hij zweeg even. Hij week nu af van de standaardprocedure, maar de zaak leek dat te vereisen. Van een zwart-wit-, ja-neebeslissing of een bepaald incident dat als misdrijf kan worden beschouwd ook echt is gebeurd en zo ja, wie het dan begaan heeft – zijn ogen richtten zich weer op het dossier – zijn we steeds meer moeite gaan doen om het schuldniveau van de dader te bepalen. Zijn collega's zouden met gespitste oren zitten. We stellen ons de vraag of ze wel bij hun volle verstand waren ten tijde van het incident. We stellen ons de vraag of ze geestesziek zijn, of ze uit passie handelden of onder de invloed van een drug. We vragen of ze onder dwang hebben gehandeld. De beslissing van een jury – Daniel sprak zeer langzaam maar niet nadrukkelijk – kan beïnvloed worden en is ook wel beïnvloed, door het feit dat de verdachte onder spanning stond ten tijde van een zeker misdrijf, of misschien haar menstruatie had, of door het feit dat de verdachte onlangs is verlaten door zijn vrouw, of een dierbare is kwijtgeraakt. Stacey fluisterde iets tegen mevrouw Connolly. Tot op zekere hoogte – rechter Savage schoof een blad papier achter een ander – kan het erop lijken dat deze bereidheid om de mentale gesteldheid in beschouwing te nemen, het principe bemoeilijkt dat de wet gelijk is voor iedereen, in die zin dat een persoon veroordeeld kan worden en een ander vrijgesproken voor iets wat ogenschijnlijk dezelfde daad leek. Daarop kunnen we antwoorden dat de wet gelijk is voor iedereen gegeven de *mens rea*, het schuldige geweten, voorzover we dat hebben kunnen vaststellen.

Volgen ze me wel, vroeg hij zich af, ben ik wel duidelijk? In elk geval kon hij niet beschuldigd worden van conformisme na een samenvatting als deze. Hij richtte zijn blik op de jury, keek elk van hen om beurten aan. In bepaalde zaken echter, kan het uiterst moeilijk zijn om te bepalen wat de mentale schuld is. Vijf mannen, zeven vrouwen. Bovenal staat het meer open voor debat dan de eenvoudiger vragen: heeft deze persoon dit pistool afgevuurd, heeft deze persoon dat geld gestolen. Het is op dit punt, over de kwestie van de *mens rea*, dat uw oordeel, het afgewogen oordeel van een jury op basis van het tijdens de rechtszaak naar voren gebrachte bewijs, cruciaal is.

We zeggen dat de beschuldigde berecht wordt door een jury van gelijken. Wat betekent dat? Dat betekent soortgelijken, mensen met dezelfde positie in het leven, mensen van wie verwacht kan worden dat ze inzien wat ze zelf zouden kunnen doen, en wat goed en níét goed zou zijn om te doen in vergelijkbare omstandigheden. In het midden van het rijtje gezworenen zat een bleke man van een jaar of zestig, ijverig en gewichtig, uitgebreid aantekeningen te maken. De Indiër zat met zijn kin in zijn handen. Hij zat intens te staren. Er waren twee zwarten. Men kan dit ook anders formuleren, namelijk dat de jury zou moeten beoordelen wat een *gewone man of vrouw met gezond verstand* zou hebben gedaan in dezelfde omstandigheden, en dit hypothetische gedrag vervolgens zou moeten vergelijken met dat van de verdachte.

Rechter Savage aarzelde. Even kruiste hij de blik van zijn dochter, maar keek snel weg. In dit geval, zei hij vriendelijk tegen de jury, is dat gedrag inderdaad hypothetisch. Het is duidelijk dat de doorsneemens met gezond verstand zich honderd jaar geleden in veel gevallen erg anders gedroeg dan vandaag. Het is ook duidelijk dat mensen in andere landen zich op een andere manier gedragen. U hebt een getuige-deskundige gehoord die ons heeft verteld dat het gezin dat momenteel terechtstaat hele andere gewoonten en gebruiken zou hebben dan een traditioneel Engels gezin.

Even zweeg hij. Hij was de draad kwijt. Waar wilde hij naartoe? Maar de pauze verschafte zijn voordracht alleen maar een grotere authenticiteit, alsof hij, ondanks de uitgebreide aantekeningen, deze zwaarwegende gedachten nog afwoog op het moment dat hij sprak. Gelukkig – hij glimlachte half om zijn hapering toe te geven – gelukkig dames en heren, moeten we geen mensen van honderd jaar geleden berechten. Anderzijds blijken we, zoals u ongetwijfeld weet, steeds vaker mensen uit een andere cultuur te berechten, en dat maakt uw werk als jurylid dubbel moeilijk.

Weer stopte hij. Het was belachelijk melodramatisch om te denken dat Minnie dood zou zijn. Waarom had hij zich zo laten gaan? Hij schraapte zijn keel: Ik denk dat dit geldt voor de zaak waarvoor u bent opgeroepen, dames en heren van de jury. Ik wil uiteraard niet suggereren dat de wet anders kan zijn voor verschillende groepen van de samenleving. Niettemin is het mijn taak u eraan te herinneren dat zo de *mens rea*, de schuldbelasting van het geweten, belangrijk is, ook persoonlijke factoren, waaronder culturele factoren, in beschouwing genomen moeten worden. Nogmaals, ik suggereer niet dat we moeten verdrinken in een zee van relativiteit. De heer en mevrouw Mishra hebben ervoor gekozen in het Verenigd Koninkrijk te leven en door die keuze hebben ze zich eraan verbonden te leven volgens de wetten van het Verenigd Koninkrijk. Hun zoon is een geboren onderdaan van het Verenigd Koninkrijk. Maar aangezien de wet zelf belang hecht aan de *mens rea* bij het bepalen of een misdrijf is begaan – in dit geval een zeer ernstig misdrijf, namelijk doodslag – mogen we ook niet bang zijn om de individuele omstandigheden van de verdachte, zowel culturele als psychologische, in beschouwing te nemen. Laten we dan nu, met deze overwegingen in gedachten, het geleverde bewijs tegen elk van de twee verdachten, voor elk van de twee misdrijven beschouwen.

Een paar uur later liep rechter Savage nerveus te ijsberen in de smalle vestibule van het mooie huis van de Shields. Gebogen over een antieke buffetkast schreef Christine een cheque uit. Alsjeblieft, zei ze. Dit is bizar, dacht Daniel. Twintigduizend. Ergens op de bovenverdieping begon er op de televisie een vrolijk melodietje. Pond. Ik hou zoveel van hem, zuchtte ze, terwijl ze de pen neerlegde. Ik wou dat hij, o ik weet niet, ik wou dat hij uitging en een avontuurtje had of zo!

Ze zei het half lachend, maar in tranen. Het doet er niet toe wat! Gewoon om hem de deur uit te hebben. Het huis uit! Dat hij weer zichzelf wordt, weet je. Ze leunde tegen de deur met haar armen rond haar boezem geslagen, zich erg bewust, dat voelde Daniel, van het melodramatische van dit intieme gesprek in de vestibule. Hij had met niemand gesproken nadat de jury zich had teruggetrokken, had de rechtbank bijna meteen verlaten. Buiten had er geschreeuw geklonken en boze stemmen, een soort demonstratie. Maar hij had links noch rechts gekeken. Een rechter moest zich daar niets van aantrekken. Hij had Ben vanuit een telefooncel gebeld. Zowel de verkoop van het huis, zei hij tegen zichzelf, als dat gedoe met Minnie moest zo snel mogelijk achter de rug zijn.

Nachtvlinders – Christine schudde haar hoofd –, soaps! Je kunt je niet voorstellen hoe ik er de kriebels van krijg. Het is helemaal Martin niet meer, weet je, zoals wij hem kenden. Nee, zei Daniel en stopte de cheque in zijn portefeuille. Hij begreep niet hoe de vrouw zomaar zonder problemen of verdere uitleg in het halletje het bedrag had ondertekend, alsof hij de melkboer was, dat ze hem schuldig was volgens de contractuele overeenkomst van drie weken geleden. Ze leek verstrooid. En je hebt echt geen enkel idee, vroeg hij, hoe het is gekomen? Ze schudde haar hoofd. Haar haar was dik en geurig. Het goede eraan is – hij probeerde bemoedigend te klinken – dat Mart gisteravond nog zei hoe hecht jullie samen zijn, dat jullie een wereld op zich zijn. Ze glimlachte moe. Ja, dat is waar. En toch is er geen enkele verklaring voor... Geen enkele, herhaalde ze. Maar waarom hebben jullie besloten onze flat te kopen? vroeg Daniel. Een huis kopen is per slot van rekening een grote stap. Weer zei Christine dat ze gewoonweg hadden besloten dat het leuk zou zijn om iets in de stad te hebben. Maar waarom? Wat gaan jullie dan in de stad doen? Ze haalde haar schouders op. De flat gebruiken om te blijven slapen. Als we een concert of diner hebben. Hoeven we niet heen en weer te rijden. Ik weet dat het maar een halfuur is, maar na al die jaren word je gek van die auto.

Het is toch niet zo, opperde Daniel voorzichtig, dat een van jullie niet de moed heeft te zeggen dat hij wil scheiden? Of op z'n minst vaker alleen zijn? De cheque, merkte hij, stond alleen op haar naam. Och, schei toch uit, zei ze lachend. Ze had hem heel haar leven geschonken als zijn partner, wist Daniel. Geen vaste baan, geen kinderen. Het geld zat aan zijn kant van de familie. Ze speelde graag voor gastvrouw, organiseerde graag etentjes. Ze speelde tennis, ging naar kerkelijke vieringen. Nu stond ze met haar armen om zich heen geslagen in de gelambriseerde vestibule van een erg duur huis met een gazon tot aan de rivier en een zwembad, misschien een beetje te dik, en met duidelijk geverfd haar, maar toch jonger en knapper dan hij haar normaal voor ogen had, zo'n knapheid die komt door een voortdurende vrouwelijke zorg voor vrouwelijkheid. Ik weet het niet, zei ze. Ze keek hem met zachte blik aan. Daniel wist dat ze gekust wilde worden. Hij keek op zijn horloge, meldde: Op dit moment landt Sarah in Rome. Je weet toch dat we haar naar Italië hebben gestuurd, vroeg hij. Wat fantastisch! zuchtte Christine. Terwijl ze rechtop ging staan trok ze haar bh een beetje naar beneden door vest en blouse heen. Ik denk dat het een enorme opluchting moet zijn als ze eindelijk het nest verlaten. Ze had een volle boezem. Goed geraden, lachte Daniel.

Boven wilde Martin niet gestoord worden terwijl zijn soap aanstond. Hij groette zijn vriend nauwelijks. Daniel had nog twintig minuten de tijd voor hij naar de stad zou rijden om Ben te ontmoeten, en hij ging in de leunstoel zitten tegenover het bed. Het zou me een genoegen zijn om een vriend van Minnie te leren kennen, meneer, had de stem gezegd. Het accent deed aan het hare denken. Martin lag in bed, zakdoekjes en aspirines naast zich. Maar weet u waar ik Minnie zelf kan bereiken? had Daniel aangedrongen. Ik zou haar willen spreken over een baan die haar misschien interesseert. Laten we afspreken, meneer, insisteerde de Koreaan. Hoe heet u, meneer? De kamer rook muf. De ramen waren duidelijk de hele dag niet open geweest. De telefooncel had naar urine geroken. Steve, had Daniel gezegd, en zeg alsjeblieft geen meneer tegen me, Steve Johnson.

Op het scherm waren een man en een vrouw aan het kussen terwijl ze dat kennelijk niet zouden moeten doen. Martin ging er helemaal in op, infantiel koekjes knabbelend bij het kijken. Daniel voelde zich ongemakkelijk. Er zat iets onvriendelijks aan. Toch was hij de man meer verschuldigd dan Minnie. Waarom had hij er niet op aangedrongen dat Ben zou zeggen of hij wist waar ze was of niet? Help me, had het meisje gezegd. Martin wilde niet geholpen worden. Ze had het twee keer gezegd. Ik heb niets gedaan, dacht Daniel. Ik had meteen iets moeten doen. Nu zat het probleem in zijn hoofd, zelfs tijdens zijn werk op de rechtbank.

Dat is Rachel, zei Martin, knikkend naar het scherm. Christine had gezegd dat hij koorts had. Daarom lag hij in bed. Nu al meer dan een week. Hij had roze wangen boven de voller wordende borstelige baard. Een van de tweeling. O ja, herinnerde Daniel zich. Ze heeft dus eindelijk de man van haar zus in bed gekregen? Nee, Rachel was de trouwe echtgenote, zei Martin zonder zijn ogen van het scherm te halen. Nikki is de flirt. Alleen gaat Rachel nu met die vertegenwoordiger in computers om, omdat de brieven die ze krijgt – we weten nog altijd niet van wie ze komen – haar ervan hebben overtuigd dat haar man naar bed gaat met Nikki, terwijl hij in werkelijkheid moedig weerstand biedt. Een hele toestand.

Zonder er iets van te begrijpen keek Daniel toe hoe Martin televisiekeek. Zijn ogen waren intens bezig. Nogal tam na de realiteit van de rechtbank, waagde de rechter. Vind je ook niet? Hij had graag over de Mishra's gesproken, overlegd met een echt competent persoon. Martin gaf geen antwoord. Zijn handen waren bezig met elkaar, pulkten aan de nagelranden. O, trouwens, probeerde Daniel weer – er was ineens een reclameblok –, ik heb trouwens ontdekt van wie mijn eigen dreigbriefjes afkomstig waren. Hij wachtte. Mijn dochter. Eindelijk keerde Martin zich om: Sarah? Eindelijk hadden ze oogcontact. Ja, het schijnt dat Hilary het haar had verteld, van mij en Jane bedoel ik, en die briefjes zijn daar het verlate gevolg van. O natuurlijk, zei Martin opgewekt. Met een glimlach op zijn gezicht. Helemaal niet natuurlijk! riposteerde Daniel. We hadden afgesproken dat we...

Toen begon *Twins* weer. Martin stak een hand op. Rachels echtgenoot, een West-Indiër, had ruzie met een dokter van een bejaardentehuis. Zijn vader werd niet fatsoenlijk behandeld. De man is een heilige, grinnikte Martin. Neem een koekje. Weigert de sexy zus, zorgt voor zijn vader. Positief rolmodel voor zwarte mannen in een wereld van blanke wispelturigheid. Uitgekiende omdraaiing van het oude patroon. Maar toen de acteur in zijn auto stapte en de camera even over een futuristisch stadsbeeld gleed, zei Martin peinzend: Toch begrijp ik niet, Dan, waarom je altijd anderen de schuld geeft in plaats van jezelf. Misschien is het een soort rechterstic. Sarah is kennelijk van streek omdat die papa die mensen naar de cel stuurt ook haar lieve mama belazert, niet? Dat is duidelijk. Ze zal het hypocriet vinden.

Net als in de kroeg, merkte Daniel, leek de kans om kritiek te spuien Martin tot zichzelf te brengen. Even maakte hij zich los van de tv. Hun verstandhouding was er weer. En nu is ze vast van plan je te straffen, legde zijn vriend uit, namens haar moeder. Ze haat haar moeder, zei Daniel. Onzin, lachte Martin. Nee echt, Mart, ze kan veel beter met mij overweg. Ze zit in haar oedipale fase, of hoe heet dat bij meisjes. Ze zit zelfs knietje te vrijen met me, hoewel ze verschrikkelijk christelijk is. Het is gênant. Kwam vandaag naar me kijken op de rechtbank, naar mijn samenvatting van de Mishrazaak, ik weet niet of je ervan gehoord hebt.

Martin schudde zijn hoofd. De laatste keer dat ik Sarah en Hilary heb gezien waren ze de beste maatjes, zei hij. Ze zijn een paar keer langs geweest toen jij voor vrijgezel speelde in dat hotel. Vorig jaar. Ze waren toen volmaakt gelukkig, lachten en maakten grapjes. Ze hebben getennist en daarna een duik in het zwembad genomen. Dat herinner ik me nog goed. Het meisje haat je ongetwijfeld om wat je haar mama hebt aangedaan. Daniel was in de war. Hij sloot zijn ogen. Wat zou hij tegen Ben zeggen? Ik heb in elk geval de twintigduizend, zei hij tegen zichzelf. Misschien heb je gelijk, zei hij vaag. Ik weet het niet. In elk geval is Sarah vandaag naar Rome gegaan, dus dat is al een obstakel minder. Hij probeerde te lachen. Haar vriendje heeft haar naar het vliegveld gebracht. Martins ogen dreven weer af naar de televisie. Is er nog een kans dat ik je in de rechtbank zie? gooide Daniel er snel uit. Zou leuk zijn om zitting te hebben als jij een paar zaken verliest. Martin gaf geen antwoord. Daniel wachtte, maar vroeg toen plotseling geërgerd: In godsnaam, Mart, wat is er toch? Je levert behoorlijk scherpe kritiek op mijn leven terwijl jij jezelf als een idioot gedraagt en onder de dekens naar soaps zit te kijken. Wat is er in godsnaam aan de hand? Christine wordt er beneden gek van. Ze heeft haar hele leven op jou ingericht. En zelfs de stomste zittingen zijn dubbel zo interessant als welke televisieshow ook. Om een of andere reden was Daniel woedend. Hij stond op, greep de afstandsbediening en zette het toestel uit.

Martin krabde in zijn baard. Hij zwaaide zijn benen uit bed, liep stijfjes door de kamer en zette het toestel met de hand weer aan. Koos een kanaal. Toen het imitatieleven op het beeldscherm weer aansprong, probeerde een vrouw in de kerk te beslissen of ze de biechtstoel in zou gaan. Je begrijpt het niet, zei hij vlak toen hij weer in bed zat. En omdat je het niet begrijpt word je boos. Hij glimlachte door zijn mondhoeken op te trekken, een hooghartige, onechte uitdrukking. In feite wordt iedereen boos op me. Hij draaide zich weer om naar het beeldscherm. Zelfs Jane is me gisteren de mantel komen uitvegen. Ja, die lieve Jane van je. Misschien had ik het niet moeten zeggen. Ze is terug voor een week of twee.

Met een knikje naar het toestel zei Martin: Een paar afleveringen terug heeft Rachel al geprobeerd te biechten, over die computervertegenwoordiger, maar ze heeft uiteindelijk alleen maar gezegd dat ze haar dochter te hard had geslagen. Kom terug naar de rechtszaal, zei Daniel, voor het te laat is. Met een toonloze stem zei Martin: Alles wat ik kan, kunnen anderen ook. Toen lichtte zijn gezicht op. Nu ik er toch aan denk, weet je dat ze het zelfs voor elkaar hebben gekregen om een van de acteurs te vervangen in deze serie, in plaats van hem te laten sterven of vertrekken zoals gewoonlijk wordt gedaan? Gewoon op zekere dag een andere acteur de rol laten overnemen. Echt een totaal andere. Groot in plaats van klein, dat soort dingen. Ze maakten er een grap van, iedereen zei dat hij zo erg was veranderd. Prachtig gedaan. Daniel zweeg. Iedereen kan doen wat ik doe, herhaalde Martin. Mijn aanwezigheid is niet vereist. Zodra hij over zichzelf sprak verdween het leven uit zijn stem. De gretigheid werd vervangen door een matte plechtigheid. Daniel stond op en vroeg: Maar wat als dat niet het geval is, Mart? Begrijp je? Wat als er een groot moreel probleem is dat alleen Martin Shields zou kunnen oplossen? Wat dan? Droom maar lekker, zei zijn vriend kalm. Zijn ogen bleven op het scherm gericht.

Neem me mee naar de stad, smeekte Christine onder aan de trap. Ze had zich verkleed en een jurk aangetrokken, zich een beetje opgemaakt. Alsjeblieft! Haar stem klonk schril. Daniel zei dat hij een afspraak had. Hij zou iemand treffen in de stad. Hij zat eigenlijk al krap in zijn tijd. Zeg het af, zei ze. Nu rook hij ook haar parfum. Had het horen van Janes naam hem iets gedaan? Neem me mee naar de stad voor ik die man iets aandoe. Ze maakte een gebaar naar boven, giechelde toen. Ik heb een borrel nodig, en liefst in mannelijk gezelschap. Om een of andere reden moest Daniel er ineens aan denken dat Christine Sarahs peetmoeder was. Ze had het meisje zelfs op zeker moment lesgegeven op de zondagsschool. Hij aarzelde. Is het een belangrijke afspraak, drong de vrouw van zijn vriend aan. Je ziet er bezorgd uit, Dan. Ze klonk moederlijk. Mag ik even bellen? vroeg hij.

De woonkamer was ingericht met Engelse elegantie. Groene stoffering, gebloemde gordijnen, antieke meubels. Wat deden de Shields 's avonds, vroeg Daniel zich af. De kamer zag eruit alsof er niet in geleefd werd. Hij ging zitten aan een glimmend bureau bedekt met wazige foto's. Het magazijn, alstublieft, vroeg hij. Hij kon zich geen kinderloos huwelijk voorstellen. We zijn gesloten, meneer, zei de stem. Weer zo'n verstopte neus. Kunt u het eens proberen, alstublieft? Ik ben een vriend. Met wie spreek ik, meneer? Met Steve, zei hij. Wie zegt u? Met Steve, herhaalde hij luider. Nu hij zich erop concentreerde zag hij dat het allemaal foto's van nachtvlinders waren. Hij was gespannen. Wazige beesten vlak voor de lens. Het leek zo zinloos. Soaps en nachtvlinders. Ben? vroeg hij. Hij maakt ze niet dood, had Christine uitgelegd, en dus zitten ze nooit stil als hij afdrukt. Ben, luister eens, ja, het spijt me maar er is iets tussengekomen, ik kan vanavond niet. De foto's waren onscherp, alsof de beesten zo in je gezicht waren gevlogen. Laten we het morgen nog eens proberen. Oké? Je voelde haast hoe de oogleden hadden geknipperd uit zelfverdediging. Daniel staarde ernaar. Goed.

Meteen daarna belde hij Hilary. Christine drentelde bij de deur. Ze had een leuke lichte zomerjurk uitgezocht, klokkend rond de knieën, charmant meisjesachtig. Ze hebben ons het geld gegeven. Ja! Zo zacht mogelijk zei hij dat hij vanavond bij de Shields zou blijven om te horen wat er in hemelsnaam aan de hand was met hun oude vrienden, en of ze de rest op tijd zouden betalen of niet. Tom schreeuwt om je aanwezigheid bij zijn zes-tegen-zeswedstrijd, zei Hilary. Erg jammer, zei hij. Zeg maar dat het een noodgeval is. En iedereen heeft gebeld over je samenvatting. O ja? Rechter Savage wilde dat hij thuis was, maar hij kon nu niet meer terug. Ik ben rond een uur of halftien, tien uur thuis. Heeft Sarah gebeld? Dat had ze niet.

Haar hele leven was een grote vergissing geweest! Aarrrgg! Christine balde haar vuisten tot ze trilden. Ze duwde een hand in haar lokken, liet haar hoofd op stijve vingers rusten, en staarde naar de tafel. Ze had juist verteld dat zij en Martin in geen jaren seks hadden gehad, al drie jaar. Ze keek op. Ik denk drie. Ze zat als een klein meisje, met gespreide knieën onder haar rok, nerveus friemelend. Sigaret? Daniel weigerde. Er was lawaai bij de ingang; een groot gezelschap was van gedachte veranderd en verkoos weer te vertrekken voordat iedereen goed en wel binnen was. Er was een verward komen en gaan bij de deur. En precies op het moment, zei Christine verontwaardigd, precies op het moment dat ik dacht er misschien op de valreep een baby bij te nemen, weet je? Mensen doen dat. Precies op dat moment, kun je het geloven, stopt hij er helemaal mee. Weg libido. We hebben helemaal geen seks meer.

Er stonden tranen in haar ogen. Daniel glimlachte half. Hij had dit soort intense emoties zelf doorgemaakt en had er genoeg van. Sorry Christine, zei hij, ik ben geen goede toehoorder. Laten we wat eten.

Ze kwam terug met menukaarten van de bar, een tweede pint bier waar hij niet om had gevraagd en een tweede gin voor zichzelf. Waarom ben ik niet naar Ben gegaan? Daniel keek op zijn horloge. De kip, zei hij. Ze ging terug om te bestellen. Kinderen geven zoveel zorgen, zei hij toen ze haar stoel had bijgetrokken en met het ijs in haar glas zat te spelen. Sarah is onmogelijk. Weet je dat ze de dag van haar eindexamen geschiedenis niet wilde gaan? Wilde geen examen doen. Ik heb haar er bijna naartoe moeten slepen. En toen liet ze me onderweg stoppen om een verschrikkelijke scène te maken, ik had iets verkeerds gezegd of zo, ik weet niet. Het is ongelooflijk hoe je tegen kinderen iets verkeerds kunt zeggen zonder dat je ook maar het flauwste benul hebt wat. Ik weet het nog steeds niet. Ze leven in een andere wereld. In elk geval zat ze te tieren en te schreeuwen. Ik heb haar in haar gezicht moeten slaan – daar zou ik in Zweden voor gearresteerd zijn, en hier ook binnenkort – en toen hebben we natuurlijk weer geknuffeld, en de hele tijd zat ik hem te knijpen dat ze te laat zou komen voor haar examen. Hij schudde zijn hoofd. Dus misschien ben je maar beter af zonder. Nee, dat meen ik niet. Hij nam een slok bier. Ik dacht alleen, op dit moment kun je je toch maar beter op Martin concentreren om hem uit deze toestand te helpen. Is hij al naar een specialist geweest?

Christine boog voorover over de tafel. Ze zat voortdurend aan een hangertje te plukken dat in haar decolleté hing. Een zilveren kruisje.

Ze viste het eruit en liet het vervolgens weer tussen haar volle borsten vallen. Nu ze haar gezicht naar hem toe boog tussen de drankjes in, zwaaide het naar voren. Is dat de reden dat je Hilary bent gaan bedriegen, vroeg ze met zachte klem. Wat? Hij was verrast. O, de frustratie, Dan, die ander die met opzet ongelukkig is en je niet wil vertellen waarom. Tot dusver geen woord, geen enkel woord om te zeggen waarom hij dat allemaal doet. Eindeloze stiltes, dagen in bed. Hij doet het expres. Het is kinderachtig. Het is gemeen! Ook haar stem was vreemd kinderachtig, dacht Daniel; ze had de schrille verontwaardiging van het kleine meisje. En zoiets zit in Hilary ook, hè? zei Christine en ging achteroverzitten. Ik herinner me dat je me dat hebt verteld. Weet je die avond nog? Ze is altijd berucht geweest om haar depressies. Ze heeft je een rottijd bezorgd, hè, door zo in een hoekje te blijven zitten en te weigeren met iemand te praten. Ze straffen ons met hun depressies, Dan!

O, met Hilary is alles in orde, zei Daniel. Hij wilde dit niet. Elk mens heeft zo zijn momenten. Nee, die verhouding was gewoon omdat ik smoorverliefd was, weet je. Hij probeerde nonchalant te klinken. Nogal een banale keuze, wierp Christine tegen: een rosse blondine van hetzelfde kantoor, vijftien jaar jonger, een en al benen, borsten en billen. Ze klonk bijna gekrenkt. Nee, hield ze vol, ik weet zeker dat het te maken had met de situatie thuis, Dan. Anders – ze leunde opgewekt achterover – zou het onvergeeflijk zijn, niet soms? Een verhouding hebben als je thuis gelukkig bent.

Daniel wilde niet antwoorden. Hij probeerde een soort glimlach op zijn gezicht te houden. Het huwelijk is zoals je het beschrijft, had hij besloten. Hij wilde geen slecht woord over Hilary zeggen. Ze is gisteren langs geweest, weet je, ging Christine door. Jane, bedoel ik. Martin zal je dat wel verteld hebben. Zag er natuurlijk fantastisch dartel uit. En natuurlijk heb ik haar meteen naar boven gestuurd in de hoop dat al dat fraais Rip Van Winkle wakker zou maken. Ik noem hem de laatste tijd Rip Van Winkle. Je gelooft me niet, maande ze hem, en in haar stem lag ineens een grimmige wanhoop, maar echt, ik zou het helemaal niet erg vinden als hij al die dure kleren van haar lijf zou rukken en haar in ons eigen bed zou bespringen. Ze sloeg haar gin abrupt achterover. Dat wil ik geloven, mocht het zich voordoen, verzekerde Daniel haar. Misschien, zei ze. Haar vingers waren voortdurend bezig met haar gezicht of met haar mondhoeken of met het opvissen en weer laten zakken van het zilveren kruisje. Ze zei, je hebt massa's vrouwen gehad, waar of niet, Dan? Wagonladingen. Hij deed zijn mond open. Het was niet alleen Jane, hè? O, ontken maar niet, schalk! Je hebt er miljoenen gehad. Nee, hou je maar niet van de domme, Martin vertelt me alles, hij zegt dat je nog steeds contact hebt met...

Nee!

Nu was rechter Savage ontdaan. Zijn stem klonk resoluut en kalm. Nee, dat is echt niet waar, Christine. Ze keek hem nauwlettend aan. Ze is zorgvuldig opgemaakt, dacht hij. Er zat duidelijk iets van voorbedachten rade aan dit alles. Ze had besloten hoe ze zich zou gedragen toen hij boven bij Martin zat. Of misschien zelfs al eerder. Ze was vast van plan geweest uit te gaan met hem. Als ik het me goed herinner, zei ze, kon je me wel opvreten die avond toen we hebben gekust. Hij schudde zijn hoofd. Christine, dat was zo... Je had je hand onder mijn jurk! zei ze schril; ze wipte plotseling op alsof hij op dat moment juist haar achterste aanraakte. Dat was een eeuwigheid geleden, Christine, zei Daniel resoluut, na een heel lange en heel dronken... Nou, nu zit ik in hetzelfde schuitje als jij toen, zei ze ruw.

Op zoek naar sigaretten forceerde ze een stilte in het gesprek. Haar tas lag naast haar op de grond. Hij wist dat ze niet luisterde naar zijn rustige bewering dat hij heel gelukkig was met zijn leven. Hij herhaalde het toch maar. Toen ze weer begon te praten en hem in de rede viel, was het op een heel andere toon, zacht en oprecht, maar alsof ze iets meedeelde van groot belang: Dan, luister alsjeblieft, begrijp me niet verkeerd, ik wil Mart niet verlaten, ik zou het niet kunnen, ik bedoel, ik wil niet aan een grote passie beginnen, en als ik bedenk wat hij waarschijnlijk allemaal doormaakt, weet je, met die klinische depressie en zo, maar tegelijkertijd voel ik zo'n enorme... Ze stopte. Zo'n... ze schudde haar hoofd. O, ik weet het niet, kreunde ze. Misschien om hem te straffen. Ik word dom van zo ongelukkig te zijn. Begrijp je dat?

Daniel bad dat het eten gebracht zou worden. Kon je de mensen maar tot de orde roepen zoals een brutale getuige. Plotseling was hij bang dat zijn lichaamstaal helemaal verkeerd was en hij liet zich in een bewust gebaar van ongedwongenheid achteroverzakken. Hij probeerde relaxed te doen in plaats van gespannen, losjes in plaats van stijf. Confronteer hem ermee, zei hij. Je zult jezelf veel tijd en moeite besparen, geloof me. Alsof hij haar zat te vertellen hoe ze een computer moest repareren. Of misschien had hij Martins goeroestem aangenomen. Speelde hij Martin tegenover Martins vrouw. Zeg hem dat je aan het eind van je Latijn bent en erover denkt met iemand anders naar bed te gaan. Nee, dat zou ik niet kunnen, zei ze snel. Dat zou ik niet kunnen. Ook zij leunde achterover, met een glazige, koppige blik. Ze schudde haar hoofd. Probeer het, drong hij aan. Praat met hem. Als je eenmaal bent begonnen is het gemakkelijker dan je dacht. Niets was minder waar, wist hij. Hij probeerde te lachen. Staan jullie er niet om bekend dat jullie elkaar alles vertellen? Ik zal niet eens bellen naar Jane, nu ze terug is, besloot hij. Er mag geen enkel contact zijn.

Christine schudde haar hoofd. Ik zou hem misschien wel kunnen bedriegen, zei ze. Maar ik zou hem niet kunnen vertéllen dat ik het deed, of zelfs maar dat ik eraan dacht. Begrijp je wat ik bedoel? Ik zou hem nooit rechtstreeks pijn kunnen doen. Dat heb ik nooit gekund. Net zoals hij mij nooit pijn heeft gedaan. Wist je, Dan, dat hij me nooit, nooit pijn gedaan heeft? Ik geloof niet dat ik hem ooit pijn heb gedaan. Ik breng die arme schat zijn Lucozade. Hij heeft wel degelijk verhoging. Ik heb het gecontroleerd. Nu al zo'n dag of tien. Niet veel, maar toch. En hij heeft die rare uitslag aan de achterkant van zijn benen. Ik kan toch kwalijk zijn warmwaterkruik erbij neergooien en zeggen: Hoor eens Martin, schat, omdat we geen seks hebben, ga ik met iemand anders neuken. Zo ben ik niet. Daniel merkte op: Met Hilary zijn de dingen er ook pas op verbeterd nadat we die aanvaring hebben gehad, weet je. Klopt, knikte ze. Maar dat was alleen doordat zij jóú heeft betrapt, waar of niet, en niet doordat jij had besloten het haar te vertellen. Ze heeft ons alles verteld, dat arme kind, terwijl jij ondergedoken zat in dat rare hotel. Als je het weten wilt, ik heb haar gezegd dat jij het volgens mij alleen maar gedaan had omdat zij altijd zo'n rothumeur had en zo depri was. Christine lachte: Ik dacht dat Martin de hint wel zou begrijpen.

En juist toen de dienster aankwam met hun borden, begon de vrouw van Martin Shields te giechelen: O, als je eens wist hoe vaak

Mart en ik in bed kritiek hebben liggen leveren op je – ze leek niet de minste scrupules te hebben tegenover de dienster – om al die vrouwen die je hebt gehad, en hoe vaak we tegen elkaar hebben gezegd wat een geluk je hebt gehad dat Hilary maar achter ééntje is gekomen en niet achter de andere twintig, terwijl we in werkelijkheid natuurlijk jaloers waren! Omdat wij helemaal geen seks hadden! Misschien is het wel zo – ze dronk haar tweede gin leeg om plaats te maken voor haar bord – de dienster glimlachte – misschien is het wel zo dat we nooit kinderen hebben gehad omdat ik voor Martin moest zorgen, die per slot van rekening de grootste baby van de wereld is, weet je. Moet altijd te horen krijgen dat hij beter is dan wie ook. Altijd! Je bent echt de beste, Martin, deed ze zichzelf na, schudde haar hoofd, klemde een mes in haar vuist. Brrr!

Daniel vroeg: Weet je trouwens hóé Hilary erachter is gekomen? Dank u wel, zei hij tegen de dienster. Christine keek fronsend naar de bodem van haar glas. Hoe ze erachter is gekomen? Ik heb geen idee. Zeg jij het maar. Nee, ik vroeg het aan jou, glimlachte Daniel. Christine keek niet-begrijpend. O, zo. Waarom? Doet dat ertoe? Je zult wel lippenstift op je boordje hebben gehad. Ze heeft je horen telefoneren. Ze zei inderdaad dat je in een bepaalde periode voortdurend aan de telefoon hing.

Toen realiseerde Daniel zich ineens dat dit alles besproken moest zijn *in Sarahs aanwezigheid* tijdens die bezoekjes waar Martin het over had gehad. Hilary had Sarah meegenomen om bij Martin en Christine te gaan eten en de hele zaak, zijn verhouding, Jane, de mogelijke scheiding, was uitgebreid besproken in aanwezigheid van zijn dochter! Misschien was Tom er ook wel bij geweest. Dat was verschrikkelijk. O, voor ik het vergeet, zei hij bruusk, hij legde zijn servet neer, ik hoopte dat je me zou vertellen of we een herhaling van die problemen met de betaling mogen verwachten – we hebben een lening moeten afsluiten, begrijp je.

Met volle mond keek Christine geamuseerd verbaasd op. Ben je van streek? vroeg ze. Heb ik Zijne Edelachtbare Rechter Savage van streek gemaakt? Ze keek hem strak aan, toen naar haar bord. Zakelijk zei ze: Er zullen geen problemen meer zijn, Dan, omdat ik van nu af aan zelf zal betalen van mijn eigen rekening. Oké? Laten we het daar dus maar niet meer over hebben. Kennelijk waren haar halve opmerkingen over mogelijk geldgebrek puur melodrama geweest.

Op de terugweg, vijftig meter van het hek van het huis van de Shields, legde ze haar hand op de zijne op de versnellingspook. Stop, Dan. Kijk! Hij stopte aan de kant van de weg. Aan de linkerkant, achter het hek, was een meertje van neonlicht in het midden van het gazon, dat afliep naar de rivier beneden. Zijn vlinderval. Voorbeeldig korte levens, zegt hij. Hij ligt de hele dag in bed, maar gaat bij het ochtendgloren naar beneden om te zien wat hij gevangen heeft. Hij trekt er handenvol uit en probeert ze te fotograferen. Ze beschadigen hun vleugels in dat net. Dus ook al maakt hij ze niet dood, dood gaan ze toch.

Onder het spreken legde ze haar hand op de zijne. Daniel verwachtte haar verzoek om een kus toen het kwam. Ik weet dat je het niet wilt, zei ze losjes, en wendde haar gezicht naar hem. Maar alsjeblieft. Alleen een kus. Het is zo'n heerlijke avond geweest. Ze lachte, nestelde zich tegen hem aan. Ik heb tenminste mijn hart een beetje kunnen luchten. Kus me. Nee, zei hij. Anders zeg ik het tegen Hilary! Daniel lachte: Dus als ik het niet doe, vertel je het haar, en als ik het wel doe, niet. Precies! Ze glimlachte. Er stonden tranen in haar ogen. En denk eraan, ík teken de cheques! Een grapje natuurlijk. Ze kusten een minuut of vier, vijf. Hij vond het prettig, en in het bijzonder die borsten, en hij was woedend toen hij terugreed naar de stad. Hij draaide abrupt van de ringweg af en nam de weg naar het centrum.

Café Capricorn lag op de hoek van Soames en Cruft. Hij ging naar boven en glipte door drie of vier kamertjes. Hoe vaak in het leven was dit binnengluren in cafés, dit tussen tafels door lopen niet gepaard gegaan met een intens bewustzijn van zijn huidskleur? Was hij welkom? Toen hij ten slotte een groep Aziaten zag zitten in een nis boven, voelde hij zich dat bepaald niet. Ik ben op zoek naar een Koreaan die Ben heet, zei hij. Ik weet dat hij hier vaak iets komt drinken. Hij is de vriend van een meisje dat Minnie heet. Minnie Kwan. Haar vader doet in tapijten. Er zaten vier mannen en twee vrouwen een coupe ijs te eten. Meteen begonnen ze in hun eigen taal te spreken. Zijn jullie Koreaans? vroeg Daniel. Een van de vrouwen zei: ja, ja. De man naast haar viel haar in de rede. We kennen Ben niet. Maar weten jullie wel wie hij is? Weer spraken ze onder elkaar.

Kennen jullie Minnie Kwan? Kennen we niet, herhaalde de man. We kunnen u niet helpen.

Een aantal telefoontjes, geeuwde Hilary. Ze was in de badkamer. Gordon Crawford zei dat iemand je instructie 'gedurfd' had genoemd. Daniel spoedde zich naar Toms kamer, maar de jongen sliep al. Heeft hij gewonnen? Ja, dat denk ik wel. Of toch minstens gescoord. O, en Martin heeft gebeld: Iemand had hen gebeld, en wilde iemand spreken die vanuit hun huis had gebeld. Weet ik veel. Zoiets was het geloof ik. Hij dacht dat jij het misschien was geweest. Je had de telefoon gebruikt of zoiets en hun telefoon had het nummer geregistreerd. Daarna heeft Christine nog eens gebeld om hetzelfde te zeggen. Ze dacht dat je al thuis zou zijn. Daniel ging terug naar de woonkamer en vulde een glas met ijs en whisky. In de slaapkamer kleedde hij zich snel uit. Ze gaan uit elkaar, zei hij. Christine gaat de flat in haar eentje kopen. Die is vast van plan te verhuizen. In bed begonnen ze hun vrienden te bekritiseren. Ze hadden kinderen moeten nemen: dat Martin zelf een baby zou zijn is gewoon een smoes. Een man is geen baby. Heeft Sarah gebeld? vroeg Daniel na een tijdje. Nee, zei Hilary. Waarom zou ze? En heeft Max haar naar het vliegveld gebracht? Hilary lachte: Naar het schijnt heeft ze hem gezegd dat ze pas bij hem in de auto zal stappen als hij geen fouten meer maakt achter de piano. Dat heeft hij verteld toen hij langskwam voor zijn les.

8

In de negentiende eeuw, had Hilary ooit belerend gezegd, begonnen componisten chaos toe te laten in hun muziek. Terwijl hij wachtte tot de jury zou terugkomen, las Daniel dat er negen jongeren werden beschuldigd van het gooien van een steen vanaf een brug over de ringweg rond de stad, een steen die het leven van Elizabeth Whitaker verwoest had. Zijn vrouw had ooit geprobeerd, herinnerde hij zich – maar was er jaren geleden mee opgehouden – om hem waardering voor Wagner bij te brengen met een vreemde passage waar de harmonie uiteenvalt in een lawaaierige menigte stemmen, om vervolgens vanuit die verwarring sterker te regenereren. Haar onderwijzerstoontje had hem geërgerd. De harmonie zwelt nog sterker aan, zei ze, dóór de chaos. Een hele menigte, had Jonathan Whitaker getuigd. Minstens twaalf. Hij had hen over de brug zien rennen terwijl hij zijn vrouw uit de gedeukte auto trok. Ongebruikelijke bereidheid om de diepere thema's aan te snijden, zei *The Times*. Twee passages werden zelfs geciteerd. Zeer zorgwekkend in zijn implicaties, beweerde een hoofdartikel in de *Guardian*. Daniel legde het verslag van de zaak neer naast de kranten en pakte de telefoon.

Hallo? Het was haar stem. Niets onaangenaams in de kranten, zei hij. Daar ben ik blij om, zei ze. Jury er nog niet? Ze leek ontspannen vanochtend. Weet je, ik moest juist denken, zei hij, aan iets wat je over Wagner hebt gezegd. O god, Dan! Ze hebben me die zaak van die stenengooiers gegeven, legde hij uit. Op de ringweg? Ja. Het verhaal had een paar maanden geleden het nieuws gehaald. Wat verschrikkelijk! zei Hilary. En herinner me alsjeblieft niet aan mijn Wagnerdagen. Waarom niet? Ze zei dat ze in een tijdschrift had gelezen dat de baby het zou overleven. Daarom hielden ze de vrouw in leven. Hoe heet ze? Whitaker. Kennelijk kan een embryo overleven zelfs als de moeder hersendood is. Daar draait mijn maag van om, zei ze. En ze zei: O ja, je broer heeft gebeld. Naar het scheen wilde de beruchte Frank Savage geld lenen. Over uit de lucht vallen gesproken! Zeg maar nee. Zeg jíj het maar! Het is jouw broer. Nieuws van Sarah? vroeg hij. Wat een opluchting om haar niet in de buurt te hebben, zei Hilary. Nee, ze had niet gebeld. Maar dat was gezond toch? Waarom zou een achttienjarige bellen zodra ze van huis was? Ik zal iets later zijn vanavond, zei hij. Iets wat hij met Crawford te bespreken had, zei hij: de manier waarop de mensen van de CPS zich gedroegen. Je weet dat Tom uit is op een partijtje schaak, bracht ze hem in herinnering. Je weet hoe hij is als hij in de vakantie niets te doen heeft. Ik hou van je, zei Daniel.

Hij merkte dat hij nerveus was nu hij op de jury zat te wachten. Tenzij het kwam omdat hij Ben vanavond zou ontmoeten. Vanavond moest hij het echt doen. Schuldig aan ontvoering, dacht hij, niet aan doodslag. Dat zou de juiste uitslag zijn. Hij had niet zoveel aandacht verwacht. Dan zou iedereen de overwinning kunnen claimen. Mevrouw Connolly zou haar veroordeling hebben, de Mishra's zouden snel hun oude leven kunnen oppakken, hun bedrijf.

Worstelend met zijn concentratie voor deze nieuwe zaak, las hij dat de verdachten, allemaal onder de vijfentwintig jaar, gezamenlijk meer dan twintig andere jongeren genoemd hadden als regelmatige bezoekers van de brug. Vijf spraken van een witharige man met een buitenlands accent die een tientje bood aan de eerste persoon die een voorruit zou ingooien. Anderen wisten nergens van. Iemand had iets gehoord over een puntensysteem voor treffers en bijna-treffers. Forensische experts verklaarden dat de kofferbak van een Ford Mondeo gevuld was geweest met witachtige stenen van een soort aangetroffen in de Hartingdongroeve ten zuiden van de stad. Een soortgelijke steen, besmeurd met bloed, was aangetroffen op de vloer van de auto van de Whitakers. Er zouden weer de nodige vragen rijzen over de *mens rea*, dacht Daniel.

In een impuls nam hij de telefoon weer op, deze keer om het nummer te bellen dat zijn vrouw hem zojuist had gegeven. Je neemt de ringweg, stelde hij zich voor, om gewoon een paar boodschappen te gaan doen, je vrouw is in verwachting, en plotseling komt er een steen je leven in vallen. Chaos. Foto's toonden dat de vrouw de hele linkerkant van haar gezicht kwijt was. Wat voor harmonie kon daaruit weer aanzwellen?

Heb je naam in de krant gezien, zei Frank, dat lieve kleine broertje van me. Dacht, ik bel eens. Frank! Je hebt me nooit verteld dat ze je tot rechter hadden benoemd. Ik heb het moeder verteld, zei Daniel. Ik dacht dat ze het jou wel zou zeggen. De twee broers hadden elkaar niet meer gesproken sinds de begrafenis van de kolonel. Dan zul je er geen probleem mee hebben me een paar duizendjes te geven, vond Frank. Zoals altijd had hij een aangename, overtuigende stem. Daniel had regelmatig ruzie gehad met zijn moeder over haar bereidheid om Franks verschillende plannetjes en verslavingen te financieren. Wat voer je tegenwoordig uit? vroeg hij. Me met mijn eigen zaken bemoeien, jonker, dank u wel. De nonchalante humor was voorzichtig uitdagend. Ben je aan het werk? vroeg Daniel. Ik werk aan die paar duizendjes, lachte Frank. Geen gelul, Dan, leen je ze of niet? Lenen of geven? vroeg Daniel. Waar is je gevoel voor humor gebleven? protesteerde Frank. Is eufemisme het toppunt van beschaving of niet? Nee, zei Daniel. Nee wat? Nee, zei rechter Savage. Het was dezelfde werktuiglijke stem die hij had gebruikt om Christines verzoek om een kus af te wijzen. Hij voelde zich meteen schuldig. Hoor eens Frank, we verkeren momenteel niet in de beste positie om... Op hetzelfde moment stak Adrian zijn hoofd om de deur. Uitspraak, zong hij. Het punt is, begon Daniel opnieuw, dat we... De lijn was dood.

Meneer de voorzitter, vroeg de klerk, hebt u een eenstemmig oordeel bereikt over de twee punten van de aanklacht tegen beide verdachten?

Het publiek, dat nog steeds binnenkwam, was meteen stil. De verdachten stonden uitdrukkingsloos in de beklaagdenbank. Terwijl hij sprak, zag Daniel twee moedwillig lelijke jongelieden op de publieke tribune zitten, een met een getatoeëerde Union Jack in zijn nek. De zaalwachter verzocht om stilte.

We hebben een uitspraak bereikt over het eerste punt, voor beide verdachten, maar niet over het andere. Ze hadden de bleke, oudere man als voorzitter gekozen. Hij was zonder twijfel gepensioneerd, genoot duidelijk van de aandacht en sprak met voorbeeldige ernst.

Hebt u een eenstemmig oordeel bereikt over punt een?

Ja. Over de doodslag. De rechtszaal hield zijn adem in.

En hoe luidt uw oordeel over de verdachte de heer Sunni Mishra, aangaande punt een?

We vinden de verdachte niet schuldig.

Rechter Savage vertrok geen spier terwijl de zaalwachter twee of drie stemmen in de publieke tribune het zwijgen oplegde. De formule werd herhaald voor 's mans echtgenote. Bij het tweede 'niet schuldig', repte iemand zich naar buiten, sloeg de deur dicht.

De klerk vervolgde: Bent u op punt twee tot een eenstemmig oordeel gekomen? Dat waren ze niet, ondanks acht uur overleg. Daniel stuurde hen terug om nog twee uur te overleggen, werkte zelf wat routineklusjes van zijn lijst af, en liet hen toen weer terugkomen. Weer was er geen uitspraak bereikt. Dames en heren van de jury, zei hij, we zijn nu op een punt aangekomen waar een uitspraak met de grootst mogelijke meerderheid van stemmen aanvaardbaar zou zijn. Het publiek zuchtte. Stacey, merkte Daniel, had er na de instructie in lijken te berusten dat hij het wel zou verliezen wat doodslag betrof. Redelijk genoeg. Per slot van rekening kon de ontvoering niet anders dan naar hem gaan. Het was een raadsel waarom mevrouw Connolly zich daar zo druk om maakte.

Dames en heren, we noemen het een uitspraak met de grootst mogelijke meerderheid van stemmen, als tien, ik herhaal, tien van u het eens zijn, in welke zin ook. Ik kan u natuurlijk niet vragen, zei hij tegen de voorzitter, hoe u verdeeld bent over het punt van ontvoering, wie voor wat heeft gestemd, maar ik moet u nu vragen u nog eenmaal terug te trekken om te zien of u tot een uitspraak kunt komen waarover tien van u het eens zijn.

De voorzitter droeg een klein dun snorretje, een wit poloshirt, een tweedjasje. Edelachtbare – slierten haar waren over een kale schedel getrokken – een of twee leden van de jury zouden graag willen weten wat voor straf er staat op ontvoering van een minderjarige. Daniel antwoordde op de automatische piloot: Hoewel het te begrijpen is dat leden van een jury graag zouden weten wat het lot is van de verdachten, kan ik geen uitsluitsel geven over de aard van een mogelijk vonnis. Het is de plicht van de jury een uitspraak te bereiken op basis van de voorgelegde bewijslast, en niet om rekening te houden met de gevolgen van die uitspraak. Toen hij uitgesproken was kwam de zaalwachter de rechter een briefje geven.

Uw vrouw vraagt u dringend naar huis te bellen. Daniel Savage voelde hoe zijn aplomb van een vlekkeloos juridisch optreden in volle rechtszaal plotseling omsloeg in een golf van misselijkheid. Hij voelde zich duizelig. Waarom? Waarom voel ik me zo fragiel? Alleen omdat mijn vrouw zegt dat ze me moet spreken. Even was het bijna paniek. O, dit moet afgelopen zijn, zei hij tegen zichzelf. Dat stomme gedoe. Zijn schedel prikte van het zweet onder de dikke pruik. Hij nam een slok water, schudde zijn hoofd. De voorzitter wendde zich tot hem. Edelachtbare, zei hij zalvend, ik weet niet zeker of verdere discussie zal helpen. Niet mee eens! protesteerde een van de dames achter hem. Daniel herstelde zich. Dames en heren van de jury, ik wil u nu verzoeken u terug te trekken en te proberen een meerderheidsuitspraak te bereiken. Neem alstublieft de tijd. Als er nog iets is waar u nader over geïnformeerd wenst te worden, hebt u het maar te vragen.

Achter zijn bureau gezeten luisterde Daniel naar de telefoon die thuis in de flat overging. Dringend, had ze gezegd. Laura was gaan fotokopiëren. Het was een dag van telefoontjes geweest. Maar Hilary nam niet op. Toen was de secretaresse terug. Ze klopte op de deur. Rechter? Hij keek in haar heldere ogen. Uw vrouw zei dat ze weg moest, maar ik moest u vertellen dat er gebeld was uit Italië over uw dochter. Ja? Zei ze niet wat het was? Alleen dat u het later nog eens moest proberen. Ik geloof dat ze zei dat ze een les had. Nou, dan kan het niet zo dringend zijn, dacht Daniel, als Hilary naar haar les is gegaan. Even had hij gedacht dat hij de afspraak met Ben weer zou moeten uitstellen. Een excuus zou hebben om het uit te stellen.

Intussen begon rechter Savage door het Whitakerdossier te bladeren. Beschuldigingen die tijdens een eerste verhoor waren geuit, werden weer ingetrokken. Een oudere fietser had een groep jongeren zien rondhangen bij de reling van de brug precies ten tijde van het misdrijf. Een achterlijke jongen was gearresteerd en had een verkrachting bekend die er niets mee te maken had en evenmin was aangegeven. De politie ging er niet achteraan. Geen van de beschuldigden ontkende meerdere malen op de brug te zijn geweest, of zelfs gezien te hebben dat er stenen waren gegooid. Maar niemand was er rechtstreeks bij betrokken geweest. In een serie confrontaties had de fietser er maar twee van de beschuldigden uitgepikt. Deze mensen zijn in het algemeen schuldig, dacht Daniel. Terwijl de persoon die Elizabeth Whitaker in het bijzonder in de vernieling heeft geholpen, gewoon pech heeft gehad. Soms is het je reinste pech waardoor een schuldige daad verandert in een zwaar misdrijf.

Een zaalwachter kwam vragen of Daniel kon komen voorzitten als invaller voor Crawford, wiens zaak langer was doorgegaan dan verwacht. Rechter Savage reikte weer naar zijn pruik. Het zou dus een uur of meer langer duren voor hij met Tom kon spreken, niet met Hilary, want die was nog steeds weg. En het was bijna kwart over vijf toen de jury eindelijk uitspraak deed in de Mishrazaak.

Kunnen we vanavond Superstar spelen? vroeg Tom. Hij was erachter gekomen hoe je dat 'ongelooflijke-controle'-ding moest doen, dat boogballetje over de keeper. Mama zei dat je een partijtje wou schaken. O papa! Ik heb tegen Max gespeeld gisteren. Het schijnt dat hij goed is, zei Daniel. Nee, ik heb hem afgemaakt. Goed zo! Met Superstar papa, niet met schaken. Ik maak iedereen af met Superstar. Wat heeft het dan voor zin om tegen mij te spelen? We kunnen samen tegen de computer spelen. Japan tegen Nigeria is goed. Hoe zit dat met Sarah? onderbrak Daniel hem. Sarah? Weet ik veel. Maar mama heeft me gebeld over haar. Ik weet het niet, zei Tom. Toen hij de hoorn neerlegde, herinnerde Daniel zich dat Sarahs examenuitslag er weldra zou zijn. Wat zou die jury beslissen?

Hebt u een uitspraak bereikt – de klerk herhaalde deze formulering – over punt twee van de aanklacht waarmee tien of meer van u het eens zijn? Er dromden nog steeds mensen binnen uit de gangen. De hele Indiase gemeenschap was gemobiliseerd. Er waren mensen van het National Front. Laura zei dat ze drie tv-bussen op straat had gezien, een rij demonstranten. Opgeblazen buiten elke proportie, dacht Daniel. Het regende hard en het was een donkere zomermiddag. Toen hij de rechtszaal binnenging, voelde rechter Savage zich weer vol vertrouwen. De drie tikken en het hof dat opstond bij zijn binnenkomst hadden altijd dat effect. Hij voelde zich sterk. En hij zag meteen dat de jury overeenstemming had bereikt. Die vertrouwde uitdrukking van vermoeide opluchting lag op hun gezichten. Ja, dat hebben we. En wat is uw oordeel over de heer Sunni Mishra ten aanzien van punt twee? Niet schuldig. De uitspraak werd herhaald voor mevrouw Mishra. Niet schuldig. Er werd geschreeuwd op de tribune. Hoe kon dat nu? vroeg Daniel zich af. Hoe konden ze nu niet minstens één ouder schuldig vinden? Aan ontvoering. Op z'n minst de vader. Even was rechter Savage zo verbaasd dat hij vergat dat er geen specificatie vereist was bij een niet-schuldigverklaring. En hoe ligt de verdeling? vroeg hij. Edelachtbare! De verdediging stond meteen overeind om te protesteren. Maar de voorzitter had al antwoord gegeven. Elf tegen een, edelachtbare.

Hij probeerde Hilary te bellen. Buiten het gerechtshof was hij geschokt door wat er zich op straat afspeelde. Wil je Max spreken? had Tom gevraagd. Max? Paki's kindermoordenaars, stond er op een bord. De Mishra's waren Indiërs. Hilary was nog steeds niet thuis. Max was er en speelde piano. De politie probeerde te sussen, hield twee groepen uit elkaar. We zijn allemaal blank uitschot, stond er op een spandoek. Iemand gooide iets dat met een doffe klap tegen de muur belandde. Er scheen een felle lamp, een tv-camera of zo. Daniel had geen idee. Racistische klootzakken! Kennelijk waren deze mensen voldoende op de hoogte om te weten dat een rechter het hof verliet via een speciale uitgang aan de zijkant. Twee agenten verschenen en begeleidden Daniel onder een paraplu naar een auto en reden vervolgens rond het blok naar waar zijn eigen auto stond. Je weet nooit wanneer iedereen ineens gek wordt, de chauffeur schudde zijn hoofd. Hij leek tevreden met zichzelf. Gewoon twee ploegen mafketels die elkaar te lijf willen, edelachtbare.

Twintig minuten later beklom Daniel de trap van de Capricorn. Het was vreemd dat ze niet hun eigen etnische plek hadden, dacht hij. Een Koreaanse plek. Het was misschien een goed teken. Boven was het leeg. Hij stond aan de telefoon bij de wc met Hilary te bellen, toen de mannen binnenkwamen. Het schijnt dat ze niet wil eten, vertelde zijn vrouw, en dat ze al haar lessen verzuimt. Ze wilden dat ik haar vanavond zou bellen om er met haar over te praten. Daniel vroeg waarom ze hem dringend gevraagd had terug te bellen, om vervolgens het huis uit te gaan? Het waren drie Aziatische mannen, allemaal met donkere kostuums aan. Ik dacht dat het beter was als jij haar belde, zei Hilary. Jij kunt beter met Sarah overweg, weet je. O ja? De mannen negeerden Daniel en gingen aan een hoektafel zitten. Ze hadden waarschijnlijk niets met Ben te maken. Toen herkende hij de jonge verkoper uit Kwans magazijn. De zoon. Waar zit je nu?

wilde Hilary weten. Kun je een pak melk meebrengen op de terugweg? In de Polar Bear, ik wacht op Crawford, zei hij. De Pakistaanse winkel zal wel open zijn, zei ze. Ze zeiden dat we rond negen uur onze tijd moesten bellen. Wat deed Kwans zoon hier? vroeg hij zich af. Minnies broer. Hun standpunt is dat ze of meedoet met de anderen, of vertrekt. O, en het goede nieuws – Daniel hoorde haar stem plotseling stijgen – het goede nieuws is dat de aannemer heeft gezegd dat we vanaf nu alles in het huis mogen opslaan. Meubelen, alles. Het is zo goed als af. Alleen nog wat apparatuur aansluiten. Fantastisch, zei Daniel.

Hij liep door het zaaltje. Een donker tapijt onder paars licht creeerde een onwezenlijk kleurvlak. Raar groen. Er waren geen ramen. Hij had hun tafel nu bereikt. Vijftien minuten na de afgesproken tijd. Pardon, is een van u Ben? Zoals steeds probeerde hij de opleiding in zijn stem te verdoezelen. Het resultaat was niet overtuigend, pover. Wie bent u, vroeg de oudere man. Hij was korter dan de twee naast hem, maar hij had het gewicht en de solide bouw van iemand van middelbare leeftijd. Hij droeg een bril. Steve Johnson, zei Daniel. Neem me niet kwalijk, maar ik ben al te laat voor een afspraak met iemand die Ben heet. Ik zoek...

Gaat u zitten, meneer Johnson. Het accent was zo sterk dat het komisch was. Daniel aarzelde. Een groep tieners verscheen boven aan de trap. Plotseling klonk er muziek, een dwingend ritme zonder begin of einde. Hier kan me niets gebeuren, zei hij tegen zichzelf, in een café aan de drukste straat van de stad, naast het winkelcentrum. De opzichtige inrichting was onschadelijk. Gaat u zitten, herhaalde de man.

Vastberaden nam hij een stoel, zette zijn voeten op het tapijt en zijn handen op zijn knieën, bewaarde wat afstand van de tafel. Meneer Kwan, zei hij, ik neem tenminste aan dat u meneer Kwan bent, ik probeer in contact te komen met uw dochter, Minnie. De jongeman die in het magazijn werkte zei snel iets in het Koreaans. Er werd over en weer iets gezegd, kennelijk geërgerd. De vader keek scherp naar Daniel. Er zat misschien maar vier of vijf jaar verschil tussen hen. Waarom? Waarom moet u haar hebben? Zijn gezicht was lelijk breed. Bijna breder dan lang. Ik heb een baan voor haar, zei Daniel. Minnie heeft me een tijdje geleden gevraagd of ik haar kon helpen om een baan te vinden.

De oudere man leek het niet begrepen te hebben. De muziek stond hard. Of misschien was zijn Engels nog slechter dan zijn accent deed vermoeden. Daniel begon te herhalen, maar weer zei de zoon die hij in het magazijn had ontmoet iets in het Koreaans. De anderen staarden over de tafel. Wat raar werd de huid van de Aziaat vervormd door het licht. En de mijne ook? vroeg Daniel zich af. Hun witte hemden gloeiden als een kathode.

Wat voor baan? Het was de zoon die de vraag stelde, maar ze kwam duidelijk van de vader. Een traditie, had professor Mukerjee gezegd, van onvoorwaardelijke en onmiddellijke gehoorzaamheid van zoons tegenover hun vader. Daar had Minnie tegen gevochten. Een goede baan op een kantoor. Ik zou het er graag met haar persoonlijk over hebben. Misschien kunt u...

Hij werd onderbroken door de dienster. Het café liep snel vol. Cola, zei de vader met drie vingers in de lucht. Gin-tonic alstublieft, zei Daniel glimlachend. Het meisje was heel klein, Indiaas. Gisteren had Christine gin gedronken. Dus, als u me kunt vertellen hoe ik in contact kan...

Hij stopte. Pas nu, terwijl hij zat te praten, was rechter Savage zich gaan realiseren dat deze aanpak gebaseerd was op de veronderstelling dat er niets mis was, dat hij zou nagaan of alles in orde was met zijn ex-vriendinnetje, als dat de juiste benaming was, om zich vervolgens, na gedane plicht, weer te concentreren op vrouw, gezin en carrière. Dit is een formeel gebaar dat je maakt, besefte hij. Je bent niet voorbereid op een calamiteit. Maar waarom kwamen vader en zonen dan op hem af, als hij een afspraak had gemaakt met het vriendje? Het was even stil. Misschien had hij helemaal niet met Ben gesproken. De zwijgende zoon haalde een pakje sigaretten uit zijn borstzakje. Hij stak er een op, maar hield zijn ogen voortdurend op rechter Savage gericht.

Minnie Kwan, zei de magazijnzoon, heeft helemaal geen baan nodig. Ze zou nooit spreken met een zwarte man. Ze zou nooit om een baan vragen. De oudere man leunde voorover, keek hem intens aan: Wij spreken niet met zwarten. Terwijl hij dit zei, begon het piepkleine Indiase dienstertje de glazen op tafel te zetten. De cola's glommen zwart. In de gin twinkelde het ijs paars. Nog geen uur geleden, was ik iemand met autoriteit, besefte Daniel, in het gezonde, bacterievrije licht van zaal drie. De rekening is voor mij, zei hij. Hij pakte zijn portefeuille. Het meisje glimlachte, er flonkerde een steen in haar neus. U bent een pooier, meneer Johnson, zei de vader rechtstreeks tegen hem. Laat Minnie Kwan met rust. Daniel moest het glas van zijn lippen nemen en het weer op tafel zetten. Een pooier! Zijn stomverbaasde verontwaardiging zou door een jury meteen als echt worden herkend. Ik zou toch zeker niet met vrouw en kinderen naar uw magazijn komen als ik een pooier was.

Meteen wist hij dat hij dat niet had moeten zeggen. Hij herinnerde zich Minnies spottende kreet aan de telefoon: Mijn lieve zwarte pooiervriendje! Het was waarschijnlijk het ergste scenario dat haar vader kon bedenken, de ergste belediging. De man sprak op onaangename toon in het Koreaans, maar keek recht naar Daniel. Er is geen andere reden, vertaalde de zoon, waarom een Koreaans meisje met een zwarte man zou spreken. Ik ben Braziliaan, zei Daniel. Eigenlijk was hij Engels. En de enige baan, papegaaide de jongen, die een zwarte man te bieden heeft, is hoer worden. Van de een naar de ander kijkend realiseerde Daniel zich dat ze misschien wel te goeder trouw waren. Ze konden zich echt niet voorstellen dat een zwarte werk te bieden had. Ze zouden het niet geloven wanneer hij hun zou uitleggen waarom hij in zwart pak met das gekleed was.

Hoor eens, zei hij glimlachend, laten we allemaal samen naar Minnie gaan. Ik bied haar die baan aan in jullie aanwezigheid, het is secretarieel werk, geen slechte job, en dan horen we wat zij erover denkt. Deze keer gaf de vader een bevel en haalde de rokende zoon een mobiele telefoon uit zijn zak. Hij begon te spreken, de anderen wachtten. Daniel leunde achterover en dronk. Was dit die verstopte neusstem die voor Ben had moeten doorgaan? Je moet niet weer te laat thuiskomen voor Tom, zei hij tegen zichzelf. De werking van alcohol was altijd plezierig. En er was het telefoontje naar Sarah natuurlijk. Toen onderbrak de oudere man het monotone geluid van zijn zoon aan de telefoon. In het Engels vroeg hij: Wanneer Minnie Kwan voor het laatst gezien? We hebben elkaar telefonisch gesproken, zei Daniel behoedzaam. Wanneer? Hoor eens, meneer Kwan, ik moet stilaan naar huis, dus waarom gaan we nu niet naar haar toe en... Ik vroeg: wanneer laatste keer gezien? De norse jongen klapte zijn toestel dicht. Hij leek de oudste. Daniel zweeg. We niet begrijpen waarom u Minnie Kwan wilt zien. We niet begrijpen hoe Minnie Kwan een zwarte man kent.

De drie wachtten. Niet in staat de waarheid te vertellen, zelfs niet zeker waarom hij hier was, zei Daniel luchtig: Wat als ik een politieman ben? Wat als Minnie Kwan ons heeft gebeld om hulp te vragen? De vader wendde zich naar zijn zoon voor opheldering. Ze spraken alledrie tegelijk. Laat identiteitsbewijs zien, zei de meest bespraakte. Waar is Ben, vroeg Daniel. Ik had een afspraak met Ben. Laat je penning zien! De jongen had zich de juiste formulering herinnerd. Dat was maar een grapje. Daniel schudde zijn hoofd. Natuurlijk ben ik geen politieman. Laten we nu naar Minnie gaan. Dan beloof ik dat ik jullie allemaal met rust zal laten. De drie overlegden driftig. De muziek werd harder. De dienster drentelde weer rond. Daniel glimlachte naar haar, kauwend op zijn limoen. Ik ga even naar de wc, zei hij.

Toen hij door het rare licht liep tussen de nu bezette tafeltjes, voelde rechter Savage dat hij het juiste had gedaan. De vader leek een onaangename kerel, maar nauwelijks van het soort dat zijn dochter iets zou aandoen. Het zijn gewoon immigranten, hield hij zichzelf voor. Ze denken dat ze in een vijandige omgeving zitten en gedragen zich paranoïde. Minnie had misschien problemen gehad en ze beschermden haar. Ze hadden niet het geluk gehad van zijn opvoeding. Aan de andere kant hielden ze hun kinderen onder de duim. Het enige wat ik nu moet doen, besloot hij, staande voor het urinoir, is de verzekering zien te krijgen dat er niets met haar aan de hand is. Maar toen hij uit de wc kwam, waren de Koreanen weg. De tafel was inmiddels al bezet door een groepje blanke meisjes.

Daniel bleef staan in het vreemde licht, tegelijkertijd theatraal en ordinair. Hij voelde meer opluchting dan frustratie. Ik heb het geprobeerd, zei hij tegen zichzelf. Hij schudde zijn hoofd. Goed. Hij keek op zijn horloge. Het was een rare ervaring geweest. Tien over acht. Weer op straat spoedde hij zich door de stortregen naar het winkelcentrum, wachtte op de lift naar de parkeergarage. Ongetwijfeld had het weer een einde gemaakt aan de demonstratie, dacht hij. Hij beende drie etages omhoog tussen betonnen pilaren door. De eerste klap raakte hem toen hij zich vooroverboog om het portier te openen. Terwijl hij viel werd er een soort zak over zijn hoofd getrokken. Hij kreeg een harde klap op zijn rug. Een touw beet in zijn nek. Het enige geluid waren zijn eigen verstikte kreten. Blind liggend op het cement tussen zijn eigen auto en de volgende werd hij links en rechts getrapt. Uit zijn ruggengraat kwam een heldere kleur opstijgen, die zijn hoofd met pijn vulde.

9

Een rechter, stond er in het zaterdagse bijvoegsel van de *Telegraph*, kan gemakkelijk berucht worden, maar zelden populair. De speurder en de misdadiger, de aanklager en de verdediger waren twee paar archetypische antagonisten, vervolgde de redacteur. Hun doen en laten zou altijd het midden van het podium beheersen, terwijl de rechter, voor de meesten onder ons, slechts een scherpzinnige scheidsrechter is die het gebeuren gadeslaat. Dat is geen rol die algehele opwinding veroorzaakt. Maar toen na een nacht van grimmige raciale relletjes het nieuws bekend werd dat Daniel Savage in coma lag in het plaatselijke ziekenhuis, moest de krant wel toegeven dat deze eerste niet-blanke rechter in zijn bijzonder korte carrière meteen een nationale held was geworden. Aanzienlijk meer ruimte dan deze paar korte overwegingen kreeg een foto van de nieuwste beroemdheid van het land waarop een amandelkleurige man stond met vaag negroïde trekken en een geruststellend streepje grijs in zijn wollige haar. Geen kind van het Britse Rijk, meldde een enigmatische kop.

Terwijl de kranten orakelden, stond de politie intussen onder druk om de aanvallers van de rechter op te sporen, en de dokters om zijn leven te redden. Hilary, fluisterde de zieke man eindelijk op de derde dag. Toen hij moeizaam naar boven klauterde vanuit een drukkende mentale duisternis, had hij haar vingers in zijn hand gevoeld. Hilary! Maar tegelijk met dat eerste vonkje bewustzijn dat zo'n opluchting was voor miljoenen – Savage overleeft, meldde een kop – was er een enorme angst. Zijn hand greep de hare. Breng me naar huis, fluisterde hij, ik wil naar huis. Hilary was opgewonden. Ja, ja, zei ze. Ja! Haar lippen streken over zijn verbonden gezicht – niet bewegen, blijf liggen – , ze stond op om een verpleegster te bellen. Zuster! Het schrille geluid klonk na in zijn schedel.

Tom logeerde kennelijk bij Crosby. Zoveel had hij begrepen. Maar jij bent bij me, bleef hij maar mompelen. Ja, zei ze. Ja lieverd. Ze had het Sarah niet verteld, zei ze. Ze had de organisatoren van de reis gesmeekt om het hun dochter niet te vertellen, om haar daar in Italië te houden tot het einde van de maand. Sarah was wel het laatste waar ze nu behoefte aan had. Je bent verschrikkelijk beroemd, Dan, zei ze. Ze staan allemaal te wachten om je te interviewen. Ik was bang dat de mensen het arme kind zouden lastigvallen.

Hij registreerde nauwelijks wat ze zei. Of de uren en de dagen. Verband werd verwijderd en vervangen, pijnlijk. Er werden nieuwe tests gedaan. Het rare kind – Hilary was aan het borduren geslagen, ze zat naast zijn bed – beweert dat ze het dopje van een van mijn parfumflesjes heeft ingeslikt, zes maanden geleden. Kun je je dat voorstellen? Sindsdien voelt ze zich niet lekker. Het zit ergens vast, zegt ze.

Daniel was de kluts kwijt. Ik vind het leuk dat je borduurt, fluisterde hij. Zijn brein werd voortdurend opgeschrikt door plotselinge pijnen die opflitsten en weer vervaagden. Hij rilde. Kun je iets zien? vroeg ze. Ze boog zich over hem heen. Wazig. Bloemen, zei zij. Twee rozen tegen een rek. Hij kon niet zien, kon niet denken. Waar is het gebeurd? vroeg ze. Er was weer een operatie, weer een ochtend buiten bewustzijn. Ik herinner het me niet meer, zei hij. Je hebt Crawford niet gezien, zei ze. Crawford? Moest dat dan?

De uren gingen voorbij in een langzame golf van pijn. Hij herinnerde zich, zei hij, dat iemand iets had gegooid toen hij de rechtbank verliet. Een rood lichtpuntje teisterde de duisternis. Er zijn relletjes geweest, zei ze. Hij huiverde. Ze vertelde hem over uitgebrande auto's, stenenregens. Het hele weekend. De tv heeft je het symbool van orde en gezond verstand genoemd. Wat is er gebeurd in die zaak met de stenengooiers? vroeg hij op een ochtend. Ze wist het niet. Ze had alleen maar bij zijn bed gezeten. Wat een geluk dat Sarah er niet is. Een geluk dat ze het niet weet. Niemand neemt je iets kwalijk, zei ze. Elke dag, als ik uit het ziekenhuis kom, stellen mensen me vragen, in afwachting dat ze jou kunnen interviewen. Laat ze niet binnen, mompelde Daniel.

Ze zat zwijgend te borduren. Dit was helemaal niets voor haar. De stelen van de rozen gaan door het rek, legde ze uit. Ze beschreef het voor hem. Ik was zo bang dat je dood zou gaan. En dan vervlechten ze zich met elkaar. Het is een soort meditatie, zei ze. Hij voelde haar rust. Je bent een held, fluisterde ze.

Ze hadden zijn ogen nu verbonden. Ze zei: De CPS heeft behoorlijk wat kritiek gekregen, weet je, in de pers, omdat ze die zaak hebben laten voorkomen in zo'n raciaal gevoelige stad. Ik hou van je, fluisterde hij. Ik wil niet praten over wat er gebeurd is. Crawford, zei ze, weet helemaal niet dat jullie in de Polar Bear hadden afgesproken. Ik herinner het me niet meer, herhaalde hij. Weer beging hij de vergissing zijn hoofd te willen schudden. Misschien over een dag of twee, beloofde hij een politie-inspecteur, terwijl hij de man een hand gaf in het donker. Zijn brein draaide dol. Dienbladen met medicijnen. Mijn tanden, klaagde hij. Christus!

Hij vroeg Hilary om het nog eens uit te leggen over Sarah. Het verband was nu verwijderd. Hij kon met één oog zien. Er was een operatie om een nier te herstellen. Weer vierentwintig uur weg. Slangetjes in en uit zijn lijf. Maar hij voelde zich steeds beter. Hij kon overeind zitten en een beetje soep eten. Mijn nek, zei hij. Ze zegt dat ze het dopje van een van mijn parfumflesjes per ongeluk heeft ingeslikt, herhaalde zijn vrouw. Hij kon nu bijna van de pijn genieten. Als er een golf kwam, wist hij dat die weer zou wegebben. Volgende week is het gebit aan de beurt, had de dokter gezegd. Een maand of zes geleden, ging Hilary door. En daarom gedroeg ze zich zo raar.

Daniel was ongerust. Hij probeerde zijn blik scherp te stellen. Ze geeft tenminste toe dat ze zich raar heeft gedragen, zei Hilary. Met zijn ene oog zag hij de geconcentreerde, strenge uitdrukking op de lippen van zijn vrouw terwijl ze de naald in haar werk prikte.

Ze begon hem over het huis te vertellen. De haard zat erin, de piano was er. Christine was zó lief geweest. Geen problemen meer met geld. Zodra het water is aangesloten kunnen de mannen de tuin komen doen. Ik begrijp het niet, zei hij. Ontbreekt er echt een dopje van een van je flessen? Ze beweert dat ze me het niet heeft verteld toen het is gebeurd omdat ze bang was dat ik boos zou worden omdat ze mijn parfum gepikt zou hebben. Ze zegt dat ze de fles heeft weggegooid zodat ik het niet zou merken. En dat ze zich sindsdien raar voelt – en het wás inderdaad ongeveer zes maanden geleden dat ze zo raar is gaan doen, niet? Is ze toen niet bij die evangelisten gegaan? – door dat ding dat in haar maag blijft zitten. Ik heb in elk geval tegen de mensen van die school gezegd dat ze naar een dokter moest, en dat heeft ze gedaan, en natuurlijk zei die dat het allemaal flauwekul was. Een plastic dopje zou er meteen in de uitwerpselen uit komen. Ik heb niet gezegd dat je in het ziekenhuis ligt, zei Hilary, omdat ik weet dat ze dan meteen naar huis zou komen. Je weet hoe ze is tegenover jou. Hoe dan? vroeg Daniel. Beschermerig, zei Hilary. Ze lachte. Is je dat nooit opgevallen? Ze heeft het nodig, een tijdje weg, stelde zijn vrouw. Het zal haar goed doen.

Er mocht even een televisieploegje binnen. Overeind in de kussens, een beetje als een piraat met een lapje over een oog, zei Daniel dat hij hoopte zo snel mogelijk terug op de rechtbank te zijn. Hoogstens nog een paar weken. Rechters waren al genoeg overwerkt zonder dat mensen zoals hij zich drukten. Hij glimlachte pijnlijk. De verpleegster was woedend over de felle lampen. Hoewel hij weigerde commentaar te geven op de Mishrazaak, of de rellen, of zelfs de aanval, leek hij toch precies de goede woorden te hebben gevonden om de interesse van het publiek te bevredigen en hun ongevraagde sympathie te belonen. Zijn gehavende gezicht haalde alle voorpagina's, een arm half geheven als groet. Engeland heeft u nodig, letterde een pulpblad. Hij mocht nog niet televisiekijken, en hoorde op de radio dat hij mogelijk een MBE* zou krijgen. Je verdient het, zei Hilary.

Hebben we ons geheugen weer terug? vroeg inspecteur Mattheson. Daniel putte zich uit in verontschuldigingen. Hij had de man eerder echt niet herkend. Bent u al geweest, inspecteur? Ik was compleet weg. We dachten, zei de politieman, dat u in deze omstandigheden misschien liever iemand zag die u kende. Hij lijkt vriendelijk, dacht Daniel. De inspecteur trok een stoel bij en zat een paar seconden zwaar te ademen. Ik wil alles doornemen wat u zich kunt herinneren, kondigde hij aan, van minstens drie dagen voor de aanslag, oké? Alles.

Hilary schudde de kussens op zodat haar echtgenoot goed overeind kon zitten. Je mag wel even een pauze nemen, zei Daniel. Ze zei nee. Ze wilde erbij zijn. Misschien kan ik helpen, zei ze. Ze moeten

* MBE: Member of (the Order of) the British Empire; lintje van verdienste. (Noot van de vert.)

die monsters pakken. Daniel voelde een zweempje onbehagen. Het grootste deel van de tijd was ik op de rechtbank, begon hij. Hij herinnerde zich een paar onsmakelijke figuren op de publieke tribune. Er was er een met de Union Jack in zijn nek. Een stierennek. Twee jonge knullen, onder de tatoeages. Ze hadden beschrijvingen van iedereen in de rechtszaal, zei Mattheson, en er waren videobeelden van de mensen buiten. Met uw gezicht overal op de tv, vervolgde de politieman, kwamen allerlei mensen zich melden. In zekere zin is het prachtig, stemde Hilary in. Daniel sloot zijn goede oog en liet zich achteroverzakken.

Mattheson glimlachte. Kalm maar. Hij haalde een zakdoek te voorschijn en kneep in zijn neus. We gaan hier niet niezen, hè? Nee, wat ik zei was dat we ons niet tot de Mishrazaak en de situatie buiten het gerechtshof moeten beperken. U vertelt me alles wat u zich kunt herinneren over die drie dagen, of zelfs alles wat maar een beetje raar was in de voorgaande weken. Het was eigenlijk nogal een doodgewone maand, zei Hilary heel snel, ja toch, Dan? Daniel wist dat ze de gênante brieven niet wilde vernoemen. Haar man was een held die was aangevallen door racistische boeven. En de telefoontjes evenmin. Nergens voor nodig die te noemen. Niemand zou toch zeker het telefoonverkeer van een rechter gaan onderzoeken.

We zijn een paar keer naar het nieuwe huis gaan kijken, zei hij, om te zien hoe het opschoot. U weet dat we een nieuw huis hebben gekocht. We zijn ernaartoe gereden om de nieuwe haard te bekijken, bracht Hilary hem in herinnering. We hebben een klassieke schouwmantel laten maken. Er is een kleine fabriek in het industriegebied. East India Street. Daarna zijn we gaan eten in The Duck, vulde Daniel snel aan. Kent u The Duck? Toen bekende hij: Ik vrees dat ik dit verschrikkelijk vermoeiend vind. Ik denk dat ze me onder de verdovende middelen houden of zoiets. We hebben tijd genoeg, verzekerde Mattheson hem. Kan ik ergens een kop koffie halen? Hij verdween de gang op.

Hilary bemoederde haar echtgenoot. Zeg dat hij weggaat als je er genoeg van hebt. Hij trok een grimas. Ze legde een hand op zijn voorhoofd. Mij lijken het stomme vragen. Het is duidelijk wie het heeft gedaan. Het zal wel lukken, zei Daniel, maar als jij even vrijaf wilt nemen, moet je dat doen. Moet je geen boodschappen doen of zo, bood hij nog eens aan. Ze wilde niet weggaan. Zeg, over Sarah, zei hij. Ja? Ik bedacht zojuist dat ze zich wel zal afvragen waarom ik haar al die tijd niet gebeld heb, vooral omdat ze zich niet zo goed voelt. Ik heb gezegd dat je het waanzinnig druk hebt, lachte Hilary, omdat er een rechter ziek is.

Mattheson kwam terug met een plastic bekertje in zijn handen. Daniel glimlachte flauw. Hoe smaakt-ie? vroeg hij. Ik mag nog geen koffie hebben. De politieman fronste zijn wenkbrauwen. Kan slechter. Of misschien niet, lachte hij. Nou, zei Hilary met luidere stem, de avond voor het gebeurd is, Dan, toen ben je toch naar Martin en Christine geweest? O ja. Daniel begon het probleem van het geld uit te leggen. De inspecteur knikte. Van hoe laat tot hoe laat? vroeg hij. Je bent daarna toch gaan eten met Christine, zei Hilary. Ze wilde laten zien dat ze op de hoogte was van haar mans privé-leven. In The Raven, vulde Daniel aan. Kent u het? Die arme Martin heeft een rare zenuwziekte, legde Hilary uit. Mattheson zei dat hij zich al had afgevraagd waarom hij meneer Shields al zo lang niet meer in de rechtbank gezien had. Zo'n goede advocaat. We hebben het restaurant verlaten rond halfelf, denk ik, zei Daniel. En ik neem aan, begon de politieman, dat u recht naar huis bent gereden? Hoor eens, viel Daniel hem in de rede, u denkt toch niet dat het iets te doen kan hebben met een verdachte die ik de bak in heb gedraaid of zo? Iemand die een wrok koestert?

De politieman zat vierkant op zijn stoel. Hij dronk zijn koffie uit. Ik sta open voor elke suggestie, zei hij, maar leek perplex. Heeft u iemand in het bijzonder in gedachten? Hilary zei: Ik heb de inspecteur al verteld dat je broer heeft gebeld op de dag van de aanslag en dat hij om geld heeft gevraagd. O, maar dat is absurd, protesteerde Daniel. Hij voelde zich opgelucht. Nou, hij hééft gebeld, zei ze, hij heeft om geld gevraagd en hij heeft in elk geval niet teruggebeld om zijn sympathie te betuigen. Hilary was altijd bang geweest van Frank, de rotte appel in de familie van haar echtgenoot. Hij is toch eens voor geweldpleging voorgekomen? rechtvaardigde ze zich. Daniel kon er nu om lachen: Als die arme Frank geld had om drie mensen te betalen om mij in elkaar te slaan, zou hij me niet om geld hebben gevraagd.

Er waren dus drie aanvallers, vroeg de inspecteur, hebt u een glimp van ze kunnen opvangen? Ik liep door de parkeergarage, zei Daniel voorzichtig. Vertrekkende van waar? Waar bent u in de tussentijd geweest? Daniel schudde zijn hoofd even, verstijfde van de pijn. Sorry, dat herinner ik me niet. Hij moest zijn hoofd niet bewegen. Zit er veel tijd tussen? Ongeveer een uur. Het zou heel prettig zijn als we het wisten, zei Mattheson, om allerlei redenen. Natuurlijk. Je zei dat je naar de Polar Bear ging met Crawford, bracht Hilary hem in herinnering. Ze zei niet dat hij haar zelfs had gebeld.

Maar in elk geval waren er drie aanvallers, herhaalde Mattheson. Daniel vroeg: Ben ik nergens gezien? Dat zou helpen. Ik weet alleen nog maar dat ik door de parkeergarage liep, zei Daniel behoedzaam. Op een hogere verdieping. Ik meen me te herinneren dat ik de lift heb genomen. En dan voel ik – ik heb dit in gedachten al honderd keer herhaald – voel ik een stoot in mijn rug, word ik in een houdgreep genomen en krijg ik een zak over mijn hoofd, allemaal op hetzelfde moment. Dat lijken mij minstens drie mensen. Hilary schudde haar hoofd. En waarom denkt u dat ze een zak over uw hoofd hebben getrokken? wilde de politieman weten. Daniel sloot zijn ogen. Ik heb geen idee. Ik voel me schuldig dat ik aangevallen ben, besefte hij. Na een minuut of tien vertrok de politieman.

Het linkeroog, zei de kliniekarts hem, zal na verloop van tijd wel weer iets kunnen zien. Hij kon nu door de gang lopen. Het rechteroog was toch altijd het beste geweest. Over een week mocht hij naar huis, beloofden ze. Weer aan het werk zodra hij weer op krachten was. Intussen praatte hij met andere patiënten. Fantastische meiden, zei iemand over de verpleegsters. Ze waren allemaal zwart of Aziatisch. Hij had nu een televisie en een telefoon naast zijn bed. Zijn hoofd deed pijn. Justitie is er niet primair om de gemeenschap te dienen, maar om het individu zijn waardigheid te garanderen. Aan de overkant van de gang lag pastoor Shilling te sterven aan longkanker. Er waren daar vijf bedden. Met een reutelende stem citeerde hij Sint-Augustinus: Wanneer een mens God niet dient, hoeveel rechtvaardigheid kan er dan in hem zijn? Daniel speelde een partijtje schaak met de oude priester. Een niet-gelovige kon toch wel een begrip van rechtvaardigheid hebben, wierp hij tegen. Mijn brein begint weer te functioneren, zei hij tegen zichzelf. Het was een opluchting dat Hilary weer doorging met haar lessen.

Christine kwam. Ze hebben ongeveer duizend foto's gemaakt van de binnenkant van mijn hersenpan, lachte hij. Ik hoopte dat ze me iets zinvols zouden kunnen vertellen. Ze keek om zich heen in het kamertje. Zie je nu wat er gebeurt, zei ze koket, als je een getrouwde vrouw kust! Ze heeft zich opgetut voor de gelegenheid, zag hij. Alsjeblieft zeg, zei hij, ik heb de hele ochtend al met een priester gesproken. Het schijnt dat ik geen rechter kan zijn als ik niet te biechten ga.

Christine vroeg hoe het ging en leefde mee. Ze liep weer erg met haar borsten te pronken. Maar ze was niet gelukkig. Martin, zei ze, had geen vinger verroerd in al die tijd. Het is alsof hij die koorts zelf opwekt. Hij neemt voortdurend zijn temperatuur. Hij zit de hele dag met de thermometer in zijn mond. Ze lachte zenuwachtig. Ze droeg schoenen met hoge hakken van rood lakleer. De ene dag zegt hij dat hij afstand doet van het moderne leven, je weet wel, zoals die brahmaantypes die alles achterlieten en in het bos gingen leven om te mediteren en het vrouwvolk in de steek lieten. En de volgende dag zegt hij dat hij vast een virus heeft of zoiets. Haar schoenen klikten. Absurd! Ze begon om zich heen te kijken om te zien waar ze bloemen in kon zetten. Ik heb bloemen meegebracht, zei ze. Mannen krijgen altijd fruit, dus heb ik bloemen meegenomen. Toen Daniel het vroeg, zei ze dat Martin weigerde naar een psychiater te gaan of tests te laten doen of wat dan ook. Zelfs geen huisarts. Benieuwd hoe hij gaat overleven als ik hem verlaat, zei ze nogal opgewekt. Ze streek haar blouse glad. Dat doe je niet, glimlachte Daniel. Het gaat wel over, wat het ook is. Toen ze wegging vroeg ze: Heeft Hilary je verteld dat Jane gaat trouwen? Een zwart meisje kwam binnen met het theewagentje. Daniel keek naar haar onmogelijk dunne pols die zich spande onder het gewicht van de pot. Ja, loog hij.

Hij keek naar de televisie. Het ging over een reservoir dat was vervuild. De rellen waren vergeten. Drie weken was lang om je nog een avond van zomerse waanzin, een relletje of een kus te herinneren. Zijn oog deed pijn. Hij had Christine moeten vragen naar de laatste betaling, die nu zou moeten gebeuren. Alles wordt langzaam weer normaal, zei hij tegen zichzelf. In de wetenschap dat Christine nog niet thuis kon zijn, belde hij Martin.

Je hebt het dus overleefd, zei Martin rustig. Als ik het echt ben, lachte Daniel. Toen vertelde hij zijn vriend dat hij hulp nodig had. Het bleef stil aan de andere kant van de lijn. Nee, het gaat niet over het huis of over geld, stelde hij hem gerust. Dat is geen probleem, zei Martin traag. Ik heb alles aan Christine overgegeven. Zij regelt de betalingen nu. Maar daar gaat het niet over. Luister, ik zoek iemand. Ah, zei Martin. Het leek alsof hij met iets zat te friemelen, de afstandsbediening misschien. Niet Jane, hoop ik? Nee, natuurlijk niet. Daniel moest zelf ook de deur in de gaten houden. Hilary zou zo komen. Misschien met Tom. Toen zei Martin: Je weet toch, Dan, dat ze met Crawford gaat trouwen? Gordon Crawford, een collega van rechter Savage, was Janes vriend geweest vóór haar affaire met Daniel. Ik denk niet dat ze echt met hem gebroken heeft, zei Martin. Toen schraapte hij zijn keel en begon hij op vreemd achteloze en werktuigelijke toon te vertellen dat er een gelijkaardige situatie bestond in *Enemies and relations*, een Zuid-Amerikaanse soap: De actrice die de hoofdrol speelt, heeft twee nogal broeierige verhoudingen terwijl ze nog altijd doorgaat met het regelen van haar huwelijk met haar saaie dokter, met wie ze al vijf jaar verloofd is. Natuurlijk heeft ze wel met hem gebroken! viel Daniel hem in de rede. Dat zou ik toch weten. Met de hoorn nog in zijn hand stond hij plotseling naast zijn bed. Meteen voelde hij zich duizelig. Hij legde een hand op het kozijn. Je had moeten horen wat ze allemaal over hem gezegd heeft! Weer bleef Martin even stil voor hij heel rustig en bedaard zei: Je hebt Hilary destijds bepaald niet bedolven onder de complimentjes. Maar je hebt nooit echt met haar gebroken. Toch?

Wat nu weer? Daniel wist dat hij weer een klap had gekregen in een deel van hemzelf dat hij al een tijdje niet bezocht had. Elke keer dat hij met Martin sprak kreeg hij zo'n klap. Jane ging trouwen met Crawford. Wat had zijn collega en ex-rivaal in vredesnaam gedacht toen Hilary hem vroeg of hij Daniel in de Polar Bear had gezien? Hij kreeg zichzelf weer onder controle en zei: Hilary is fantastisch geweest de laatste weken. Dat wil ik geloven, zei Martin. Er klonk duidelijk het geluid van televisie op de achtergrond. Nee, luister, Mart, de persoon die ik moet zien te vinden is niet iemand die je kent. Weer bleef het stil. Kan ik je vertrouwen? vroeg Daniel. Zijn oude vriend zei: Natuurlijk. Nee, ik bedoel, kan ik erop vertrouwen dat je het tegen niemand zegt, ook niet tegen Christine. Ik zwijg als het graf, Dan, beloofde Martin. Een tombe. Vraag me niet waarom, maar het punt is dat ik een jong Aziatisch meisje moet vinden wier vader haar misschien iets verschrikkelijks heeft aangedaan. Politie, zei Martin bruusk. Maar, luister... Dan, je weet dat je naar de politie moet gaan als er mogelijk een misdrijf is begaan, en dat is dat.

Het was een goede raad. Toch voelde Daniel zich onzeker. De wereld zien door één oog is aanvankelijk erg vermoeiend, had de kliniekarts hem gezegd. Ontgoocheld veranderde hij van aanpak. Maar hoe is het met jou, Mart? Goed, zei zijn vriend. Ben je nog niet terug aan het werk? Nee. Ik lig in bed, ik heb de tv aanstaan, ik heb nog steeds een beetje koorts, weet je. Altijd rond de 37,5. Maar ik ben perfect gelukkig.

Dit alles had hém moeten overkomen, dacht Daniel plotseling: Minnie, het pak slaag. Het had Martin moeten overkomen. Om een of andere reden leek dit een zinvolle gedachte. Het verhelderde de zaken. Dit onoplosbare kleine dilemma – het wás klein – had iemand moeten overkomen die zijn interesse in het leven had verloren. Het zou Martin hebben wakker geschud, hem verplicht hebben iets te doen, te leven, te zien dat hij belangrijk was in levens van anderen. Maar niet een man die net verliefd was geworden op huis en haard. Sarah zal denken dat ik haar in de steek heb gelaten, besefte hij. Ik moet haar nummer zien te krijgen van Hilary.

Rechter Savage ging weer liggen en belde zijn broer. Ik zal je die tweeduizend pond geven als je er iets voor doet, zei hij. Misschien was de essentie van al die opwindende jaren, overpeinsde hij toen het telefoongesprek was afgelopen en zijn hoofd weer op het kussen rustte, het gevoel je leven in andermans handen te leggen. Je wilde niets verliezen, je vrouw, je baan, maar om een of andere reden had je de behoefte om je veiligheid en alles wat kostbaar was in de handen van iemand anders te leggen, in de handen van iemand die je nauwelijks kende. Dat was de essentie van het risico dat hij genomen had. Het schiep een soort saamhorigheid, een geheime, verborgen intimiteit, intenser dan een conventionele relatie kon zijn: deze persoon, die ik nauwelijks ken, zou mijn leven kunnen verwoesten – dat was opwindend – maar doet het niet. Ken ik Frank eigenlijk wel, vroeg hij zich vaag af.

Rechter Savage? In zijn slaap was hij aan het zoeken geweest naar een schone wc, maar ze zaten allemaal dicht en er klonk gelach achter elke deur. Edelachtbare. Rechter Savage. Hij werd wakker en zag de vrouw van de CPS. Hoe heette ze ook weer? Hij kon het zich niet herinneren. Wat aardig van u dat u gekomen bent, zei hij. Hij kwam moeizaam overeind op zijn ellebogen. Ze had perziken en druiven meegebracht. We vinden het allemaal zo verschrikkelijk wat er gebeurd is, glimlachte ze. Ik hoop dat u het niet erg vindt dat ik even langskom.

De vrouw ging op het puntje van de stoel zitten naast de televisie. Ik herinner me alles wat ik beter zou vergeten, dacht Daniel, maar ik herinner me niet hoe ze heet. Cunningham? Catherine? Het leek allemaal totaal niet in verhouding te staan, zei ze, tot wat er op het spel stond bij het proces. Weet u. Waarom is ze op bezoek gekomen? vroeg hij zich af. Wat hebben we elkaar te zeggen?

Hij vroeg: Ik veronderstel dat u uw beroep onlangs weer hebt opgenomen? Hij vond het vooral vreemd dat ze hem uit zijn slaap had gehaald. Iets in die richting, zei ze. Zieke mensen laat je toch slapen. Er volgde een ongemakkelijke stilte. Klinkt mysterieus, probeerde hij. Hij was inmiddels gaan zitten, in zijn kamerjas, met het piratenlapje over zijn oog. Zijn hoofd bevond zich op dezelfde hoogte als het hare. Ze was losjes gekleed in een pantalon en een lichte trui en ze had een zekere broosheid die hem op de rechtbank ook was opgevallen. De rimpeltjes rond haar ogen wezen op een zekere gretigheid. Totaal geen make-up, merkte hij.

Het is geen geheim, lachte ze. Er zijn problemen geweest bij de geboorte van mijn zoon, een zuurstofgebrek in de hersenen. Hij is achterlijk, dat is het woord denk ik. Met als gevolg dat mijn man is vertrokken. Ik heb lang niet kunnen werken omdat hij zoveel verzorging nodig had. Met als gevolg dat hij is vertrokken, vroeg Daniel zich af. Even was hij de draad kwijt. Met als gevolg? Mijn brein werkt nog steeds niet helemaal goed. Toen zei ze dat ze vond dat als het gezin als instituut uiteenviel, de wet onvermijdelijk actiever zou moeten worden op dat gebied.

Hoe oud is de jongen, wist Daniel nog te vragen. Steven? Vijftien. Ze glimlachte. Ze was Iers, herinnerde hij zich. Hij gaat nu naar een bijzondere school, en dus kon ik weer gaan werken. Connaught? Was het dat? Maar we zouden het over u moeten hebben, kondigde ze plotseling aan. Iedereen zou u graag terug hebben. Wanneer is het zover? En dus praatten ze over het werk. Zaal drie was gesloten voor renovatie. Ik denk dat die afschuwelijke gebeurtenis iedereen opnieuw heeft doen voelen hoeveel verantwoordelijkheid we allemaal dragen, zei ze. Crawford was bezig met een ongelooflijk ingewikkelde en eindeloze fraudezaak. Misschien worden we vrienden, dacht Daniel. Een bondgenoot.

Nu u me eraan herinnert, zei hij, ik vroeg me vanochtend af of er al iets bekend is over die zaak met die stenengooiers, is er... Ze had er niets over gehoord, zei ze. Omdat de zaak voorlopig nog niet op de rol stond, dacht ze niet dat hij aan iemand anders zou zijn toegewezen. Nog niet. Dit nieuws vrolijkte hem op. Weldra zou hij weer aan de slag gaan. Hij zou weer in de rechtszaal zitten en nog meer gerespecteerd worden dan voorheen. De andere problemen van het leven zouden hun normale proporties weer aannemen.

Om nog eens terug te komen op die Mishrazaak, zei hij grootmoedig, eerlijk gezegd begrijp ik niet hoe ze tot die uitspraak zijn gekomen voor wat de ontvoering betreft. Ik dacht dat de aanklager een ijzersterke zaak had. Ze keken elkaar aan. Soms denk ik dat ze alleen naar de persoon kijken, weet u, zei ze, en helemaal niet naar de misdaad. Ze beoordelen de verdachte en nemen een beslissing, vooral wanneer het om een misdrijf gaat waarvan ze weten dat het niet herhaald zal worden. Maar de Mishra's hebben nooit iets gezegd, protesteerde hij, ze hebben de jury nooit de kans gegeven hen te beoordelen. Ik dacht dat dat in hun nadeel zou werken. Ze schudde haar hoofd. Met spreken verraad je jezelf vaker wel dan niet; mensen hebben iets waardigs door te zwijgen, vindt u niet? Ze lijken geconcentreerd, boven het gekrakeel verheven. Het was heel vriendelijk van u dat u me bent komen bezoeken, mevrouw Connolly, zei hij. Zo heette ze. Noem me alsjeblieft Kathleen, lachte ze toen ze opstond. O, en ik zal eraan denken, hoorde hij zichzelf zeggen toen ze zich nog even omdraaide bij de deur, om geen verklaring af te leggen als ik ooit in de beklaagdenbank kom te zitten. O, maar u bent een geboren verleider, rechter, glimlachte ze. Echt waar. Daniel voelde dat hij beter werd.

10

De beslissing van de jury, had een van de weekbladen gezegd, leek meer op een reactie vanuit de onderbuik op heersende trends, dan op een welafgewogen respons op het bewijs. Daniel besprak de krantenknipsels met pastoor Shilling. Hilary had een stapel meegebracht. Het kan worden gezien als laatste wanhopige verdedigingspoging, las hij hardop met één oog, van het enige traditionele hiërarchische instituut dat de druk van individualisme en egalitarisme overleefd heeft: het gezin. Uitgemergeld als hij was, stond pastoor Shilling erop om te schaken terwijl ze praatten. Zijn hoestaanvallen maakten het moeilijk zich te concentreren. En om de eenvoudige reden, las Daniel in de conclusie, dat de hulpeloosheid van het jonge kind de samenleving verplicht om een staat van natuurlijke ondergeschiktheid te erkennen die ze niet zou gedogen tussen volwassen individuen.

Die heeft gemakkelijk schrijven. Daniel legde de krant neer. Toch niet zo stom, zei de priester. Met zijn hoofd opzij op het kussen, keek de stervende man naar het schaakbord. Als hij met een ongebruikelijke openingszet begon, voelde Daniel zich eerst gedesoriënteerd, maar slaagde er altijd in de dingen weer in iets herkenbaars te veranderen. De priester had een rare scheve aanpak – iets als pion a3 – maar het middenspel dwong toch altijd een algehele confrontatie af. Daniel was er goed in geweest op school. Hij rekende erop dat hij kon winnen bij die ingewikkelde zetten waarbij je begint te twijfelen over wat er allemaal kan gebeuren als het ruilen begint. Ik slaag er niet in mijn zoon te laten spelen, zei hij met spijt. Kinderen begrijpen niet dat je door een periode van verlies heen moet om in een winnende positie te komen. In feite, zei hij, houdt het artikel er geen rekening mee dat kinderen die staat van ondergeschiktheid zelf niet accepteren als ze de acht jaar eenmaal gepasseerd zijn. Ze willen voor zichzelf beslissen.

Pastoor Shilling kwam zeer snel oprukken. De priester leeft niet in een gezin, zei hij, omdat de katholieke kerk weet dat het onmogelijk is voor een man om elk aspect van ervaring te kunnen omarmen. Zijn stem reutelde. Dat is wat hiërarchie betekent, als je begrijpt wat ik bedoel. Je eigen specifieke gebied accepteren. De rechterhand of de linker. De pink of de duim. De aberratie van de protestanten, stelde hij en schraapte zijn keel, was ervan uit te gaan dat de mensen allemaal gelijk zijn, niet alleen voor God maar ook hier op aarde, op elk gebied.

Plat op zijn rug liggend met zijn hoofd naar een kant gedraaid om het schaakbord te bestuderen, werd pastoor Shilling ineens ernstig: Ze denken dat elke man, en nu ook elke vróúw in vredesnaam, zowel sekspartner, ouder én priester kan zijn. Dat is een bijzonder gevaarlijke fout, vindt u ook niet? Ik zou het niet weten, zei Daniel. Hij besefte vaag dat professor Mukerjee ook gesproken had over de vingers van een hand. Het is duidelijk voor iedereen – de priester schraapte zijn keel weer, hij was een zware roker geweest – dat de sociale orde – volgens Thomas van Aquino – vooral bestaat uit ongelijkheid. Maar wie zou dat vandaag durven zeggen?

Daniel gaf er de voorkeur aan geen gebruik te maken van pastoor Shillings duidelijke fouten. Omdat hij het lastig vond een arm uit te steken terwijl zijn infuus liep, dicteerde de priester zijn zetten. Weet u het zeker? vroeg Daniel. Zijn tegenstander had de neiging twee stukken veilig te wanen wanneer ze slechts door één ander stuk verdedigd werden. Zijn krachten namen af. Zijn huid was grijs. Maar hij kwam nergens op terug. Hij aanvaardde zijn verlies minzaam.

Hebt u altijd zeker geweten – Daniel was aangekleed vandaag en gereed om ontslagen te worden – dat u priester wilde worden, ik bedoel een celibatair leven wilde leiden? Hij glimlachte. Het was het soort persoonlijke vraag dat je wel kon stellen aan een stervende man voor je afscheid nam. Daniel dacht eigenlijk aan Martin. De priester had net zo'n raadgeverig airtje over zich. Waar ik ook terechtkom, ik vind kennelijk altijd een mentor. Pastoor Shilling zei niets, probeerde te bedenken wat hij nog kon doen om hun laatste spel te winnen. Als ze zich niet kunnen inhouden, laat ze dan trouwen, grinnikte hij, want trouwen is beter dan branden. De heilige Paulus, verklaarde hij. Toen hoestte hij stevig, deed nog een onverstandige zet, en zei dat hij vond dat er toch wel wat zat in dat artikel in de *New Statesman* waarin werd gesteld dat het gezin nu onder huisarrest stond – een leuke woordspeling. Hoe meer mensen niet weten hoe ze zich moeten gedragen, hoe meer de staat zijn macht uitbreidt. Paard g5, zei hij.

O, ik heb vaak geen idee hoe ik me moet gedragen, gaf Daniel toe, en voerde de zet uit voor de man. Hij zag nu hoe het spel zou eindigen. Weer keek de priester op van het bord. Weet je zeker dat er niets is wat je me wilt vertellen, Daniel, vroeg de stervende man, voor je weggaat? Zijn vochtige ogen waren noch uitnodigend noch ontmoedigend. We zullen elkaar per slot van rekening waarschijnlijk nooit meer zien. Ik heb gewoon het gevoel dat er iets is wat je me zou willen vertellen, ik voel het.

Nee, nee, zei Daniel. Ik bedoelde, ik weet niet hoe ik me tegenover mijn kinderen moet gedragen. Mijn dochter, bijvoorbeeld, heeft zich aangesloten bij een of andere evangelische groep en heeft het erover dat ze haar leven aan Jezus wil wijden. Ik weet niet of ik moet proberen haar te dwingen naar de universiteit te gaan of haar laten doen wat ze wil. Ik veronderstel dat het beter is dan dat ze ervandoor gaat met een getrouwde man.

Pastoor Shilling glimlachte. Ik geef haast elke dag een preek, of gaf een preek, zei hij. Een gewoonte, een plicht. Maar als ik iets geleerd heb, dan is het nooit raad te geven. Waarom? Terwijl hij de toren verzette dacht Daniel: ik heb hem! Je kunt nooit weten, legde de priester uit, wat voor soort evenwicht je verstoort, begrijp je? Ik heb in de biechtstoel ooit een man de raad gegeven zijn maîtresse op te geven. Hij had een verhouding met een schoolmeisje, in vredesnaam, een van zijn leerlingen. Ik zei hem dat het afgelopen moest zijn. Kort daarna heeft hij zelfmoord gepleegd. Toch niet jouw schuld, zei Daniel. De priester keek naar het spel, keek weg. Goedgehumeurd zei hij: Ik wist dat ik een vreselijke vader zou zijn en ik denk dat ik daarom een Vader ben geworden, als je begrijpt wat ik bedoel. Schaak, zei rechter Savage.

Door de aanval van de loper was hij ineens zeker van een tweede koningin. Pastoor Shilling berustte erin. Hij zakte terug in zijn kussen. Weldra zullen alle stukken dames zijn, grinnikte hij. Ik denk dat die man in de krant dat bedoelt. Er zullen geen lopers, geen torens, geen paarden meer zijn. En vooral geen pionnen om op te offeren. Iedereen zal in staat zijn om elke afstand af te leggen in elke richting. Een slachting! Toen Daniel zich omkeerde stond Hilary in de deuropening. Het was een genoegen met u te praten, zei de priester. Hij stak zijn hand uit.

Ze gingen naar beneden in een dienstlift, vergezeld door een politieman in burger. Je zult nu sneller beter worden, fluisterde Hilary. Ze is opgewonden, besefte Daniel. De kliniekarts had een zonnebril aangeraden. In het duister van de lift kuste hij haar wang. Het was de verandering waar hij altijd zo naar had verlangd in zijn vrouw. Dan. Ze sloeg haar armen om hem heen. Zelfs met een zonnebril op waren het licht en de ruimte op straat overweldigend. Een bus brulde. Zijn hoofd tolde. Er stond een onopvallende auto te wachten. Ze zeiden dat ik de mijne goed zichtbaar aan de voorkant moest laten staan, lachte Hilary.

De auto spoedde zich door de klaarlichte straten. Max had zijn concert zondag gegeven, zei ze. Hij heeft het fantastisch gedaan. Zonder één misser. In drie weken had Daniel geen enkele keer aan de jongen gedacht. Dat doet me plezier, zei hij. Hopelijk laten ze hem op het stadhuis spelen, volgende maand. Hij voelde zich zwak en breekbaar. Het is de plotselinge verandering van lucht, dacht hij. Je voelt je zo kwetsbaar in een rijdende auto. Rare manier om naar huis te rijden, fluisterde hij ten slotte. De jonge politieman reed snel over de ringweg. Daniel slaagde erin om in de spiegel naar een patrouillewagen te blijven kijken die dicht in de buurt reed. Hij had plotseling het angstaanjagende gevoel ingesloten te zitten. Hij draaide zijn hoofd om, wat een pijnscheut opleverde. Waar brachten ze hem naartoe? Wacht maar af, zei Hilary. Hij draaide zich weer om en zag dat haar keurige, fijne gezichtje straalde van verrukking. Haar ogen straalden onder een vers permanent. Ze had een sterk en zoet parfum op. Mijn vrouw! Ze hield zijn hand in de hare, triomfantelijk. We gaan naar huis, zei ze.

De auto draaide de steile helling op. Een andere politiewagen stond geparkeerd voor een nieuwe bakstenen muur. Tom, Max en Christine kwamen op hen af toen Daniel voorzichtig uitstapte voor een betegeld tuinpad met aan beide kanten aangeharkte en ingezaaide aarde. Papa! Papa! Wat fantastisch, zei hij terwijl hij zijn zoon omhelsde. Wat een fantastische verrassing! Het is schitterend, zei Tom. Het is een schitterend huis, papa. Ons thuis, zei Hilary. Eindelijk!

Hoewel het juli was, brandde de haard. Alleen voor het effect, zei Christine. Een paar blokken. Je kunt hier wel wat hout verstoken. De vrouw schonk champagne in. Een glaasje om je te verwelkomen en dan ben ik weg. Geldt voor mij ook, zei Max. Hoe voelt u zich, meneer Savage? Daniel zat al in een leunstoel, de blauwe bekleding was nieuw voor hem. Overal stonden bloemen. De kamer trilde van de kleuren. Als je eens wist hoeveel hulp ik aan Max heb gehad! Hilary liep heen en weer. Ik dacht dat blauw goed zou zijn, vind je niet? Toen barstte er lawaai los. Tom speelde 'Get back'. De prachtige klankvolle piano, enorm aanwezig in het midden van de kamer, had niets veranderd aan zijn enthousiaste stijl. Hij hamerde op de toetsen, hield het pedaal ingedrukt. De nieuwe bakstenen muren spanden zich om de muziek binnen te houden. Alsjeblieft zeg, klaagde Daniel. Het huis zou nog barsten. Hij stond op. Tom! Een slokje champagne had hem duizelig gemaakt. Een bos rozen was te roze. En daarna was de plotselinge stilte net zo verbijsterend. Ik voel me nog niet zo goed, mompelde hij.

Kom eens naar de keuken, papa! Kom eens! De volwassenen lachten om de opwinding van de jongen. Daniel volgde hem door de ruime woonkamer, waar al tapijt lag en die al helemaal ingericht was. Er hingen zelfs schilderijen die hij niet herkende. Doe jij de deur maar open, zei Tom. Daniel duwde de keukendeur open en meteen flitste er een wild zwart ding langs zijn benen dat woest keffend achter zijn eigen staart aan zat. Niet in mijn woonkamer, riep Hilary. Ze lachte, maar serieus. Eruit! Max greep het schepsel en trok het terug. Ik ben overdonderd, zei Daniel glimlachend. Ik kan het niet geloven. Hij stond bij de deur om Christine en Max uit te laten. Wat zag ze er elegant uit! Ze had een meisjesachtig rood lint in haar haar. Alleen jammer dat Sarah er niet bij kon zijn. De politiewagen stond nog steeds bij het hek. Huisarrest, herinnerde Daniel zich. Hij mocht niet rijden en was volledig afhankelijk.

Je hebt alles al gedaan! zei hij tegen zijn vrouw. Het was fantastisch, vond ze. Met wat er met jou gebeurd was, was iedereen zo aardig. Alles is sneller geregeld zodat je niet in een ingepakte flat zou hoeven thuis komen. Kijk toch eens wat een bloemen de mensen gestuurd hebben. En eerlijk gezegd wilde ik iets te doen hebben als ik niet in het ziekenhuis was. Ik kon het niet verdragen alleen thuis te zitten. Ik heb gewerkt als een idioot. Kijk! Ze had haar borduurwerk ingelijst in een vergulde ovale lijst en opgehangen achter de piano, een eenvoudig rekje en twee verstrengelde rozen. Wat slim gedaan. Dat zijn wij, glimlachte ze. Het zal me altijd aan het ziekenhuis herinneren. Mijn eerste borduurwerk sinds dertig jaar. Hij schudde zijn hoofd. Hoe zit het met het geld, vroeg hij. Allemaal geregeld, zei ze. Geen zorgen.

Toen Tom naar bed was vertrokken, speelde ze zachtjes voor hem. Met de ramen met uitzicht op de velden geopend, hing er een geurige lucht in huis. Geen licht aandoen, waarschuwde ze. Het enige probleem met het platteland is dat het barst van de vliegen. Ze speelde iets zachts en langzaams, muziek die net zo delicaat bewoog als het stervende licht. Hij kwam naast haar staan, en terwijl ze speelde, zo teder en zacht, maar niet plechtig, een langzame sonate uit haar hoofd, werden ze zich steeds bewuster van elkaar, bewust dat het er was, heel plotseling, hun geluk, een leven vol diepe affectie omgeven door waarneembare schoonheid, het huis, de bloemen, de schilderijen, de rijke muziek die uit de piano naar buiten rolde, de stille velden in. Ik kan het niet geloven, fluisterde hij. Hij boog zich voorover en kuste haar lokken. Ze stopte. Ik heb het allemaal voor jou gedaan, zei ze. Ze zwegen, keken alle twee naar haar kleine hoekige handen op het klavier alsof ze afwachtten wat die nu weer zouden gaan doen. Als je problemen hebt, in het begin, fluisterde ze, om de draad weer op te pakken, dan kan ik helpen. Ik hoef nu geen lessen meer te geven tot september. Ik hoef helemaal geen les meer te geven als je het niet wilt. Ik kan je overal naartoe rijden, 's avonds je krant voorlezen. Ik ga nog wat borduren. Ze keek op. Ik ga het rustiger aan doen voor je.

Daniel zuchtte. Ze begon aan iets van Chopin. Hij had zijn vrouw altijd gesmeekt het rustiger aan te doen. Hij liet zijn hand in haar nek liggen terwijl ze speelde. Haar houding, haar rug, haar schouders, waren kaarsrecht en drukten op een of andere manier heel haar karakter uit. Riliry, fluisterde hij. Ze schonk het stuk al haar aandacht, wilde dat het zowel haar als haar echtgenoot zou verleiden, dat het een betovering zou opwekken hun dromen waardig. Hij had overleefd. Ze hadden overleefd. De noten bleven in de lucht hangen. Schaduwen lagen donker over het nieuwe meubilair. Wat was hij nu ver verwijderd van dat vreselijke moment in die hoge parkeergarage, van zijn ziekenhuisangsten! Er waren maar drie weken verloren gegaan. Ik ben er niet op uit om het te rekken, had pastoor Shilling gezegd, maar ik sta ook niet te trappelen om te gaan. Meende hij dat?

Een paar trillertjes ebden weg boven de laatste zachte adem van de bas, het stuk eindigde met een gebroken akkoord. Hmmm, Daniel applaudisseerde, perfect, zei hij. Hij voelde zich ineens helemaal genezen. Hij kuste haar luchtig in haar nek, rook haar heerlijke parfum. Hilary heeft zo'n uitstekende smaak voor parfum. Ik zou Sarah moeten bellen, zei hij. Niet nu, mompelde ze. Laat me iets anders spelen. Ik heb een heel concert voor je bedacht. Al je lievelingsnummers. Hij keek op zijn horloge. Het is daar toch een uur later? Als ik nu niet bel, zal het te laat zijn. O, doe toch niet zo vervelend, zei ze, waarom denk je altijd aan Sarah als we het naar onze zin hebben?

Ze begon weer te spelen, maar het sentiment was nu geforceerd. Daniel voelde het. Ik doe onnatuurlijk. Maar het ging om zijn dochter die hij wilde bellen. Hij had Sarah helemaal niet gebeld toen ze weg was en ze zou weldra terug zijn. Ik moet haar bellen. Hij ging op het bankje zitten onder het raam bij de haard. Hij had er tot nu toe helemaal niet aan gedacht, maar zei ineens: Zou de uitslag van haar examens er inmiddels niet moeten zijn? Heb jij hem?

Hilary stopte abrupt. Toen de klank snel wegstierf, werd het verre gezoem van een televisie hoorbaar. Het leek van boven te komen. Ze vindt het goed dat Tom een televisie op zijn kamer heeft! Hilary liep om de enorme vleugel heen en kwam op het randje van de bank zitten, boog wat gespannen naar hem over. Haar haar zat netjes, haar gezicht was fraai opgemaakt. Ze nam zijn handen, zocht zijn ogen. Ben je er klaar voor? vroeg ze.

Voor wat?

Drie onvoldoendes, zei ze.

Daniels blik gleed door de aangename ruimte rond hem. Een grote vaas vol bloemen stond op tafel. Door het open raam kwam het verre muziekje van een late ijsverkoper, vermoedelijk uit de wijk onder aan de heuvel. Hij zuchtte.

De examencommissie heeft contact met me opgenomen voor de uitslagen bekend zijn gemaakt, zei Hilary. Het schijnt dat ze drie bladzijden heeft volgeschreven met obsceniteiten en bijbelcitaten. Maar Hilary, waarom heb je niet... Ik kon je dat kwalijk vertellen toen je net uit coma was, zei ze, niet soms? Of tussen twee operaties in? Je had het me moeten zeggen, zei Daniel. Hij duwde haar handen weg, stond op, keek om zich heen. Dit was verschrikkelijk. In uiterste opwinding jammerde Hilary: Ik dacht dat je doodging, Dan! Ik was doodsbang. Toen de school belde drong het nauwelijks tot me door wat ze zeiden. Ik dacht aan jou!

Ik moet mijn dochter bellen, dacht hij. Heb je met haar gesproken? Wat zei ze? Waarom heeft ze dat gedaan? Geef me haar telefoonnummer. Hij zag geen telefoon in de kamer. Waar is de telefoon?

Dan, in godsnaam, ga zitten. Laat mij... Hij wilde gaan zitten, voelde zich plotseling weer duizelig, en stond toen weer overeind te roepen: Hoe kón je? Hoe kon je dit allemaal regelen – hij gebaarde naar de bloemen, de piano – en denken dat ik een gelukkige avond zou doorbrengen, terwijl er zulk ellendig nieuws op me lag te wachten? Hij was buiten zichzelf. Zijn verbonden oog bonsde. Het is grotesk. Grotesk. Na een jaar vrede stonden ze weer te schreeuwen. Hij hoorde haar stem boven de zijne uit: Ik zie niet in waarom wij onze levens moeten laten kapotmaken omdat zij het hare kapot wil maken. Ze is verdomme je dochter, protesteerde hij. Hij was uitgeput. Drie onvoldoendes! Het bonsde rond zijn tandvlees en tanden. Waar is de telefoon? vroeg hij. Met strakke mond zei ze dat ze nog niet waren aangesloten. Ze had een mobiel toestel. Maar ze vergat het steeds op te laden.

Kan ik naar Italië bellen met een mobieltje? Geef hier. Dan, Dan, zei ze, Dan, luister, Sarah is niet in Italië. Hij staarde naar haar. Waar is ze? Hilary gaf geen antwoord. Ze schudde theatraal haar hoofd. Hij schopte tegen de sofa. Hij zag meteen dat ze op het ding gesteld was. En meteen was het weer zoals vroeger. Zijn lichaam verstijfde door de schok van de trap. Waar is ze? Waarom heb je dat niet gezegd? Ineens bleek Hilary bij de tuindeuren te staan, uitkijkend over de nog onbewerkte helling van de tuin. Het heeft niet veel zin, zei ze, om die arme politieman te laten meegenieten van ons geschreeuw, vind je niet? De politieman? Wat kan mij die politieman schelen! Het gaat om mijn dochter. Ik... Nou, en Tom dan. Ze draaide zich plotseling om. Tom? Hij begreep het niet. Wat is er met Tom? Je komt terug en het eerste wat de jongen moet horen is dat je tegen me schreeuwt. Vertel me waar Sarah is, eiste hij.

Als je kalmeert zal ik het je vertellen. Nu probeerde ze te glimlachen. Ik hoopte alleen dat het tot morgen zou kunnen wachten. Ik wilde je een leuke thuiskomst geven, de tijd om wat aan te sterken. Zeg het dan, verdomme! Toen ontdekte hij de drankkast. Het was een bewerkt ding van een donkere glanzende houtsoort met een matglazen deur. Hilary heeft geld uitgegeven. Je mag nog niet drinken, zei ze. Ga je het nu zeggen verdomme! Hij pakte een fles en schonk in, besefte nauwelijks hoe onvast zijn hand was. Het spul kletste op het tapijt. Háár tapijt, dacht hij. Dan! Zeg het! Hij stond op het punt om weer te schoppen. Ik ben mijn zelfbeheersing kwijt, besefte hij. Maar die gedachte luchtte ook op. Deze ruzie is een opluchting. Hij voelde zich al beter, vrolijk zelfs.

Afgelopen dinsdag, zei ze. Ze was erg gespannen. Ja? In een uiterste poging om te kalmeren ging hij bruusk zitten waardoor er weer een golf op de bekleding neerkwam. Hij sloeg het glas in één teug naar binnen. Alsjeblieft Dan! Het steeg meteen naar zijn hoofd en alles werd wazig. Hij bracht zijn hand snel naar zijn hoofd. Hij bedekte zijn ogen. Vertel nu gewoon maar alles. Snel.

Afgelopen dinsdag, herhaalde ze. Ze ging ook zitten. Daniel wachtte. Ze stond gewoon ineens voor de deur. Laat me eens denken. Alles was al verhuisd naar hier, of bijna, ik moest... Waar is ze? Nee, luister, alsjeblieft, Dan je zult het niet begrijpen als je niet weet hoe het gebeurd is. Er waren een paar mensen bezig de laatste spullen van Carlton Street naar hier te brengen om op tijd klaar te zijn voor vandaag. En ook Christine is eropuit om zo gauw mogelijk wat van hun spullen naar daar te brengen, maar dat is een ander verhaal, ik weet niet wat er met hen aan de hand is. Het viel Daniel ineens op hoe voorzichtig zijn vrouw sprak, hoe ze eromheen draaide. Ze zoekt verzachtende omstandigheden, dacht hij. Meteen was hij dubbel vijandig, maar tegelijkertijd aandachtiger.

Ik stond op het punt Carlton Street af te sluiten, zei ze, ik was van plan om hier voor de eerste keer te blijven slapen – toen er gebeld werd. Door de verkeerspolitie. Ze was in Dover aangekomen, per trein. Ze had de hele reis gemaakt zonder te betalen. Helemaal uit Italië? Uit Perugia. Ze zeiden dat ze haar op de trein zouden zetten maar onder voorbehoud dat wij haar van het station zouden halen en de hele reis zouden betalen, vanuit Italië, als we haar kwamen ophalen. Ze had hun verteld dat ze ziek was en nog eens dat hele verhaal over dat dopje opgedist. Ze moest naar een dokter. Ze had achtenveertig uur niet gegeten vanwege die verstopping, dat soort dingen.

Maar dat was drie dagen geleden. Waar is ze nu? Wacht, zei Hilary kordater. Dus ben ik... Waarom hou je niet van Sarah? vroeg hij. Daniel, alsjeblieft. Hoe kon je achter je piano zitten en zeggen dat ik niet zo vervelend moest doen terwijl we in een crisissituatie zitten? Dan, als je me uit laat praten begrijp je het misschien. Weer keken ze elkaar intens vijandig aan. Ik ben haar dus gaan halen op het station, zei Hilary, en heb haar reis betaald, plus een aanzienlijke boete. Ze hebben kennelijk moeilijk gedaan bij de paspoortcontrole, ze is bovendien niet blank, ze had niet betaald en ze heeft niet gezegd dat ze de dochter van een rechter is.

Waar is ze?

Hilary haalde kort adem. Omdat Carlton Street leeg was heb ik haar uiteraard meegebracht naar hier. Nou, en toen heeft ze een ongelooflijke scène gemaakt. Hilary doet haar best om zo rustig en verstandig mogelijk te praten, merkte hij, om te onderstrepen hoe kinderachtig mijn woede is. En natuurlijk zat Max hier te oefenen, zei hij.

Hilary keek op. Ja, inderdaad. Ze fronste. Er waren problemen met de piano van zijn moeder, nee, ik denk dat ze gasten had of zo, en het was natuurlijk de dag van zijn concert. Die avond. Ik heb hem gezegd dat hij de Steinway mocht gebruiken omdat die net gestemd was. In elk geval maakt Sarah die vreselijke scène, zegt dat ze nooit ofte nimmer in dit huis zal wonen en gaat ervandoor. Hoe bedoel je, gaat ervandoor? Ze is weggegaan. Maar waar naartoe? Waar is ze naartoe gegaan? Ik ben haar gevolgd in de auto. Met Max. Hij was zo lief, die arme jongen. Hij wist niet wat hij moest zeggen. Ze zei dat ze naar haar kerkgemeenschap ging. Ik heb haar voor de zekerheid de sleutels van Carlton Street gegeven en vijftig pond.

Maar ze was ziek, ze had dat ding ingeslikt.

Toen ik haar daarnaar vroeg keek ze alleen maar schaapachtig, zoals ze vroeger deden als ze betrapt werden op jokken. Weet je wel? Ze wilde er niet over praten. Ze heeft het er zelf nooit met mij over gehad, ik heb het verhaal alleen van anderen. Ze weet dat ik niet zo lichtgelovig ben. Natuurlijk heb ik aangeboden haar naar het ziekenhuis te brengen, naar een dokter. Ze wilde niets zeggen, ze wilde niet in de auto stappen. Ze zei dat ze nooit meer in een auto zou stappen met mij, enzovoorts. Die arme Max deed ook zijn best. Ze heeft naar hem gespuugd.

Daniel glimlachte. Gespuugd?

Ja, in zijn gezicht.

En toen?

Ik heb een paar uur gewacht, en toen naar de Gemeenschap gebeld. Ik dacht dat het geen ramp zou zijn als ze daar een tijdje bleef. Ik weet dat de predikant van St Marks met hen in contact staat. Christine zegt dat ze iemand kent wiens dochter daar ook is. Je weet dat Christine kerkelijk is. Het heeft tijden geduurd voor ik het nummer te pakken had. Toen bleek ze daar niet te zijn. Ik heb haar uiteindelijk gevonden in Carlton Street. Ze zei dat ze daar in haar eentje zou blijven en hing op.

En je bent haar niet gaan halen? vroeg hij. Dan, ze is achttien, ze is volwassen! Ze is niet volwassen, riep hij. Ze zit in de knoop! Waarom is ze teruggekomen uit Italië, waarom heeft ze niet op haar vlucht gewacht? Het zou nog maar een paar dagen duren. Hilary herhaalde: Zoals ik al zei, ze wilde het me niet vertellen. Ze werd totaal hysterisch toen ik haar hierheen bracht in plaats van naar Carlton Street. Hilary zuchtte. Haar blik zocht het ene goede oog van haar echtgenoot. Dan, ik denk dat je er geen flauw benul van hebt hoe ze zich heeft gedragen.

Ik ga haar halen, zei Daniel. Hij stond op. Het bloed steeg naar zijn hoofd.

Dat is precies wat ze wil, zei Hilary.

Nou, laten we het dan doen! Laten we doen wat ze wil. Waarom niet? We kunnen haar daar niet in een lege flat laten zitten.

De oude koelkast staat er nog. En er staan stoelen en zo.

Daar gaat het niet om.

Ik heb gezegd dat ze er maandag uit moet zijn omdat we dan de contracten moeten tekenen en Christine er dan graag in wil. En we móéten wel tekenen omdat we anders naar de rest van het geld kunnen fluiten.

Je zult me erheen moeten rijden. Daniel stond te zwaaien op zijn benen. Hilary bleef zitten. Ze zat voorovergebogen in de leunstoel, haar handen tegen elkaar gedrukt, haar ogen halfgesloten. Haar lichaam schommelde heen en weer. Ik heb haar gezegd dat je weg bent tot volgende week, zei ze. Je bent nog niet in orde, Dan.

Je hebt zelfs niet gezegd dat ik in het ziekenhuis heb gelegen?

Nee.

Maar waarom in godsnaam niet? Dan zal iemand anders het haar vertellen. Hilary! Hilary! Hij ging weer zitten. Hij moest proberen begripsvol te zijn. Ik weet niet wie er gekker is, jij of zij.

Ze doet vijandig, zei Hilary bruusk. Nu keek ze op van haar ineengeslagen handen. Zie je dat niet? Ze is vastbesloten een spaak in onze wielen te steken.

Ik geloof mijn oren niet, zei Daniel. Je hebt haar dus niet verteld dat ik in het ziekenhuis heb gelegen? Hilary begon iets te zeggen, maar hij wilde niet luisteren. Dit is me te veel, zei hij. Onzeker liep hij naar de deur. Er zat nog steeds een vreemde nieuwheid aan elke beweging die hij maakte toen zijn ene goede oog hem door de donkere kamer leidde. Sintels van het haardvuur maakten de ruimte grotachtig. Ze wil dat we uit elkaar gaan, zei Hilary. Daniel was razend. Wat belachelijk, zei hij. Hij richtte zijn woede op haar. Het gaf hem kracht. Je bent gek. Je moet naar een psychiater. Er moet iets met haar gebeurd zijn wat wij niet weten. Zoals wat? vroeg Hilary. Vooruit, zeg dan wat! Ze zweeg. Dan, dit hele gebeuren heeft je veranderd. Je denkt niet zuiver. Laten we er even over praten, die tien minuutjes maken ook geen verschil, en dan rijd ik je ernaartoe als je wilt.

Hij had steun gezocht tegen de deur. Onze dochter zit midden in een grote crisis, zei hij, het is de leeftijd waarop tieners crisissen hebben, en jij wilde hier een beetje piano gaan zitten spelen. Mijn echtgenoot, kaatste ze terug, is zojuist uit het ziekenhuis ontslagen na een gewelddadige overval, een coma, en allerlei operaties. Ik wilde hem graag beschermen tegen een verwend kind dat altijd heeft ingespeeld op haar vaders grootmoedigheid en algemene schuldgevoelens tegenover haar. Ik vraag wel of de politieman me brengt, zei Daniel. Hij liep de deur uit. Het stinkt naar verse verf, dacht hij. Nu liep hij op het tuinpad.

Daniel! Hij had het hek bereikt. Hij draaide zich niet om. Hij had ergens het gevoel dat deze woede op zijn vrouw op een of andere manier zinvol zou zijn. Dan, riep ze, dit is idioot! Je bent niet in orde. Misschien zou hij meteen naar Mattheson gaan, zoals Martin had aangeraden. Wat geeft het als Hilary erachter komt?

Dan! Ze riep hem met een zachte schreeuw over de ingezaaide aarde, vers en vochtig in een warme julimaand. Dan, kom hier. Toen hij stopte daalde haar stem nog verder. Dan, hoe denk je dat ik erachter ben gekomen? Ik bedoel van jou en Jane? Waarom denk je dat ik je dat niet wilde vertellen? Hij draaide zich om en staarde naar haar. Nu kwam hij weer terug naar de voordeur. Wat zei je? Hij stapte naar binnen. Wat zei je? Ze zag er bleek en broos uit. De fijne, gepermanente straling was verdwenen. Zijn vrouw stond te trillen. Hoe bedoel je?

Maar Hilary had een glimp van Tom opgevangen daar op de trap, achter de piano. Ga naar je kamer, Tom, riep ze. Ze vermande zich, vals joviaal. We hebben je gezien, Tommie. Naar bed! Papa, zei hij, is alles in orde? Ga naar je kamer! Nee, zei de jongen. Het alerte donkere gezicht gluurde boven de leuning uit naar zijn vader. De jongen heeft me nog nooit zo gezien, besefte Daniel: zonnebril, strompelend. Ondanks zijn verwarring slaagde rechter Savage erin te glimlachen. Ga naar je kamer, Tom. Of moet ik je komen vermoorden? De jongen lachte en glipte weg. O, en je kunt maar beter van die tv profiteren zolang het nog duurt, riep Daniel. Bandiet. Morgen gaat-ie eruit.

Het echtpaar keek elkaar aan. Hij wist dat zijn vrouw zijn autoriteit tegenover de kinderen waardeerde. Het was Sarah die het mij heeft verteld, niet andersom. En ze liet me beloven dat ik het je niet zou vertellen. Waarom denk je anders dat ik het niet gedaan heb? Waarom zou ik het verbergen? Eigenlijk dacht ik dat je het wel geraden had. Hoe had ik anders kunnen weten dat zij achter die rare brieven zat? Ze was erg over haar toeren. Ze zei: Zodra papa de rechtbank verlaat gaat hij altijd naar de flat van die vrouw van op zijn werk. Iedereen weet het, zei ze. Er kroop iets scherps in Hilary's stem. En ze had gelijk. Iedereen wist het behalve ik. Christine zei dat ze het al jaren wist.

Verdomme. Daniel zat met zijn hoofd in zijn handen. En dinsdag, ging Hilary door, toen ze die woedeaanval kreeg – ze bonkte met haar hoofd tegen de muur, waar Max bij was – begon ze er van alles uit te gooien. Dat ik stom was om bij jou te blijven omdat je massa's vrouwen had, niet maar eentje. Ze zei dat ze het me over die ene alleen maar had verteld omdat ze dacht dat het me wakker zou schudden, maar kennelijk was dat niet gebeurd. Ze zei dat je voortdurend vrouwen had. Ze vroeg – Daniel verborg zijn gezicht in zijn handen – waar ik dacht dat je anders was telkens als je laat thuiskwam van alles en er steeds mensen belden die dachten dat je al terug zou zijn. Naar de hoeren, zei ze. Hilary's stem klonk dof en mat. Ze zei dat je ongetwijfeld daarom een week was weggegaan – want ik had haar verteld dat je in een ander arrondissement zat – , om naar de hoeren te gaan. Zoals ik al zei, was Max hier. Ze zei dat het een lachertje was dat wij bij elkaar bleven, dat we een nieuw huis kochten alsof we verliefd waren, en dat ze er nooit in zou wonen, dat ze nooit meer bij zulke zieke mensen zou wonen. Ze bleef met haar vuisten op de muur slaan en zeggen dat we ziek waren. Ze zou zelfs geen nacht in dit huis doorbrengen, het was een vals huis, tenzij jij voorgoed wegging en je niet meer anders voordeed dan je was. Ze zei dat ze zich had geschaamd toen ze naar je had gekeken in de rechtszaal en dat ik meteen van je zou moeten scheiden en hertrouwen. Eindelijk zweeg ze even. Daniel keek op. Een nachtvlinder fladderde bij de deur waar een peertje hing te branden. Hij keek zijn vrouw aan. Ze zei – wil je het geloven – ze zei dat ze blij was dat ik Max had. Er klonk haast hysterie in Hilary's stem. Dat ik met Max moest trouwen omdat hij aardig was.

We gaan haar maar beter halen, zei Daniel.

11

Als Hilary me altijd had rondgereden, schoot het door zijn hoofd, zou ik misschien nooit overspel hebben gepleegd. Dan was er geen gelegenheid geweest. Ik zal Mattheson morgen bellen, besloot hij. Ik leg precies uit wat er gebeurd is. Misschien kon een heel leven afhangen van iets simpels als een rijbewijs. Bij een stoplicht zag hij een traan glinsteren op Hilary's wang. Hilary, zei hij. Je gelooft toch niets van die onzin waar ze mee voor de dag kwam, hoop ik. Zijn vrouw schudde haar hoofd. Ze reed. Daniel voelde zich enorm opgewonden. En beschaamd. Nee, ik ben eigenlijk kalm, dacht hij. En ik voel me niet schuldig. Of ik weet het niet. Toen veranderde hij van gedachten. Ik moet het hoofd koel houden en alles redden. Mijn huwelijk. Mijn dochter, mijn baan. Een enorme wilsinspanning leveren. Het is niet incompatibel om al die dingen tegelijk te hebben.

Op de ringweg ving zijn ene zwaarbelaste oog een donkere glimp op van twee giechelende meisjes bij de bosjes. Drie onvoldoendes, dacht hij. Waarom had het kind haar kansen zo stom verknald? Als ze wilde protesteren, waarom dan niet recht in zijn gezicht. Maandag ga ik terug naar de rechtbank, zei hij ineens. Gewoon om te kijken hoe het aanvoelt om achter mijn bureau te zitten en een paar dossiers door te nemen. Misschien was er een briefje van Minnie. Per slot van rekening was er niets met haar aan de hand. Wat denk je ervan?

Daar is geen haast bij, antwoordde Hilary. Haar stem klonk fluisterend. Maar als je wilt. Ze hield haar snikken in. Eerst kwets ik haar, dacht hij, en dan smelt ik van tederheid. Nee, het was Sarah die haar gekwetst heeft. Niet ik. Het is volslagen onzin wat Sarah je verteld heeft, zei hij. Ik weet niet waarom ze zoiets verzint. Hilary schudde haar hoofd en bleef schudden. Het was een heerlijke avond die je gepland had, zei Daniel. Als ik er de helft van had geloofd, fluisterde zijn vrouw ten slotte, dan had ik je gezegd dat je kon oprotten en had ik je nooit meer willen zien. Daniel zat vanaf zijn ongebruikelijke plaats stil te kijken hoe de vertrouwde straten voorbijgleden. Ik heb er een hekel aan rondgereden te worden, dacht hij. Hij had een stevige hoofdpijn.

Ga maar, zei ze. De auto was gestopt in Carlton Street. Ze stopte de sleutels in zijn hand. We zouden samen moeten gaan, zei hij. Nee, ze wil jou, niet mij. Maar zei ze niet dat ze niet in het nieuwe huis wilde wonen tenzij ik vertrok? Ze wil jou, herhaalde Hilary. Ik ken haar. Hij zei: Luister, zelfs als ze alleen mij wil, zouden we dan toch niet samen naar boven gaan om te laten zien dat we één zijn? Hilary keek door de voorruit naar de straat. Het was per slot van rekening een aantrekkelijke straat in een leuke buurt. Carlton Mansions was een mooi gebouw. Welk delicaat evenwicht was er verstoord door uit de flat te trekken? Als we één waren, mompelde Hilary, zouden we hier helemaal niet zijn. Daniel pakte de sleutelbos in zijn vuist en zwaaide een stijf been uit de auto.

O, meneer Savage! De liftdeur ging open en daar stonden hun bovenburen, de Fords. Wat leuk dat u weer terug bent! Met zijn ongelijke zicht en zijn zonnebril op in de schemerige hal kon hij maar net zien hoe opgewonden de twee oude dames waren. Wat dapper van u, wat vreselijk, is alles nu goed met u, we hebben voor u gebeden, meneer Savage, we zijn zo trots op u, hebben ze ze al gepakt? Daniel probeerde te glimlachen. Heb weinig tijd, verontschuldigde hij zich. De oude zussen waren het gewend opzijgeschoven te worden. Natuurlijk, natuurlijk. Bij elke ontmoeting, besefte hij, zal ik onterecht geprezen worden. De liftdeuren gingen dicht. Alleen in de kleine zoemende ruimte werd hij overvallen door een huivering van kwetsbaarheid. Haal diep adem. Hij stak de gang over en stak een sleutel in het vertrouwde slot.

Sarah! Wat raar om die ruimte zo leeg te zien! Hij liep door de woonkamer. Zijn stem echode. Toen schrok Daniel. Ze zat op hun oude matras in hun oude slaapkamer. Waarom had Hilary hem dat niet verteld? Hilary slaat de belangrijkste dingen over, dacht hij. Er was geen bed. Het was de kamer waar ze jaren in hadden geslapen. Tegen de muur, met gekruiste benen op het matras, zat een angstaanjagend magere Sarah. Haar wangen waren hol. Papa! De jonge vrouw sprong overeind. Papa, waarom die zonnebril? O papa! Ze wierp zich in zijn armen. Ik heb een ongelukje gehad, zei hij. Niets om je ongerust te maken.

Ze knuffelden. Ze is vel over been, dacht hij. Maar meteen vroeg ze: Heb je iets te eten meegebracht? Ik sterf van de honger. Hij maakte haar van zich los. Laten we naar het nieuwe huis rijden, zei hij, en iets in elkaar flansen. Meteen ging ze weer op het matras zitten. Ik blijf hier. Dit is mijn thuis. Ik wil hier eten. Waarom heb je dat dan niet gedaan? Er is niets, zei ze. Je moeder heeft je toch vijftig pond gegeven? Sarah zei niets, er leek ineens iets vaags over haar te komen. Niet naar haar examens vragen, zei Daniel tegen zichzelf.

We kunnen ook naar een restaurant gaan, stelde hij voor. Oké! Ze sprong overeind met die lichtheid waar hij altijd verrukt over was geweest, bij haar, bij jonge vrouwen in het algemeen. Ze leek in elk geval genoeg energie te hebben. Oké! Op de overloop zei hij: Mama wacht in de auto. Fantastisch, glimlachte ze. Hij was opgelucht. Als die wallen onder haar ogen er niet waren geweest zou hij het een verleidelijke glimlach hebben genoemd. Mama heeft me trouwens verteld wat er is gebeurd toen ze je van het station is komen ophalen, zei hij. Weer keek het meisje schaapachtig. En alles wat je tegen haar gezegd hebt. Ze stonden in de lift, maar ze slaagde erin naar de deur te blijven kijken; door het roostertje keek ze naar de voorbijglijdende verdiepingen. Daniel wist niet hoe hij verder moest gaan. Ik moet mijn lot in Matthesons handen leggen, dacht hij. Of misschien zou Frank het meisje probleemloos vinden.

Op straat opende hij behoedzaam het achterportier voor Sarah en ging toen voorin naast zijn vrouw zitten. Ze moesten hun eenheid benadrukken. Naar de Kossuth, verkondigde hij vrolijk. Het meisje moest eten. Wat als je herkend wordt, vroeg Hilary. Wat geeft dat? We willen niet omzwermd worden, Dan. Hij zei niets. Je weet niet hoe het is geweest, hield ze vol, bij het ziekenhuis met de pers en alles. Nu wil ze dat het kind ontdekt wat ze haar eerst niet wilde vertellen. Als Sarah had geweten dat hij in het ziekenhuis lag, zou ze nooit hebben kunnen denken dat hij in bed lag met een andere vrouw.

Waarom rij jij niet, papa? vroeg zijn dochter. Je vader is een held geworden in jouw afwezigheid, zei Hilary over haar schouder. Misschien had ik het je moeten vertellen. Ik ben nogal flink in elkaar geslagen, zei Daniel. Na het Mishraproces. Vlak na je vertrek. Ik heb problemen met een oog. Wie heeft het gedaan? vroeg Sarah. Ik heb geen idee. Ik heb ze niet gezien. Maar waar was je? In de parkeergarage, zei hij. Queen Street. Ze denken dat het een racistische groep is geweest, nadat die Indiërs waren vrijgesproken, legde Hilary uit. Zijn ze vrijgesproken? Ja. Kennelijk hebben sommige mensen me mijn instructie kwalijk genomen. Ook voor ontvoering? Wat schitterend! Waarom? vroeg hij zich af. Waarom vond zijn dochter het fijn dat de Mishra's hun zieke kind mochten ontvoeren? Nu dood. Ik ben tijdelijk blind aan een oog, zei hij. Je vader hoort eigenlijk in bed te liggen, merkte Hilary op. Het doet me enorm plezier dat ze zijn vrijgesproken, zei Sarah. Ze boog voorover en drukte haar wang tegen die van haar vader. Arme pap! Je was zo knap toen je tegen die jury sprak. Zo overtuigend!

In het restaurant viel het meisje woest op haar eten aan terwijl haar ouders toekeken. Ze leek niet ongelukkig met de situatie. Ze sprak enthousiast over Italië. Bedankt dat ik mocht gaan! Ze had het reuze naar haar zin gehad. Ongelooflijk wat die Etrusken onder de stad hadden gedaan. Er zat iets vals aan haar bewondering, merkte Daniel. Iets haastigs. En nauwelijks een reactie op zijn verwondingen. Er zijn van die enorme grotten, mam, waar ze tunnels naar hebben gegraven, een ongelooflijk ingewikkeld systeem van waterdistributie. Ik heb heel wat aan mijn Latijn gehad.

Toen haar hoofd over haar dessert gebogen was, begon Daniel eindelijk: Sarah lieverd, Sarah, ik zal niet boos worden, echt niet, maar je moet je wel realiseren dat we over een paar dingen moeten praten. Ze at door. Je bent gezakt voor je examens, zei hij. Hij stopte. Praat maar, zei ze zonder op te kijken. Het lijkt erop dat je zelfs geen moeite gedaan hebt, lieverd. Hilary kijkt toe, bedacht Daniel plotseling. Hij herinnerde zich Kathleen Connolly's ogen tijdens het Mishraproces. Om te controleren of alles wel goed verliep. En toen ben je helemaal onverwacht uit Italië teruggekomen, zei hij tegen het meisje. En hoezeer je ook beweert dat je het leuk vond, je hebt er niet veel gegeten, als ik het wel heb. En je bent vroeger vertrokken. Nu vertelt je moeder me dat je niet met ons in het nieuwe huis wilt wonen. Natuurlijk vroegen we ons af – toen hij even zweeg bleef ze gewoon dooreten – of er iets bijzonders is gebeurd dat dit alles kan verklaren, en ook – hij ging snel door – ook moeten we weten wat je van plan bent te gaan doen en vooral, denk ik, waar je wilt gaan wonen.

Het meisje keek op van haar ijsje. Je hoeft niet zo verdomd plechtig te doen, pap. Ze dook weer naar beneden. Krijgen we nog een antwoord? vroeg Hilary. Met haar mond vol, zei het meisje: Ik zou mijn examens goed hebben gedaan als hij me niet in mijn gezicht had geslagen. Onzin, zei Hilary bits. Ik weet zeker dat je vader dat niet heeft gedaan. Vraag het hem maar, zei Sarah, nog steeds zonder op te kijken. Laten we de dingen punt voor punt bespreken, probeerde Daniel. Je opleiding buiten beschouwing gelaten, kunnen we... Ja, edelachtbare? Plotseling keek ze zo monter op, met zo'n vrolijke guitige blik dat Daniel wel moest glimlachen. Het was net als in de vakantie als ze allemaal samen zaten te kaarten 's avonds. Hij was ontwapend. Hilary was furieus. Toon eens wat respect voor je vader en geef antwoord als hij je iets vraagt! Jawohl, antwoordde Sarah. Je opleiding buiten beschouwing gelaten, begon hij weer – het feit dat hij zich eerder die avond kwaad had gemaakt op zijn vrouw, zorgde er op een of andere manier voor dat hij dat nu op zijn dochter niet hoefde te doen. Maar wat had hij willen zeggen? Mijn opleiding buiten beschouwing gelaten... Sarah kon haar lachen haast niet inhouden, Hilary zag bleek. Waar wil je gaan wonen? eindigde hij.

Thuis, antwoordde ze.

Prima.

In Carlton Street.

Maar ik heb je toch gezegd, viel Hilary uit, dat je er maandag uit moet zijn. En er staat geen meubilair. Zie je nu wat ik bedoel, wendde ze zich tot Daniel. Er valt niet met haar te praten. De flat is verkocht, zei Daniel resoluut tegen zijn dochter. Oké? Maandag moet je eruit zijn. Je hebt geen recht om er te blijven. Zij waren te laat met hun deel van de overeenkomst, zei Sarah vlak, waarom zouden wij dan niet te laat kunnen zijn met ons deel? Ze hebben nog niet alles betaald, legde hij geduldig uit. We hebben het geld nodig om onze leningen te kunnen afbetalen en zij betalen niet vóór de overdracht. Zijn het geen oude vrienden? Niemand is een vriend als het over honderdduizend pond gaat, interrumpeerde Hilary. Maar de ogen van haar dochter leken geconcentreerd op een groep aan een andere tafel. Ze zei rustig: Dat is mijn thuis, daar ben ik opgegroeid en daar heb ik altijd gewoond. Daar blijf ik. Je krijgt me er niet uit en als je het probeert ga ik weg en zie je me nooit meer terug.

Ze richtte haar aandacht weer op haar dessert. Het geluid van de lepel die over de bodem schraapte leek onnatuurlijk hard. Daniel staarde naar haar. De ober kwam, drentelde wat rond, verdween weer. Hilary zag er woest uit. Het begon laat te worden. Met het verstrijken van de seconden werd het contrast tussen de ogenschijnlijke knusheid van dit kleine Hongaarse restaurantje en de impasse waarin ze zich bevonden groter.

Toen stond Hilary op. Ik heb hier genoeg van! Ze liep naar de bar om te betalen. De ober kwam haar tegemoet in de kleine ruimte. Sarah glimlachte toegeeflijk naar haar vader. Mag ik eens zien hoe het eruitziet onder je bril, vroeg ze. Een lapje, zei hij terwijl hij zijn zonnebril afzette. Arme pap. Ze hief een vinger op en raakte zacht zijn voorhoofd aan.

Toen ze uit de auto stapten in Carlton Street, draaide Sarah zich om en tikte op het raam: O sorry, ik vergat nog te zeggen dat oom Frank heeft gebeld. Naar de flat. Bedankt, zei Daniel snel. Maar ze wilde absoluut meer zeggen: Hij zei dat je meteen contact met hem moest opnemen omdat hij zijn geld verdiend had. Fijn, prima. Hij liet het raampje al naar boven zoemen. Hoe voel je je, vroeg Hilary even later. Ze reed snel door verlaten straten. Waarom vraagt ze niet naar dat telefoontje? vroeg Daniel zich af. Ze moet het toch gehoord hebben. Uitgeput, zei hij waarheidsgetrouw. Naar huis en je bed in, glimlachte zijn vrouw. Ze zei: Ik verlang zo naar een echte knuffel. Boven op de heuvel zat de jonge politieman Tomb Raider te spelen met Tom.

12

Dat kolonel Savage en zijn vrouw een rampzalige vergissing hadden gemaakt met hem te adopteren, had Daniel pas ingezien – volledig ingezien – halverwege zijn tienerjaren. Hun radicale stellingname nadat Frank van school was gestuurd, had hem plotseling op een volwassen manier doen beseffen wat hij altijd al intuïtief had geweten: Ik ben mijn lieve vaders wraak voor de liefde waarmee moeder Frank overlaadt.

Maar waarom zou hij daar nu aan denken, nu hij op deze zondagmorgen zeer vroeg in zijn nieuwe huis rondscharrelt? Dat is helemaal niet analoog, zei Daniel tegen zichzelf – er waren zoveel klusjes te doen –, met onze verhouding tot onze eigen kinderen, of hun verhouding tot elkaar. Er moesten lampen worden gekocht, kastjes geïnstalleerd. Het is heel iets anders, dacht hij. Een nieuw huis, een nieuw gezin, is een totaal andere wereld. Hij voelde zich beslist beter vanochtend. Een beetje veiliger. Een wonder, besloot hij. Hij raakte het nieuwe behang aan. Hij had goed geslapen, was vroeg wakker geworden. Maak je geen zorgen, had hij zijn vrouw beloofd toen ze elkaar welterusten kusten, ze draait wel weer bij. Nu stond hij in de keuken de nieuwe koelkast te bekijken, het nieuwe fornuis, de nieuwe aanrecht, allemaal perfect op hun plaats in een verblindende huishoudelijke schittering en glans. Het hondje beet naar zijn voeten. Toen hij het gordijn opentrok – ze had zelfs gordijnen laten maken – zag hij dat er een tv-busje voor de deur stond.

Ik zeg het je liever persoonlijk dan over de telefoon, jonker, zei Frank zacht. Daniel bracht de ochtend door met het verkennen van het huis en speelde met Tom. Met hulp van de politie werd er afgesproken dat er drie cameramannen in de voorkamer zouden worden toegelaten voor een minuut of tien. Die zonnebril is niet goed, klaagden ze. We moeten dat lapje zien. Hilary was boos. Een zwarte met een zonnebril doet aan een pooier denken, fluisterde Daniel. Hij glimlachte. Hij was in een goed humeur. Rechter met klasse, zou de *Mail* zeggen. Ze mochten hem twee minuten filmen terwijl hij een partijtje schaak speelde met Tom, de hond aaide – hoe heet hij ook weer? – en daarna bij de openslaande deuren stond met Hilary. Wolf, fluisterde ze. Het was een warme dag. We willen niet dat de kijkers het huis kunnen identificeren, drong de politieman aan. Wolfje, riep Hilary. Iedereen houdt van een hond, daar waren de cameramannen het over eens. Daarna wilde Tom samen iets spelen op de computer, maar Daniel zei dat zijn oog pijn deed. Die tv gaat uit je kamer, zei hij nog eens. Je vader heeft gelijk, zei Hilary. Ze was kartonnen dozen aan het verscheuren. En toen ze de jongen wegbracht naar het voetbal, had Daniel eindelijk de privacy om zijn telefoontjes te plegen. Hij moest absoluut een eigen mobieltje hebben.

Frank zei dat hij zijn geld had verdiend, maar dat ze elkaar persoonlijk moesten spreken. Ik ga het je daar een beetje over de telefoon vertellen, kan ik weken op mijn centen wachten. Hoe was zijn broer zo gaan spreken? Hij sprak niet echt plat, maar met een populair accent, als een tipgever op de renbaan. Ik zal zien wat ik kan doen. Oké, jonker. Zenuwachtig dacht Daniel eraan het nummer uit het geheugen van het toestel te wissen. Hij schreef Franks adres op. In politieverslagen was er steeds vaker sprake van het geheugen van mobieltjes.

Hij belde de Shields. Christine nam op. Ze wilde metéén Carlton Street betrekken. Ondanks haar beschaafde stem was haar angst onmiskenbaar. De overdracht zou morgen om vijf uur plaatsvinden. Hij doet het om me weg te krijgen, zei ze. Ik voel het. Hij weigert nu helemaal te spreken. Nou, als hij dat wil dan ga ik. Ik kan er niet meer tegen vechten. Ik kan er niet meer tegen. Hij ligt op z'n kamer, eet niet, praat niet. Dat duurt nu al maanden. Ik weet al maanden niet wat ik moet zeggen, zei Daniel. Haar stem was zo dichtbij dat hij haar haast zag staan in de gelambriseerde hal, bevend, met haar armen stevig om haar boezem geslagen. Toen wilde het taxibedrijf om een of andere reden niet opnemen. Hij kon naar Frank gaan en terug, dacht hij, toen hij het adres had opgezocht, voor Hilary terugkwam met Tom. Dat moest kunnen. Als hij een taxi te pakken kreeg. Maar nu stond hij al eeuwen in de wachtrij. De verbinding werd verbroken.

Daniel pakte een licht jasje en stommelde het huis uit. Als u het goedvindt, ga ik een eindje wandelen, zei hij tegen de politieman. Het ziet er niet naar uit dat u zult worden lastiggevallen, zei de jongeman. Hij zat naar de testmatch te luisteren. Als niemand u vandaag lastigvalt, denk ik eigenlijk dat ze zullen zeggen dat we vanaf maandag kunnen vertrekken, meneer. Ik denk dat ze het probleem hebben overschat. Mij best, zei Daniel. Hoe staat het met de wedstrijd? Wat zou u denken, grinnikte de politieman. Het was Pakistan. Je leert mensen een spelletje en dan verslaan ze je. Met alle respect, zei hij plotseling. Daniel lachte.

Met het mobieltje in zijn zak begon hij een lang pad af te lopen dat rechtstreeks naar de wijk beneden leidde en de hoofdweg. Misschien kwamen daar taxi's langs, of anders kon hij nog eens bellen bij de rotonde. Er zaten diepe voren in het pad. Of vanuit de kroeg waar ze iets waren gaan drinken op de dag dat ze hadden besloten te kopen. Een kat streek langs zijn benen. Hij keek blij naar beneden maar het dier was al weg. Dit is een heerlijke plek om te leven, dacht hij.

Hij liep zo'n driehonderd meter langs een wei de steile helling af. De lucht was zacht en zwaar van geuren. Iets bewoog snel in de haag. Hij draaide zich om. Een steek in zijn rechterzij herinnerde hem er alleen maar aan hoe fit hij zich eigenlijk voelde. Dat was alleen maar spierpijn. Hij was stijf. Een maand in bed was nu eenmaal een maand in bed. Hij was beter geworden. Ik voel me goed, besefte hij. Uitgerust. Behalve dan dat oog. Het was vreemd dat zijn aanvallers niets gebroken hadden. De aanval was om hem uit Minnies buurt te houden. Alleen een waarschuwing. Misschien hadden ze hem erger verwond dan de bedoeling was. Ik heb mijn geld verdiend, had Frank gezegd. Frank had Minnie gevonden. Hij zou Frank weer zien.

Rechter Savage versnelde zijn pas. Heb ik echt iets verkeerd gedaan, vroeg hij zich af, toen Frank uit de gratie is gevallen? Hij schopte tegen een steen. Hij had zijn broer nooit verklikt. Maar Martin had gezien wat er gebeurde. Moeders beschuldiging luidde dat als hij het eerst tegen haar had verteld, ze alles nog in de kiem had kunnen smoren. Ze had Frank kunnen redden. Hij moet niet gered worden, riep vader, hij moet de zweep krijgen! Zou het erg veel uitmaken, vroeg Daniel zich af, als je wist dat de man die je vader noemde ook echt je vader was? Misschien helemaal niets. Hij had zich daarna beslist meer verbonden gevoeld met kolonel Savage. Terwijl moeder steeds minder zijn moeder werd, steeds meer de vrouw die een vergissing had begaan door hem te adopteren. Dat was echt het moment waarop er nog iets in de kiem gesmoord had kunnen worden. Negenduizend kilometer verder, in 1955, of misschien '54, had een vrouwenschoot hem gebaard. Verjaardag was niet zeker. Geen sterrenbeeld, grapte hij tegen serieuze vrouwen op feestjes. Met mij kan alles gebeuren. Dat deed het goed. De vrouwen vonden het leuk te raden. Ze kozen meestal voor Waterman. En vijftien jaar later, overpeinsde hij, was Frank Savage van het internaat gestuurd. De meest onverwachte dingen staan met elkaar in verband.

Ze zien eruit als littekens van een klauw, had Hilary verwonderd gezegd toen ze ze de eerste keer had gezien. Ze kuste ze. Hield ze gedeeltelijk van hem vanwege die littekens? Een soort stigmata. Daniel bezwoer de hoofdmeester dat het alleen maar stoerdoenerij was geweest. Het mocht van mij. Maar dat was niet waar. De pijn was folterend. Je deed altijd je best om Frank een plezier te doen, zei hij tegen zichzelf. Om Frank te plezieren en te paaien. Dan zijn we tenminste bloedbroeders, hijgde hij. Frank was verbeten. Op de adoptiepapieren hadden ze zijn verjaardag op dezelfde dag gezet als die van Frank. Dan kunnen jullie het samen vieren, had moeder gezegd. Het was een vergissing. En plotseling was Frank weggevaagd, van school gestuurd, verdwenen. De Savages waren onherroepelijk gescheiden. Martin Shields had de achterkant van het jasje van zijn jongere vriend opgetild – waarom? – en gezien dat zijn hemd doordrenkt was met bloed. Jij bent mijn echte zoon, zei de kolonel tegen Daniel. En jaren later, na Franks oneervolle ontslag, had de kolonel gezegd, je bent mijn énige zoon.

De oudere woonwijk onder aan de heuvel, waar de rotonde aansloot op de vierbaansweg naar de stad, werd voornamelijk bewoond door Indiërs en een paar blanke zuiplappen. Een zwart meisje was hondenpoep aan het verwijderen van haar rollerskates. Het was een warme middag. Terwijl hij zich afvroeg of er ergens een taxi zou opduiken, bedacht Daniel dat hij net zo goed kon lopen. Het was maar een kilometer of twee naar het adres dat hij had gekregen. Hij hoefde niet meer dan vijf minuten met de man te praten. Ze hadden elkaar niets te zeggen. Misschien kan ik lopen, alles lijkt in orde, en dan van daaruit een taxi bellen en ongeveer tegelijkertijd thuis zijn met Hilary. Ze zou nooit weten dat hij weg was geweest.

Hij belde nog eens naar de Shields. Het was de eerste keer dat hij in een mobieltje had gesproken terwijl hij op straat liep. Hij had die dingen altijd afgehouden. Aan zijn linkerkant was het woonwagenkamp, kinderen die rotzooi verbranden, aan de rechterkant een paar leegstaande fabrieksgebouwen. Uit de tijd van koning Edward. Misschien was zijn moeder, zijn biologische moeder, zelf het product van een rare kosmopolitische mix, van een naamloze plaats waar land en stad bijeenkwamen in een wirwar van braakliggende grond en snelwegen. Godzijdank, feliciteerde hij zichzelf, dat we iets konden kopen op een steenworp buiten de stadstroep. Dit is waar de stad ophoudt, had de makelaar beloofd. Aan die kant chaos, aan deze kant rust.

Hallo? Het was weer Christines stem. Neemt Martin nooit op? vroeg hij. Een zwarte plastic zak bleef aan zijn voet hangen. Sorry dat ik besta, lachte ze. Hij trapte hem weg. Nee, zoals ik al zei, hij spreekt nu helemaal niet meer. Het schijnt dat hij moet nadenken. Hij zegt dat hij moet nadenken. Er passeerde een zware vrachtwagen. Griekse nummerplaten, constateerde Daniel. Luister, zei hij, even over de flat. Hij vertelde haar over Sarah. Had Martin geen buitenlandse vrachtwagenchauffeur verdedigd toen hij die verschrikkelijke openbaring had gehad? De verbinding haperde. We zijn allemaal koolstof. Het is vervelend, ik weet het, zei hij. Maar luister, maak je geen zorgen, ze gaat er wel uit, dat weet ik zeker, ik vroeg me alleen af of jij niet eens met haar wilde spreken. Het maakt het misschien gemakkelijker als ze beseft dat ze er iemand buiten ons gezin problemen mee bezorgt, haar meter nog wel. Waarschijnlijk is ze heel redelijk tegenover iedereen behalve tegenover ons. Christine zei ja. Ze leek niet verstoord door dit nieuwe probleem. Eerder het tegendeel. Misschien blij met de afleiding. Dat zal ik meteen doen, zei ze opgewekt. Wat voerde Christine de hele dag uit, in haar eentje met Martin? Heeft de politie helemaal geen contact met je gezocht, vroeg hij, na wat er met mij gebeurd is? Nee. Moest dat dan? vroeg ze.

Toen raakte Daniel in paniek. Hij was juist een straat in gelopen met maisonnettes uit de jaren zestig; BEVRIJD HONDURAS had iemand op een verkeersbord gespoten. Niet dat hij verdwaald was. De koeltoren was een herkenningspunt. Ik heb altijd een prima oriënteringsvermogen gehad. Maar plotseling voelde hij een geweldige aandrang om het op een lopen te zetten en tegelijkertijd het onvermogen om het te doen. Hij kon niet meer ademen. Ik zink. Hij moest met zijn rug tegen een muur gaan staan. Als er de helft van waar was zou ik zeggen dat je kon oprotten. Zo sprak Hilary nooit. Ze gebruikte het woord 'oprotten' niet. Hij keek naar de telefoon. Dat is míjn woord. Ik ben ziek, dacht hij. Kon hij de politie bellen? Zijn hand beefde. Hij belde het taxibedrijf nog eens. Twee meisjes stonden met tennisrackets in een piepklein tuintje. Nog geen drie meter verder. Hoe heet deze straat, alsjeblieft? Zijn stem stierf weg. Balaclava; ze spraken met een Schots accent. Iedereen heeft tegenwoordig een sportuitrusting, dacht hij. Balaclava? Het zijn allemaal veldslagen, legde ze uit. Die straat rechts is Ieper. Ik weet niet hoe je dat moet uitspreken, giechelde het andere meisje. Tot zijn verbazing hoorde hij een beschaafde stem aan de telefoon. Iemand zei meneer tegen hem. Op de hoek van Balaclava en Ieper, zei Daniel.

Toen hij stond te wachten was hij bang dat de meisjes zouden denken dat hij met hen flirtte. Hij dwong zich heen en weer te lopen. Ze waren niet aantrekkelijk. De plotselinge gedachte dat het een komische situatie was, versterkte zijn angst. Voelt u zich wel goed, riep het grootste meisje. Prima. Hij stond weer met zijn rug tegen de muur, zijn oog gesloten. Weet u het zeker? De paniek kwam opzetten toen hij haar hoorde lachen.

Zodra hij in de taxi zat voelde hij zich beter. Hij kon weer ademen. Dit valt per slot van rekening te verwachten, besefte hij, wanneer een man bijna dood wordt geslagen. Een levenservaring als dit, had de kliniekarts gezegd, kan traumatiserende gevolgen hebben. Hij had dergelijke verslagen gelezen op de rechtbank. Een levenservaring. Kennelijk overvielen de dingen je wanneer je ze het minste verwachtte. Het verlies van periferisch gezichtsvermogen door het dragen van een ooglapje – hij had geluisterd naar artsen in de getuigenbank – kan een gevoel van onzekerheid opwekken. Wat was alles geruststellend als het in de rechtszaal werd uitgelegd. Het lukt me niet,

Frank, zei hij in de telefoon. Ik ben er nog niet toe in staat. Voel me niet goed. Naar het Chambers Hall Sportcentrum, zei hij tegen de chauffeur. Ik voel me eigenlijk verschrikkelijk. Ik mag nog zeker twee weken niet rijden en Hilary is met Tom weg. Waarom kom je niet naar de rechtbank morgenochtend? Ik laat me morgen naar de rechtbank brengen om een paar dossiers door te kijken. Frank snoof. Je kunt maar beter naar hier komen, Dannyboy, als je iets te weten wilt komen over die Koreaanse deerne van je. Daniel sloot zijn ogen.

Zomer betekende zes-tegen-zesvoetbal. Ze speelden op een speciaal veld van kunstgras. Max was er! Daniel stopte. Maar Crosby's moeder was er ook, Rosalind, en een grote oudere man die hij herkende, familie van een schoolvriend. Ze stonden allemaal bij elkaar op de lage tribune aan de ene kant van het veld. In het open veld erachter was een cricketspel in volle gang. Wat is het allemaal aangenaam! Wat goed zo'n gemengde groep kinderen te zien. Er schoof een dun wolkje voor de zon. Er waren wel zes teams die liepen te roepen. De score werd met krijt op een bord geschreven. Het licht was prachtig diffuus. Maar hoe kwam zijn vrouw aan haar metgezel, die jongeman die de hele dag op kantoor zat en zo mooi piano kon spelen en al dan niet geïnteresseerd was in hun dochter? Papa! Tom kwam naar hem toe rennen. Wat doe jíj hier? Hij werkte zich door een knoop jongens en ouders heen. Papa, nu zijn wij aan de beurt, kom op! Hij trok zijn vader voorbij een kraampje.

Maar als dat Daniel Savage niet is! Mijn beste man! Er kwam een groep mensen om hem heen staan. Fantastisch je terug te zien. Vreesden het ergste. Ik heb een taxi genomen, zei hij tegen Hilary, voelde me beter, wilde bij je zijn. Ze pakte zijn arm, verrukt. Hebben ze die smeerlappen al gepakt? vroeg iemand. O, kijk toch naar de wedstrijd, zei Daniel. Laat me er niet aan denken. Maar de mensen wilden hem feliciteren, hem de hand schudden. Het gaf hun het gevoel dat ze tot een grotere wereld behoorden. Hij had hen eerder ontmoet op ouderavonden, kerkconcerten, andere sportieve gebeurtenissen, of misschien had hij ze helemaal niet ontmoet. Vereerd, meneer, zei een jongere man. Zeer vereerd. In vredesnaam, protesteerde Daniel, kijk toch naar de wedstrijd. Alles goed? fluisterde Hilary. Je had binnen moeten blijven. Prima, glimlachte hij, wat een heerlijke middag!

Ik schenk mezelf een moment gratie, merkte hij, glimlachend handenschuddend. Hij had het verdiend, vond hij. Paniek verdient gratie, vond hij. Misschien moest hij naar een psycholoog en helemaal niet naar Frank, laat staan Mattheson. Toms team ging het veld weer op. De halve finale. Het kunstgras was in het wit gemarkeerd voor tennis, in het geel voor voetbal, in het blauw voor volleybal. Maar de mensen weten wat voor spelletje ze spelen. Hilary had erop aangedrongen dat hij naar een psycholoog zou gaan toen hij naar het Cambridge Hotel ging. Misschien realiseer je je het niet, zei ze, maar je dwingt me ertoe bazig te zijn, weet je dat? Je dwingt me onaangenaam te zijn, en dan zeg je dat je me verlaat omdat je vrij wilt zijn. Is dat logisch? Het fluitje ging. De jongens stoven weg en riepen. Tom was de Braziliaan van het team, hun geniale spelmaker. Zwart zijn kan die status verschaffen. De jongen liep rondjes over het kunstgras. Sarah was nooit goed geweest in sport. Geef een pass! gilde Hilary, geef een pass! Dat doet hij nooit, klaagde ze. Ik hoop dat u het niet erg vindt dat ik ben meegekomen, vroeg Max beleefd. Tom smeekte erom. Hij smeekt iedereen, lachte Daniel, die bedelaar. En pikt dan de bal in.

Ze stonden samen bij het hek. Toen rechter Savage juichte, bonsde zijn blinde oog. Als hij zijn goede oog sloot bevond hij zich in helder licht, maar alsof het belegerd werd door duisternis. Een lichte duisternis. Ze juichten allemaal. Van tijd tot tijd kreeg hij een hand van iemand die aankwam, of tikte iemand die vertrok tegen een denkbeeldige hoed. Fantastisch dat u hier bent, edelachtbare. Er kwam een gebrul van het cricketveld, er stak plotseling een bries op. Daniel wist dat men graag aardig was tegen een man van een etnische minderheid. Een klein meisje sprong op en neer en gilde. Kom op Matthew, kom op, kom op! Hilary wees op het windmolentje dat ronddraaide op haar petje. Ze lachten. Daniel stelde zich voor dat Minnie voorbijkwam. Ze zou een korte rok dragen, roze tennisschoenen en een racket. Hij kneep in de hand van zijn vrouw, draaide de andere kant op en zei: Max, waarom ga je Sarah niet eens opzoeken en probeer er eens achter te komen wat ze van plan is. Als u denkt dat dat helpt, zei de jongeman, dan doe ik dat graag. Iemand maakte een doelpunt. O jee, kreunde Hilary.

Het wordt eigenlijk een beetje gênant, gaf ze toe in de auto op de terugweg, maar hij is zo beleefd en duidelijk zo eenzaam. Ik heb nogal geprofiteerd van hem met de verhuizing en zo, dus nu zal ik ermee moeten leven. De scheids was partijdig, bromde Tom. Onzin, zei Daniel resoluut. Je kunt niet geloven hoeveel hij voor me heeft geregeld, hoe vaak hij van hot naar her is gelopen. Zacht vroeg Daniel: Als die domkop eenzaam is, waarom gaat hij dan niet naar Sarah, in plaats van naar ons? Maar hij was de vader van een van de jongens in het team! protesteerde Tom. Heb je niet gezien toen... Een slechte verliezer verliest twee keer, zei Daniel abrupt. Dat was de stem van kolonel Savage. O, maar hij heeft wel geprobeerd haar te zien, zuchtte Hilary, die arme knul, maar die stomme meid stuurt hem weg.

Tegen acht uur reden ze weer naar de stad voor het orgelconcert in de kerk. Nee, ik wil echt niet liever thuisblijven, hield Daniel vol. Weer troepten er mensen om hem heen. Ik voel me prima, herhaalde hij. Hilary had een hoogleraar musicologie uitgenodigd van een universiteit uit de buurt, een kenner van William Byrd. Max zou er ook moeten zijn, zei ze om zich heen kijkend. De jongen was niet gekomen. We zijn zo opgelucht dat het goed met u gaat, zei een geruststellende stem. Het was de predikant die aan kwam lopen door het gangpad. Flink wat volk, zei Hilary met gestrekte nek. Niet alleen maar kerkgangers. Het was belangrijk voor haar, wist hij, dat er een gevarieerd publiek naar deze concerten kwam luisteren. Ze wilde niet dat het als een louter christelijke functie werd gezien. Laten we hopen dat de man het goed doet. Het probleem was dat alleen kerken orgels hadden. Maar Daniel wierp zelfs geen blik op het getypte programma op hun stoel. Hij hield de hand van zijn vrouw vast en liet zijn gedachten gaan. Orgelmuziek, wist hij, was daar goed voor, moeilijk en dwalend. Verschillende melodietjes leken elkaar te peilen. Er bestonden vermoedelijk regels die de verschillende thema's stuurden. Ik ga niet proberen het te begrijpen, dacht hij.

Wanneer er een concert was werd het orgelklavier naar het koorgedeelte gebracht zodat je een betere kijk had op de organist. Er waren drie klavieren, vier als je die onder de voeten ook meetelde, en dan een bundel navelstrengachtige kabels die achter het altaar omhoogliepen naar de balgen en de pijpen erboven. Op de glimmende bank een paar meter van hen vandaan, met kale schedel en brede rug naar het publiek gericht, spreidde de bezoekende professor een woeste, ervaren behendigheid tentoon, met een linkerhand die over een klavier snelde, een rechterhand die op en neer sprong tussen de andere twee en de knoppen uittrok en induwde, terwijl zijn voeten de hele tijd op de pedalen trapten met de waanzinnige dynamiek van een marionet.

Je ziet er sip uit, fluisterde Daniel tegen Tom. De jongen zat op zijn nagelriemen te bijten; een van Hilary's gewoontes. Ik mis de hoogtepunten van de testmatches, zei hij. Dat orgelgedoe is altijd hetzelfde. Hilary had als regel ingesteld dat als zij met Tom meeging naar zijn wedstrijden, hij naar haar concerten moest komen. Hij moest geen muzikale analfabeet worden. Daniel fluisterde: Alsof testmatches allemaal zo verschillend zijn. De jongen glimlachte. Zijn vader schaterde het haast uit. Die Hilary toch met haar eindeloze regeltjes. Schitterend. Ik heb ze allemaal gebroken, dacht hij.

Thuis moest de hond uitgelaten worden. Een nieuwe gewoonte. Ze liepen zijwaarts naar het einde van de afsluiting en weer terug. Twee van de andere huizen leken nu ook bewoond. Je weet niet hoe heerlijk deze lucht smaakt, zei hij. Na het ziekenhuis. Later vrijden ze heel voorzichtig. Ik dacht dat die tijd voorbij was, fluisterde ze. Dan zou je met Max zijn getrouwd, plaagde hij. Hilary hield haar echtgenoot stevig vast en gaf geen antwoord.

13

Er waren veertig foto's. Waaronder een dozijn van Koreanen. Kunt u hier eens naar kijken? had Mattheson gekrabbeld. Ik ben nu al over mijn toeren, dacht Daniel, maar beheerst. Op de grond stonden drie dozen met brieven, vermoedelijk beterschapswensen. Laat daar maar staan, zei hij tegen de secretaresse. Ik neem ze zelf wel door. Er kon er een van haar bij zitten. Beterschap schat, Minnie. Het kon. Spoedig herstel schat, Jane. Van je huwelijkse zaligheid. Of misschien was Sarah weer met haar bedreigingen met Gods toorn begonnen. O wat een heksenketel, lachte hij en wreef in zijn handen, voor je aan iets kunt beginnen! Wat u zegt! Laura's stem. Ze zullen me eruit moeten branden, had zijn dochter tegen Christine gezegd. Daar leek het wel op. Ze had meteen gebeld. Adrian stak zijn hoofd om de deur. Zijn we weer beter? Misschien is een beetje rook al voldoende, had Daniel gegrapt. Een mens grapt erover. Gezond als een vis, loog hij. Maar hij had gemerkt dat Christine nu bezorgd was. De vrouw staat op een keerpunt, dacht hij. Ze gaat haar echtgenoot verlaten. Er kon van alles gebeuren. Ze had een logeerplek nodig, een eigen huis. Kon hij zijn dochter gewoon uit de flat slepen? Moest hij het meisje fysiek dwingen om bij hen te komen wonen? Wat voor macht heb je? Wat de planning betrof, had hij toegezegd dat hij volgende maandag kon beginnen. Nog een week. Intussen probeer ik mijn ene oog uit op dat dossier van die stenengooiers. Zal ik wel in staat zijn om te werken? vroeg hij zich af. Hij maakte zich ongerust. Maar als hij weer op zijn rechtersstoel zat zouden die andere problemen zich wel oplossen. Nog een aantal andere kleine zaken, rechter. Bepaling van borgsom. Vonnisadviezen. Natuurlijk, zei rechter Savage. Zodra ik klaar ben.

Hij legde de telefoon neer en keerde terug naar de foto's. Er zat er geen bij van de Kwans. Mijn handen zijn opmerkelijk vast, dacht hij. Om de twee minuten moest hij zijn goede oog een paar seconden sluiten. Hij deed het weer open. Mattheson schijnt te denken dat ik ben aangevallen door een Koreaan, zei hij tegen Laura. De jonge vrouw had een mok thee in haar handen. Ze stond naast hem. Ik dacht dat u naar een Chinees restaurant was geweest, zei ze. Ze boog over hem heen. Hoe weet u dat het Koreanen zijn? Goeie vraag, zei Daniel. Hij keek aandachtiger. Ze zette de mok op zijn bureau. Even was hij vaag jaloers op de Shields en hun aanstaande scheiding. Wat beschaafd! De man blijft gewoon in bed liggen tot zijn vrouw uiteindelijk vertrekt. Bel eens een taxi voor me, zei hij tegen de secretaresse.

Omdat hij Hilary gevraagd had hem vroeg naar zijn werk te brengen, had rechter Savage nu vanaf halfelf tot vier uur 's middags de tijd. Voor halfvijf heb ik alles opgelost, besloot hij. Daarna de overdracht van de flat. Alles weer in goede banen. Het kan. In de badkamerspiegel zag hij een grote knappe man met kort grijs haar, een donkere bril. Groot, donker, máár knap had iemand ooit gezegd. Het lapje is nogal bescheiden, dacht hij. Het stelde hem gerust. Ik zie er goed uit. Dannyboy! Crawford wilde juist op zijn deur kloppen toen hij naar buiten kwam. Hij had een Archbold in zijn hand. Je bent er weer! Alles goed? Dat probeerde ik juist te bepalen, lachte Daniel. Waarom lach ik automatisch als ik tegen de mensen praat? Hoor eens, vroeg Crawford, een vroegtijdig gezette, vriendelijke man, behalve dat ik je gedag kwam zeggen natuurlijk, vroeg ik me af of je dat verschrikkelijke geheugen van me zou kunnen opfrissen. Ik heb een nogal vreemd verzoek om een aanklacht te laten vallen omdat de politie verzuimd heeft een confrontatie te doen. Forbes, zei Daniel meteen. Ja, ja, dat weet ik, maar de omstandigheden zijn nogal vreemd. Ik heb... Ze hoorden Laura roepen op de gang. Uw taxi, meneer Savage. Vertel het eens, zei Daniel. Nou, het probleem is, begon Crawford, dat de verdachten om een confrontatie hadden gevraagd, en dat dat nu al zes maanden is uitgesteld. Wat is de aanklacht? viel Daniel hem in de rede. Verkrachting. Edelachtbare! riep Laura. Maar het ongewone eraan is dat er een onafhankelijke getuige is en omdat het slachtoffer al lang een wrok zou koesteren tegenover de verdachten – twee broers – beweren ze dat ze erin zijn geluisd en dat de getuige opgeroepen had moeten worden om te identificeren.

Wat een warwinkel, Daniel tuitte zijn lippen. Laten ze het een jury voorleggen, zou ik zeggen. Crawford is middelmatig, dacht hij, toen hij door de gang snelde. Hem zoiets te moeten vragen. De verdediging probeerde gewoon. Een berenverstand, had Jane over hem gezegd. Maar ze hadden Martin gepasseerd. Waarom moet ik toch altijd aan Martin denken in godsnaam?

Omdat Martin de plaats van mijn broer heeft ingenomen. Twintig minuten later klom Daniel naar de derde verdieping van een ooit groot rijtjeshuis dat nu in kleinere appartementen was opgedeeld. Hij en zijn oudere broer Frank hadden elkaar voor het laatst gezien maar nauwelijks gesproken op de begrafenis van de kolonel. Maar ze hadden trouwens bijna niet meer gesproken sinds die middag, dertig jaar geleden, toen Martin Shields het zijn plicht had geacht de hoofdmeester in te lichten over het bloed op de rug van zijn jongere vriend. Was het helemaal toevallig – Daniel stond stil op een stuk oud tapijt – dat de crisis met Hilary tegelijk met de dood van kolonel Savage was gekomen? Op de overloop, als in een of andere maçonnieke proef, bevonden zich twee identieke deuren, links en rechts, met niets wat hen van elkaar onderscheidde. Het was waar dat hij tijdens het langdurige ziekbed van de oude man, vaak had gemeend dat hij naar bed moest met elke vrouw die hij tegenkwam. Móést. Hij ging op bezoek bij zijn vader, en gebruikte het dan als excuus om zo snel mogelijk naar een vriendinnetje te gaan. De stank van de dood. Op de trap rook het naar katten. Bruin als altijd! riep een stem. Daniel keek op. Ik dacht dat je de derde verdieping had gezegd. O ja? Sorry jonker. Daniel beklom de laatste trap. Zijn broer groette hem met een spottende buiging. Ik heet V-Vrank. Velkom in mijn n-nederige v-voning!

Frank was altijd een dikke jongen geweest. Nu was hij een papperige, slordige, brildragende veertiger. Ze hadden elkaar zo weinig gezien. Ruime broek, schoon wit T-shirt. Geen nek. Daniel keek naar zijn broer terwijl hij over krakende vloeren voor hem uit liep naar een ruime woonkamer met dik tapijt, vol met het soort middelmatige antiek, gipsen beelden en koperen rommel waar Hilary altijd zo'n hekel aan had. Engelse rommel, noemde ze het. Alsof Hilary niet in Engeland thuishoorde. Trek een stoel bij, zei Frank, maar Daniel ging naar een raam dat uitkeek over het patroonloze gekriebel van de zuidkant van de stad. Een bijzonder uitzicht. Tot zijn verrassing kwam zijn broer naast hem staan. Driehonderdduizend zielen, becommentarieerde hij. Het verkeer was druk. Of niet een, natuurlijk, lachte hij, dat ligt er maar aan hoe je het bekijkt. Was het erg? vroeg hij toen Daniel ging zitten. Hij leek echt mee te leven. Even in coma gelegen, zei Daniel. Dat hebben we gehoord, en je oog? Nog een paar weken, en dan zien we wel wat we zien. Frank krabde aan een mondhoek. Hij heeft een slonzige, sensuele mond, merkte Daniel, en toch was het ook de mond van de kolonel. De kolonel was nooit slonzig. Maar het dikke gezicht was hetzelfde. De man was zijn zoon.

Frank leek het leuk te vinden dat hij zijn broer in zijn flat had. Pijn? vroeg hij. Hij was meteen veel prettiger in de omgang dan aan de telefoon. Heb ik momenteel de tijd niet voor, als je begrijpt wat ik bedoel, zei Daniel. Het was even stil. Daniel zei: Het was eigenlijk niet zo pijnlijk als toen je die repen uit mijn rug hebt gesneden, Frank. Ze keken elkaar aan. Denk je daar nog steeds aan? Frank trok een wenkbrauw op; zijn brede gezicht nam de spottende uitdrukking aan waar zijn jongere broer altijd zo'n ontzag voor had gehad. De dikke man lachte. Spreekt voor zich dat jíj van school gestuurd had moeten worden, jonker, merkte hij luchtig op, omdat je me m'n gang hebt laten gaan. Hij zit er niet mee, besefte Daniel. Die balorige profiteur van een broer van mij zit er niet mee! Arthur, riep Frank. Arthur! Er ging een deur open in de gang. Wil je een pot thee zetten alsjeblieft?

Maar uiteindelijk heb je me waarschijnlijk een dienst bewezen, ging Frank ontspannen door. Ík heb niets gedaan, zei Daniel snel. Nee, stemde Frank in. Hij ging zitten in een andere stoffige leunstoel. Nee, je hebt nooit iets gedaan hè? Hij legde zijn voeten op een lage tafel. Geen enkel meubelstuk in de kamer leek van eenzelfde set te komen. Anderzijds had de kamer een balorige rommelige gezelligheid. Fris geschilderd en gesneden alsof hij flapperde, hing er een houten Union Jack aan de grijze muur. De man die Arthur heette verscheen met mokken en een theepot. Zet maar op tafel, knul, zei Frank. En hij zei: Maar nu, drie decennia later, neemt dat o zo brave broertje van me weer contact op omdat zijn grote broer een hoertje voor hem moet vinden. Fraai toch?

Hoe is het met moeder? vroeg Daniel, ik heb gezien dat een krant haar toch een paar zinnen heeft weten te ontlokken. Geniet van haar pensioen, zei Frank. Ik veronderstel, zei Daniel, dat ze geen geld meer heeft. Frank zuchtte: Dat klopt, heerschap, min of meer, dat wil zeggen, als ze niet verkoopt. Mijn stoute broer wacht dus dertig jaar, en belt me dan om geld te vragen omdat zijn mama zonder zit? Touché! Frank glimlachte. Erg hè? Hij leek in een uitstekend humeur. De man genaamd Arthur droeg een blauwe korte broek en een mouwloos hemd. Hij ging op een barkruk zitten bij het raam. Hij had een pezig lijf en zijn smalle, gladgeschoren gezicht stond alert en ernstig. Daniel had iets heel anders verwacht. Niemand had hem ooit verteld dat Frank homo was. Maar het enige nieuws dat hij ooit te horen kreeg over zijn broer kwam via mevrouw Savage, als ze zich verwaardigde met hem te spreken. Mevrouw Savage sprak met Frank. En kolonel Savage sprak met Daniel. Ze waren sponsors van rivaliserende teams. Je moeder heeft altijd van verliezers gehouden, had de kolonel hem toevertrouwd.

Waarschijnlijk weet je wel dat mam altijd zegt dat ik geen contact met je moet zoeken, zei Daniel. Beweert dat je erdoor van streek zou raken. Is dat zo? vroeg Frank. En je gehoorzaamt haar braaf? Ik kan me niet voorstellen dat je bij de telefoon zat te wachten, zei Daniel. Om je de waarheid te zeggen dacht ik dat je in Londen zat. Frank snoof, schudde zijn hoofd, wisselde een blik met Arthur. Terzake, zei hij, heb je het geld bij je? Daniel haalde een envelop uit zijn jaszak – hij had zijn rechtbankkleren aan – en legde hem op de speeltafel naast de theepot. Dit was per slot van rekening precies hoe de politie te werk ging bij het verkrijgen van informatie. Ze betaalden informanten. Mensen als Harville. Mensen die vaak genoeg hadden meegedaan aan de misdaad waarover ze informeerden. Dat verhaal over die hypotheek en dat overbruggingskrediet was dus flauwekul, glimlachte Frank minzaam. Helemaal niet, zei Daniel. Ik zit momenteel nogal moeilijk wat geld betreft. Maar bereid om gul uit te geven als er een rok mee gemoeid is. Vertel me nu maar waar ze is, zei Daniel.

Arthur? gebaarde Frank. Met een uitgestreken gezicht ging de jongere man naar de tafel tussen de ramen en pakte een klein notitieblok. Flat 72, las Arthur, Sandringham House, Dalton Estate, Sperringway. Hij had een Amerikaans accent, maar van het soort dat de beste opleiding deed vermoeden. Een jaar of veertig. Is dat alles? vroeg Daniel. Hij zocht in zijn zakken naar een stukje papier en een pen. Ik kan me niet herinneren dat de meester nog iets anders heeft gevraagd. Weer zette Frank een bijzonder ironische uitdrukking op. Dit soort dingen had kolonel Savage razend gemaakt. Daniel negeerde het. Maar je weet het zeker? drong hij aan. Arthur zei: Een jonge Koreaanse vrouw genaamd Minnie Kwan – K-W-A-N, dat is het toch? – woont wel degelijk op dat adres in Sperringway. Hoe ben je erachter gekomen? Elke idioot kan erachter komen, onderbrak Frank hem. Toen zei hij: Arthur en ik hebben een kraam in Doherty Street. En als het je gerust kan stellen, we hebben geld nodig om betere goederen in te kunnen kopen. Er zijn op de markt meer dan genoeg mensen aan wie je hulp kunt vragen als je iemand zoekt.

De markt van Doherty Street? Daniel kon het bijna niet geloven. Het houden van een marktkraam had niet een van de mogelijkheden geleken voor kinderen van kolonel Savage. Antiek, glimlachte Frank. En mocht je je het afvragen, ja, we hebben al bijna alles van moeders spullen verkocht. De verdwenen erfenis. Ik moet ervandoor. Daniel stond op. Hij voelde zich verbijsterd. Als kind had het er altijd op geleken dat er maar twee opties waren in het leven: een succesvol Brits beroep of een naamloze derdewereldarmoede. Nu had zijn broer een marktkraam.

Hij stond op, gaf Arthur een hand. Achter hem was Frank niet opgestaan. Waarom blijf je niet nog even? vroeg hij. Zijn neerbuigende superieure houding was ergerlijk. Maar misschien wil hij vriendelijk doen, dacht Daniel. Ik heb haast, zei hij. Rustig zei Frank: je wordt afgeperst, hè, jonker? Daniel draaide zich om en glimlachte. Zo dramatisch is het niet, lachte hij. Weer die nerveuze lach. Coma's en ooglapjes lijken me nogal dramatisch, merkte Frank op. Iemand chanteert je.

Nu hij overeind was gekomen, merkte Daniel dat zijn voeten niet wilden bewegen. Hij stond in het midden van de kamer en weer viel het hem op wat een andere wereld dit was, die stoffige tapijten en fauteuils, dat rustige uitzicht op de saaie voorstad. Maar in zekere zin compleet. Ik zou hier kunnen leven, dacht hij. Wat hij niet verwacht had was de huishoudelijke degelijkheid. Nieuws over Frank had altijd te maken gehad met verslaving en bookmakers en onbetaalde huur in afgeleefde huurhuizen.

Nadat ze een hand hadden geschud was Arthur naar een kast in de hoek gelopen en bekeek nu een stapel cd's. Frank, zei Daniel resoluut, ik word niet gechanteerd. Frank keek naar hem met getuite lippen. Maar je gaat wel meteen dat meisje opzoeken wier ongetwijfeld talrijke vrienden en kennissen je in elkaar hebben getimmerd, juist? Helemaal niet, loog Daniel. Danny, zei Frank, en even verdween de gebruikelijke zelfspot uit zijn stem, begrijp je het dan niet? Ik maak me verdomme echt ongerust over je. Ik begin je zelfs te mogen. Je bent rechter, een publiek figuur, je hebt in alle kranten gestaan, je bent op de tv geweest, je bent altijd de onberispelijkheid zelve geweest, en dan ineens geef je tweeduizend pond uit alleen maar voor een adres, voor een kind dat iedereen met een beetje nadenken had kunnen vinden, en spoed je je vervolgens in allerijl naar het Dalton Estate nota bene, Shanghai, Bombay en Kartoem samengeperst in Engelse prefab. Schitterend. Hij glimlachte: Wat ik wil zeggen is, misschien kan ik helpen. Je oude nutteloze broer kan wel iets meer doen voor zijn centen, jonker, besloot hij. De plagerige toon was nu heel duidelijk hartelijk geworden.

Ik heb geen hulp nodig, zei Daniel. Maar hij leek niet te kunnen bewegen. Het was duidelijk dat iemand de politie had verteld dat een goedgeklede donkere man aan tafel had gezeten met een stel Koreanen. In de Capricorn. Waarom anders die foto's? Ze waren hun criminele Koreanen aan het opgraven. Rechter Savage werd overvallen door een gevoel van onwerkelijkheid, de angstaanjagende tegenhanger van de vrolijkheid die hij ooit had gevoeld toen hij de liefde bedreef met een jong Aziatisch meisje op een stapel tapijten, of met de verloofde van een collega in een hotel aan de kust. Janes blonde haar! Dat was ook erg onwerkelijk geweest. Carnaval. Het woord kwam ineens in hem op. Hij had een masker moeten dragen. Bevindt rechter Savage zich nog onder de sterfelijken, vroeg Frank. Of communiceert hij met hogere machten? Daniel keek naar zijn broer. Die gasten die je in elkaar hebben geslagen kwamen inderdaad uit de kring rond dat meisje, hield Frank aan. Een of ander misbruik van de rechten van de eerste huwelijksnacht, vermoed ik. Dan, broer, ik sta aan jouw kant. Het doet me deugd dat je het in je hebt! Daniel schudde zijn hoofd.

Pas nu merkte hij dat er softe jazz speelde. Hij had altijd een hekel gehad aan jazz. In het bijzonder aan softe jazz. De man genaamd Arthur opperde heel praktisch vanaf zijn barkruk: Misschien kunnen we met je meegaan en je op z'n minst onze, eh, morele steun geven. Precies, zei Frank. Beetje moeilijk om ons alledrie af te tuigen. Ik red het wel, hield Daniel vol, en wist zelfs een glimlach op te brengen. De situatie is helemaal niet zoals je denkt.

Sperringway, zei hij tegen de taxichauffeur. Hij was er nog nooit geweest, maar wist dat dergelijke wijken meestal in verschillende etnische groepen ingedeeld waren. Een zwarte in een Aziatisch blok zou misschien zelfs nog meer opvallen dan een blanke. Maar ik ben niet zwart! Veel van zijn cliënten waren uit Sperringway afkomstig geweest in de tijd dat hij nog advocaat was. Het punt was dat hij niet helemaal zeker wist hoe de mensen hem zagen zonder zijn pruik op. Sandringham House, zei hij. Hij was tegen de beweging die de pruik wilde afschaffen. Toen bedacht hij dat zijn vaders dood het misschien mogelijk had gemaakt voor Frank om iets anders te doen dan slagen of mislukken, zoals het mij in zekere zin mogelijk heeft gemaakt te overwegen Hilary te verlaten, dacht hij. Er gaat iemand dood en heel onverwacht kun je iemand anders zijn.

De chauffeur reed de hoofdweg af en een blok met hoogbouw in. Daniel had gehoord dat de mensen zichzelf in etnische groepen waren gaan verdelen toen de woningbouwvereniging de flats van de hand had gedaan. Toen bedacht hij dat als hij een mobieltje had gehad – hij moest er meteen een aanschaffen – hij Hilary zou kunnen bellen op een moment als dit, vanaf de achterbank van een taxi. Uiteraard niet om er met haar over te praten. Maar om de thuisbasis te contacteren, om de solide muur van die andere kant van zijn persoonlijkheid te strelen. Man met carnavalsmasker belt vrouw! Ongetwijfeld gebeurden dat soort dingen.

Hij betaalde de chauffeur. Er is helemaal niets angstaanjagends aan deze wijk, zei hij tegen zichzelf, staande naast een vuilnisbak. De paar kinderen die buiten rondhingen leken niet verbaasd een taxi te zien. Ze schopten tegen een tennisbal. Mijn verdedigingstactiek is verrassing, dacht Daniel. Ze zullen niet verwachten dat ik aan de deur kom bellen. Deze plek wordt te streng beoordeeld, besloot hij, terwijl hij over de harde modder liep van wat ontwerpers als een gazon moesten hebben gezien. Waar had hij de Daltonwijk onlangs nog vermeld gezien? Hij keek om zich heen. Met maar één bruikbaar oog moet je je hoofd meer bewegen. Hij keek omhoog en was verblind. Net zoals gisteren op het sportcentrum van Tom was het rustig weer, een lichte wolkennevel versluierde de heldere julizon. Beoordeel een plek nooit in zonlicht, zei Hilary altijd.

Ja, het was de man die de pols van zijn zoon gebroken had. Daniel stopte bij het eerste blok flats. Niet de stenengooiers, die kwamen van de andere kant van de stad. Een betere buurt. Is dit Sandringham? vroeg hij. Een meisje met sproeten rende weg, achtervolgd door haar hond. Er ligt hier te veel hondenpoep. Hij probeerde erachter te komen waar de naam van het flatgebouw zou moeten staan. Hij herinnerde zich dat de maatschappelijk werker in die zaak erg de nadruk had gelegd op de benarde situatie waarin het gezin van de man leefde. Het is belachelijk dat er nergens staat hoe het flatgebouw heet! De jongen beweerde dat hij uit het raam van de eerste verdieping was gevallen, maar tijdens zijn bekentenis tegenover de politie had de vader erop gewezen dat het raam niet genoeg open kon om er iemand uit te laten vallen. Hoe lang heb ik hem gegeven? Toen zag hij een soort zwembadmozaïek op de zuil naast de deur. Balmoral. Goed.

Hij liep door. Sandringham was het derde gebouw. Raar, bedacht hij, gegeven de vermoedelijke rijkdom van de Kwans, dat Minnie in een van deze kleine flatjes zou wonen. Misschien is ze thuis gevlucht. Is alles goed met haar en is ze gelukkig. Een kleuter reed in de hal rond op een fiets die te groot voor hem was, een vrouw keek toe van boven aan de trap met haar kin in haar handen. Het was moeilijk te zeggen waar het naar rook. Doet de lift het? vroeg Daniel. Dat zal hem goddomme geraden zijn, zei ze. Het was geen urine. Ze was vrolijk en ongeïnteresseerd. Hoe weet ik naar welke verdieping ik moet voor een bepaalde flat? Wat? Is nummer 72 op de zevende verdieping? De fiets reed rondjes, het jongetje schraapte met zijn teen over het cement. Waar anders? vroeg ze. Toen de kabels knarsten en de lift omhoogging, voelde Daniel dezelfde golf van angst die hij twee dagen eerder in de lift in Carlton Mansions had gevoeld. Is dit moedig of stom? vroeg hij zich af.

Er liep een smalle galerij over de hele voorkant van het flatgebouw. Je kon maar beter geen hoogtevrees hebben. Eindelijk zal ik Minnie weer eens zien. De deuren waren oranje. Daniel klopte. Er hing een chromen deurklopper. De gordijnen waren dicht. De mannen zullen allemaal aan het werk zijn, zei hij tegen zichzelf. Een gedempte stem zei iets onbegrijpelijks. Nog eens. Was het een vrouwenstem? Mijn aanwezigheid hier is onbegrijpelijk. Hij raakte bijna in paniek. De deur ging nog steeds niet open. Ik zoek Minnie Kwan, zei hij. Wie is daar? werd er gevraagd. Ja, een vrouwenstem, besefte hij, een oude vrouw. Zijn vuist ontspande. Daniel Savage, zei hij. Hij voelde een zekere bevrediging. Daniel Savage, herhaalde hij, heel langzaam en duidelijk. Ik zoek Minnie Kwan. De deur ging open op een ketting en er werd een gerimpelde wang zichtbaar. Wie bent u? Ze praten allemaal op dezelfde manier Engels, zei hij tegen zichzelf. Ze zijn allemaal hetzelfde. Maar nu kwam een jongere schrillere stem tussenbeide. Het geluid van snelle voetstappen, een woordenvloed over en weer, toen bewoog de deur en zwaaide naar binnen open. Achter een kleine, opgewonden oude vrouw stond Minnie Kwan.

Ze waren nog steeds aan het bekvechten. Daniel ving achter het smalle halletje een glimp op van een woonkamer vol kleur en tierelantijnen. Er hing een sterke buitenlandse geur, het hol van een onbekende soort. Wat was hij opgelucht dat hij haar zag. Eindelijk stak Minnie haar hand voorbij de oude vrouw, greep zijn mouw en trok hem naar binnen. Het was wierook besefte hij. Verschrikt deed de kleine vrouw een stap naar achter – ze droeg scherpe houten spelden in haar haar zag Daniel nu – en vluchtte bijna van de deur weg om zich defensief op te stellen voor drie andere deuren die gesloten waren. Ze sprak nog steeds snel. Geen zorgen, ze verstaat geen woord van wat we zeggen, zei Minnie tegen hem, en draaide zich toen weer om om verder te ruziën. Daniel keek toe hoe het meisje met wie hij ooit de liefde had bedreven, door stond te ratelen en een sliert haar van haar lippen veegde. Ze droeg een spijkerbroek en een eenvoudige witte kiel. Beter in dan uit de kleren, herinnerde hij zich. Wat er toen voor genot was geweest was nu totaal onbelangrijk. Het gevaar daarentegen was verveelvoudigd. Minnie draaide zich om. Ze vindt het goed dat je tien minuten blijft, maar ze moet er wel bij zijn. Mij best, zei Daniel.

Toen vroeg ze snel: Waarom ben je in vredesnaam gekomen? Ze ging zitten op een groen kussen tegenover de edelachtbare rechter Savage, die inmiddels voorovergebogen zat op een lage rieten stoel. In de hoek tegenover hem zag hij een dun sliertje rook opstijgen voor een nis met foto's. Helder blijven denken, besloot hij. Wat was hij opgelucht dat hij haar had gevonden. Hij zou nu op kunnen staan en weggaan. Ze zaten in overdreven lijsten. Ik heb mijn plicht gedaan met haar te bezoeken.

Nou? Ze keek op naar hem met ogen vol verwachting, charmant, en dwong hem de rol aan te nemen van de ervaren oudere man. Hij vouwde zijn handen, zoals hij ook deed op de rechtbank: Je hebt me gebeld en gezegd dat je ten einde raad was. Ik maakte me ongerust over je. Ik dacht dat er misschien iets met je was gebeurd. Terwijl hij sprak, herinnerde hij zich de charmant vragende blik, haar schuingehouden hoofd toen ze op de eerste rij van de jury zat. Je zei dat je vader gewelddadig was. Dus heb ik uiteindelijk contact gezocht met je vriendje, Ben. Je weet nog wel dat je me over hem verteld hebt. Ik had een afspraak met hem, om te horen of alles in orde was met je, maar in plaats daarvan kwamen je vader en je broers die me, dat veronderstel ik tenminste, hoewel ik het niet zeker weet omdat ik ze niet echt heb gezien, die me in elkaar hebben geslagen.

Je in elkaar geslagen? Ze keek geschrokken.

Daniel realiseerde zich dat hij zijn zonnebril nog op had. Hij deed hem af om zijn ooglap te laten zien. De kamer was helderrood en geel. Wist je dat niet?

Ze hebben je in elkaar geslagen? Ze was ontsteld opgesprongen. Ben je gewond? Ze kwam hem bekijken. Ze volgt het nieuws niet, realiseerde Daniel zich. Deze mensen hebben een andere samenleving. Ze malen niet om het Engelse nieuws. Ze hebben satelliet-tv. Hij legde haar in het kort uit wat er was gebeurd. Ik weet niet honderd procent zeker dat zij het waren, zei hij. Ze ging weer zitten, keek naar hem, schudde haar hoofd. Het spijt me enorm, zei ze. Ze schudde haar hoofd. Wat verschrikkelijk. Ze vindt het duidelijk niet onvoorstelbaar, merkte hij, dat haar vader en broers iemand in elkaar zouden slaan. Arme kerel, bleef ze maar herhalen. Ik had dit helemaal niet moeten zeggen, besefte hij toen. Ik had haar kunnen zien, gedag zeggen en vertrekken. Nee, ik had buiten bij het flatgebouw kunnen blijven wachten tot ik een glimp van haar zou opvangen – ze maakt het goed – en vertrekken. Ik had niet met haar hoeven spreken. En dat maakte me nog ongeruster dat er iets met je gebeurd was, verklaarde hij.

Je was nog steeds bezorgd om me! riep ze. Zelfs nadat je in elkaar was geslagen! Haar heldere stem klonk charmant exotisch. Daniel, wat lief! Ze fronste haar wenkbrauwen. Toch heb je nooit van me gehouden. Waarom doe je dit? Waarom heb je geprobeerd me te vinden? Van bij de deur viel de oude vrouw haar met een kort woord in de rede. Minnie draaide zich om en zei iets op bijzonder strenge toon. Toen ze zich omdraaide zag Daniel haar borsten deinen onder de kiel. De oude vrouw mompelde haar afkeuring. Voor mij? Minnie draaide zich weer naar hem. Ze schudde haar hoofd. Het spijt me zo dat je gewond bent. Daniel herhaalde: Ik wilde niet het gevoel hebben dat je een beroep op me had gedaan en dat ik niet had geholpen, dat je misschien in de problemen zat. Terwijl ze naar hem keek, begon ze te glimlachen. Die Engelse gentlemen toch! lachte ze. Ze schudde haar hoofd weer, streek een haarlok naar achter. Je bent dé Engelse gentleman! Ik heb dit allemaal voor niets gedaan, besefte Daniel. Ik heb mijn leven op het spel gezet, mijn baan, voor niets.

Bruusk vroeg hij: Waarom héb je me eigenlijk gebeld? Ze zuchtte. Hij zag dat ze een groene halsband droeg. Een elegant ding. Ze keek hem aan maar gaf geen antwoord. Het was alsof ze het niet eens meer wist. Ze zei toen dat ze ten einde raad was, maar nu kan ze zich nauwelijks herinneren dat ze je gebeld heeft. Trouwens, zei hij, ik moet je waarschuwen, de politie weet dat ik ben aangevallen door Koreanen. De politie? Wanneer er een rechter in elkaar wordt geslagen – ik ben nu rechter – doet de politie onvermijdelijk een beetje meer haar best om de daders te pakken te krijgen. Ze weten dat het een Koreaan was. Ze zette grote ogen op. Ik betwijfel of ik kan vermijden dat ze erachter komen.

Je bedoelt dat je ze het niet verteld hebt? Het vertellen, zei Daniel, zou betekenen dat ik ze over jou moet vertellen. Ja, zei ze. Ja. Ze heeft hier helemaal niet over nagedacht, besefte rechter Savage. Haar rechterknie wipte zenuwachtig op en neer. Ze zit het te verwerken, zag hij. Wisten de Kwans het zelf wel? vroeg hij zich ineens af. Het leek onmogelijk dat drie mannen nooit eens naar het nieuws zouden hebben gekeken, nooit zijn gezicht zouden hebben gezien. Mijn gezicht heeft in alle kranten gestaan, zei hij. Ze streek het haar van haar wang. Vroeg of laat komt de politie er toch achter. Dat is hun werk. Ze zullen je vader arresteren.

Toen werd ze erg praktisch. Iedereen zal het ontkennen, zei ze. Jij zult het ontkennen omdat je mijn bestaan nooit kunt toegeven. Het zou slecht zijn voor je gezin en je baan. Ik zal het ontkennen. Mijn vader zal het ontkennen. Mijn broers zullen het ontkennen. Misschien, zei Daniel, maar wat als de politie concreet bewijs vindt? Dan zullen ze het nog ontkennen, zei ze, altijd, zelfs in de gevangenis zullen ze het ontkennen, omdat ze niet willen dat de mensen denken dat ik een verhouding heb gehad met een zwarte man. Ze hebben me haast vermoord...

De uitdrukking ergerde Daniel. Het meisje was gezond. Haar borsten zijn groter dan destijds, zag hij. Toch zei ze luchtig dat ze bijna vermoord was. En hoe vaak had ze niet gezegd: Hij zou me doodslaan als... hij zou me vermoorden als...? Was dat uiteindelijk niet de reden waarom hij zich ongerust over haar had gemaakt? Die verhalen over haar gewelddadige vader. Maar hier zat ze te blaken van gezondheid. En waarom hebben ze je dan niet vermoord? vroeg hij. Je ziet er goed uit. Ik ben in verwachting, zei ze.

Weer wuifde ze de oude vrouw weg. Bens moeder, legde ze uit. Ben was jarenlang heen en weer gereisd naar Korea. Ik betwijfel of je hem wel gesproken hebt. Ben spreekt geen woord Engels. Ik weet zeker dat hij hier niets vanaf weet. Dan zou hij me verlaten hebben. Ze smokkelen mensen naar binnen, zei ze. Daar zijn die flats hier voor. We hebben er vijf. Toen werd ik zwanger. Stom. Ik had alles steeds maar uitgesteld, maar toen ik zwanger werd, wist ik dat we moesten trouwen. Ze haalde diep adem. Ik kon niet meer dromen over ontsnappen. Ik had twee levens in twee werelden geleefd. Toen heb ik je gebeld.

Daniel keek naar het meisje. Elke keer dat je naar bed was geweest met een andere vrouw, had hij ooit iemand verteld, misschien Martin, kwam je in contact met een totaal andere wereld. Je legde een geheime keten van contact aan tussen verschillende levens. Dat was het opwindende eraan. Je wist nooit wie er nog meer vastzat aan de verbinding die je had gelegd. Het was een geheime keten rond de wereld, die door gemeenschappen heen liep die je nooit zou kennen of begrijpen. Een stom risico, had Martin gezegd. En een schandelijk misbruik van vertrouwen.

En wat dacht je dat ik voor je kon doen? vroeg Daniel. Ze keek naar de grond zodat haar haar voor haar gezicht viel. Je zei altijd: Het enige wat je tegenhoudt zit tussen je oren. Weet je nog? Ze keek op. Wat pretentieus van me, zei rechter Savage. Ik weet het niet, zuchtte ze, ik wilde raad, ik wilde een abortus en verdwijnen. Ik weet het echt niet. Soms zie ik mezelf als een normaal Engels meisje. Ik ben helemaal niet Koreaans. Ik wilde gewoon horen wat jij erover zou zeggen. En waarom ben je dan niet gekomen die avond, vroeg hij. Omdat mijn broer Mark, dat is zijn Engelse naam, iets gehoord had wat ik aan de telefoon had gezegd of zo. We hebben ruziegemaakt. Hij is altijd bezorgd over de familie-eer. Hij is erg Koreaans. Je zou het niet begrijpen. Dat hele gedoe rond de eer van de familie. Tegen de tijd dat ik er was, was jij alweer weg. Ze zuchtte en glimlachte. En toen ik thuiskwam zei ik dat ik naar een afspraakje was geweest met mijn zwarte pooiervriendje. Het was een grapje. Dat zei ik altijd. Weet je wel? Nou, en toen begon Mark me te slaan. Toen zei ik dat Ben me zwanger had gemaakt. En nu ben ik getrouwd, besloot ze. Dat stond te gebeuren. Dit ben ik nu.

Daniel besefte dat hij snel moest handelen. De oude vrouw begon zich druk te maken, te gebaren. Hoor eens – hij was ineens ongewild ernstig en sprak met een stem die niet helemaal de zijne was – hoor eens, als je niet gelukkig bent, Minnie, zou het dan niet beter voor je zijn als deze mensen gearresteerd worden zodat jij je vrijheid hebt? Je kunt altijd scheiden. Weet je – hij stopte even – op zeker moment zal ik misschien wel de waarheid moeten zeggen.

Deze mensen? Het Koreaanse meisje zette grote ogen op. Mijn vader! Maar ze glimlachte. Nee, zo denk ik er nu niet over, zei ze. Dit is mijn leven. Ze glimlachte weer. Je hebt zelf gezegd dat ik er goed uitzie. Kijk mijn tieten eens! Dat zijn alleen maar hormonen, zei Daniel. Ze schudde haar hoofd. Je had gelijk dat het allemaal in mijn hoofd zit. Maar het zit er nu eenmaal. En het ís mijn hoofd. En ze zullen toch nooit gearresteerd worden, glimlachte ze. Papa heeft nog nooit problemen gehad met de politie. Maak je maar geen zorgen.

Toen hij opstond zag Daniel de kaars en de foto's weer. Het familiealtaar? Ze had eens verteld dat haar vader knielde voor de foto's van zijn grootmoeder maar niet voor die van zijn grootvader, die hij haatte. Het had haar gefascineerd dat Daniel niet eens wist wie zijn echte moeder was. Ze keek naar de foto. Bens vader, zei ze. Hij is gestorven voor ik ben geboren. Er stond ook een bloem, zag hij nu. Kus me niet en geef me zelfs geen hand, waarschuwde ze. Haar ogen flikkerden naar de oude vrouw. Ik vind het zo erg dat je gewond bent geraakt.

De deur ging achter hem dicht. Toen hij over de galerij liep, ving Daniel aan het einde van het blok een glimp op van de wazige heuvels die oprezen ten noorden van de stad. Als ik goed genoeg zou kijken, als mijn ene oog scherp genoeg zou zien, zou ik ons huis eruit kunnen pikken. Maar het meisje had hem gevraagd snel en discreet te vertrekken. In de lift leerde een blik op zijn horloge hem dat het pas twaalf uur was. Tweeduizend pond prima besteed, dacht hij. Alles ontkennen.

14

Het zou niet realistisch zijn om een taxi te verwachten in deze buurt. Toen hij door Sperringway wandelde, werd Daniel Savage overvallen door de gedachte dat hij van de ene jonge vrouw naar de andere leek te moeten gaan om zijn problemen op te lossen. Hij grinnikte. Alles welbeschouwd is Minnie in veel betere vorm dan mijn dochter. Waarom heb ik mezelf zo laten afleiden?

Hij kwam bij een bushalte. Drie Latijns-Amerikaanse jongens zaten hem op een laag muurtje uit te lachen. Onnodig te zeggen dat het glas over de dienstregeling en routebeschrijving verdwenen was. Ze lachen om de onberispelijk geklede zwarte, dacht hij. Gaat hij naar het station? vroeg hij. Ja, ja, zei een van de jongens. De andere twee begonnen te giechelen.

Het was een trage vierbaansweg met aan weerskanten woonwijken. Hij had destijds de geijkte dingen gelezen over sociale oorzaken van misdaad. Toch was hij er zich van bewust dat hij in de loop der jaren teruggevallen was op het nogal simplistische idee van de rotte appel. Dat was een van de obsessies geweest van de kolonel. Frank was een rotte appel. De meeste mensen in de beklaagdenbank waren helemaal niet slecht. De Mishra's, de man die de pols van zijn zoontje had gebroken, de stomkop die dat achterlijke meisje had bepoteld. Het was pijnlijk om dergelijke mensen te veroordelen. Maar andere waren om onverklaarbare redenen beslist rotte appels. Zeker die stenengooiers. Het zou een genoegen zijn hen achter de tralies te zetten. Minnies vader ook. Het heeft met karakter te maken, dacht hij. Hij had er niet echt vat op. Misschien waren er processen waarbij de jury gelijk had om een uitspraak gevoelsmatig op het karakter te baseren. Kwan is slecht, zei Daniel tegen zichzelf. Ze hielden die zak klaar, dacht hij. Ze waren gekomen met de bedoeling me te overvallen.

Maar dan sterft er iemand en verandert een karakter. In de bus zat een vrouw van middelbare leeftijd naar hem te staren. Ze had hem herkend. Ik ben zeker veranderd, dacht Daniel. En op het station de taxichauffeur ook. Als ik het mag zeggen, meneer, ze zouden die smeerlappen die dat gedaan hebben verdomme de doodstraf moeten geven! Ik durf te wedden dat u ze graag zelf zou veroordelen. Daniel gaf geen antwoord. U hebt een leuk vrouwtje als ik het mag zeggen, meneer, aan de foto te zien. Ik zal het haar zeggen, zei hij. Hij zat te denken dat de kolonel het uiteindelijk bij het verkeerde eind had gehad wat Frank betrof. Frank was aardig geweest vanochtend. Misschien dat Sarah ook zou veranderen door een wonder.

Vanuit de telefooncel aan het begin van Carlton Street belde hij Hilary. Ik sta in Carlton Street, zei hij. Ze vroeg waar hij was geweest. Die politie-inspecteur wilde je graag spreken. Ze wist zijn naam niet meer. Ik voelde me opgesloten op kantoor vanochtend, en ik dacht dat een wandeling me goed zou doen. Er is momenteel iemand in huis, zei ze, om de wasmachine aan te sluiten. Luister, zei hij, ik ga Sarah zeggen dat ik met alle plezier tijdelijk iets kleins voor haar wil huren als ze niet meer thuis wil wonen. Ben je het daarmee eens? Er was een lichte aarzeling. Toen klonk het verontwaardigd: Nou, ruimhartiger kun je niet zijn. Heeft de inspecteur gezegd wat hij wilde? Nee. Tot halfvijf bij de notaris dan.

Wat wil je dan doen? vroeg hij zijn dochter. Hij had gezien dat er een plastic zak op de keukenvloer lag met de naam van een supermarkt. Ik ben blij te zien dat je eet. Heeft Max gebracht, zei zijn dochter. Hij had haar in korte broek en T-shirt op het matras aangetroffen met haar walkman op. Dat was vriendelijk van hem. O, maar mama heeft de spullen eigenlijk gekocht, voegde ze eraan toe. Even begreep Daniel het niet. Kom nou toch, alleen mama zou magere pure yoghurt voor me kopen en dat soort dingen. En Mon Chéri. Ze weet dat ik daar gek op ben. Daniel zuchtte. Vind je Max aardig? vroeg hij. Ze dacht even na en antwoordde: Hij is oké. Ik heb de tijd, dacht Daniel. Dat zei hij ook altijd tegen zichzelf als hij een verhoor afnam. Je hebt de tijd. Niet haasten. Hij besefte dat hij zich ongerust maakte over Mattheson. Het was fijn dat hij gerustgesteld was wat Minnie betrof, maar dat gaf hem nog niet bepaald het gevoel dat de zaak afgehandeld was.

Sarah, we moeten de flat verkopen. Het nieuwe huis was duur, schat. Onze fondsen zijn niet onbeperkt. Ze keek hem niet aan. Ik heb nu een goed salaris, maar het zal wel een paar jaar duren voor we er weer bovenop zijn. Hij zweeg even. En dan zwijg ik nog over het feit dat we een verkoopcontract hebben ondertekend. We zijn eraan gebonden. Ze zat op het matras met haar rug naar de muur, haar knieën wijd gespreid, haar kin naar het raam. Hij had een stoel omgedraaid en had de rugleuning vast. Ze heeft mijn kin, dacht hij. Hier staat niets meer, zei hij. Er is geen tafel, geen bank. We wonen hier niet meer.

Het meisje haalde haar schouders op. Haar vader probeerde een grapje te maken: Je kunt hier zelfs niet terug naar de natuur. Ze kreunde. Dat is zo'n stomme uitdrukking, pap. De natuur gaat nooit terug. Ze keken elkaar aan. Teruggaan is onnatuurlijk, zei ze. Hij wachtte. Ze is heel erg mijn dochter, dacht hij. Hij voelde zich gerustgesteld, maar was zich ook heel sterk bewust van de fout die hij die dag had gemaakt toen hij haar had overtuigd naar haar examens te gaan.

Wat zou je willen doen? vroeg hij nog eens. Nu je klaar bent met school. Zeg het. Met opeengeklemde lippen schudde ze haar hoofd alsof ze niet kon geloven dat hij het niet begreep. Ook Minnie had op de grond gezeten terwijl hij op een stoel zat. Minnie staat er veel minder goed voor dan Sarah, dacht hij. Toch was het gesprek met het Koreaanse meisje opmerkelijk gemakkelijk geweest. Hij hoefde zich geen zorgen om haar te maken. Ten slotte vroeg Sarah: Wil je een Mon Chéri? Hij nam er een. Ze giechelde: Mama koopt ze, Max brengt ze en papa eet ze op. Hij glimlachte. Ik heb nog ruim drie uur, dacht hij.

Hoor eens, zei Daniel. Hoe zacht je ook sprak, je stem kreeg iets scherps in zo'n lege kamer. Vanochtend heb ik het dossier doorgenomen van een Chinese man die van geweldpleging op zijn dochter was beschuldigd, een meisje van ongeveer jouw leeftijd. De man heeft een klein bedrijf en heeft zijn kinderen zo gedrild dat elk van hen een bijzondere rol in het bedrijf kan vervullen. En ook moesten ze trouwen binnen de gemeenschap. Je weet wel. De twee oudste kinderen waren broers. Nou, toen het derde kind, de dochter, in opstand kwam en met een blanke begon uit te gaan in plaats van met de kerel met wie ze had moeten trouwen, heeft haar vader haar een aframmeling gegeven. En behoorlijk. Haar pols was op twee plaatsen gebroken.

En? vroeg Sarah. Ik neem aan dat je bedoelt dat ik het goed getroffen heb? Niet helemaal. Ik vraag alleen: Is er iets wat we je dwingen te doen, of zelfs te zíjn, als je begrijpt wat ik bedoel, dat je niet wilt doen of zijn, of hebben we je van iets weerhouden wat je doodgraag zou doen?

Sarah leek na te denken, maar terwijl hij naar haar keek, overviel Daniel de gedachte dat het maar toneel was. Ze dacht helemaal niet na. Waarom had hij die indruk? Grijnzend vroeg ze: Heb ik het recht te zwijgen? Iedereen heeft het recht te zwijgen. Hij glimlachte: Maar tegenwoordig heeft de jury ook het recht daar conclusies uit te trekken. Ze riep uit: Ik wist dat het een verhoor was! Uiteindelijk zul je me toch schoppend en schreeuwend het huis uit sleuren!

Sarah! Rechter Savage stond op. In godsnaam. Laten we een kop thee drinken. Er is geen ketel, zei ze. Laten we dan naar een café gaan. Ik zet geen voet buiten de deur, zei ze. Voor het geval ik je niet meer naar binnen laat gaan? Ze zweeg. Daniel worstelde om zijn zelfbeheersing niet te verliezen. Waarom, had hij Minnie moeten vragen, had ze haar vader absoluut willen uitdagen met die zin over haar zwarte pooiervriendje? Geen wonder dat ze haar hadden geslagen!

Trouwens, zei Sarah, als ik zwijg mag je daar gerust je conclusies uit trekken. Ik wil zelfs dat je dat doet. Er zat iets hautains in die glimlach. Het was alsof ze die van Frank had geërfd. Een belachelijk idee, dacht Daniel. Als er één vader is, had hij vaak gegrapt, die honderd procent zeker kan weten dat hij de vader is, dan ben ik het wel. Hij zei: Sarah, ik zal je iets raars vertellen dat ik vanmorgen gehoord heb. Je kent je oom Frank. Niet echt, viel ze hem in de rede. Helemaal niet eigenlijk. Oké, je hebt van oom Frank gehoord. De enige keer dat ik hem gesproken heb was op opa's begrafenis. Je kent het verhaal, ging hij door, van je oom Frank. Ja edelachtbare, glimlachte ze. Ik weet dat mama hem nooit wou zien. Het verbaasde Daniel dat ze het op die manier zag. Maar het was natuurlijk waar. Nou, vanochtend ben ik te weten gekomen dat hij een kraam heeft op de markt in Doherty Street, en dat hij antiek verkoopt. Cool! zei het meisje. Ze was eventjes enthousiast. En? Rechter Savage zocht naar zijn woorden. Het punt is dat niemand ooit gedacht had dat hij, noch iemand anders van de Savagefamilie, zoiets zou doen, en ik dacht alleen dat... Niet doen, zei ze. Ze glimlachte. Ze had de hele discussie al gezien. Ze is slim, dacht hij. Abrupt besloot hij: Luister, Sarah, je moet de flat meteen verlaten. Die overdracht moet plaatsvinden. Als ik de bouwer morgen niet betaal, kan hij theoretisch beslag op het huis leggen. Als we nog een lening moeten aangaan om hem te betalen, gaat de hypotheek zelfs een rechtersinkomen te boven.

Dit is het enige huis waar ik in heb gewoond, zei ze. Weer had ze haar hoofd afgewend. En wat wil dat nu zeggen? vroeg hij. Mensen leven niet van hun geboorte tot hun dood in hetzelfde huis. Je wordt niet begraven in je eerste luiers. Je moet verhuizen en veranderen. Ze hield haar gezicht afgewend en toen ze sprak was haar stem vlak en dof. Je zult me hier schoppend en schreeuwend uit moeten sleuren, zei ze.

Ineens was Daniel uitgeput. Net als zaterdag voelde hij de irrationele aandrift om recht naar inspecteur Mattheson te gaan en hem alles te vertellen. Ik heb geneukt met een meisje uit de jury, ja. Ik ben bij haar persoonlijke problemen betrokken geraakt. Haar vader heeft me in elkaar laten slaan. Arresteer hem maar. Daniel zag de scène voor zich na afloop van het verhoor. Hij zag Mattheson naar de telefoon reiken om de opdracht te geven. Waarom was het zo verleidelijk? De daaruit voortvloeiende vernedering, de ruzie met Hilary, zouden misschien een opluchting zijn. Hij werd overvallen door een lichamelijke zwakte en hij legde zijn gezicht op zijn onderarm op de stoelleuning. Onnadenkend vroeg hij: Hoe is het toch allemaal gekomen?

Ik weet het niet, zei ze. Hij voelde dat ze nu naar hem keek en hij keek op. Hun ogen ontmoetten elkaar. Er was wederzijdse sympathie, wist hij. En vijandigheid ook. Ik begrijp... begon hij. Hij zweeg. Ik geef me steeds bloot, dacht hij. Ze had hem niets verteld. Ga door, zei ze. Hij zuchtte. Ik begrijp waarom je van streek bent over wat er gebeurd is tussen je moeder en mij. Ik denk zelfs dat ik begrijp dat je daardoor bij een evangelische groep bent gegaan. Ze staarde zeer bewust naar de grond. Misschien omdat je wanneer je jong bent moeilijk kunt accepteren dat er verschil is tussen idealen en realiteit.

Iets moet volmaakt zijn of anders niets. Ik begrijp zelfs waarom je me daardoor die onaangename brieven bent gaan sturen. Die citaten uit de bijbel. Hij wachtte. Dat was jij toch? Ze zweeg. Maar zelfs als we daarvan uitgaan, dat je het leven van je ouders moeilijk kunt verwerken, bedoel ik, of misselijk vindt, dan begrijp ik nog steeds niet waarom je het op jezelf moet afreageren, waarom je je examens zo moet verpesten.

Weer zweeg hij even. Na blindelings te zijn begonnen, had hij nu het gevoel dat hij zijn woorden bijzonder zorgvuldig moest kiezen. Misschien heb ik de juiste benadering getroffen, dacht hij. Verknoei het nu niet. Haar jonge lijf trilde van de spanning. Haar donkere gezicht, nog steeds afgewend, zou een prachtig geschenk zijn voor iemand. Ze had zulke fijne trekken. Daniel had er vaak naar uitgekeken een schoonzoon te hebben, hij had zich het stralende gezicht van zijn dochter voorgesteld. Ze zouden elkaar aanvoelen over zaken als geluk, over hoe moeilijk relaties zijn. Max was een aantrekkelijke man.

Als je bijvoorbeeld op jezelf wilt gaan wonen, zie ik niet waarom je dat als het ware 'in weerwil van ons' zou doen. Ik bedoel, we zouden al te graag ergens iets voor je huren. Hij zweeg. Voor eèn tijdje toch. Als je...

Ze keek op. De tranen stroomden uit haar ogen. Maar ze lachte ook, giechelde bijna, met haar knokkels in haar mond. Ze zat te schudden. Hij werd overspoeld door het verlangen om haar te knuffelen, om zijn lieve kind in zijn armen te nemen. Mijn dochter. Het eerste kind. Je bent mijn eerste echte bloedverwante in de wereld. Dat zei hij vroeger. De eerste persoon die hij had gekend met wie hij een bloedverwantschap had. Hij stond op. Ook hij lachte en huilde, schudde zijn hoofd. Sarah, ik begrijp het niet, zei hij, je moet me echt uitleggen waarom jij al die problemen hebt en Tom zo verdomd normaal is! En waarom werd je zo razend op me die dag in de auto op weg naar school? Wat heb ik verkeerd gezegd in godsnaam? Toen hij opstond voor de verzoenende omhelzing, verstijfde het meisje. Ik moet naar de wc, zei ze. Ze sprong overeind en liep de kamer uit.

Rechter Savage bleef alleen achter. Hij wachtte. Er hingen geen gordijnen voor de ramen. Buiten scheen de zon helder op de aangename straat; ze kwam 's middags nooit de flat binnen. Wat heeft

Mattheson ontdekt? vroeg hij zich af. Mijn leven staat op het spel. Op de muur stonden smoezelige rechthoeken waar de meubels hadden gestaan. Ik wilde niet dat alles zo gecompliceerd zou worden. Een streep schimmel volgde de omtrek van de grote muurkast. Eronder lag een hoopje nachtvlinders en spinnenwebben. We hebben hier vijftien jaar gewoond. Bijna mijn hele carrière. Tom is hier verwekt en geboren, dacht hij. Hoeveel van die tijd hadden ze geruzied! Ze hadden een muurkast gekocht die te groot was voor de kamer en er toen vijftien jaar mee gezeten. Ze blijft wel lang weg, dacht hij.

Hij zette zijn zonnebril af en raakte zijn ooglap aan. Zijn oog deed geen pijn meer. Met Minnie is alles goed, herhaalde hij tegen zichzelf. Dat is een opluchting. Ze halen het eraf en dan kan ik weer zien. Alles wordt weer zoals het was. Hij keek op zijn horloge. Melodrama bijna over, dacht hij. Het meisje draait wel bij. Hij begon honger te krijgen. Zoals na een zwaar examen. Ze zal het wel inzien. Uiteindelijk was ik het enige slachtoffer bij dit alles. Zelfs als het Minnie wel was gelukt je die avond te zien, zou het geen verschil hebben gemaakt. Je had haar geen raad kunnen geven. De valse premisse van elke raad, bedacht hij, is de stelling: als ik jou was. Hoe kan een man van mijn leeftijd een jonge vrouw uit een andere gemeenschap raad geven? De onderlinge verhoudingen tussen de leden van deze families zijn helemaal anders dan die waarmee een doorsnee-Engelsman opgroeit, had Mukerjee gezegd. Als Minnie een abortus had gewild, zei hij tegen zichzelf, dan had ze er een laten doen. Ze zou niet om raad hebben gevraagd. Mensen weten al wat ze moeten doen, zelfs als ze ten einde raad lijken en je om raad vragen. Ik ben blij dat Jane met Crawford getrouwd is, besloot hij. Hoe kan ik ooit jaloers zijn geweest op Gordon Crawford. Het is altijd onwerkelijk geweest.

Ogen dicht! zong zijn dochter. Ze moest op de gang staan net voor de deur. Waarom? Ogen dicht, herhaalde ze. Oog, zei hij. Oké, oog dicht. Hij hoorde haar binnenkomen en voelde toen haar aanwezigheid dichtbij. Knuffel me. Hij sloeg zijn armen om haar heen en deinsde meteen terug. Zijn hoofd sloeg tegen de kale muur. Zijn dochter stond naakt naast het matras.

15

De notaris had het over zijn hooikoorts. Rechter Savage arriveerde buiten adem. Zijn moeder had het en zijn dochter had het en nu had zijn kleinzoon het ook, dat arme ventje. Het stinkt hier naar menthol, merkte Daniel. De ramen zaten dicht en de zonwering was neergelaten. Er brandde een tl-lamp. Het is dus duidelijk erfelijk, excuseerde de man zich vanachter stapels dossiers. Hij was een oom van Martin naar het scheen. Zonden van de voorvaderen, grapte hij. Aan zijn linkerkant vertoonde een screensaver een continue wirwar van gekleurde buizen. Wat is er gebeurd? fluisterde Hilary. Het was haast kwart voor vijf. Dat vertel ik je later wel. Daniel ging zitten. Maar is ze bereid te vertrekken? Dat vertel ik je later wel. Hilary was ongerust. Overgevoelig voor timotheegras, legde de man nog steeds uit. Daar wordt hooi van gemaakt. We zullen iets met Christine moeten regelen, mompelde hij. Het zou gemakkelijker zijn geweest als hij naast haar was gaan zitten in plaats van de middelste stoel leeg te laten. Er waren drie stoelen, de niezende notaris achter zijn bureau onder zijn diploma's, en het gestaag ingewikkelder wordende scherm. Op het moment dat er geen ruimte meer over leek te zijn, begon een heldergroen neonbuisje zich snel en trefzeker door de massa te vlechten.

Ze wil dus niet vertrekken? Hilary sloot dramatisch haar ogen, alsof ze niet naar het einde van de wereld wilde kijken. Is er een probleem? vroeg de notaris nu. Typisch Hilary. Ze fluistert, maar hard genoeg om gehoord te worden. Toch geen belemmeringen op de valreep, hoop ik? Hij sprak met zwaar verstopte neus. Het is om te stikken hier, dacht Daniel. Alleen een paar details die we met mevrouw Shields moeten doornemen, zei Daniel. En trouwens – de oude notaris wreef in zijn handen – mijn hartelijke gelukwensen, meneer Savage. Dank u. Maar Daniel had het niet begrepen. Het is officieel, legde Hilary uit, je krijgt een lintje.

Terwijl hij probeerde te glimlachen, besefte rechter Savage dat hij dit eigenlijk niet had gewild. Hilary zou het tegen iedereen vertellen. Het is geen verdienste om aangevallen te worden. Waar is Christine? vroeg hij. Hij had niets moedigs gedaan. Te laat, zei Hilary. Daniel herkende het toontje dat ze opzette bij officiële gelegenheden. Ze is zenuwachtig. Het is alleen maar omdat ik niet blank ben, dacht hij. Ze zouden Martin nooit zo'n eer hebben bewezen. Als Martin was aangevallen. Waarschijnlijk het verkeer, glimlachte de notaris vanuit zijn Kleenex. Om nog maar te zwijgen van het parkeerprobleem sinds dat Saver Centre was geopend. Toen het erop leek dat het voor eeuwig door zou gaan, loste de screensaver op in een leeg scherm. Heeft Mattheson nog eens gebeld? vroeg Daniel. In een hoek verscheen een enkele rode buis die her en der zijn weg begon te zoeken.

De notaris begon te vertellen hoe plezierig het was als mensen een eigendom konden verkopen op vriendschappelijke basis, een basis van wederzijds vertrouwen, zonder al het gebruikelijke gesjoemel en gepingel en mensen die niet op tijd het huis uit gingen. Er bestaat geen consensus over hoe de dingen zouden moeten gebeuren. Hij had een cliënt – hij is zo iemand die het goed met zichzelf getroffen heeft, dacht Daniel – die zijn huis had verkocht en er op tijd uit was, maar de eigenaar van het huis dat hij had gekocht was er nog niet uit, ondanks de ondertekende contracten en volledige betaling. De notaris zuchtte, stak zijn handen uit met de handpalmen naar boven. Nu zit hij in een hotel met zijn vrouw en drie kinderen! Verschrikkelijk, vond Hilary. Op het randje van bankroet, benadrukte de notaris. Absurd genoeg deed dit Daniel aan het Cambridge denken. Hij had het er uiteindelijk wel naar zijn zin gehad. Je had nooit terug naar huis moeten komen, had Sarah gekrijst. Nooit nooit nooit. Ze had met haar hoofd op het matras gebonkt. Ik was zo gelukkig toen je wegging! Misschien kunnen we haar beter bellen, opperde Hilary.

Er werd niet opgenomen bij de Shields. Niemand wist of Christine een mobieltje had of niet. Ze zaten te wachten. Hun koper was nu drie kwartier te laat in een stad waar je in het ergste geval in een halfuur doorreed. Raar dat Martin niet opneemt, zei Hilary, aangezien hij de laatste tijd toch de deur niet uit komt. Hebt u gehoord dat hij is gestopt met werken? vroeg ze aan de notaris. Overdreven druk bezig met zijn hooikoorts ging de man niet in op de gelegenheid over zijn neef te praten. Plotseling bezorgd, maar misschien over iets dat helemaal niets met hen te maken had, zei hij wat een geluk het was dat dit de laatste afspraak van de dag was. We kunnen wachten zonder dat er iemand moet wachten, als u begrijpt wat ik bedoel. Zou ik een privé-lening kunnen krijgen van zo'n honderdduizend pond, vroeg Daniel zich af. Roem en eer moesten toch ergens goed voor zijn.

Ik kom te laat voor Max z'n pianoles, zei Hilary. De secretaresse van de notaris stak haar hoofd om de deur om te vragen of ze weg mocht. Ik meen te begrijpen, hoorde Daniel zichzelf zacht tegen zijn vrouw zeggen, dat Sarah Max eerder kende dan jij? Het beeld van het lichaam van zijn dochter stond hem nog steeds voor de geest. Hilary keek met half dichtgeknepen ogen op haar horloge. Ja. Het schijnt dat ze hem heeft aangeklampt, wil je het geloven, op een van haar rare evangelische uitstapjes. Ze heeft geprobeerd hem te bekeren. Maar je kunt natuurlijk wel raden wat er gebeurd is, vervolgde ze; ze hebben het weer bijgelegd, Christine en Martin, en dus zijn ze van gedachten veranderd. Ze wilden de flat kopen omdat ze uit elkaar gingen, maar deden net alsof er niets gebeurd was, waarschijnlijk om zijn ouders niet overstuur te maken, zijn ouders leven toch nog, maar nu puntje bij paaltje komt hebben ze het uitgepraat en zijn ze van gedachten veranderd en zitten wij met de gebakken peren. Het was een krankzinnig idee. Ze hebben al vijftigduizend pond betaald, zei Daniel zuur. Ze zijn niet het soort mensen dat zijn woord niet nakomt.

Weer loste de onmogelijke wirwar op het scherm zich op magische wijze op. Toen ze even na zes uur naar huis reden, beiden inmiddels hoogst ongerust en in het besef dat er allerlei praktische problemen opgelost zouden moeten worden, vertelde rechter Savage zijn vrouw hoe Sarah al haar kleren had uitgetrokken. Ik dacht dat ze eindelijk bereid was te vertrekken, zei hij. Ze zei dat ze even naar de wc ging. En toen ze terugkwam had ze geen kleren aan. Ik had het haar niet moeten vertellen, dacht hij meteen.

Hilary hield haar ogen op het verkeer gericht. Ik wist niet wat ik moest doen, ging hij door. Hij had het gevoel dat hij het meisje had verraden. En ik veronderstel dat ze geknuffeld wilde worden, zei

Hilary rustig. Ja. Was dat de eerste keer? Natuurlijk was dat de eerste keer verdomme, riep hij, anders had ik het je wel verteld! Hilary beet terug: Hoe moet ik nu weten wat je me vertelt en wat niet? Ze wierp hem een gloeiende blik toe. Ze had een mooi rond Engels gezicht met grijsblauwe ogen en grijzend blond haar. Ze zat kaarsrecht achter het stuur. Ze zei dat ik haar leven had verwoest, zei Daniel, door weer thuis te komen. Ze zei dat als ik wegging ik ook weg had moeten blijven. Zei ze dat? vroeg Hilary. En om dat te zeggen moest ze naakt zijn, veronderstel ik.

Rechter Savage gaf geen antwoord. Hilary reed met stijve armen, beide handen boven op het stuur. Haar mond stond strak. Straten verschenen, draaiden verschillende richtingen op en verdwenen weer. Mijn vrouw wekt de laatste tijd de indruk, besefte hij, dat het leven een uitputtende opdracht is, een loodzware last. Zelfs wanneer ze vrolijk is, dacht hij, en uitroept dat ik niet zo flauw moet doen, is het om je aan te zetten tot een uitputtende taak, om je een loodzware last te doen optillen. Kinderen opvoeden, musiceren, de liefde bedrijven. We zijn alle twee uitgeput, zei hij.

Toen zei Hilary: Ze heeft het twee keer bij mij gedaan. Wat? Zich zomaar uitgekleed, zoals je zei, en om een knuffel gevraagd. Maar waarom heb je me dat niet verteld? Je had genoeg aan je hoofd. Je was net begonnen als rechter. Ik dacht dat je dat wel kon missen. Daniel werd een vreemd loodzwaar gevoel gewaar. Zijn oog deed pijn. En wat heb jij dan gedaan, vroeg hij. Ik heb haar gezegd dat als ze zoiets raars wilde doen, ze het dan maar met Max moest doen, niet met mij. Met Max? Er begon een belletje te rinkelen in Daniels hoofd. Kleed je aan, had hij tegen haar gezegd. Hij realiseerde zich dat hij te scherp had gesproken. Hij had geroepen. Misschien was een andere reactie beter geweest, iets met meer tederheid. Maar hij kon niet bedenken wat. Hilary remde hard voor een hond. Je moet niet denken – hij had heel scherp gesproken – dat je me voor schut kunt zetten! Waarom had hij dat gezegd? De hond besloot toch niet over te steken. Zijn oog was een seconde op haar geslacht blijven rusten. Het was voor het eerst sinds vele jaren dat hij haar naakt had gezien. Waar was je, vroeg Hilary vlak, die avond voor ze je in elkaar hebben geslagen?

Ze bevonden zich nu buiten het centrum op de snelweg. Hij had deze aanval wel verwacht, maar was er niet op voorbereid. Ik bereid mijn leugens niet meer voor, besefte hij. Je weet toch, zei ze, dat je me gebeld hebt om te zeggen dat je in de Polar Bear zat te wachten op Crawford. Je zei dat je daar in de kroeg zat. Dat was dan vlak voor het gebeurd is, hield ze vol.

In de stilte die volgde – ze probeerde rechts af te slaan, een moeilijke manoeuvre tegen het snelle tegemoetkomende verkeer in – besefte hij het gevaar dat hij ongewild de waarheid zou vertellen – ze zouden hier stoplichten moeten zetten, mompelde ze – uit pure uitputting. Voorzichtig! riep hij onwillekeurig. Hilary liet de koppeling met een ruk opkomen. De auto schoot een paar meter vooruit, stopte weer. Ze greep het stuur en wachtte. Ik moet dat niet doen, besloot hij. O, maar wat haatte hij die lange stiltes van zijn vrouw op cruciale momenten. Het zou allemaal verkeerd lopen, dacht hij. Ze keek naar het tegemoetkomende verkeer. Ze reden weer. Eindelijk zei hij: Nou, dan zal ik wel in de Polar Bear hebben gezeten zeker. Wat moet ik zeggen? Ik herinner het me niet meer. Waarom heb je me dat niet eerder verteld? Het was een leugentje om háár bestwil. Nu gaf ze meteen antwoord. Maar Crawford zegt dat hij niets wist van een afspraak met jou. Daniel schudde zijn hoofd. Ik weet het niet. Misschien is er ergens een boodschap niet aangekomen.

Vijf minuten later slaakte Hilary een kreetje en zei: Jane Simmons is die week toch teruggekomen? Abrupt stopte ze de auto onder aan hun heuvel, wendde zich van hem af en keek uit het raampje. Boven de korenvelden stapelden zachte wolkenlagen zich op aan de horizon. Ik was níét bij Jane, zei Daniel meteen. Hij legde zijn hand op haar schouder. Ze bleef stijf zitten. Ik heb je al duizend keer verteld... Je weet dus wel wat je níét hebt gedaan, riposteerde ze. Hilary, Hilary... Ik wil het niet weten! Ik had dat telefoontje kunnen laten natrekken, zei ze. Ik had naar de telefoonmaatschappij kunnen bellen of het de politie kunnen vertellen. Maar dat heb ik niet gedaan. Ik wil het niet weten.

Hij probeerde haar in zijn armen te nemen, maar ze verstijfde. Ze was net als Sarah, dacht hij. Toen keerde ze zich bruusk weer naar het stuur en zette de auto in de versnelling. We moeten dat geldprobleem regelen, zei ze grimmig, voor we op straat komen te staan. Daniel was woedend. Het was precies het soort opmerking waar hij gek van werd. Je weet dat het niet zo dramatisch is, schreeuwde hij, ze zetten ons nooit op straat. Ik heb verdomme net een lintje gekregen, in godsnaam. Het is alleen maar een geldprobleem! Hilary trok op. Zelfs als we het allemaal zouden moeten betalen – hij wilde haar dwingen het toe te geven – ze gaf plankgas – en de twee huizen voor altijd zouden moeten houden, wat niet het geval is, dan zouden we met mijn salaris een lening... Hij wist dat ze niet luisterde. We zouden samen zo gelukkig zijn zonder haar, had Hilary gezegd. Ze luistert nooit. Je hebt mijn leven verwoest toen je terugkwam, had zijn dochter gehuild. Ze was maar met haar hoofd blijven bonken. Ik begrijp helemaal niets, dacht Daniel.

Hilary reed het hek door en trok een seconde te vroeg hard aan de handrem. Er heeft een zekere Mattheson gebeld, riep Tom vrolijk toen hij open kwam doen. Hij wil dat je hem terugbelt. Ik heb zijn nummer opgeschreven. O, fantastisch, Tommy, zei Hilary met haar gewone vrolijke stem. Begin je nu eindelijk de nummers op te schrijven? Max, riep ze. Het spijt me verschrikkelijk! Die arme Tom schreef nooit iets op, legde ze uit. Dan kwamen we thuis en zei hij: Er heeft iemand gebeld, en wist hij niet meer wie of wat. Ze lachte. Max was beleefd als steeds. Vooruit, Debussy! riep ze. Laat eens horen wat je ervan terechtbrengt. Daniel pakte het papiertje met Matthesons nummer erop en stopte het in zijn zak. Nu een mobieltje.

Wat een vreemde, ontwijkende muziek was dat toch! Die rottige Debussy, kreunde Tom. In de glimmende nieuwe keuken warmden Daniel en zijn zoon een blikje soep op. Terwijl hij naar buiten stond te kijken door de schuifdeuren, maakte de jongen een werpbeweging. Het is nergens vlak genoeg om te oefenen, klaagde hij. Voetbal was ineens verleden tijd. De achtertuin liep omhoog naar een stenen muur en de dikke wolken erachter. Het zag er stevig uit. Daniel ging terug naar de woonkamer waar Hilary heen en weer liep naast de piano en de maat sloeg op haar dij, terwijl Max mooi zat te zijn achter het klavier en helemaal opging in zijn muziek. Overdag accountant, muzikant in zijn vrije tijd. Misschien was het fout om dat ding zo snel te hebben gekocht, dacht Daniel. De spottend plechtige tonen vulden de kamer. Per slot van rekening was het weer dertigduizend meer om te lenen. Hij zag de bloemen die ze had neergezet. Niemand kon ontkennen dat Hilary smaak had, ze had de kamer met een eenvoudig maar zonnig comfort ingericht.

Zullen we wat soep voor je bewaren, gebaarde hij. Hilary schudde haar hoofd. Ze begon Max te vertellen dat hij het helemaal verkeerd deed. Je moet niet zo flauw sentimenteel doen! Ik moet Max z'n telefoonnummer te weten komen, besloot Daniel. Ik moet hem onder vier ogen spreken. Hij was vergeten waarom hij de kamer was binnengekomen en ging weer terug naar de keuken. Je hebt die Mattheson nog niet gebeld, zei Tom. Hij zei dat het dringend was. De jongen doopte een stuk brood in zijn kom, wendde zijn hoofd af om het in zijn mond te kunnen steken. Zijn haar is te lang, dacht Daniel. Er hing een stilte tussen hen in en tegelijkertijd was de kamer gevuld met het geluid van de piano, die stopte en opnieuw begon bij dezelfde zachte passage. Met Debussy moet je absoluut niet sentimenteel doen, klonk Hilary's stem. Tom grinnikte naar zijn vader. Wanneer hij het meest romantisch lijkt, kun je er donder op zeggen dat hij het juist niet is! Zo zit dat! giechelde Tom. Daniel probeerde te lachen, maar herinnerde zich wat hij was gaan doen en stond op en liep weer naar de woonkamer om de telefoon uit haar tas te gaan halen. Weer koos hij het nummer van de Shields.

Is er iets mis, pap? vroeg Tom. Rechter Savage keek naar zijn zoon. *Natuurlijk weet Tom het*, had Sarah gezegd. Hij is niet achterlijk, hoor. Had Hilary niet dezelfde woorden gebruikt toen ze hem vertelde dat Sarah het wist? Ze is niet achterlijk, hoor. Tom wist het. Toch leken de problemen van zijn ouders de jongen niet te deren. Hij leest zijn oorlogsboeken, heeft zijn computerspelletjes, zijn sport, en nu de hond. Hij is een doodnormaal kind. Waar is Wolf? vroeg Daniel. Met zijn mond vol haalde Tom zijn schouders op. Daniel keek naar zijn zoon. Wat vind jij van Max? vroeg hij. Tom keek onder de tafel of de hond daar zat. Ik vind hem oké. Het dier kwam kwispelend achter een stoel vandaan. Het huis steunt op Tom, dacht Daniel plotseling. We moeten Tom beschermen.

Rechter Savage ondernam een vage poging: Ik ben er nooit achter gekomen, Tom, maar is er echt iets tussen hem en Sarah? O, ik denk dat ze hem wel ziet zitten, zei Tom achteloos. Maar je weet hoe ze is. Nee, dat weet ik eigenlijk niet, hoe is ze dan? Tom keek op: Fantastisch als ze er niet is, lachte hij. Papa? vroeg hij. Nu stond hij in de vriezer te neuzen. Je weet die boom die ze hebben omgezaagd naast de achtermuur? Hij pakte een ijsje. Weet je wel? Hij wilde het hout gaan verbranden. Wat heeft dat nu voor zin? Het is al zo warm. Mis je je zus helemaal niet? vroeg hij. Alsjeblieft, papa. Mag ik hem in stukken hakken? Hij moet toch weggehaald worden. Dan kunnen we een paar houtblokken in de haard stoppen. Goed dan, zei Daniel. Als die twee klaar zijn met hun les.

Max was goedgehumeurd en hielp hen de stukken hout naar binnen dragen. Hij hield de blokken vast terwijl Tom hakte en zaagde. De avond werd ineens winderig toen het begon te schemeren. Des te beter – Hilary klapte in haar handen – dan kunnen we net doen of het koud is! Ze stapte op een onrustbarende manier over van paniek naar luchthartigheid. Ze gaat een cake bakken, wist hij. Ze deed het. Laten we taart eten, zei ze. Ik maak een taart. Ze rommelde in kastjes, liep heen en weer, zei dat het niet erg was dat er stukjes schors op het nieuwe tapijt terechtkwamen: Geen probleem, ik stofzuig wel, zei ze, en het was ineens, dacht rechter Savage, alsof ze alle twéé haar kinderen waren, Tom én Max. Ze was gelukkig met dit gezin. Terwijl Sarah in haar eentje in die oude lege flat zit met een radio en een doos Mon Chéri.

Hij hurkte en begon *The Times* te verscheuren en hem in het haardrooster te leggen. Wilt u uw foto niet bewaren, meneer Savage? Max was de perfecte aanvulling voor het gezin. Hilary zei plotseling: Dan, ik denk dat je naar Martin en Christine moet gaan om te kijken wat er aan de hand is. Maar ze nemen de telefoon zelfs niet op, zei hij. Het is dus niet waarschijnlijk dat ik ze zal aantreffen. Ik vind dat je toch moet gaan, zei ze. Laat een bericht achter. Het is zo raar dat ze niet gekomen is. O, toch niet nu, mama! protesteerde Tom. We staan op het punt de haard aan te steken! Mag ik jouw aansteker gebruiken, Max? Het is nu het beste moment. Ik vind dat je moet gaan om te kijken hoe het zit, drong Hilary aan. Ze was plotseling weer ongerust. We moeten het per slot van rekening toch weten, niet soms? We moeten morgen iets tegen die bankmensen zeggen. We kunnen niet zomaar wachten op de deadline zonder te weten wat er aan de hand is.

Rechter Savage had zijn jasje weer aangetrokken en stond al bij de deur toen het hem te binnen schoot. Ik mag nog niet rijden. Hilary keek scherp op. Ik weet zeker dat je het kunt, zei ze. Je zei zelf dat je heel goed kon zien. Als ik een ongeluk krijg, zei hij, dan ben ik verantwoordelijk. Ik heb nog geen gevoel voor afstand, legde hij Max uit. Hilary zei niets. Ze wil niet alleen met me in de auto zitten, besefte hij. We zijn uitgeput. Ze is ervan overtuigd dat ik Jane heb gezien. Zijn hoofd deed pijn, zo stom was het allemaal. En ze hadden hem een lintje gegeven. Member of the British Empire! Ik kan u wel brengen, meneer Savage. Max veegde zijn handen af. Hilary deed haar mond open, sloot hem weer. O, papa! protesteerde Tom.

Tot zijn eigen verbazing zei Daniel: Dat is goed, bedankt, ik ben alleen een beetje moe, weet je. De grote jongeman leek nog groter in zijn kleine auto. Hij reed efficiënt. Toen hij schakelde glansde er een manchetknoop. Hij is de beleefde schoonzoon uit Amerikaanse films, dacht Daniel. Uit de jaren vijftig. Er zit geen kwaad in hem. Ik heb vandaag gehoord, probeerde hij, dat je ons eigenlijk hebt leren kennen via Sarah. Max was in een goed humeur. Ze heeft me meegenomen naar een van de kerkconcerten van mevrouw Savage, lachte hij. Het was vriendelijk van je, zei hij, om wat eten te gaan brengen op Carlton Street. O, ik ben alleen maar gaan afgeven wat mevrouw Savage me heeft meegegeven.

Toen bedacht Daniel dat Tom nog ontstemder was geweest over het vertrek van Max dan over het zijne. Wat Max wil is een gezin, geen vrouw. En kennelijk wilde het gezin hem. Sarah heeft het moeilijk momenteel, zei hij. Max haalde diep adem, knikte en zuchtte: Inderdaad. Daniel drong aan: Onder ons gezegd, Max, ik bedoel, geen woord tegen Hilary hierover, maar denk jij dat ze eens met een psychiater zou moeten praten? De jongeman gaf niet meteen antwoord. Expres haar examens om zeep helpen, voegde Daniel eraan toe, je weet wel wat er gebeurd is, en daarna dat rare welles-nietesverhaal over die flessendop, en dan terugkomen uit Italië als ze nog maar een paar dagen te gaan heeft.

Ik heb inderdaad voorgesteld aan mevrouw Savage, zei Max voorzichtig, dat ze misschien contact zou kunnen opnemen met een psycholoog, een psychoanalyticus of zo. Eerlijk gezegd dacht ik dat het meer met een gedragsstoornis te maken had, weet u, terwijl psychiaters je altijd medicijnen willen voorschrijven. Daniel was verbaasd over deze uitweiding. Je hebt gelijk, zei hij. En wat zei Hilary daarop? Ze dacht dat zodra we zouden toegeven dat Sarah ziek was, het meisje misschien zou denken dat ze carte blanche had om zo raar te doen als ze maar wilde. Daniel herkende zijn vrouw in deze woorden. En ik denk inderdaad dat ze daar gelijk in heeft, vervolgde Max. Maar heb je enig idee, vroeg rechter Savage, wat haar probleem is? Er kroop een ongewenste intensiteit in zijn stem. Max trok de aansteker eruit om hem naar zijn sigaret te brengen. Daniel keek naar zijn getuite lippen. Waarom ben ik zo onder de indruk, vroeg hij zich ineens af, van de schoonheid en de goede manieren van deze jongeman? Zijn volle rode lippen. Roken is een domme gewoonte! Hij dacht aan pastoor Shilling en zijn folterende hoest. Sarah rookt tenminste niet. Nou, zei Max op zijn vlakke, afgewogen toon, ik weet het echt niet, meneer Savage, het is moeilijk uit te maken. Hij blies een stroom rook uit. Toen zei hij: Het is duidelijk dat ze een of ander probleem heeft waardoor ze geen vriendje kan krijgen.

Het was nogal een verrassing toen het hek meteen openklikte nadat hij op de bel had gedrukt aan het einde van de kleine oprit. Daniel was ervan uitgegaan dat het tochtje vergeefs zou zijn. Door het struikgewas zagen ze een licht aangaan boven de voordeur. Ik blijf wel in de auto wachten, riep Max. Toen het hek opendraaide waren Daniels gedachten weer helemaal in beslag genomen door de affaire met Christine en Martin.

Dan! De wind van een uur geleden was alweer gaan liggen. Het was Christine. De regen was uitgebleven. Dan, ik heb Hilary zojuist aan de telefoon gehad! Daniel hield een vrouw in zijn armen die nog zacht van de douche en gehuld in een badjas op haar stoep stond, waar de buitenverlichting in de zomeravond snel wolken nachtvlinders aantrok. Hmm, zei ze, fijn je te zien. Ik ben niet alleen, zei hij. Dat weet ik, zei ze. Die jongen is bij je, hè? Maar ondanks Max, besloot Christine de deur achter hem dicht te doen. Dat is beter. En ze legde uit dat ze Hilary's mobieltje gebeld had rond halfvijf, maar dat het in gesprek was, en dat ze op dat hectische moment het nummer van de notaris niet had kunnen vinden en dus naar Carlton Street had gebeld en met Sarah had gesproken die had beloofd meteen naar haar vader en moeder te bellen. Maar nu bleek dat ze dat natuurlijk niet gedaan had. Ik vind het zo, zo vervelend, zei Christine. Ze streek een lok vochtig haar uit haar gezicht. Het ziet ernaar uit dat je echte problemen hebt met dat meisje. Toen vertelde ze hem dat Martin met spoed naar het ziekenhuis was gebracht. Hij kon niet meer ademen. Hij bleef maar overgeven.

Ze stonden in de gelambriseerde hal net als een maand geleden. Misschien vond ze het leuk hem daar te ontvangen. Er stond een doos met flessen voor de glasbak bij de deur, en eentje met kranten, en aan de muur hing een portret dat iemand van Martin als kind had gemaakt. Maar waarom? vroeg hij. Ze zuchtte. Hij kon net de sproeten zien op de zwelling boven de gleuf van haar borsten. Hij heeft iets opgelopen, zei ze vaag – fletsgroene ogen had ze – van al dat gedoe met zwammen en motten. Toen vroeg ze: Krijg ik een kus, Dan? Er was ooit een vrouw van een collega van hem geweest, herinnerde hij zich, die alleen maar de liefde met hem wilde bedrijven in de kelder. Wat heerlijk, zuchtte ze.

Ze reden terug naar de ringweg, en vervolgens in zuidelijke richting naar het ziekenhuis. Max wilde van geen bedanken weten. De lichten raasden voorbij. De storm was overgetrokken. Max zei dat het hem verbaasde dat het altijd druk was op de ringweg, hoe laat ook. Net zoals je hart altijd maar klopt, zei hij. Dat gaat maar door en door. Laten we het hopen, zei Daniel.

Toen rechter Savage zoals steeds de meisjes zag staan in hun verveelde houding in de wind die voorbijrijdende auto's deden ontstaan, zei Max: Dat is toch de brug waar ze die stenen vanaf hebben gegooid? Daniel keek op, maar ze waren er al voorbij. Hij zou al dood zijn geweest. Weet je, zei hij tegen Max, ze zijn stenen gaan halen in een groeve mijlen verderop en er heel doelbewust mee naar de brug gekomen. Kun je dat geloven?

Martin had een eigen kamer gekregen. Ik houd niks binnen, fluisterde hij. Weten ze wat er mis is? Ze hebben een paar testjes gedaan. De twee mannen keken elkaar aan. Martins gezicht was wit, zijn baard grijs. Nou, ik heb op de vijfde gelegen, zei Daniel ten slotte. Intensive care. En als ík eruit ben gekomen, kom jij er zeker uit. Maar dat klonk verkeerd. Dit was een man die zonder een schrammetje een doodsklap had overleefd. Nu zag hij er ernstig ziek uit, en vooral somber en verslagen. Christine zei iets over een infectie door die paddestoelen en zo. Dat is maar een idee, zei Martin zwakjes.

Het was stil. Deed het zijn oude vriend plezier dat hij bezoek kreeg? Daniel dacht eraan hem over zijn ontmoeting met Frank te vertellen. Hij woont in de buurt van het noorden, zei hij. Echt? Er flikkerde een beetje interesse op in de doffe ogen. Daniel zat op de stoel naast het bed. Wil je geloven dat hij een marktkraam heeft in Doherty Street? Hij schijnt het naar zijn zin te hebben. Maar hij is altijd een excentriekeling geweest. Zo gek als een deur, zei Martin. Er was een tijd in hun leven dat ze eindeloos over Frank hadden gepraat. Over het gezin van de kolonel. In antiek, legde rechter Savage uit. Ze hadden elkaar per slot van rekening door Frank leren kennen. Frank zat in Martins klas. Heb je ooit geweten dat hij homo is? vroeg Daniel. Want hij woont nu samen met een jonge Amerikaan. Ze runnen samen die kraam. Ik dacht ineens dat dat misschien alles zou kunnen verklaren.

Martin leek problemen te hebben. Even dacht Daniel dat hij zat te lachen, maar in feite was hij aan het stikken. Nu kokhalsde hij zo krampachtig dat Daniel naar de schakelaar reikte die naast zijn bed hing. Er kwam niemand. Daniel schoof een arm rond zijn vriend en trok hem omhoog. Martin! Kom op, man. In godsnaam! Martin worstelde, hoestend als bezeten. Zijn gezicht was doodsbleek. Het licht ging aan en een Indiaas meisje begon de rechter de kamer uit te werken. Hij moet rusten! Er verscheen nog een verpleegster. Een dikke, blanke vrouw van middelbare leeftijd. Het bezoekuur is om halfnegen afgelopen, zei ze.

Tijdens de rit naar huis vond ook Max het de normaalste zaak van de wereld dat iemand zichzelf ziek maakte als er een relatie op de klippen liep. Na wat ik heb meegemaakt met mijn ouders, lachte hij, denk ik niet dat het ooit weer goed komt. Zijn ouders waren kennelijk gescheiden. Zijn moeder had meteen daarna borstkanker gekregen.

Er mag van alles aan de hand zijn, zei Hilary, maar we zijn godzijdank gezond! Toen ze thuiskwamen verkeerde ze in een bijzonder emotionele staat. Ze had Christine weer aan de lijn gehad. Godzijdank! Ze zei het wel vier of vijf keer. Later, toen ze stonden te kijken hoe de hond in de fluwelen duisternis van de tuin plaste, leunde Hilary tegen haar echtgenoot en legde een arm om zijn schouder. Martins crisis heeft ons een excuus gegeven om het weer goed te maken, besefte hij. Hij was opgelucht. Het gras begint te kiemen, fluisterde ze. Er ligt zo'n groene gloed over. Laten we geen ruzie maken, zei ze. Alsjeblieft, Dan. Laten we gelukkig zijn. Hij kuste haar.

Even na twee uur 's nachts ging de telefoon. Daniel was diep in slaap geweest. Mattheson! Hij ging overeind zitten. Het is Sarah, zei Hilary. Ze schudde haar hoofd. Ze wil jou spreken. Sarah! Hij liet zich op een elleboog terugzakken. Ben jij dat, papa? Natuurlijk ben ik het, lieverd. Het meisje klonk erg voorzichtig. Hij ving een glimp op van de glinsterende ogen van zijn vrouw die toekeek. Ik heb zojuist een raar telefoontje gehad, papa. O ja? Toen hoorde rechter Savage zijn dochter uitleggen dat ze met een warrig persoon gesproken had. Ze zei dat ze je nummer niet had, maar ik denk dat ze Minnie heette. Hij hield de hoorn stevig tegen zijn oor gedrukt. Ze zegt dat ze echt een plek nodig heeft om te kunnen overnachten. Ze zei dat ze in de problemen zat. En? Nou, ik wilde haar je nummer niet geven. Aha. En dus heb ik gezegd dat ze hierheen kon komen, papa. Ik dacht dat dat het beste was wat ik kon doen.

16

Als de samenleving bijeen wordt gehouden door het respect dat mensen op een of andere manier voor elkaar hebben, en door de overtuiging dat het echt beter is om een fatsoenlijk dan een crimineel leven te leiden, dan wordt de functie van een proces en de taak van een rechter duidelijk genoeg. Dat had rechter Savage tenminste altijd gedacht. Toen hij achter zijn bureau ging zitten, opende hij een la en nam er een blok schrijfpapier uit. Wanneer dat respect en die overtuiging verwoest zijn door een verschrikkelijke misdaad, moet een proces de betekenis van wat er is gebeurd in het openbaar naar voren brengen. De samenleving, zelfs al kan ze niet helemaal geloven dat de mens naar Gods evenbeeld is gemaakt, geeft toch aan dat dergelijke zaken zeer serieus genomen worden en niet zullen worden getolereerd.

Daniel had vaak op deze manier gedacht. Hij leunde voorover om een pen te pakken. Wee hem die meent dat dit alles een klucht is. Hij zal gestraft worden.

Maar als zo'n schending van het algemene vertrouwen niet opgemerkt is, had hij ooit aan Martin gevraagd, wat dan? Daniel staarde naar het witte papier. Hij had ooit twee Ierse huisbedienden verdedigd, man en vrouw, die de oude dame voor wie ze zorgden voor een half miljoen pond hadden opgelicht. De dame leed al lang aan Alzheimer en had het niet eens gemerkt. Ze had geen erfgenamen die werden benadeeld door de diefstal. Het Ierse echtpaar had goed en zelfs liefdevol voor haar gezorgd. Een half miljoen was nog niet de helft van haar fortuin. In dit geval bracht het openbaar maken van de zaak eigenlijk schade toe aan het algemene vertrouwen, omdat er kwaad werd gevonden waar men alleen maar goed had gezien. Nadat het echtpaar achter slot en grendel was verdwenen, ging de oude dame al snel het hoekje om.

En wat denk je hiervan, had Daniel geopperd (hij speelde graag advocaat van de duivel tegenover Martin): wat als een sportman, al lang dood, of een soldaat, politicus, nationale held, bewonderd in biografieën en gelauwerd op school – er zijn ongetwijfeld monumenten voor hem opgericht – op een of andere manier blijkt te hebben vals gespeeld, of een mooie twaalfjarige knaap te hebben betast op de achterbank van een auto. Heb je iets aan die wetenschap? Daniel greep de pen stevig vast. Heeft een jonge nieuwe belastingbetaler er iets aan te weten dat bijna al zijn ouderen en meerderen ooit iets hebben ontdoken?

Ja, veel begane misdaden worden nooit ontdekt, bracht Daniel zichzelf deze ochtend in herinnering, achter zijn bureau gezeten en wachtend op het moment dat hij zou beginnen te schrijven. Hij ploegde zijn hand door een grijze warrelige haardos. Nog steeds wachtend, keek hij in zijn agenda en zag dat hij bij een vergadering hoorde te zijn over jonge delinquenten die moesten voorkomen. Vervelend.

Maar wat had Martin destijds gezegd? Hij kon het zich niet meer herinneren. Iets over zijn moeder, aan wie hij had opgebiecht dat hij als puber geld uit haar tas gestolen had. Kon dat? Daniel was verbijsterd. Misschien herinnerde hij het zich niet goed. Het was te stom. Begin eraan, zei hij tegen zichzelf. Begin met de datum. In jezusnaam! De balpen wilde niet schrijven. Even zette hij er kwade halen mee over het papier.

25 augustus.

En er zijn natuurlijk ook veel misdaden die wel ontdekt worden maar niet opgelost. Hij was vroeg naar zijn kantoor gekomen. De politie lost er maar één op de tien op. Of iets in die buurt. Ondanks het doktersverbod had hijzelf gereden. Maar komen we er daardoor zoveel slechter van af? Kunnen we ons voorstellen dat de politie alles oplost? De rechtbanken zouden vol zitten. Ja, Martin had het gehad over het opbiechten van een diefstal tegenover zijn moeder, over zijn persoonlijke ervaring met de reinigende werking van jezelf blootgeven en schaamte, de manier waarop je door die gevoelens opnieuw integreerde in een grotere samenleving, bevrijd werd van het isolement van schuld. Hij is christen, herinnerde Daniel zich. Plotseling vond hij het verbijsterend dat zijn oude vriend en lezer van Sartre christen was. Of was geweest. Martin was altijd hopeloos serieus geweest. Daarom respecteerde je hem. Op het pompeuze af. Maar hoe zou de wereld eruitzien als iedereen alles tegenover iedereen opbiechtte? Er was niets gezegd over het christendom in deze maanden van Martins vreemde moedeloosheid en nu zeer reële ziekte. Hij is doodziek, mompelde Daniel. Hoewel Christine ook naar de kerk ging. Hoe viel dat gepraat in de King's Head over dat we allemaal koolstof waren, te rijmen met het christendom, met de reinigende kracht van het opbiechten van een diefstal tegenover je moeder? Dat had ik hem moeten vragen. Tenzij het de onbuigzaamheid van Martins vroegere opvatting zélf was die hem zo kwetsbaar had gemaakt dat hij nu was ingestort.

En hoeveel misdrijven ten slotte zijn er die wel opgelost worden, maar toch ongestraft blijven? In veel gevallen had Daniel zelf de verdediging gevoerd. Nog iets waar ze over hadden gesproken. Veel zaken had de CPS niet eens voor het gerecht gebracht. Hoe erg is dat? Wat zouden we erbij winnen als elk misdrijf voor het gerecht werd gebracht? Hoeveel was er gewonnen door de Mishrazaak voor het gerecht te brengen? De mensen passen hun gezichtspunt aan aan hun situatie, dacht Daniel. Ook al is dat onbewust. Je dochter wordt overtuigd christelijk, fundamentalistisch zelfs, ze praat er voortdurend over, zes maanden lang gaat ze elke avond zieltjes winnen. Ergerlijk. Dan ineens heeft ze het er niet meer over. Ze heeft het niet meer over God. Bezoekt de kerkgemeenschap niet meer. Hij legde zijn pen neer. Ze wordt christelijk om een probleem op te lossen, om een soort discrepantie te overwinnen tussen de manier waarop zij de wereld ziet en zoals hij is. Ze knipt haar haar kort en slordig. Ze voelt zich niet op haar gemak. Ze heeft het over goddelijke bemoeienis met haar schoolcarrière. Daniel dacht na. Je mocht je biecht wel even uitstellen om over je dochter na te denken. Vervolgens schrijft ze een paar maanden later obsceniteiten op haar examenopgaven. De anonieme brieven, herinnerde Daniel zich, waren een mengelmoes van fundamentalisme en obsceniteiten, een radicale discrepantie.

Het was een klamme ochtend in augustus. Zo meteen zou hij beginnen te schrijven. Daniel veegde zijn klamme handen af. Hij was niet bang dat hij van gedachten zou veranderen. Op het moment dat hij de telefoon had neergelegd gisteravond, had hij ingezien wat er moest gebeuren. Hoe kon hij door blijven leven in zo'n kwetsbare situatie? Hij had Hilary verteld dat Sarah zich wilde verontschuldigen voor de scène eerder op de dag. Daarom had ze naar mij gevraagd. Maar toen had hij al ingezien wat hij moest doen. Hoe zou hij kunnen functioneren onder de constante dreiging van een schandaal? Minnie was thuis weggegaan. Met wat vertraging had ze zijn advies opgevolgd van zeven jaar geleden. Ze heeft gekozen voor een westers leven, en niet voor een oosters. Ze weigert de wetten van absolute gehoorzaamheid en treedt naar buiten. Nu zul jij je ook moeten aanpassen, dacht hij, nu gaat de beerput open.

En het was zo'n onbeduidend misdrijf geweest, zo'n toevallige kruising van totaal verschillende levens!

Rechter Savage keek op zijn horloge. Deze filosofische vragen mochten interessant zijn, ze waren op dit moment niet echt op hun plaats. Mattheson werkte per slot van rekening aan iets wat zeer zichtbaar was geweest: het afranselen van een strafrechter na een controversiële uitspraak in een zaak met zware gevolgen voor de lokale raciale verhoudingen. Verre van verborgen te blijven, was dit misdrijf landelijk uitgezonden als zijnde een regelrechte aanslag op de samenleving en de goede rechtsorde. De daders moesten gestraft worden. Zelfs als het helemaal niet zo was gegaan als het grote publiek wel dacht. Het was integendeel een verdediging geweest van een ander soort samenleving, een verdediging gebaseerd op een misverstand. Maar dit is niet relevant, zei Daniel tegen zichzelf. Dit is het soort misdrijf dat, wanneer het eenmaal is opgelost, zeer snel voor het gerecht zal komen en gestraft zal worden met voorbeeldige strengheid. Weer bleef zijn pen treuzelen. Ik heb een verdachte, had Mattheson gezegd. Wie?

Pas nadat ik het had opgebiecht, had Martin destijds uitgelegd, had ik het gevoel dat het echt achter me lag en dat ik het nooit meer zou doen, precies vanwege de schaamte die ik voelde tijdens het opbiechten. Was het mogelijk dat een intellectueel als Martin zo'n zwak en persoonlijk antwoord had gegeven op zo'n complexe vraag over het onthullen van kwaad in het openbaar? Was het mogelijk dat hij over de noodzaak van absolute openheid in het huwelijk had gesproken? Misschien was Martin altijd al ziek geweest, dacht rechter Savage. Wat had je er bijvoorbeeld aan om iets achter de rug te hebben als je tegelijkertijd je hele leven verwoestte? En misschien de levens van anderen ook. Dat was geklets van de zondagsschool. Weer veegde Daniel zijn handen af. Dat rokkenjagen van me was maar een fase, zei hij tegen zichzelf. Franks leven was helemaal bepaald door die ene onthulling van wat waarschijnlijk een korte aberratie was geweest, het wreedaardige afreageren van zijn rancune tegenover zijn ouders op een geadopteerd jonger broertje. Het zou vanzelf gestopt zijn op de dag dat Daniel hem niet meer zou proberen te behagen.

Maar dergelijke bedenkingen hadden geen zin. Want nog afgezien van de bijzondere kijk die een politieman kon hebben op de rechtspraak, was er ook Matthesons carrière om rekening mee te houden. Mattheson is een carrièreman, dacht hij. Abstracte argumentatie lost op in het zuur van persoonlijke belangen. Dit was iets wat rechter Savage vaak had gedacht. Inspecteur Mattheson zou een grote slag slaan door de mannen op te pakken die de kranten hadden gevuld en die hun eigen stad lange tijd in het centrum van de nationale aandacht hadden gezet. Hij heeft nu een verdachte. Een Koreaan? En zou het niet een nog grotere slag zijn als de uiteindelijke oplossing een andere was dan iedereen verwachtte? Het lijkt niet erg waarschijnlijk, dacht Daniel, dat Mattheson mijn gezin en mijn privacy boven zijn eigen carrière stelt. Of mij boven Minnie. Waarom zou hij? Misschien was het meisje wel in gevaar. Ik ben weggegaan, zei ze aan de telefoon. Wie wist hoe haar familie zou reageren? Daniel had haar die ochtend gebeld, meteen nadat hij van huis was gegaan. Ze is op de hoogte van hun mensensmokkel, dacht Daniel. Deel uitmaken van die familie is medeplichtig zijn aan een misdrijf. Ze kunnen haar niet zomaar laten gaan. Hij had om halfacht gebeld vanuit een telefooncel. Ik ben van gedachten veranderd, zei ze. Ik ga niet meer terug. Ik vind Ben niet eens aardig. Ik wil een ander leven. Je had gelijk, zei ze, dat ik thuis moest weggaan. Ik had het al tijden geleden moeten doen. Heb je het Sarah verteld, vroeg hij. Over ons? Ik denk dat ze het weet, zei Minnie. Hoe dan ook, drong Daniel aan, ik wil dat je het haar vertelt. En ik wil dat je haar vertelt dat ik heb gezegd dat je het moest vertellen. Ik wil niet dat ze denkt dat ik iets te verbergen heb. Het was tijd om open kaart te spelen. Ik ben doodmoe van al dat gedraai. Mijn dubbelleven heeft me uitgeput. Hoe duur het me ook komt te staan. Ik ben trots op je, zei hij tegen het

Koreaanse meisje. Ik ben trots dat je de moed hebt gehad om het te doen. Het meisje zei niets. Daniel had Mattheson om negen uur gebeld. Ik bereid een schriftelijke verklaring voor, inspecteur. Laten we om twaalf uur afspreken. De politieman was van zijn stuk gebracht. Ik heb een verdachte, zei hij zwakjes. Ik kom om twaalf uur naar u toe, herhaalde Daniel. En nu bleek dat hij dan een vergadering had.

Verdachte in het enkelvoud, had hij gezegd, niet verdachten in het meervoud. Wie? Rechter Savage was nieuwsgierig. Maar ik kan hem niet de verkeerde laten beschuldigen. VERKLARING, begon hij te schrijven: In 1992, tijdens een verkrachtingszaak waarbij ik optrad als aanklager...

Hilary belde. De hele ochtend had hij bewust niet aan Hilary gedacht, haar uitgewist. Nu was ze er, enthousiast en vriendelijk. Met Martin in het ziekenhuis, zei ze, zegt Christine dat ze niet meer zo nodig meteen hoeft te verhuizen. Maar ze zegt dat ze absoluut het geld vandaag op onze rekening zal storten. De akte kan passeren zodra de notaris even tijd heeft, en dan kunnen we de huur afspreken om haar te betalen zolang Sarah er zit. Dat is een schitterend idee, zei rechter Savage. Over een weekje zal Sarah wel weer zijn bijgedraaid, denk je niet? Waarschijnlijk zodra ze weet dat ze ons geen last meer bezorgt, zei Hilary. Daar zou je weleens gelijk in kunnen hebben. Of als Christine nog steeds geen haast heeft om te verhuizen, kan ze een paar vriendinnen zoeken om de flat en de kosten mee te delen. Ja. Dat is misschien een oplossing, stemde hij in. Hij hing op en schreef:

...heb ik ten gevolge van een aantal coïncidenties die hier niet ter zake doen, kennisgemaakt met een jurylid, een jonge Koreaanse vrouw genaamd Minnie Kwan, hoewel ik geloof dat haar echte voornaam anders luidt.

Terwijl hij schreef voelde rechter Savage zich vol kracht stromen. Hebt u nog iets uit te tikken? vroeg Laura. De secretaresse kwam naar zijn bureau lopen. Hij deed geen poging het papier te verbergen. Ze bracht een geruststellend aura van duur parfum en jeugdige vrolijkheid met zich mee. Zo anders dan Sarah. Nog een steentje om bij te dragen aan de zaak van de stenengooiers, zei ze. Ze liet met een plof een dik dossier vallen. Op het moment niet nodig, zei hij. Ik maak alleen wat aantekeningen voor de vergadering van vandaag.

O, goed. Rechter Carter is ziek, voegde ze eraan toe en ze lachten. Het was een inside joke. Ik kan nog steeds lachen, merkte hij. Ik zal nog steeds mezelf zijn, wat er ook van komt.

Moest hij bekennen dat de verhouding was begonnen tijdens een proces? Want dat zou natuurlijk een reden kunnen zijn voor heropening van dat proces. Daniel stopte. Dit had een heel web van gevolgen. Een verkrachter en dief zou zijn vonnis misschien vernietigd zien. Een belachelijk opgeblazen effect van een verder onbeduidende oorzaak. Weer bleef de pen wachten. De macht die je voelt, hij weifelde, is slechts de macht om de tempel op iedereen te laten neerstorten. Zou hij misschien beter wachten tot hij wist wie Matthesons verdachte was? Zou je een barrière kunnen opwerpen tussen Sarah en Hilary zodat het nooit uitkomt? Hoe zou ik dat kunnen doen? Minnie zou naar een andere stad moeten verdwijnen, er zou een baantje voor haar gezocht moeten worden, een plek om te wonen. Toch doen mensen dat.

Rechter Savage opende het dossier dat zojuist op zijn bureau was gelegd. Er zaten psychiatrische verslagen in over de verschillende beschuldigden. Psychiatrische verslagen waren duidelijk aan inflatie onderhevig de laatste tijd, vond Daniel. Mevrouw Singleton, las hij, beschrijft haar relatie met de heer Sayle als volgt (citaat van bandopname): *We hebben elkaar een paar jaar geleden ontmoet in de jeugdvereniging van St. Mark. Ik denk dat ik een jaar of veertien, vijftien was. Hij is vier jaar ouder dan ik. Hij is nu drieëntwintig. In elk geval gingen we toen alle twee naar de kerk. Ik ben ermee gestopt, hij gaat nog steeds. Niet altijd. David is erg eerlijk en eerbiedig. Ik bedoel, hij doet vrijwilligerswerk en zo. Gehandicapten en bejaarden. Vraag maar aan z'n moeder. Ik weet het want ik krijg er wat van. Ik bedoel, dan wil ik uitgaan en dan gaat hij weer iemand in een rolstoel helpen in het Saver Centre. Soms gaat hij met Jamie (de heer James Grier, een medebeschuldigde). Of ging. Jamie is veranderd. Hij gaat niet meer naar de kerk. Ik denk dat je kunt zeggen dat David geschift is. Dat denk ik. In het begin was het grappig, toen vond ik hem juist zo leuk omdat hij niet met me naar bed wilde, je weet wel hoe de meeste jongens zijn, dat is het eerste en het enige waar ze op uit zijn. Maar toen werd het raar. Ik bedoel, hij deed helemaal niks. Nooit. Hij zegt dat hij me geen pijn wil doen. We gaan naar een feestje of zelfs een rave-party en dan doet hij tot op een zeker punt mee en dan stopt hij. Of dan is het net alsof hij verdwijnt. In zijn hoofd. Het werkt op m'n zenuwen. Ik ben nu achttien. Ik heb...*

Daniel sloeg de bladzijden om. Het was echt moeilijk te zien hoe dit woordelijk opgetekende verslag ook maar enige relevantie kon hebben. Waar stond de conclusie van deze verklaring? Hij bladerde door naar het einde: Mijn beoordeling is dat het hier een groep mensen betreft van rond de twintig jaar die allemaal bijzonder infantiel zijn. Ze vormen geen stelletjes, of losse groepjes, maar lijken eerder in broer-zusverhouding tot elkaar te staan (zeven van de negen beschuldigden zijn enig kind, geen van de zogenaamde vriendjes/vriendinnetjes heeft gesproken over een normaal seksueel gedragspatroon) met als gevolg dat ze (en in het bijzonder de oudere mannelijke leden) geen idee leken te hebben hoe ze zichzelf van hun onschuld moesten bevrijden. Wanneer we aannemen dat de verdachten inderdaad de daders zijn, kan het stenengooien, dat volgens getuigenverklaringen altijd en uitsluitend op zaterdagavond plaatsvond en altijd meteen na sluitingstijd van de cafés, gezien worden als een initiatieritueel dat de betrokkenen wellicht een gevoel van volwassenheid kan geven.

Zichzelf van hun onschuld bevrijden! Daniel wierp het dossier op zijn bureau. Hij was kwaad. Wat was dat voor flauwekul? Meteen pakte hij het weer op. Waarbij moet worden opgemerkt, vervolgde de paragraaf, dat het stellen van een willekeurige gewelddadige daad, zelfs een moord, in vele samenlevingen beschouwd werd als een noodzakelijke overgang naar volwassenheid en in het bijzonder naar seksuele rijpheid. Dergelijke initiatierituelen...

Weer gooide Daniel het dossier neer. Je wordt vermoord omdat iemand anders zo nodig volwassen moet worden en seks moet hebben! Schitterend! De psychologen vergeven iedereen, had een collega ooit gezegd na een proces, omdat het belangrijkste gebaar in de moderne wereld begrip tonen is. Ik heb aangezet tot die vrijspraak van de Mishra's door net te doen of ik hen begreep, dacht rechter Savage. Nee, door het idee naar voren te brengen dat het onmogelijk was om hen te begrijpen. Nog beter. Nog begripsvoller.

Vastberaden schreef hij nu op: Ik heb een kortstondige seksuele relatie gehad met bovengenoemde juffrouw Kwan waarna ik niets meer van haar gehoord heb tot een paar maanden geleden – maart, geloof ik – toen ze me belde en een dringend beroep op me deed. Ze zei niet wat ze wilde, maar tijdens het telefoongesprek raakte ze in een heftige woordenwisseling met haar vader. Ik was niet in staat te begrijpen waar het over ging omdat de ruzie zich in het Koreaans afspeelde. Kennelijk ten gevolge van de ruzie werd het gesprek afgebroken. Enige tijd later belde juffrouw Kwan me op mijn kantoor op en smeekte me haar te ontmoeten. Ik stemde in. Ze kwam vervolgens niet naar de afspraak. Omdat ze altijd had gezegd dat haar vader zich zeer dictatoriaal en gewelddadig opstelde tegenover haar, begon ik me ongerust te maken over haar veiligheid en heb ik geprobeerd met haar in contact te komen, echter zonder succes. Uiteindelijk kreeg ik een man te spreken, haar verloofde naar ik meende. Hij weigerde mijn vragen te beantwoorden aan de telefoon en zei dat hij me wilde ontmoeten. Ik ben de avond na de Mishrazaak naar het Capricorn Café gegaan in Market High Street. In plaats van haar vriend zaten haar vader en haar broers me op te wachten. Ik herkende hen omdat ik ooit hun tapijtenmagazijn had bezocht als mogelijke klant. Ze weigerden vragen te beantwoorden over het welzijn van juffrouw Kwan. Ze leken ervan overtuigd dat ik een pooier was die het meisje de prostitutie in wilde lokken. Terwijl ik naar de wc was, hebben ze het café verlaten en het was meteen daarna, toen ik in de parkeergarage terugkwam, dat ik ben aangevallen. Hoewel ik de gezichten van mijn aanvallers niet heb gezien, heb ik reden genoeg om aan te nemen dat het om deze mannen ging. In elk geval heb ik uiteindelijk contact opgenomen met juffrouw Kwan en haar gisteren gesproken in een flat in de Dalton Estate, Sperringway (flat 72 Sandringham House). Ze verkeerde in goede gezondheid. Momenteel echter, en wel sinds gisteravond, heeft het meisje besloten de flat en haar familie te verlaten en verblijft ze tijdelijk in onze vorige flat in Carlton Street (waar ze momenteel bij mijn dochter woont). Naar het schijnt is ze zwanger en het is goed mogelijk, gezien de houding van haar familie tegenover individuele vrijheid, dat ze politiebescherming nodig heeft. Ik heb deze feiten niet eerder vermeld om mijn reputatie en uiteraard mijn gezinsleven te beschermen. Ik betreur de aanzienlijke hoeveelheid tijd die de politie zich had kunnen besparen als ik deze feiten eerder beschikbaar had gemaakt. De Kwans kunnen worden gevonden op de East India Road in de South Side Trading Estate waar ze een bedrijf hebben genaamd Kwans Aziatische Stoffen. Ik ben bereid een getuigenis af te leggen overeenkomstig deze korte verklaring en zal alle verdere details die u verlangt verschaffen in een volledige en aan alle eisen voldoende verklaring wanneer en waar u dat geschikt lijkt.

Daniel ondertekende de drie blaadjes papier, deed ze in een envelop en vroeg Laura een koerier te bellen. O, ik heb het net gehoord, rechter, riep ze door de telefoon, gefeliciteerd met uw lintje!

17

Rechter Savage had vaak bedacht dat op een andere dag, of zelfs met ander weer, of in een andere zaal, een jury anders over de dingen kan beslissen. Alles gebeurt nu. Het wordt besloten rond deze tafel op dit moment binnen deze groep mensen op basis van dit bewijs. Hij had de brief verstuurd. Twintig jaar van dubbelleven, zei hij tegen zichzelf, eindigt met die verklaring. Hij had geen foto's van zijn gezin op zijn bureau staan. Hij keek om zich heen en dacht: ik moet Hilary spreken, ik moet Minnie vertellen wat ik heb gedaan. Chaotische maanden in het verschiet. Toen vroeg een stem hem of hij zich goed genoeg voelde om voor te zitten. Als het kan, vroeg Adrian, het is maar kort. Er was niemand anders beschikbaar.

Even later hoorde rechter Savage een man zichzelf niet-schuldig verklaren aan het veroorzaken van lichamelijk letsel aan een dronkaard die regelmatig op straat stond te schreeuwen voor zijn flat. Rechter Savage stelde hem op borgtocht vrij. De verdachte had geen strafblad. De deurwachter was verkouden. Vroeg of laat moest ik die brief wel sturen, zei hij nogmaals tegen zichzelf. Nog één zaak alstublieft, edelachtbare, als u het niet erg vindt. Een tengere, vechtlustige jongen pleitte niet-schuldig aan inbraak. Mijn cliënt wil geen borgtocht, edelachtbare. Hij gelooft dat zijn leven in gevaar is wanneer hij de gevangenis verlaat. Hij voert aan dat hij onder dwang heeft gehandeld. Ik heb niets gedaan dat tot gevangenisstraf zou kunnen leiden, stelde rechter Savage zichzelf gerust. Hij zou geen borgsom vaststellen als daar niet om gevraagd werd, zei hij. De jongen was een junk die beweerde dat hij gedwongen was in te breken door een dealer die hij nog een aanzienlijk bedrag verschuldigd was. Dwang, wist Daniel Savage, was een heel moeilijke verdediging. Onder bedreiging met een mes, beweerde de jongen. Kon het libido beschouwd worden als een vorm van dwang? Edelachtbare, er is nog een kleinigheid die ik onder uw aandacht wil brengen. De verdachte staat geregistreerd als verslaafde. Ik heb een verklaring van zijn arts dat hij de rechtszaal wellicht op zeker moment voor een halfuur zal moeten verlaten om zijn dosis methadon te gaan halen. Toen hij zijn toga uittrok werd Daniel bevangen door een korte duizeling, een snelle vertroebeling van het brein. Hij greep de tafel vast: het moest allemaal gebeuren, dacht hij. Alles hangt samen.

Weer op zijn kantoor belde hij Jane. Jane? Sorry, u spreekt met haar zus. Het lijkt wel of ik door de mist loop. Daniel schudde zijn hoofd. Wilt u haar gsm-nummer? Voor hij kon draaien, belde Hilary weer. De notaris kan ons om zes uur ontvangen. Ze was opgewonden, opgetogen. Ik zal er zijn, beloofde hij. Geen probleem. Een man in de mist, dacht hij, met een telefoon, een lijst nummers. Geen idee waar het heen moet, maar iedereen aanwezig.

Hallo? Jane! Met Daniel. Ze werd erdoor overvallen. Sorry, Dan, ik zit in de auto, laat me even stoppen. Ik zit in de problemen, zei rechter Savage. Wat is er? Zo, ik sta stil. Ze aarzelde: Je weet toch dat ik met Gordon ga trouwen? Natuurlijk weet ik dat. Daar gaat het niet over. Hun twee stemmen klonken vreemd. Je hield niet van me, waren de laatste woorden die hij van haar had gehoord. Achttien maanden geleden. Ik heb nooit echt geloofd dat je je gezin zou verlaten. Ze had niet gehuild. Je hebt nooit van me gehouden, zei Minnie. Vrouwen maken dergelijk onderscheid. Wat is er? herhaalde Jane. Hij zei: Het zal uitkomen dat ik naar bed ben geweest met een jurylid. Maar Dan! Luister... Nee Dan, niets zeggen aan de telefoon. Niet doen! Jane, blijf kalm. Ik wil alleen... Niet doen! Geen woord meer. Wanneer kan ik naar je toe komen? Hoe kan ik helpen? Misschien door me te komen bezoeken in mijn cel, lachte hij.

Pathetisch! Hij hing op. Niemand zou hem in de cel stoppen! Ik gedraag me pathetisch. Even later zat rechter Savage in de auto, hoewel het niet duidelijk was waar hij heen ging. Het is moeilijker uit te maken waar ik heen ga dan als ik in de mist zou rijden. Of een willekeurig telefoonnummer zou draaien. Dat oog doet er ook geen goed aan, dacht hij. In mijn geval is het een grotere overtreding om achter het stuur van een motorrijtuig te zitten, zei hij tegen zichzelf, dan een verhouding te hebben gehad. Mijn zicht is beschadigd. Zelfs al was het met iemand van de jury. Het is schadelijker voor het openbaar welzijn – hij sprak hardop in de auto – dat ik achter het stuur van een motorrijtuig zit, dan dat ik naar bed ben geweest met een jurylid in een van de duidelijkste processen waar ik ooit bij betrokken ben geweest. Hoewel het een schandalig misbruik van vertrouwen was. Zou Martin hem raad kunnen geven? Martin was als verdediger opgetreden in dat proces. Het was een van de drie of vier zaken geweest waarin ze tegenover elkaar hadden gestaan. Ik kan wel iemand doodrijden, dacht hij. Maar had Martin zelf geen geluk gehad dat hij niemand had doodgereden toen hij zo van de weg was gevlogen met onbekende bestemming? Een aanlokkelijke gedachte. Of Christine? Nu bevond hij zich op de ringweg. Of zelfs Frank? Hij kon Frank gaan opzoeken. Er waren nog andere namen ook, maar niet een beloofde verlossing. Niemand is geïnteresseerd in een verkeersovertreding, dacht rechter Savage, hoe ernstig ook. Martin was niet eens aangeklaagd. De prins van Wales betrapt op te hard rijden, nou en? Waarom had hij Jane gebeld? We zullen elkaar nooit opbellen, hadden ze afgesproken. Daniel Savage had zich nog nooit zo totaal alleen gevoeld. Een man die zijn kantoor in- en uitgaat door twee verschillende deuren, dacht hij, die zijn eigen toilet heeft, die afgezonderd van de anderen eet in een aparte kamer. De rechter. Alsof de enige manier om niet gecompromitteerd te worden erin bestond alle contact met de buitenwereld te vermijden.

Het was elf uur. Men had het vaak over de ringweg alsof het een klok was. Op negen uur is de rechtbank, op twaalf uur de afslag naar huis. Doorrijdend naar zes uur, of halfzeven, kon hij naar het industrieterrein gaan om de Kwans te confronteren. Dat zou ik kunnen doen. Ik zou over de stand van zaken kunnen spreken met hen. Of naar Carlton Street op tien uur. Mijn vorige huis, mijn dochter, Minnie. Of naar Frank op twee. En prostituees op verschillende halve uren. Er stonden twee meisjes in korte broekjes bij een verkeerslicht. Prostituees zijn vierentwintig uur per dag beschikbaar. Een stad omcirkeld door prostituees. De plaatselijke krant speelde daar graag op in. Offers op het altaar der monogamie. Dat had hij ergens gelezen. Wanneer ik ook op de ringweg ben, het is er altijd druk, had Max gezegd. Ging Max naar de hoeren? Iemand moet het toch doen. Er bestaat een geografie van prostitutie, babbelde Daniel tegen zichzelf. Een plaats waar mensen naartoe gaan, waar ze eventjes iemand anders kunnen zijn. Net als wanneer een vrouw haar minnaar alleen maar in de kelder wil hebben, of een vriend in de gang wil kussen. Ze vindt het opwindend in de gang. Het voelt minder verkeerd aan in de kelder. Hij bevond zich nu op acht uur, hij ging tegen de klok in. Dames en heren van de jury, de verdachte mag dan iets zijn op de ringweg, hij is heel iets anders in het stadscentrum. Om nog maar te zwijgen over het masker dat hij draagt op kantoor en de verschillende stemmen die hij aanneemt aan de huistelefoon, de werktelefoon en zijn gsm. Daniel herinnerde zich dat hij een respectabele effectenmakelaar had veroordeeld voor herhaald gewelddadig gedrag bij uitwedstrijden van het voetbalteam uit zijn jeugd. Als ik recht naar het politiebureau rijd, dacht Daniel, snel de volgende afslag neem, dan kan ik er nog zijn voor Mattheson mijn verklaring leest.

Maar ik ben niet in de auto gestapt om naar Mattheson te rijden. Hij stopte op een parkeerplaats. Die afspraak kwam later. Hij zat een paar minuten rustig te wachten tot hij wist wat hij zou doen. Ik moet ademen. Deze crisis gaat voorbij, dacht hij. Hij wachtte. Was het mogelijk, dacht hij plotseling, dat Martin rustig in bed had liggen afwachten tot de crisis voorbijging? Dezelfde crisis die hij had proberen uit te drijven door met hoge snelheid van de weg te vliegen? Hij had zelfs geen verhaal verzonnen om te verklaren waar hij die dag naar op weg was. Ik moet niet rijden in deze staat, zei Daniel Savage tegen zichzelf op de parkeerplaats. Het is een schandalig risico voor andere levens. Auto's raasden voorbij. Tot dat moment van desoriëntatie door in bed te blijven liggen een maand was geworden, drie maanden. De crisis was niet voorbijgegaan. Het maakt niet uit of ik die man vrij krijg of niet, had Martin gezegd. Het was een ontkenning van zijn hele bestaan tot op dat moment. Alle menselijke ervaringen zijn in wezen hetzelfde, zei hij. De veroordeelden en de vrijgesprokenen. Alle materie en niet-materie. De uitkomst van elk proces is irrelevant.

Rechter Savage schrok op van geklop op het raampje. Jij willen? vroeg het meisje. Ze deed de deur open. Ik instappen? Ze ging naast hem zitten. Een meisje van een onbestemde kleur. Ze droeg een korte roze jurk. Wat jij lekker vinden? Een buitenlands accent. Ze had kauwgom in haar mond. Hij had nog steeds geen antwoord gegeven. De vraag die hij zichzelf altijd stelde als hij voorbij die vrouwen reed was: zal ik daar ooit eindigen? Met een prostituee. Hij had een hekel aan kauwgom. Haar haar was kort, maar niet kroezend. 'Eindigen' was het woord dat hij altijd gebruikte. Ze had volle lippen. Ik moest wel, dacht hij nu. Ooit. Ik moest die brief wel schrijven.

Het meisje gebaarde naar de weg. Gaan we naar lekker plekkie? Ze was onbezonnen en zorgelijk tegelijk. Ze was aan het werk. Daniel zat in zichzelf opgesloten. Hij kolkte van de spanning. Toen hij wegreed pakte ze een telefoon, duwde op een paar knoppen, sprak snel. Wat voor taal was dat? Wat als de politie hem aanhield? Rechtsaf, onderbrak ze zichzelf. Portugees? Kon dat? Haar linkerhand maakte een elegant gebaar. Ik voel me aangetrokken tot slanke elegante onderarmen, dacht Daniel. Oosterse danseressen en jonge zwarte verpleegsters die thee inschenken. Nu reden ze door straten met gemeentewoningen, niet ver van de Dalton Estate. Hier. Eerst betalen, zei ze.

Er stond een latino onder aan de trap. Veertig pond meneer. Oude rijtjeshuizen. Rechter Savage stond verbaasd over dat meneer. Nijverheid voor ontuchtige heren. Eindigen. Ze voerde hem aan de hand mee. De kamer: een kaal matras op de vloer, een kleine haard en op de schouwmantel dozen met condooms. Ze was al naakt. Het licht viel bleek door gordijnen bedrukt met stripfiguren. Een tenger smal lijf stapte uit het hoopje kleren. Zijn oog rustte op haar geslacht. Er stond een kleine witte commode van het soort dat je mee naar huis neemt en zelf in elkaar zet. Het soort waar Hilary zo'n hekel aan had. Goed zo? vroeg ze. Ze was bijna te slank. Maar ze maakte geen aanstalten om hem te omhelzen. Ze nam een laken van een stapel en ging er meteen op liggen, trok het ding recht onder haar billen. Ze trok een knie op. De Disneygordijnen waren waarschijnlijk voor een kinderkamer bedoeld. Naakt hulde ze zich in onverschilligheid. Haar knie zwaaide uitdagend open en dicht. Tom en Jerry stonden erop. En de haan. Kauwend zei ze: Kom. Ze weet precies, voelde hij, hoe ze er moet zijn en niet moet zijn. Dit meisje is evenwichtiger dan mijn dochter, dacht Daniel. Ze reikte hem een condoom aan.

Rechter Savage ging ruw op haar liggen. Hij was bruut en hardhandig, met afgewend gezicht. Ze had haar sterke jonge vingers in zijn haar, maar hij wist dat ze nog steeds lag te kauwen. Stop met kauwen, riep hij. Hij had de kinderen altijd kauwgom verboden. Hij gaf getuigen altijd het bevel de kauwgom uit hun mond te halen. Stop verdomme met dat gekauw! Het leek het meisje aan te moedigen. Ze begon te bewegen. Zijn oog bonsde onder het lapje. Ze spuugde de kauwgom uit. En daarna viel de kamer weer op zijn plaats en keek hij naar haar donkere huid. Haar sleutelbeen, haar schouder. Een mooi lijf. Hij raakte zachtjes haar nek aan. We hebben dezelfde kleur huid, zei hij. Hij besefte dat hij zacht sprak. Ze schudde haar hoofd. Haar hand reikte naar haar jurk. Waar kom je vandaan? vroeg hij. Toen hun ogen elkaar ontmoetten, waren de hare uitdrukkingsloos. Ze was perfect afgeschermd. Jij mij terugbrengen nu. Terug naar de weg? Zijn eigen bewegingen waren traag. Ze keek op haar horloge. Ja.

Toen ze uit de auto stapte zag hij de brug. Hij zette de motor af en bleef zitten. Het meisje liep weg. De auto van de Whitakers had met de klok mee gereden, meende hij zich te herinneren. Ook hij stond nu met zijn neus met de klok mee, naar de brug toe. Hij reed een paar meter verder, naar waar het meisje haar plaats alweer had ingenomen. Heb je ooit mensen stenen van de brug zien gooien? Hij wees. Ze begreep het niet, trok een gezicht. Het werd een glimlach. Ineens leek ze onbekommerd. De beroepsmatige norsheid was verdwenen. Ze glimlachte. Ze leek het leuk te vinden. Ze hoeft zich nu niet meer te verbergen. En toen pas begeerde hij haar. Als ze maar kon spreken, zou hij een praatje met haar hebben gemaakt. Was ze misschien Braziliaans? Dan had hij affectie getoond. Hij hield van vrouwen, allerlei verschillende vrouwen. Misschien zou hij haar advies gevraagd hebben. Jij nog komen, zei ze. Hij kon niet zeggen of het een vraag was of een uitnodiging. Ze wuifde vrolijk.

De prostituees stonden dus op de parkeerplaats naast de brug. Rechter Savage reed de weg op. De moordenaars stonden op de brug naast hun vriendinnetjes en gooiden in het volle zicht van de prostituees de stenen die ze hadden meegebracht. De brug is een podium, besefte rechter Savage, voor een publiek van prostituees. Had de politie hieraan gedacht? Voor een publiek van berooide immigranten. Ongetwijfeld illegaal. Blanke jongens lopen te pronken voor zwarte meisjes. Hadden ze hen ondervraagd? Deze jonge mensen – wat had er ook weer in het verslag gestaan? – hadden geen idee hoe ze zichzelf moesten bevrijden van hun onschuld. Alle arrestanten waren blank, herinnerde hij zich. Jonge blanke mannen met hun jonge blanke vrouwen.

Tegen de middag, min of meer rond dezelfde tijd als waarop hij in de vergadering had moeten zitten om een rooster op te stellen, of in het andere geval bij Mattheson had moeten zitten om over zijn eigen levenslange straf te spreken, draaide rechter Savage zijn auto de oprit van zijn nieuwe huis op. Zijn oog deed pijn. Hij had geen ongeluk gehad. Hij voelde zich uiteindelijk wel goed. Sarah probeert haar onschuld kwijt te raken, dacht hij. Zit daar iets in? Een tuinier harkte houtsnippers rond de nieuw aangeplante struiken. Daniel stopte even om naar hem te kijken en liep toen snel naar de deur.

Mama is er niet, riep Tom. De jongen keek niet op van zijn Playstation. Daniel stond bij de deur van zijn kamer naar zijn jonge, geconcentreerde gezicht in de gloed van het scherm te kijken. Spelletje Superstar? stelde rechter Savage voor. Papa! Tom was opgetogen. Fantastisch! Laten we spelen. Het was bijna drie uur voor Mattheson kwam. Tegen die tijd had Engeland elk belangrijk voetbalelftal ter wereld verslagen. Droom maar lekker, zei rechter Savage tegen zijn zoon, en tegen de politieman zei hij dat hij een belangrijke afspraak bij de notaris had om zes uur. Ik denk niet dat ik u langer dan een uur of zo zal ophouden, zei inspecteur Mattheson.

Die avond, nadat de papieren waren getekend, de overdracht was geregeld, zei Hilary: Nu dat achter de rug is, denk ik dat we meteen naar de flat moeten rijden en erover moeten praten met Sarah, allemaal samen! Een makelaar had geopperd dat een gemiddelde huur in de buurt van achthonderd pond per maand zou moeten liggen. Nogal een bedrag. Christine bleef beteuterd op de stoep staan. Ik weet niet waar ik mijn auto heb gelaten, zei ze. Wat stom! Ze schudde haar hoofd. Ze is het spoor net zo bijster als ik, besefte Daniel. Hij had zich dat een halfuur eerder gerealiseerd toen hij zich over het bureau van de notaris had gebogen en hun koper niet begreep waar ze moest tekenen. Bij het kruisje, herhaalde de notaris keer op keer door zijn hooikoorts heen. Daar moet u tekenen. Sorry, wat dom van me, maar welk kruisje? Hilary was zo opgetogen dat ze het niet eens had gemerkt. We dragen allemaal ons kruis, giechelde ze.

Ze had haar echtgenoot terug, haar financiële problemen waren van de baan. Haar dochter was beetgenomen. Als we haar vertellen dat het achthonderd pond kost, zal ze het misschien wel inzien, herhaalde ze. Christine herhaalde dat ze nu echt naar het ziekenhuis moest. Ze moest naar die arme Martin. Maar ze bewoog niet. Ze wil niet naar het ziekenhuis, zag Daniel. Ze heeft genoeg van Martin.

Ik begrijp nog steeds niet waarom ze de flat gekocht hebben, babbelde Hilary toen ze eenmaal alleen in de auto zaten. Christine zou achter hen aan rijden. Ze zouden allemaal samen naar Sarah gaan. Zijn vrouw loenste naar de achteruitkijkspiegel. Doet het ertoe, vroeg hij, nu ze hebben betaald? Ik was er zo van overtuigd dat ze ons op een of andere manier zouden laten zitten. Dat ze ons zouden ruïneren, weet je. Ik had visioenen waarin we huis en haard kwijtraakten. Gewoon paranoïde, denk ik, lachte Hilary. Je hebt altijd gezegd dat ik paranoïde was. Hoe zekerder je wilt zijn, hoe kwetsbaarder je je voelt. Ik heb champagne gekocht, babbelde ze door. Hilary is vastbesloten om gelukkig te zijn, zag Daniel. Ze heeft niet gemerkt dat ik mijlenver weg ben. Jarenlang is ze gefrustreerd geweest en nu is ze gelukkig. Christine was ook mijlenver weg. Hilary heeft geen serieuze professionele ambitie meer, besefte Daniel. Ze waren bijna in Carlton Street. Daardoor kon ze gelukkig worden. Met mijn aandacht, mijn succes. Met een paar aardige studenten. Ze is vastbesloten om niet te geloven wat ze over mij heeft gehoord. Ze is een prima echtgenote. Ik heb in een tijdschrift iets gelezen, had Mattheson gezegd toen ze elkaar een hand gaven na hun gesprek, over een regisseur, hij maakt thrillers met veel vuurgevechten en moorden, ik kan me zijn naam niet herinneren, maar in elk geval was die zo bang om zijn vrouw te vertellen dat hij haar wilde verlaten, dat hij op een dag zegt dat hij om zo en zo laat thuis zal zijn voor de lunch, oké? En als ze dan de deur komt opendoen staan er een advocaat en een verhuiswagen voor de deur om al zijn spullen op te halen. Mattheson lachte. Die vent zei dat hij het gemakkelijker vond een moord te bedenken, of zelfs een martelscène, allerlei verschrikkelijke dingen, dan een confrontatie met moeder de vrouw te moeten aangaan. Vind je dat niet grappig? Ik wil niet van mijn vrouw af, bracht Daniel hem in herinnering. De inspecteur was zelf tweemaal gescheiden. Wanneer is die verhouding met dat meisje precies begonnen, had hij gevraagd. Daniel vertelde hem de waarheid. Tijdens een proces. En nu, terwijl ze Carlton Street indraaide, had Hilary het over Brahms. Kan ik je meekrijgen naar een Brahmsconcert? O Dan, waarom gaan we niet samen op vakantie, riep ze. Wij met z'n tweetjes. Haar hand liet de pook los om over zijn been te strijken. Iemand zou de *Liebeslieder Walzer* opvoeren. Tom kan bij Crosby blijven. Ik moet iets zeggen, dacht hij. Wij met z'n tweetjes, herhaalde ze. Het was heel leuk geweest om een hele middag met Tom te spelen. Minnie zal in de flat zijn. Dat wist hij. Hoe zal Hilary reageren? Wat zal er gezegd worden? We kunnen samen een weekje in een hotel gaan zitten. Venetië, Wenen. De hele dag doen wat we willen. Hij probeerde zich een leven voor te stellen waarin hij de hele dag cricket speelde en computerspelletjes deed met zijn zoon. Ze stonden op het punt Minnie te ontmoeten. Wat Martin en Christine betreft – hij sprak plotseling heel ernstig – er moet iets belangrijks zijn wat ze ons niet vertellen, denk je niet. Dat moet gewoon. Zou je denken? vroeg Hilary. Maar ze waren gearriveerd. We zouden begrijpen waarom ze de flat gekocht hebben, waarom ze de eerste aflossing te laat betaald hebben, zei hij, als we wisten wat er aan de hand was en wat ze ons nooit zullen vertellen. Christines wagen arriveerde meteen na hen. Christine ziet er knapper uit als ze van streek is, dacht hij. Doet het ertoe nu ze hebben betaald, giechelde zijn vrouw.

Ze stapten in de lift. Hilary legde haar arm rond zijn middel. Wat ik moet weten, had rechter Savage de politie-inspecteur gevraagd, is of ik het mijn vrouw moet vertellen. Ze kneep hem. Je bent te dik, Savage, lachte ze. Ik bedoel, wat zal er uitkomen en wat niet? Martin was vel over been, vertelde Christine Hilary. Hij werd helemaal niet beter. Hij houdt niets binnen. Zelfs geen water. Weer zei ze dat het erop leek dat hij iets raars had opgelopen van zijn nachtuiltjes. Hij lag aan een hele batterij infusen: voeding, pijnstillers. Hilary probeerde te luisteren. Of het konden ook de zwammen zijn. Hij heeft romantische ideeën – Christine probeerde te glimlachen – over de meest eenvoudige levensvormen. Net zoals hij zijn hele leven gajes heeft verdedigd, denk ik. Ze liegt, dacht Daniel. Gezien de actie die u hebt verkozen, zei Mattheson, zie ik niet hoe u nog kunt voorkomen dat het uitkomt. Een moedige daad, herhaalde hij, in allerlei opzichten. Hij wilde absoluut precies weten wanneer de verhouding met het meisje was begonnen. Ze zeiden dat hij zich daarom misschien zo vreemd had gedragen het laatste jaar en meer, zei Christine. Rechter Savage had hem de waarheid verteld. De vierde of vijfde dag van het proces. Kan ik je spreken? fluisterde hij tegen Christine toen Hilary aanbelde en Sarah riep. Alleen.

De deur zwaaide open. Sarah met een brede glimlach. Ze straalde. Ze kondigde aan: O, papa, mama, dit is Minnie Kwan, een vriendin van me. Ze kwam even langs. Me gezelschap houden. En het meisje gaf een grote knipoog naar haar vader. Het was een knipoog, begreep hij meteen, van lelijke medeplichtigheid. En een paar maanden geleden had ze niet eens het geheim willen horen over het cadeau dat hij gekocht had, een vleugelpiano voor hun twintigjarig huwelijk, nu nog maar een paar weken verwijderd. Minnie keek hem niet aan toen ze hem een hand gaf. Het Koreaanse meisje leek verward en onzeker. Hoe maakt u het, mevrouw Shields? Sarah omhelsde intussen haar moeder met een ontstellende overdrijving. Weer knipoogde ze breed naar haar vader, over de schouder van haar moeder heen. Moesje! riep ze. Het is lelijk, dacht Daniel. Ze drukte haar donkere jonge wang tegen haar moeders grijsblonde haar. Minnie bleef wat op de achtergrond en deed toen een formele stap naar voren om te glimlachen en een hand te geven toen Hilary zich had bevrijd. We dachten dat ze misschien hier kon blijven wonen en de huur delen, mama, zei Sarah. Ze legde een arm rond de schouder van haar moeder. Ze zou graag uit huis gaan, begrijp je. Wat was het ongebruikelijk om Sarah mama te horen zeggen tegen Hilary! Als het mag van tante Christine natuurlijk. Wanneer had ze ooit iemand tante genoemd? Tot we iets anders vinden. We kunnen meteen beginnen uit te kijken. Weer knipoogde ze naar haar vader. Daniel besefte dat ze evengoed hardop de waarheid kon beginnen te roepen. Ze kon met één sprong van gejubel in hysterie vervallen. Hij zou het aangeboden bondgenootschap niet accepteren. Op een dag zou ze hem verraden. Hij zou voor altijd kwetsbaar zijn, altijd in de zenuwen zitten. De politie weet wie het gedaan heeft, zei hij tegen Hilary die avond nadat Tom eindelijk naar bed was. Wat zeg je, Dan? De politie weet het, zei hij. Ze weten wie het heeft gedaan.

Hoe de daaropvolgende conversatie met zijn vrouw precies verlopen was, kon Daniel Savage zich niet meer goed herinneren. Waarom zou je je dergelijke dingen willen herinneren? Maar het was duidelijk dat er voor altijd een grote fase in zijn leven mee afgesloten werd. Ze hadden de hond uitgelaten, dat schepsel dat in een paar dagen tijd het symbool was geworden van hun middelbare huiselijke geluk. Ze knipte de riem los aan het begin van het pad dat door de weide omhoogvoerde naar de top van de heuvel. Van alle dieren is de hond het gemakkelijkst af te richten. Het was een aangename avond. Het was volle maan. Hilary wilde wandelen, eindelijk genieten van het gevoel dat het laatste probleem was opgelost, van haar opluchting. Dit gelukkige, verstandige echtpaar van middelbare leeftijd, dacht rechter Savage, dat zoveel heeft meegemaakt, maakt een wandeling door de velden bij de mooie, maar niet extravagante nieuwe woning die ze gekocht hebben. De politie weet wie het gedaan heeft, begon hij.

Een halfuur later zat ze met haar rug tegen een boom, haar armen om haar knieën geslagen. Hij probeerde haar aan te raken. Laat me met rust! Ze begon te schreeuwen. Laat me met rust! Je hebt me vermoord. Wat wil je doen, een lijk kussen? Laat me hier maar zitten, ik wil niet met je praten. Waar is Wolfje? vroeg hij. Wat kan mij het schelen waar die stomme hond is. Hoe kun je nu aan een stomme hond denken? Ga weg!

Hij gehoorzaamde. Thuis in de woonkamer schonk hij zich een whisky in. Heel wat, denk ik, had hij tegen haar gezegd. Het doet er niet toe. Het doet er wel toe. Hoeveel? Ik weet het niet, een stuk of twaalf. Of meer? Ik zie het nut niet in van ze te tellen. Ik durf te wedden dat je dat wel gedaan hebt. Hij werd boos. Eenentwintig, zei hij ruw. Zo goed? Hij had het onduidelijke gevoel dat ze dat verdiende. Wie? vroeg ze. Hij werd razend. Het waren meisjes, zei hij, wie denk je? Vrouwen van vrienden. Zaalwachtsters. Wie zouden het anders zijn? O, laten we ze alsjeblieft een naam geven, schreeuwde ze. Laten we die hoeren een naam geven! Je hebt om de waarheid gevraagd, zei hij. Je hebt erom gevraagd. Het was een lelijke scène geweest. Nu ging rechter Savage op de bank zitten die zijn vrouw had uitgekozen. Hij wist hoe zorgvuldig ze de bekleding had uitgekozen. Om het huis prachtig te maken. Of herinner je je het niet meer? schreeuwde ze. Hilary hield ervan een omgeving zorgvuldig op te bouwen, dacht hij, net zoals ze een muziekstuk instudeerde, het regel voor regel opbouwde, het kleur gaf, de aanslag van de rechterhand bepaalde, van de linker, de pedalen. Het mooi maakte. Het zijn er zoveel dat je niet eens hun namen meer weet! schreeuwde ze. Heb ik gelijk of niet? Ze had gelijk. Hij schonk zich nog een glas in. Uit de manier waarop ze had gereageerd had hij opgemaakt dat ze minder versteld stond over wát hij haar vertelde, dan over het simpele feit dát hij het haar vertelde, dat hij haar leven onmogelijk had gemaakt. Ze kon niet langer geloven dat geruchten alleen maar geruchten waren. Hoeveel jaren heeft ze geruchten gehoord, vroeg hij zich af. Ze vertrouwde erop dat ik zou liegen.

Zittend op de bank dacht rechter Savage: ze elimineert graag rommel en fouten. Hij keek rond in de nette kamer, dronk zijn glas leeg. Het borduurwerk hing bij de piano. Ze wil een man die een man is, maar ze wil ook netheid. De whisky steeg snel naar zijn hoofd. Daar zit een discrepantie. Hoewel hij het bijzonder waardeerde dat ze het huis zo netjes hield. Gewoonlijk drink ik geen twee whisky's. Nu schonk hij zich al een derde in. Wat haar heeft geschokt is dát ik het gezegd heb, dacht hij, starend naar het borduurwerk. Waarschijnlijk geloofde ze wat Sarah haar had verteld. Geloofde ze het half. Maar de rommel was uit het zicht. Aan de ene kant van de stof heb je een duidelijk en zorgvuldig geweven plaatje – Daniel Savage met een lintje nog wel – en aan de andere kant, niet te zien, heb je de knopen en de rommelige afgehechte eindjes. Wat een hoop rommel heb ik in dit huis binnengebracht, dacht hij. Hij lachte zowaar. Wat een troep!

Staande bij de piano speelde rechter Savage een toonladder en een akkoord. Hij had jarenlang les gehad. Zijn vingers wilden niet bewegen. Grote terts, kleine terts. Het is zaak de progressies te begrijpen, had Hilary uitgelegd. Rechter Savage probeerde zich te herinneren hoe je van een grote terts een kleine moest maken. Daar was een trucje voor. Elke grote terts roept om de kleine, zei Hilary. Ze had dat nog onlangs aan Tom uitgelegd. Ze bestaan niet apart. Je werd het wel beu, al die uitleg van haar. Dat hele gedoe met Wagner was nog zoiets. Je werd het beu haar erover te horen spreken. En zij was zijn overpeinzingen over de rechtbank beu geworden. Huwelijk. Stierlijk vervelend, herhaalde Daniel Savage. Hij sloeg het klavierdeksel dicht. Op hetzelfde moment kwam de hond blaffend door de kamer gelopen. Hij draaide zich om. De deur stond open. Je bent een stommeling, zei Hilary. Ze was broos en ijzig.

Ze had haar haar gekamd, zag hij. Ze probeerde haar ademhaling onder controle te krijgen. Hilary! Waarom heb je het in hemelsnaam aan de politie verteld, siste ze. Je bent een stommeling! Een grote stommeling! Ze houdt nog van me, zag hij. De whisky had zijn gebruikelijke bezorgdheid weggenomen. Nu zullen ze je ontslaan, zei ze. Dat zullen ze wel moeten, denk je niet? Het is afgelopen met je.

Ze stond bij de haard naar hem te sissen over de vleugelpiano heen. Hoe gaan we dit allemaal betalen, nog afgezien van al de rest? Vertel me dat eens, Daniel Savage. Als je ontslagen bent? Om nog maar te zwijgen over die achthonderd pond per maand voor je verwende dochter en dat zwangere ex-hoertje van je. Waarom heb je het in godsnaam aan de politie verteld? Waarom ben je die lellebel gaan opzoeken? Daniel zweeg. Het is duidelijk dat ze van huis is weggelopen omdat haar minnaar, die aardige, domme oom Savage, haar is gaan opzoeken en haar een lesje heeft gegeven in mensenrechten, de superioriteit van de westerse cultuur. Daniel zei: Dat is zeer waarschijnlijk. Idioot! Als je het mij eerst had verteld, als je het hele geval met mij had besproken toen je die telefoontjes begon te krijgen, dan hadden we het meisje samen kunnen helpen, dan hadden we haar een baantje kunnen bezorgen in een andere stad. Zonder naar de politie te gaan.

Daniel zweeg. Er was een ander toontje in de stem van zijn vrouw geslopen. Waarom ben je zo bang van me? vroeg ze. Het was een spottend toontje. Ze keek hem aan over de vleugelpiano heen. Daar is het allemaal door gekomen. Niet bang zijn van de noten, zei ze altijd tegen hem als hij achter de piano zat. Je bent een angsthaas, zei ze. Helemaal niet, zei hij. Je bent doodsbang voor de zwarte noten, lachte ze een keer. Kijk nou toch, herhaalde ze. Je bent doodsbang. Als ik zo bang was, Hilary, zei hij rustig, dan had ik het je toch nooit verteld? Je wilt dat ik bang ben. Wat stom, herhaalde ze, als je het me verteld had toen dat domme wicht je begon lastig te vallen, hadden we het probleem samen kunnen oplossen. Sámen, herhaalde ze. Samen hadden we het kunnen oplossen.

Hij moest toegeven dat hij daar nooit aan had gedacht, het idee dat hij en zijn respectabele, conservatieve vrouw een ongelukkige exgeliefde te hulp zouden schieten. Het is gewoon een dom wicht in de problemen, ging Hilary door. In godsnaam, Dan, wat denk je dat mensen doen als ze in een netelige situatie zitten? Vooral kleine meisjes. Ze bellen iedereen die ze kennen, niet soms? Vooral ouderen. Om te zien of er iemand wil helpen. Of iemand een idee heeft. En ze is niet eens knap, in jezusnaam! Voor het eerst bedacht Daniel dat de Kwans hem niet in elkaar zouden hebben geslagen als hij niet zwart was geweest. Als hij niet zwart was geweest, hadden ze misschien wel geloofd dat hij echt bezorgd was, dat hij een of andere relatie met het meisje had gehad en dat hij echt bezorgd was om haar. Maar een zwarte! Waarschijnlijk wilde ze alleen maar hulp voor een abortus, zei Hilary. Dat zou gemakkelijk genoeg geregeld zijn. Maar nu krijg je je ontslag. We zullen moeten verkopen. Wat een stommeling! Toms vriendjes zullen hem uitlachen op school. Hij zal naar een andere school moeten.

Plotseling was Hilary helemaal buiten zichzelf. Heb je ook maar één keer aan de kinderen gedacht? Nou? Je kunt maar beter gaan, zei ze. Ga weg! Vreemd genoeg pakte ze de whiskyfles en schonk een scheut in zijn glas. Hij had het op haar partituur van Debussy gezet, op de piano, en er kwamen druppels op het dure hout terecht. Je kunt maar beter vertrekken, herhaalde ze. Ik wil niet weg, zei hij. Het is stom om op stel en sprong te handelen. Maak je je geen zorgen om je dochter? vroeg ze spottend. Maak je je geen zorgen om dat Aziatische hoertje van je? Ben je niet bang dat haar enge familie haar zal komen halen? Die lopen vast allemaal de stad af te zoeken naar haar. Vooruit, je hebt toch al alles opgegeven voor dat meisje. Je hebt jezelf bijna dood laten slaan voor die slet. Je hebt je huwelijk kapot laten gaan vanwege die morbide relatie met je verwende dochter. Omdat je je dochter zo nodig moest laten weten dat je andere vrouwen hebt gehad, dat je niet zomaar een pantoffelheld bent. En nu bevinden de twee voorwerpen van je zorg en affectie zich godzijdank op dezelfde plaats. Vooruit. Ga dan. Ga dan. Ga maar bij hen wonen.

Maar hij zei nee. Ik wil je niet verlaten en ik ga Tom zeker niet verlaten. Hilary, zei hij vlak, ik ga niet. Want ik hou van je. Ze keek hem aan. Hoe durf je dat te zeggen. Hoe durf je het. Ik hou voet bij stuk, dacht hij. Hij dronk zijn glas leeg. Ga dan! schreeuwde ze. Nee, ik heb je al gezegd dat ik blijf waar ik hoor. We horen hier allemaal thuis. Hij keek op en zag haar versteend staan in ijzige woede. Het is een grotere woede dan ze kan uitdrukken, zag hij. En die heb ik veroorzaakt. Haar lichaam was stijf. Ze was wild van verbijstering. Als ik had willen vertrekken, had ik je niets hoeven te vertellen. Dan was ik gewoon gegaan. Maar ik wil niet dat we uit elkaar gaan. Het is allemaal verleden tijd, Hilary, ik heb er spijt van en het spijt me dat het uit moest komen.

Ze liep snel naar de deur. Hilary loopt altijd opmerkelijk recht, met rechte schouders, recht van A naar B. Ga niet weg, zei hij. Kom nou. Ze liep naar de deur. Het is middernacht, doe niet zo dom. Laat er een dag overheen gaan. De deur sloeg dicht. Daniel bleef staan. Ze deed hem weer open van buitenaf. Hij hoorde hoe ze de sleutel er ruw instak. Hij wachtte. De deur ging open. Ze aarzelde, sloeg hem toen weer dicht. Verwacht maar chaos, dacht hij. Hij wachtte. In de draaiing van de trap zag hij Tom in zijn pyjama zitten met zijn kin in zijn handen. Ga slapen, jongen, zei hij. Ga naar bed, Tom.

18

Een van de grootste belemmeringen van snelle rechtspraak is onmiskenbaar het probleem de betrokken partijen tezelfdertijd en op dezelfde plek bij elkaar te krijgen en te houden, en dit van het begin tot het einde, of zo lang als voor elk van de partijen vereist is. Een lid van de jury raakt gewond bij een motorongeluk. De hoofdgetuige van de aanklager is naar New York gevlogen waar zijn vader ligt te sterven aan kanker. Of de agent die op de eerste noodoproep heeft gereageerd, is met vakantie gegaan ondanks zijn dagvaarding. Edelachtbare, mijn cliënt zit in de gevangenis terwijl agent Mulligan ligt te zonnen aan de Costa Brava.

Elke terzake doende getuige moest gehoord worden, elk terzake doend feit naar voren gebracht. Op de tweede dag van het proces tegen Sayle, Davidson, Simmons, Crawley J., Crawley G., Grier, Riley, Bateson en Singleton, verscheen Crawley J., een van de twee beschuldigde zussen in de zaak, niet ter rechtszitting. De logistiek is onvermijdelijk complexer in een groepsproces: negen mannen en vrouwen in de beklaagdenbank, negen advocaten voor de verdediging, bijna duizend bladzijden getuigenverklaringen. De aanklacht luidde: toebrengen van zwaar lichamelijk letsel. Wat heeft het voor zin dat ik aan dit proces begin, vroeg rechter Savage zich af, wanneer ik zelf het voorwerp van schande zal zijn voor het afgelopen is? Op 25 augustus schonk mevrouw Whitaker, in coma, het leven aan een jongetje. Daniel had minder dan achtenveertig uur in coma gelegen, terwijl deze vrouw daar maanden eerder en weken later in bed had gelegen. Aan het begin betoogden vijf advocaten van de verdediging dat als de apparatuur die haar in leven hield uitgeschakeld zou worden tijdens het proces, haar mogelijke dood de jury onrechtmatig zou beïnvloeden. Rechter Savage merkte op dat het hof geen jurisdictie had over mogelijke beslissingen van competente artsen en dat de verdachten zich gelukkig mochten prijzen dat ze niet werden berecht voor doodslag of zelfs voor moord. We zullen doorgaan zonder juffrouw Janet Crawley, besliste hij. Het was ongebruikelijk, maar niet ondenkbaar. De Crawleys waren de twee zussen die hun vriend David Sayle er in een eerste verhoor van hadden beschuldigd de steen te hebben gegooid, en hun verklaring vervolgens weer hadden ingetrokken.

Het was even onmiskenbaar dat alle getuigenissen, eenmaal afgelegd, als het ware tezamen gewogen moesten worden, de verschillende versies over elkaar gelegd, om te zien welke prevaleert, welke een andere versie tenietdoet of ontzenuwt. Maar boven redelijke twijfel verheven? Alsof alle pagina's van een boek, al het lief en leed van een huwelijk tegelijkertijd gesmaakt konden worden in één onmiddellijke waarneming. Door iemand met gezond verstand nog wel. Hadden ze van elkaar gehouden of niet? Hadden ze zich netjes gedragen tegenover hun kinderen? Als elke actie een oorzaak heeft en elke oorzaak er ook weer een, ad infinitum, hoe kan ik dan redelijkerwijze verantwoordelijk worden gehouden, aangezien de keten van gebeurtenissen onvermijdelijk begonnen is lang voor ik ben geboren? Dit zijn oude vraagstukken. Dames en heren van de jury – de openbare aanklager frummelt aan zijn toga, tuit zijn lippen terwijl zijn blik over verschillende papieren glijdt – dames en heren, laat me u in herinnering brengen dat het moment waarop we onze aandacht moeten richten 22 maart is, om 10.52 om precies te zijn, toen een steen met een gewicht van vier kilo en driehonderd gram, ik herhaal vier kilo en driehonderd gram, van de brug werd gegooid waar Malding Lane Simpson's Way kruist, ook gekend als de ringweg.

Dames en heren, zei Daniel tegen de jury toen het proces begon. Velen onder u zullen wellicht al gehoord of gelezen hebben over de zaak die nu voorkomt. In dergelijke omstandigheden is het heel natuurlijk dat men zich al een mening vormt, en meer naar de ene of de andere kant neigt. De twaalf gezworenen waren jonger dan gebruikelijk. Acht vrouwen en vier mannen. Ik moet u nu verzoeken te vergeten wat u hebt gehoord en alle meningen die u over de zaak hebt gevormd van u af te zetten. Het is uw plicht om de beslissingen die u uiteindelijk zult nemen, uitsluitend te baseren op de bewijslast die u in deze rechtszaal te horen zult krijgen.

Maar als je alle tegenstrijdige versies en ogenschijnlijke discrepanties gerelateerd aan zo'n verschrikkelijk misdrijf over elkaar heen moet leggen, in welke volgorde moeten ze dan worden neergelegd? Een oude techniek stelt de volgorde van de sprekers vast. De aanklager begint. De verdediging antwoordt. Maar het is zeer onwaarschijnlijk dat de aanklager bij het begin begint, hij begint aan het eind met de lelijkheid van het misdrijf. Hij wijst de jury op de ernst van het gebeuren. Het slachtoffer, dames en heren van de jury, ligt nu vijf maanden in coma. Hij probeert de noodzaak over te brengen dat er een schuldige gevonden moet worden. De CPS had de opdracht gegeven aan de openbare aanklager Trevor Sedley, de meest ervaren advocaat die plaatselijk beschikbaar was. Een week geleden is ze bevallen door middel van een keizersnede. Haar artsen, zei hij rustig terwijl hij opkeek van zijn papieren, kunnen niet voorspellen of ze nog ooit uit coma zal ontwaken.

Er was bijna een hele dag besteed aan overleg over toelaatbaarheid van bewijs en procedures. Ik zie geen reden waarom dit proces opgesplitst zou moeten worden, zei rechter Savage tegen twee van de advocaten van de verdediging. Elke verdachte zal gelegenheid genoeg krijgen om zich te rechtvaardigen. Tegelijkertijd begreep Daniel niet waarom hij niet verzocht werd zichzélf te rechtvaardigen. Op z'n minst voor de pers. Het was al meer dan een week geleden sinds zijn verklaring tegenover Mattheson. Hij had Kathleen Connolly gisteren nog tijdens een overlegvergadering gezien en ze was heel vrolijk geweest, bijna overdreven vriendelijk. Weet ze het? vroeg Daniel zich af. Zou de politieman de zaak besproken hebben met de CPS? Hij had er geen idee van. Maar als dat het geval was, waarom hadden ze rechter Savage dan aan dit belangrijke proces laten beginnen? De verdediging is nogal een mengelmoes, dacht hij terwijl hij de bepruikte hoofden tegen elkaar zag fluisteren. Bij zo'n proces over een groepsmisdrijf, wist Daniel, zou er onvermijdelijk sprake zijn van intimidatie. Of op z'n minst de angst ervoor. De volgorde waarin de beschuldigden zouden worden gehoord was cruciaal.

Toen de artsen zijn ooglapje weghaalden, zag hij niets. Zelfs geen duisternis, zei hij. Eerder melk, heldere melk. Hij was minder angstig dan hij had verwacht. Voelt u een verandering in lichtsterkte? Zijn goede oog werd bedekt. Nu? En nu? Niet het geval. De dokter zei dat het tijd nodig had. Hij begon instructies te geven. Ik heb al een aanvraag ingediend voor een mindervalidenrijbewijs, zei Daniel. Toen reed hij in een impuls recht naar Mattheson. Ik zie prima, dacht hij. Misschien heb ik altijd maar uit één oog gekeken.

De inspecteur komt zo terug, zei een assistent. Hij ging zitten bij een koffieapparaat. Het is belachelijk, zei de rechter tegen zichzelf, dat een strafrechter op een politie-inspecteur moet wachten. Dit is belachelijk, had hij wel duizend keer gezegd in denkbeeldige discussies met Hilary. Nu ze weg was, sprak hij voortdurend tegen haar. De eerste dag van haar afwezigheid had hij Tom bij de Crosby's achtergelaten. Toen hij terugkwam was de jongen weg. Hilary had hem een paar uur eerder opgehaald, verklaarde mevrouw Crosby vrolijk. Ze heeft Toms spullen meegenomen, merkte Daniel thuis. Zijn kleren waren verdwenen, zijn fiets, zijn discman. Dit is belachelijk, zei hij. Belachelijk.

Er brandde tl-verlichting in de wachtkamer. In een tijdschrift las rechter Savage over een man met een seksuele obsessie voor meisjes met anorexia, die had gepoogd zijn mollige vrouw uit te hongeren. Aantrekkelijk mollig, dacht rechter Savage toen hij de foto bestudeerde. Hij zei dat hij zo terug zou zijn, bevestigde de assistent van de lijvige Mattheson. De man wist niet wat hij aan moest met een rechter die naar het politiebureau kwam. De geobsedeerde man, van zuidelijke afkomst, was onlangs veroordeeld voor *stalking*. Ik ben bang dat ik maar heel even kan wachten, zei rechter Savage tegen de assistent. Alsof Mattheson hem gevraagd had te komen. Kunt u hem niet oproepen via zijn mobieltje of zo? Maar hij bleef zitten om het artikel helemaal uit te lezen. Ik heb geen moeite om met één oog te lezen, dacht hij. De man ontkende beschuldigingen van pedofilie maar gaf toe zijn vrouw in hun slaapkamer te hebben opgesloten om haar ervan te weerhouden te eten. Hij had haar een hele week opgesloten en alleen maar ossenstaartsoep gegeven. Ik heb Hilary nooit opgesloten, dacht Daniel; je kunt nog beter zeggen dat ik haar gewillige gevangene was. Met af en toe een ontsnappinkje tussendoor. Nu was zijn gevangenisbewaarder ervandoor. Maar deed het ertoe wat voor relatie er was geweest? Waar was ze? Waar was Tom? Wat is er in hemelsnaam aan de hand? vroeg rechter Savage toen Mattheson eindelijk verscheen.

Inspecteur Mattheson liet koffie komen. Hij was robuust en vaderlijk. Hij nam de rechter mee naar zijn kantoor, gaf hem een stoel. De man viel helemaal samen met zijn omgeving, voelde Daniel. Wat is er aan de hand? vroeg hij. Waarom hebt u nog niemand gearresteerd? Of hebt u dat wel? De politieman zuchtte. Het is allemaal nogal ingewikkeld geworden. Daniel wachtte. Hij was zelf nooit echt samengevallen met zijn omgeving. Op allerlei gebieden, voegde Mattheson eraan toe. Ik dacht dat u hen meteen zou arresteren, zei Daniel. Al was het alleen maar om het meisje geen gevaar te laten lopen. Hij deed zelfs geen poging zijn zenuwen de baas te blijven. Ik dacht dat het verhaal bekend zou worden en dat ik met gedwongen ontslag zou moeten gaan of zoiets. Maar in plaats daarvan begin ik aan een grote zaak. Ik weet niet hoe ik me moet gedragen.

De inspecteur hield een pen tussen twee vingers en tikte ermee op het bureau. Zoals u zich altijd hebt gedragen. Nou ja, zonder een aantal indiscreties. Hij kuchte. Sorry, nee, om de waarheid te zeggen, er zijn complicaties. Wat voor complicaties? Matthesons gezucht was theatraal. In alle vertrouwen gezegd, zei hij, het blijkt dat er al een onderzoek loopt naar die mensen van u, die Koreanen. Over een andere zaak. Die mensen van mij? Daniel kon de kamer waarin ze zaten nauwelijks in zich opnemen. Een brandblusapparaat, een ingelijst diploma, golfclubs. Wat voor andere zaak? vroeg hij.

De inspecteur leunde achterover. Dat hebben ze me niet verteld. Hij keek naar de man tegenover hem. Hij liegt, dacht Daniel. Mattheson was te dik, zelfgenoegzaam. Hij zegt in alle vertrouwen, dacht Daniel, om te pronken met het feit dat er geen vertrouwen kan zijn. Gaat het om immigratieovertredingen? vroeg hij. Zou kunnen, zei de politieman. Rechter Savage vertelde Mattheson niet wat hij wist. Of drugs? vroeg hij. Kan ook. De politieman tikte met zijn pen. Dat tikken met die pen, dacht Daniel, is een manier om een ander bewust te maken van tijd en spanning. Het kunnen allerlei dingen zijn, zuchtte de politieman. Toen ik mijn eigen institutionele rol speelde, besefte rechter Savage, voelde ik me superieur aan die politieman. Ik heb hem terecht die immuniteit geweigerd voor die informant. Het resultaat was echter dat er een mogelijke drugsdealer vrijuit was gegaan zonder zelfs maar een proces. Hebt u het meisje dan ten minste ondervraagd, vroeg hij, het Koreaanse meisje? Wat voor andere meisjes zijn er? lachte Mattheson. Kalm maar, glimlachte hij, grapje. Toen zei hij: Eigenlijk niet.

Maar waarom niet? Volgens mij heeft ze bescherming nodig. Ik zou nooit in deze situatie zijn verzeild als ik niet bezorgd was om haar veiligheid. Dat begrijp ik, zei de inspecteur. Maar hij gaf geen antwoord op Daniels vraag.

Mattheson vroeg of Daniel er geen bezwaar tegen had dat hij rookte. De sigaret zat al in zijn mond. Eigenlijk wel, zei rechter Savage. De politieman boog zich al over de vlam van zijn aansteker. Ik ben bang dat de rook prikt in mijn goede oog. Dat was niet waar. Mattheson legde sigaret en aansteker naast zijn papieren. Ze hebben u inderdaad wel door de mangel gehaald, zuchtte hij. Misschien had u iets langer tijd moeten nemen om te herstellen. Het heeft tijd nodig voor de hele shock verwerkt is na zo'n incident. Ik weet zeker, vervolgde hij snel, dat als u zou zeggen dat u er nog niet tegen opgewassen bent, en nog een maand of zo nodig hebt, dat iedereen daar dan begrip voor zou hebben.

Daniel deed zijn best om een professionele stem op te zetten, een wettelijke syntaxis te vinden: De laatste keer dat we elkaar hebben gesproken, inspecteur, had ik de indruk dat u snel te werk wilde gaan om de daders te arresteren van wat per slot van rekening een zeer ernstig misdrijf was dat op spectaculaire wijze de aandacht van het publiek heeft getrokken. Als ik me wel herinner hebt u zelf gezegd dat een aantal overtuigende arrestaties het publieke vertrouwen in de politie zou doen stijgen. U hebt me ook verzekerd dat het Koreaanse meisje beschermd zou worden als ze in gevaar verkeerde. U hebt me in onverholen bewoordingen gezegd dat ik me dientengevolge schrap moest zetten voor publieke afkeuring. U hebt me geprezen omdat ik een moedige daad heb gesteld die rampzalig kon zijn voor mijn carrière en privé-leven. U dient te weten dat ik, gezien die opmerkingen, de situatie vrij uitgebreid heb uiteengezet tegenover mijn vrouw en gezin, waarmee ik exact de gevolgen heb opgeroepen die u zich kunt indenken. En dan gebeurt er niets, ondanks mijn getuigenis. We waren het er bij dat gesprek ook over eens, als u zich dat herinnert, dat ik de volgende dag een volledige, ondertekende verklaring zou overleggen. Maar de volgende ochtend vroeg belt een van uw assistenten me op om me te zeggen dat dat voorlopig nog niet nodig is. En nu, juist als ik begonnen ben aan een groot en belangrijk proces dat nog minstens twee weken zal duren, oppert u plotseling dat ik me wellicht ziek kan melden. Wat is er aan de hand?

De politieman zoog zijn lippen naar binnen. Toen de telefoon ging boog hij zich over zijn bureau en drukte op een knopje om het apparaat het zwijgen op te leggen. Er zijn twee dingen die u kunt doen, zei hij. Zijn stem was bruusk. Voor de eerste keer had Daniel de indruk dat hij eerlijk was. U kunt doorgaan zoals u altijd hebt gedaan en de ontwikkelingen afwachten. In dat geval beloof ik dat ik mijn best zal doen om u op tijd te waarschuwen of en wanneer er iets gaat gebeuren. Hij zweeg. Ja? De politieman keek hem aan. In het andere geval kunt u meteen met de pers gaan praten. Dat zou de zaak zeker bespoedigen, denk ik zo. Wat u aangaat bedoel ik.

Mattheson zweeg, misschien om de reactie van de rechter te peilen. Daniel zat doodstil. Maar dat zou eigenlijk zeer af te raden zijn, voegde de politieman eraan toe. Om allerlei redenen. Hij zweeg weer. Nu zat hij met zijn aansteker op de tafel te tikken. Wat mij betreft kan ik u verzekeren dat ik die lui met alle genoegen zou arresteren, afgezien van uw privé-omstandigheden. Met alle respect.

Waar ging dit allemaal over? In de rechtszaal zou rechter Savage erop hebben aangedrongen dat een getuige duidelijker antwoord gaf op de hem gestelde vragen. Hij stond onder ede om de hele waarheid te zeggen. Hij moest onthullen wat hij wist. Maar Mattheson stond niet onder ede. Dus ik ga gewoon door? vroeg hij. Mattheson zei niets. Het gesprek leek te zijn afgelopen. Daniel werd overvallen door de angst dat er iets belangrijks was wat hij had vergeten te zeggen. Hij wilde niet teruggaan naar de leegte en onzekerheid van zijn privé-wereld en iets belangrijks ongezegd laten. Zijn hoofd was leeg. Wat was het?

Ik neem aan, bood Mattheson hem uiteindelijk aan, dat uw vrouw de kinderen mee op vakantie heeft genomen om over de zaak na te denken. Het was kennelijk aardig bedoeld. Hij leunde achterover, trok zijn wenkbrauwen op. Ja, stemde rechter Savage in. Ja, inderdaad. Hij stond op. Mattheson zei vaag: We hebben natuurlijk ook onze andere verdachte nog. Rechter Savage ging weer zitten. Wat? De inspecteur wreef met het uiteinde van zijn pen over zijn wang. Het punt is dat u niet echt zeker weet dat het de Kwans waren die de misdaad hebben begaan. Toch? We hebben alleen het indirecte bewijs van jullie aanwezigheid samen in het café een paar minuten eerder. Daniel zei niets. U hebt uw aanvallers niet gezien, drong Mattheson aan. Nee, zei Daniel, dat is waar. Ik heb hen niet echt gezien. Ik ben van achter neergeslagen. Mattheson pakte de telefoon op. Dennis, kun je het Savagedossier eens brengen? Even later vroeg hij: Herkent u deze man?

Het was een grove opname van een bewakingscamera. Tijd en datum stonden in de linkerbovenhoek. Het originele beeld moest zijn uitvergroot om het hoofd en de schouders weer te geven van een schreeuwende man met een geheven vuist; een blanke man met warrig haar, een vlezig gezicht, diep verzonken ogen. Daniel schudde zijn hoofd. Nooit gezien. Dat is opgenomen vóór het gerechtshof na de Mishra-uitspraak, zei Mattheson. En deze – hij gaf Daniel een andere foto – is genomen door een beveiligingscamera naast de voetgangersingang van de parkeergarage. Van bovenaf gezien en half in profiel kon het wel of niet dezelfde man zijn. De tijd klopt. We hebben de man in kwestie geïdentificeerd en hij heeft inderdaad een strafblad voor geweldpleging. Snel gaf rechter Savage de foto terug en kwam tegelijk overeind. Laat het me weten wanneer er verdere ontwikkelingen zijn, zei hij.

19

De volgorde van de aanklacht maakte dat er begonnen werd met de zaak tegen David Sayle. Er is echter wel de volgende premisse, waarschuwde Trevor Sedley. Hij was een man die wist te overtuigen door elke vorm van charisma uit te schakelen. Dit is overduidelijk een groepsgebeuren. De openbare aanklager zal de jury verzoeken er rekening mee te houden dat de negen beschuldigden, tezamen met twee anderen die niet bij hen waren op de avond van de tweeëntwintigste, maar die wel gehoord zullen worden als getuigen, een hechte groep vormden. Wanneer het maar kon, brachten ze hun tijd samen door. De openbare aanklager zal getuigenissen van binnen en buiten de groep laten horen om aan te tonen dat dit het geval was. Ze gingen regelmatig samen iets drinken, hetzij in een café genaamd de Tally Ho, op de hoek van Craeburn Street, waar ze ook waren geweest op de avond van het misdrijf, of in een ander café genaamd de Belgrave op Canada Avenue. Ze luisterden samen naar muziek, gewoonlijk bij de gezusters Crawley thuis, twee van de verdachten, of bij James Grier thuis, eveneens verdachte. Af en toe deden ze ook spelletjes samen in St Barnabus, een jeugdclub van de kerk. David Sayle is zelfs een geregeld kerkganger van de congregatie St Barnabus. Hij leest regelmatig voor in de kerk. En dat geldt ook voor de heer Davidson. Sedley keek op van zijn notities. Hij sprak slaapverwekkend langzaam. Een hechte groep dus, hetgeen mijn hooggeleerde vrienden van de verdediging niet zullen betwisten. U zult bijvoorbeeld zien – hij kuchte – dat twee van de verdachten tijdens een politieverhoor in voorarrest eerst toegaven op de brug aanwezig te zijn geweest op het moment van het misdrijf en gezien te hebben dat er stenen van de brug werden gegooid door een lid van de groep, en dat ze dit later alle twee weigerden te bevestigen toen ze op borgtocht waren vrijgelaten en blootgesteld waren aan de druk van hun vrienden.

Drie verdedigers sprongen onmiddellijk op. Ik heb al verordend, zei rechter Savage rustig, dat de transcripties van de politieverhoren geaccepteerd zullen worden als bewijs. Wat de verschillen tussen deze verhoren en de opeenvolgende verklaringen tegenover de politie betreft, zullen de verdachten de mogelijkheid krijgen om hier een verklaring voor te geven. Echter, meneer Sedley, hoewel afdoende is aangetoond dat dit een hechte groep is, zijn uw opmerkingen over druk van binnen uit de groep dat niet, en derhalve is het bezwaar van mijn hooggeleerde collega's zeer begrijpelijk. Edelachtbare, stemde Sedley in, ik wilde zelf ook zeggen dat de interpretatie van het OM van deze ingetrokken verklaringen, fel betwist zal gaan worden door mijn hooggeleerde vrienden de heren verdedigers. Dank u, meneer Sedley. De verdedigers gingen weer zitten. Tegelijkertijd viel het Daniel op dat hijzelf, verre van deel uit te maken van een groep, nu geheel alleen stond. Precies op het moment, dacht hij, dat de samenleving mij het meest bewierookt – er lag de uitnodiging van Hare Majesteit voor 30 september, de dag van hun twintigjarig huwelijk – merk ik dat ik helemaal alleen sta. Op mij wordt geen enkele groepspressie uitgeoefend.

Heel langzaam en op volstrekt neutrale toon, begon Sedley uit te leggen dat het OM zou aanvoeren dat David Sayle de leider van de groep was en dat hij als dusdanig de grootste verantwoordelijkheid moest dragen voor wat er was gebeurd op de avond van 22 maart. Dat is de reden dat de heer Sayle als eerste op de aanklacht vermeld staat. De heer Sayle, dames en heren van de jury, is de man uiterst links in de beklaagdenbank en zijn raadsman is mijn hooggeleerde collega mevrouw Wilson, recht tegenover hem. De jury keek naar een gezellig ogende dikkerd met een blonde paardenstaart, die zenuwachtig terugkeek.

Martin daarentegen was broodmager en rustig. Hij zette de televisie niet af toen zijn gast arriveerde en de wisselende kleuren van het melodrama op het scherm hadden vrij spel op zijn bleke gezicht. De gordijnen waren dicht. Het eens zo zwarte haar was plotseling grijs geworden. Zijn baard was verdwenen. De eens zo krachtige stem was nog slechts een gefluister. Dat is Shirley, ze heeft een geheim afspraakje met haar ex. We moeten medelijden hebben met Damian die niet weet dat het kind niet van hem is. Rechter Savage merkte dat er een zoetige lucht in de kamer hing.

Daniel was meteen van de rechtbank naar het ziekenhuis gereden. Hij was nu al tien dagen helemaal alleen. Hij had niemand gezien. Precies zoals in het Cambridge Hotel een jaar geleden, toen hij en Hilary uit elkaar waren, leek het hem onmogelijk om met iemand anders te spreken. Mijn vrouw werkt als een katalysator die andere intimiteiten mogelijk maakt, dacht hij. Zonder haar, zonder de kinderen, ben ik futloos en alleen. Hij kon niet eens de gewoonste berichten op het antwoordapparaat beantwoorden. Hij luisterde naar Christines stem en reageerde er niet op. Hij kon geen sympathie bieden of vragen. Het is onverklaarbaar, zei rechter Savage tegen zichzelf. Hij at voorverpakte sandwiches in de keuken en ging werktuiglijk naar zijn werk. Ik heb geen individueel bestaan, besefte hij. Ik ga naar de rechtbank en schiet in actie als een marionet die alleen maar tot leven komt op het podium. Ik begraaf me in de lelijke wereld van een groep onbeduidende jongeren die leugens vertellen over de avond van 22 maart. Hij dacht aan zijn eigen kinderen, en het proces was al een tijdje gaande voor hij bedacht dat 22 maart weleens precies de dag kon zijn dat hij en Hilary hadden besloten het huis te kopen. Het leven zit vol betekenisloze verbanden.

En is dit, vroeg Sedley, de steen waar u het over hebt? Van onder zijn tafel haalde Sedley een witte doos te voorschijn en uit de doos haalde hij een grote ruwe witachtige steen van het soort dat gebruikt zou kunnen worden in een rotstuintje. De bode pakte de steen en droeg hem naar de getuigenbank. Dat is hem, zei de politieagent. En waar lag die precies? Op de vloer van de auto, waar de passagier die voorin zit zijn voeten zou zetten. Hij zat onder het bloed. Ik zou graag willen, zei Sedley met zachte stem, dat elk jurylid deze steen in zijn of haar handen neemt om het gewicht te voelen en te begrijpen wat voor bewuste daad het geweest moet zijn om zo'n steen op te tillen, en over de ruim anderhalve meter hoge reling van een brug te werpen.

Als je zo zacht spreekt, dacht Daniel, moet iedereen moeite doen om je te horen. Het is een stijl die stilte oplegt. De aanklager ging door met zijn verhaal. Er werd een forensisch expert bij gehaald. Edelachtbare. Er stond iemand op. De stem van de jongeman knalde. Ik maak bezwaar. De rechtszaal was eigenlijk niet voorzien op negen advocaten, die ook nog eens elk hun eigen rechtskundige bij zich hadden. Edelachtbare, mijn hooggeleerde collega maakt een suggestieve opmerking. Dat was waar, hoewel nogal onschadelijk. De advocaten van de verdediging maken minder indruk door hun aantal, dacht Daniel. Dat was een belangrijk aspect van een groepsproces. Ze klinken schril, ook al zijn hun bezwaren redelijk. De verstandigsten zeggen zo weinig mogelijk. Meneer Sedley, kunt u uw vraag misschien anders formuleren? De jury was niet onder de indruk. En toen de expert klaar was en de jury werd meegenomen naar het politiedepot om in de kofferbak te kijken van de Mondeo van Griers vader, waren de grijswitte stukjes zo duidelijk te zien op de grove zwarte bekleding over het reservewiel en zo duidelijk van dezelfde steensoort die ze eerder op de dag hadden bekeken dat tenminste dit aspect van de zaak van de aanklager bijbelse waarheid werd. Het was hetzelfde grijswit, zag Daniel nu, als van Martins gezicht, uitdrukkingsloos als een gevallen steen op een ziekenhuisbed.

Meneer Shields is hier niet meer, zei de verpleegster hem in St Steven's General. Rechter Savage was zijn vriend gaan opzoeken met het plotselinge vaste voornemen om de vloek van isolement te doorbreken die over hem was gekomen. Hilary had niets laten horen. De kinderen hadden niet gebeld. Minnie Kwan had niet gebeld. Martin zal blij zijn dat we uit elkaar zijn, zei hij tegen zichzelf.

De verpleegster gaf hem de naam van een privé-kliniek. Het was de derde dag van het proces. Daniel was sinds negen uur op de rechtbank geweest. Tot zijn verbazing was Kathleen Connolly verschenen bij de middagzitting en zij leek haar aandacht geheel op hem te richten. Is mijn gehele privé-leven, vroeg hij zich af, besproken door de verschillende heersende machten? Wordt het voordeel van die arrestaties afgewogen tegen de nadelen van het uit de gratie vallen van de eerste zwarte rechter in het arrondissement, en een nationale held op de koop toe? Hoe was Mattheson tot de conclusie gekomen dat Hilary 'op vakantie was met Tom'? Misschien ben ik onkwetsbaar, dacht hij. Na een paar minuten televisie te hebben gekeken in een piepklein kamertje zei Daniel: Weet je, Martin, dat verhaal dat je me ooit hebt verteld over geen geheimen hebben in een huwelijk, nou, ik heb Hilary alles verteld.

De privé-kliniek bevond zich ten westen van de stad, niet ver van het huis van de Shields. Na zo lang niemand te hebben gesproken, bleek Daniel dus weer terug te vallen op Martin. Hij en Martin hadden elkaar twintig jaar lang een warme wederzijdse sympathie toegedragen. Het was een vriendschap die evenzeer deel van zijn leven leek uit te maken als zijn huidskleur. Martin was de man die me het meest in staat heeft gesteld een raciaal nadeel te boven te komen, had Daniel vaak tegen zichzelf gezegd. Hij was er geweest toen het gezin Savage uiteenviel. Hij had geborgenheid geboden buiten dat gezin. Toen was de vriendschap op mysterieuze wijze gestorven. Was de doodsteek geweest dat het weer goed is gekomen tussen Hilary en mij? Of mijn benoeming tot rechter, het feit dat hij gepasseerd is? Je begrijpt hier net zomin iets van, dacht Daniel, als van je relatie met je dochter. Of waarom een groep jonge mensen een steen op de snelweg gooit. Ze wisten niet hoe ze hun onschuld kwijt moesten raken. Wat een rare opmerking was dat! Was er iets onschuldigs geweest aan de vriendschap met Martin? Alsof er een aspect van jeugd tot ver in de volwassenheid was verlengd. We zijn jarenlang heel hecht geweest, herhaalde Daniel tegen zichzelf in de auto, en toen is er iets tussengekomen.

Gezeten naast 's mans bed, was de rechter plotseling vastbesloten om dit probleem aan te snijden. Weten ze nog steeds niet wat je hebt? vroeg hij. O, een of andere duistere virale infectie, mompelde Martin. In tegenstelling tot andere zieken, leek hij er niet op uit om het over zijn kwaal te hebben. Zoiets als je-hebt-twintig-jaar-geleden-de-griep-gehad-en-nu-ben-je-voor-het-leven-verlamd. Hij haalde zijn schouders op. Hij leek berustend en niet overtuigd. Zijn neus, merkte Daniel, was scherp gaan uitsteken tussen zijn ingevallen wangen. Het was een heerszuchtige neus geworden. De soap-opera, Dan, orakelde hij toen de reclame begon, is het hoogtepunt van de eeuw. Het wordt heel losjes van dag tot dag in elkaar gezet door een groep auteurs die allemaal hun eigen kijk hebben op de verschillende personages, maar toch investeer je er emotie in: totaal willekeurig en ontzettend fascinerend.

Rechter Savage lachte: Sinds je er de eerste keer over sprak, zie ik overal nachtvlinders, zei hij. Hij probeerde aardig te doen. Alvorens de kwestie aan te snijden. Gisteravond zat er een enorm exemplaar in de badkamer. Misschien wel twee en een halve centimeter lang.

Heel griezelig. Maar je wilt ze niet doodslaan omdat hun lijven zo zacht zijn, hun dood geeft zo'n smeerboel. Het is gemakkelijker om ze naar buiten te jagen. Martin gromde. Het was het soort grom dat Tom te horen gaf als zijn vader laattijdig interesse toonde in een computerspelletje dat de jongen zelf al half was vergeten. Zal ik Tom nooit meer zien? Ik heb Hilary alles verteld, zei rechter Savage. En ik heb die politieman verteld wie me in elkaar heeft geslagen.

Het was ongelooflijk hoe snel Martins brein nog steeds werkte, hoe onmiddellijk dit skelet van een man de situatie wist in te schatten. Zijn aandacht was geprikkeld. De televisie was vergeten. Hij was blij, opgewonden, neerbuigend. Je hebt altijd een neiging tot zelfvernedering gehad, vertelde hij zijn vriend met een krakende, hese stem. Je wilt dat ze je kennen en tóch nog van je houden. Hij schudde zijn hoofd. Dus als je rechter wordt en de omstandigheden hebben je klaarblijkelijk boven elke vernedering verheven, ga je op zoek naar een manier om jezelf kapot te maken. Je kunt er niet tegen boven alle kritiek verheven te zijn.

Daniel luisterde eerbiedig, maar was het er niet mee eens. Hij was helemaal niet uit geweest op moeilijkheden. Het meisje was naar hem toe gekomen. Het was zijn plicht geweest na te gaan of alles in orde was met haar. Martin glimlachte zwakjes. Zo kun je het ook bekijken, zei hij.

Wat is er toch met jou, vroeg Daniel. Het was stil in de kleine en ongetwijfeld dure kamer. Of beter gezegd, er was alleen het gebabbel van de televisie te horen. Ondanks het onzekere weer stond de airco aan. Je weet het wél, hè? Martin bleef zwijgen. De interesse die in zijn intelligente ogen was opgeflakkerd, was snel gedoofd. Daniel schrok van het geluid van een telefoon die overging op het televisiescherm, alsof iemand hem opriep vanuit die wereld van eindeloos melodrama. Ik weet zeker dat je het wel weet, zei Daniel, en dat er iets zou veranderen als je het de mensen zou vertellen. Martins gezicht stond uitdrukkingsloos. Wat kan jou het schelen? vroeg hij ten slotte. We zijn hele goede vrienden geweest, zei Daniel.

Dus?

In dit ene krakende woord leken zeeën van koppigheid besloten. Dus wil ik helpen, en iets dat deel heeft uitgemaakt van mijn leven niet zomaar laten verdwijnen. Je ziet er behoorlijk ziek uit, weet je, hield Daniel aan. Martin zei niets. Weet Christine het? probeerde Daniel. Weer wachtte hij. Ik denk het wel, hè? Omdat Christine ook zo'n goede oude vriendin van je is zeker, zei Martin zwak. Hij hield de afstandsbediening stevig vast in twee krampachtige handen. Jullie zouden uit elkaar gaan, hè? hield Daniel aan. Dat kon iedereen zien, Mart. Maar nu je ziek bent hoeft het niet meer. Martin schudde zijn hoofd. Ik begrijp niet wat mijn problemen jou kunnen schelen. Op zijn rug gelegen, met zijn ogen op het plafond gericht, spanden en ontspanden zijn vingers zich rond de afstandsbediening. We leven in verschillende werelden, Dan. Onzin, zei rechter Savage. Martin leek te aarzelen. Oké, Dan, oké, in naam van onze oude vriendschap zal ik je wat vertellen over Christine. Meteen voelde rechter Savage zich gespannen, voelde hij dat hij een fout had gemaakt. Op de televisie ging het gebabbel van de soap over in een muziekje. Het was Christine die Sarah heeft verteld over jou en Jane. En alle andere vrouwen die je hebt gehad. Christine. Je vriendin. Eindelijk wisselden ze een lange blik. Martins ogen stonden verbazend levendig. Waarom? vroeg Daniel. Zijn oude vriend schudde zijn hoofd: Een gril?

20

De heer Whitaker was een onopvallende, gezette man van tegen de veertig. Hij werkte bij een bouwbedrijf en was naar het gerechtshof gekomen zoals hij naar kantoor zou gaan, formeel gekleed maar niet zorgvuldig. Meneer Whitaker, kunt u de jury vertellen wat er is gebeurd op de avond van 22 maart? Hij gebruikt kalmerende middelen, zag rechter Savage meteen. Als u even wilt pauzeren, meneer Whitaker, dan hoeft u het maar te vragen. De jonge en nogal onbezonnen vrouw op de eerste rij van de jury bleef zich maar omdraaien om iets te zeggen tegen de man achter haar. Elizabeth, ik bedoel mijn vrouw en ik reden over de ringweg, zei de getuige, op de terugweg na een bezoek aan mijn moeder. Hij sprak zacht. We waren ongeveer tien minuten onderweg. Kunt u alstublieft iets harder spreken, meneer Whitaker? We begrijpen hoe moeilijk dit voor u is. Zijn handen lagen slap op de leuning. Zijn stem klonk monotoon. Die dag had Elizabeth een scan laten maken. Toen leek de voorruit te exploderen. Ik denk dat ik even de macht over het stuur kwijt was, en toen kon ik de auto stilzetten op de vluchtstrook.

Sedley vroeg de man precies te zeggen waar dit was gebeurd. En zou u de rechtbank de scène kunnen beschrijven nadat u de auto tot stilstand had gebracht? Ja. Nadat ik was gestopt, zag ik dat Elizabeth... Whitaker haalde diep adem. Hij kan niet naar de verdachten kijken, merkte Daniel. De ogen van de man waren gericht op een punt ergens boven de hoofden van de jury. Hij weet dat het voor hem geen verschil zal maken of ze schuldig worden bevonden of niet. Nou, ze zat onder het bloed, ging meneer Whitaker door. Haar gezicht was weg.

Slechts een van de advocaten waagde zich aan een kruisverhoor. Meneer Whitaker, hebt u de steen echt van de brug zien vallen? Nee. De man fluisterde. Misschien kunt u dat nog eens herhalen zodat we zeker weten dat iedereen het gehoord heeft. Nee, ik heb de steen niet zien aankomen. En zou u het hof kunnen vertellen, meneer Whitaker, hoe ver u van de brug verwijderd was toen u bent gestopt? Meneer Whitaker dacht zo'n honderd meter. En hoeveel tijd zat er tussen het ongeluk en het moment dat u naar de brug keek en, zoals u in uw verklaring zegt, 'een groep jongelui' zag weglopen? De man aarzelde. Ik probeerde Elizabeth uit de wagen te trekken. Ik heb geen idee. Ze had de gsm in haar handtas, begrijpt u. Ik wilde hem pakken om om hulp te bellen maar ze lag eroverheen. Het... Er was zoveel bloed. Hoe lang denkt u dat het was, meneer Whitaker? Misschien een minuut, zei de getuige vaag. Hooguit twee of drie. Het kunnen er dus drie zijn geweest, herhaalde de advocaat nadrukkelijk, tussen het moment dat u de auto hebt gestopt en het moment dat u die jongelui zag. Ja. Dank u, meneer Whitaker, zei hij.

Die avond belde Daniel naar Hilary's ouders. Die mensen hebben me nooit gemogen, wist hij. Hij had nooit begrepen of dat om racistische redenen was of dat ze elke partner van Hilary niet zouden hebben gemogen. Hij had er zich nooit zorgen om gemaakt, omdat het erop leek dat de antipathie van Hilary's ouders een noodzakelijke voorwaarde voor haar liefde leek te zijn. Ze hadden Robert vast ook gehaat vóór hem. Ons huwelijk is sterk, had hij ooit gezegd, omdat we ons geen van beiden thuis voelen bij onze vervelende families. Wat leek dit achteraf gezien onheilspellend. Ze werden bij elkaar gehouden door hun weerstand tegenover de buitenwereld.

Ben je inmiddels helemaal hersteld? vroeg zijn schoonvader. Hilary weet momenteel nog niet goed wat ze gaat doen. De man had de scherpe, behoedzame stem van iemand die altijd klaarstaat om ruzie te maken. Hij verwachtte dit telefoontje, besefte Daniel. Natuurlijk zullen we haar zeggen dat je gebeld hebt. En dat ik gevraagd heb of ze me wil bellen, drong Daniel aan. Hij had gehoopt dat ze helemaal geen contact met haar ouders zou hebben gehad. Hij had met niemand gesproken deze twee laatste weken, gedeeltelijk omdat de scheiding niet echt leek te zijn gebeurd, of nog steeds zonder schade omgekeerd kon worden, door er niet over te praten. Voor Hilary was het een enorme stap om naar haar ouders te gaan, wist Daniel, om iets negatiefs te moeten zeggen over hem tegen haar ouders. Ze was weg.

Toen belde hij in een uur tijd iedereen op: Jane, Frank, zijn dochter, Christine, Max. Hij wilde mensen om zich heen voelen in het lege huis. Hij ging met de onlangs aangesloten telefoon in de keuken zitten, met beide tussendeuren gesloten. Max zei dat hij op vakantie was geweest en maar net terug was. Wat is er, meneer Savage? Even dacht Daniel dat de jongen loog. Was het mogelijk dat hij het echt niet wist? Leuk gehad? vroeg hij. Max begon over Chicago te praten. Daar woonde familie die hij nog nooit gezien had. Rechter Savage besloot dat hij het hem niet kon vertellen: Hilary heeft gezegd dat je gerust de piano mag gebruiken zolang ze weg is. Als je vanavond langskomt, geef ik je de sleutels. O, dat is heel vriendelijk. Ze is op vakantie met de kinderen, verklaarde Daniel. Ze zijn naar de kust. Ik kan niet praten, fluisterde Jane. Gordon is er. Vertel me alleen hoe het is, heb je het geheim kunnen houden? Goed, zei Daniel. Alles gaat goed. *À bientôt*, zei ze. Frank was opgewekt. Hebben we het lieve Aziatische vrouwtje veilig en wel aangetroffen, jonker? Woestijnbloem, jungleorchidee. Ik heb het nieuws van tien uur in de gaten gehouden om te zien of ze je nog eens de hersens hadden ingeslagen. Daniel voelde hoe een sterke impuls om zijn hart uit te storten meteen geblokkeerd werd door een even sterke impuls tot zelfbehoud. In plaats daarvan begon hij over Martin. Verkapte flikker, zei Frank. Helaas. Hij lachte. Dat zijn de ergsten. Trouwens, als je echt moeilijk zit met geld, dan kunnen we je misschien wel wat terugbetalen, we doen fantastische zaken. De mensen krijgen gewoon niet genoeg van antiek, zelfs overduidelijk namaak. Zelfs de immigranten kopen antiek, lachte hij. De Pakistani, je zou ervan staan te kijken. Iedereen wil in een landhuis wonen. Pijlers van de Georgian Society. Frank praatte maar door. Hij leek ineens sympathie opgevat te hebben voor zijn broer. Niet te geloven, riep hij. De mensen gaan uit hun bol als ze denken dat ze iets unieks krijgen, iets met geschiedenis. Hij bulderde van het lachen. Hoe saaier hun wereld, hoe meer antiek ze willen, begrijp je? Kom maar eens naar onze kraam en je zult het zien. Ze smeken erom om belazerd te worden. De meeste spullen zijn natuurlijk massaproducten. Als ik je ooit in de beklaagdenbank tegenkom, zei Daniel, zal ik zeggen dat het een geval van homonymie is. Weten zij veel. Frank heeft gedronken, dacht hij. Zijn broer kon niet stoppen met lachen. Met dat pigment van je heb je altijd mazzel gehad, grapte hij. Je bent op het juiste moment geboren, jonker. Maar dat vergeef ik je. De Savages waren wel een beetje erg bleek voor hun naam, *n'est-ce pas*?

Nadat hij de telefoon had neergelegd, voelde rechter Savage zich bedrukt en ontevreden. Het horen van die vertrouwde stemmen, elk zo wonderlijk anders, gaf hem meteen een deel van zichzelf terug. Dat stierf weer zodra hij de telefoon neerlegde. Hij was niemand. Toen hij door de woonkamer liep, zag hij zichzelf even weerkaatst in het zwarte glas van het tv-scherm. Het was nogal angstaanjagend geworden om hier alleen te zitten. De televisie is angstaanjagend, dacht hij. Hoe kon Martin uren blijven liggen en helemaal opgaan in de televisie? Daniel Savage zou het korstje van de wonde willen krabben, maar waar was de wonde? Voel ik me echt zo rot? Ik voel me echt rot, dacht hij, maar het geeft niet. Het gezicht van meneer Whitaker kwam hem voor de geest. Wat een onopvallend gezicht was dat! Een man die zoveel had geleden. De wereld is zo hopeloos saai voor de jeugd van tegenwoordig – dat had hij in een krantenartikel gelezen – dat alleen de meest extreme daden de verstikkende eentonigheid kunnen doorprikken. Ik ben in gevaar, voelde hij. Hij had minder te doen gehad met meneer Whitaker na diens verschijning in de getuigenbank, dan toen hij voor het eerst over de ramp had gehoord. Wanneer je over lijden leest, in een krantenartikel of een dossier, dan stel je je voor dat het over jezelf gaat. Hoe intens zou het zijn! Je beeldt je in dat je in staat bent tot het meest intense lijden. Je stelt je voor hoe erg het zou zijn als Hilary door een steen geraakt zou worden, haar gezicht verbrijzeld, weggerukt door steen en glassplinters. Je zit langs de kant van de weg te huilen. Meneer Whitaker is niet opgewassen tegen de tragedie die hem is overkomen, besloot Daniel. Het was een onbeduidende man die zwaar onder de kalmeermiddelen werd gehouden. Niet eens een betrouwbare getuige. Die drie minuten zouden de verdachten kunnen redden.

Christine? vroeg hij. Christine. Hij voelde zich strijdlustig. Ja. Christine, luister eens, ik heb Martin vorige week gezien en hij zei dat jij Sarah had verteld over mij en Jane. Wat klonk dat onhandig. Waarom heb je dat in vredesnaam gedaan? Waarom? Ik weet dat het gek moet klinken dat ik zomaar opbel, maar ik moet het weten. Waarom heb je dat gedaan? Je hebt mijn leven veranderd. Het bleef lang stil. De vrouw leek het moeilijk te hebben. Waarom? vroeg hij. Ik begrijp het gewoon niet, riep hij. Is het waar? Dan. Ze was van streek. Dan, ik... Plotseling kwam er een andere stem aan de lijn. Wie is daar? Met wie spreek ik? Daniel Savage. O Dan. Het was Martins vader. De stem brak. Dan, Martin is vanmiddag gestorven. Christine is erg van streek.

Hij belde zijn dochter, maar niemand nam op. Ze heeft zelfs de hond meegenomen, zei hij voor de twintigste keer tegen zichzelf. Ik kan verdomme zelfs die hond niet strelen. De telefoon ging voor de tiende of twaalfde keer over. Sarah nam niet op. Als ik de hond te eten zou moeten geven, zou ik zelf misschien ook wat eten. Hij at helemaal niet behalve tijdens de lunch in de eetkamer van de rechters. De koelkast was leeg. In het enige privé-gesprek dat hij die dag had gehad, had Crawford geklaagd dat hun werklast zou verdubbelen met de nieuwe wetgeving over mensenrechten. Er zouden eindeloos klachten binnenkomen. Er zijn hele nieuwe categorieën slachtoffers geschapen! Het potentieel dat vervolgd kan worden is enorm. Waar zal het eindigen? Daniel dacht: misschien wil de overheid geen rechter verliezen als ze een vloedgolf van nieuwe gevallen verwachten. De telefoon bleef overgaan. Minnie is er wel, vermoedde hij, maar neemt niet op. Hij bedacht dat hij niet wist of het meisje nog een abortus zou kunnen laten doen of niet. Dat zijn mijn problemen niet, zei hij tegen zichzelf.

Hij ging naar buiten en stapte in de auto. Niemand deed open in Carlton Street. Hij reed de stad uit, naar het huis van de Shields. Het huis had een metamorfose ondergaan. Alles was schoongemaakt en opgeruimd. Grondig schoongemaakt, merkte rechter Savage. De ooit zo rommelige hal was nu brandschoon. Geen flessen voor de glasbak. De woonkamer maakte geen luie slonzige indruk meer, maar zag er nu uit als die van een modelwoning, even onprettig. Nu hij hier zo snel na het telefoongesprek met Frank kwam, viel het Daniel voor het eerst op dat al het meubilair antiek was. Alle oppervlakken waren onlangs afgestoft. Op een lage tafel lag een waaier van tijdschriften: *Tatler*, *Cosmopolitan*. Gewoonlijk viel het meubilair hem niet op. Hilary had een hekel aan antiek. Ze had een hekel aan doe-het-zelfmeubels en Ikea en ook aan antiek. Maar ze stofte wel altijd af. De glanzende covers staken af tegen het donkere vernis. De mensen zouden nu mooie dingen moeten maken, zei ze. Hilary leek een hekel te hebben aan alles wat als norm van de Engelse middenklasse gezien kon worden. Geen wonder dat ze met een man is getrouwd die niet blank is. Alles met klasse is zwart, lachte ze altijd. Auto's. Smokings. Piano's. Op het Victoriaanse buffet stond een enorme ingelijste foto van Martin in zwarte advocatentoga. Dat was nieuw. Het was een tamelijk jonge Martin, maar met iets Dickensachtigs over zich, al zijn gretigheid nog intact. Jij was zijn beste vriend, mompelde de oude mevrouw Shields, en ze drukte Daniels hand in de hare.

Ze gingen zitten in de grondig schone kamer. Christine stond voortdurend op en ging weer zitten. Zelfs de hoezen van de bank waren gestoomd. Christine deed de gordijnen dicht, ging weer zitten. Ze ging glazen halen, ging weer zitten. De bloemengordijnen zijn ook gestoomd, merkte hij. Hij herinnerde zich naar Ben gebeld te hebben vanuit die stoel. Meneer Shields zat te praten. Christines jurk had een keurig bloempatroon. Al haar jurken, merkte hij, hadden roesjes bij de boezem. Ze zette een aantal flessen op een lage tafel naast de *Tatlers* en *Cosmopolitans*. Ging weer zitten. Ze heeft fraaie knieën. Toen stond ze op om in te schenken.

Met al die vooruitgang in de medische wetenschap, zat Martins vader te beweren, kun je kennelijk nog steeds aan een of andere obscure ziekte sterven zonder dat ze je kunnen vertellen wat het is. Hij had precies Martins lange, magere gezicht, zijn krullende, zelfbewuste lip. Ze kunnen het je niet vertellen. Ze hebben er nog nooit van gehóórd. De chique oude stem was één en al verontwaardiging. Hij is niet echt verontwaardigd, voelde rechter Savage. Hij vindt dat hij het moet zijn. Christines gebloemde mouw beefde bij het inschenken van de sherry en whisky. De franje op haar boezem trilde. Maar het leek van onderdrukte energie, niet van verdriet. Ze hadden waarschijnlijk genoeg van Martin en zijn ziekte. De vrouw moet zichzelf inhouden, dacht Daniel. Martin had iedereen de keel uitgehangen. Ze wil vooruit. Eerst dachten ze dat het weleens Creutzfeld-Jakob kon zijn, vertrouwde mevrouw Shields hem toe. De moeder had precies Martins zachte ogen. De eerste symptomen, zei ze, leken er erg op. Hij had de sardonische lip van zijn vader gehad en de zachte ogen van zijn moeder. O moeder! protesteerde Christine. De oude vrouw was in tranen uitgebarsten. Jij was zijn enige vriend, Dan, mompelde ze. De enige die hem is komen bezoeken in het ziekenhuis. Toen zeiden ze dat het iets te maken moest hebben met al die nachtvlinders waar hij mee bezig bleef, ging meneer Shields verder met het verhaal. Misschien meer om zijn vrouw het zwijgen op te leggen dan iets anders. Hij ijsbeerde op en neer naast de salontafel met een glas in zijn hand. Door deze uren moest je heen komen, dacht Daniel. Toen hij een blik probeerde te wisselen met Christine keek ze weg. Iets oosters, zei meneer Shields halfslachtig. Ze ging een asbak halen. Had ze het Sarah echt verteld? vroeg Daniel zich af. Het was nooit in hem opgekomen dat Martin zou sterven en ze elkaar nooit meer zouden zien. Ik weet zeker dat ik niet de enige bezoeker ben geweest, zei hij. Martin had zoveel vrienden. Mevrouw Shields verloor haar zelfbeheersing. Onze wereld is voorbij! Alles is voorbij, Dan. Ze snikte. Ze zat in elkaar gezakt op een laag krukje. Toen verborg ze haar gezicht achter haar armen, haar handen op haar grijze haar gedrukt. Er is niets meer over. Er zijn geen andere kinderen. We kunnen net zo goed zelf ook dood zijn. Soms denk ik dát we dood zijn! Hou je mond, vrouw! snauwde meneer Shields. Met haat in zijn stem, dacht Daniel. Hij legde een sigaar neer. Ik zal nooit kleinkinderen hebben, huilde ze, en schudde haar hoofd onder haar armen. Martin heeft gebroken met de weinige vrienden die hij had, besefte Daniel. Christine zat stijf in haar stoel, ze stak een hand uit naar haar schoonmoeder om haar arm aan te raken. Ze wacht tot we vertrekken. Zodra we weg zijn, springt ze op en leeft! Ze kan niet wachten. Er lag walging op het gezicht van de oude Shields. Daniel stond op. Christine gaat haar leven van de ene op de andere dag veranderen, zodra we weg zijn, dacht hij. Ze heeft op dit moment gewacht. Ze wist dat het er aan zat te komen. Mevrouw Shields, hij boog zich over naar de oude vrouw, die klein en ineengekrompen zat te beven: Martin was een fantastisch mens, zei hij. Dat weet u ook, mevrouw Shields. De woorden leken zowel waar als absurd. Toen hij zich omdraaide om te vertrekken, stond hij recht voor de foto van de jongere Martin in zijn zwarte toga. Wat had zijn vriend een overtuigingskracht gehad! Ik kom er wel uit, zei rechter Savage. Maar Christine was opgesprongen met een gejaagde glimlach op haar gezicht. Op de gang kneep ze in zijn hand. We moeten praten, zei ze.

Hij wist niet wat hij moest zeggen. Bedoelde ze over Sarah? Dan, ik wil dat je iets zegt op de begrafenis. Waarschijnlijk vrijdag. Doe je dat? Alleen jij kan hem recht doen, zei ze. Alsjeblieft, Dan, een klein toespraakje maar. Recht. Ze smeekte hem, klonk innig. Ze stak haar hand naar hem uit en deed iets moederlijks met een knoop van zijn jas. Je weet toch dat Hilary me heeft verlaten, zei hij. Hilary heeft me verlaten, zei hij. Ja, dat weet ik, dat weet ik, we moeten praten. Daniel zat in zijn auto en wreef stevig met een vinger over zijn mondhoek. Zijn oude vriend was dood. Toen hij in Carlton Street stopte waren de ramen nog steeds donker en deed er niemand open.

Tegen de tijd dat de openbare aanklager aan het einde van zijn requisitoir was gekomen was de stijl van de verschillende advocaten van de verdediging duidelijk geworden. Er waren erbij die voortdurend bezwaar maakten, die de getuigen à charge aan een kruisverhoor wilden onderwerpen, en er waren er die bleven zwijgen en stilzaten. Het was ook duidelijk dat er een zekere wrijving was tussen sommigen. Waarschijnlijk, dacht Daniel, had Sedley geprobeerd de verdachten voor het proces op te splitsen door een toespeling te maken op een minder zware aanklacht – misschien lichamelijk letsel in plaats van zwaar lichamelijk letsel – voor de minder belangrijke leden van de groep in ruil voor een schuldbekentenis. Beide eerste verhoren van de gezusters Crawley wezen Sayle en Grier aan als de daders. Dat geen van de verdachten het aanbod had aangenomen gaf aan hoe hecht de groep was, hoezeer ze Sayle misschien vreesden. Tenzij ze natuurlijk allemaal onschuldig waren. Tegelijkertijd zouden de advocaten van de verdachten die een minder zware aanklacht aangeboden hadden gekregen, als zo'n aanbod gedaan was, hebben ingezien dat hun cliënten er misschien het best mee gediend zouden zijn als de schijnwerpers op de twee verdachten bleven staan die de openbare aanklager nu ondubbelzinnig als het voornaamste doelwit had aangewezen. Nog een opmerkelijke blijk van solidariteit tussen de verdachten was dat ze allemaal, op eentje na, aan de politie hadden verteld dat ze inderdaad op de brug waren. Misschien hadden ze aan het begin besloten dat het te gevaarlijk was om het te ontkennen, omdat er wellicht uit een getuigenverklaring zou kunnen blijken dat ze er wel degelijk waren geweest. De openbare aanklager bleek slechts één getuige te hebben, een bejaarde fietser, die slechts twee leden van de groep positief had geïdentificeerd, Sasha Singleton en Ryan Riley, als zijnde aanwezig op de brug ten tijde van het misdrijf. Hun eigen verklaring over wie er nog meer op de brug was, gold pas als bewijs als ze die versie ook effectief in de rechtszaal zouden afleggen, nadat de aanklager de zaak zou hebben uiteengezet. Als alle anderen gewoon zouden hebben ontkend op de brug te zijn geweest, had Sedley zich heel goed geconfronteerd kunnen zien met de dreiging dat men zijn zaak halverwege zou laten vallen uit gebrek aan bewijs, nog voordat de verdachten naar de getuigenbank zouden worden geroepen. Toch had er maar eentje ontkend, en het gevolg was dat hij duidelijk werd genegeerd in de beklaagdenbank. De anderen spraken niet met hem. En Sedley had maar net zijn uiteenzetting beëindigd of de advocate van Stuart Bateson sprong overeind. Edelachtbare. Ze wilde met de rechter overleg plegen over een juridische kwestie. De jury werd gevraagd de rechtszaal te verlaten. Edelachtbare, mag ik u erop wijzen dat er onvoldoende bewijslast is om de zaak tegen mijn cliënt voort te zetten. Geen enkele getuige had Bateson geïdentificeerd als zijnde aanwezig op de plaats van het misdrijf, merkte de intelligente vrouw van middelbare leeftijd op, en hijzelf, in tegenstelling tot de anderen, had het ook altijd ontkend. De aanklager kon niets tegen hem inbrengen. Er ontstond onmiddellijk boze opwinding bij de verdachten. Smeerlap! Klootzak! In de beklaagdenbank ging een politieagent snel tussen Bateson en Grier staan. Daniel trok zich terug om erover na te denken.

Rechter Savage wist uit het dossier dat de andere acht verdachten Bateson allemaal genoemd hadden als een van hen op de brug op de plek van het misdrijf. Maar weer kon dit niet als bewijs gelden tot het in de getuigenbank was verklaard. Op dit punt berustte de zaak van de aanklager tegen Bateson uitsluitend op het feit dat hij betrokken was bij de uitbarsting van gsm-gesprekken vroeg in de ochtend na de gebeurtenis, en gezien was toen hij met de rest van de groep het café verliet, toen ze op weg gingen naar de brug. De wet vereist dat rechter Savage in zijn hoofd uit elkaar houdt wat hij weet dat er voor de rechtbank gezegd gaat worden door de andere verdachten en wat het hof al echt gehoord heeft. En wat hij gehoord heeft is echt niet genoeg bewijs om de man te berechten. Van andere jongelui was ook bekend dat ze deel uitmaakten van de groep en die stonden niet terecht. Ook zij hadden gebeld op de ochtend na het misdrijf. Een meisje in het bijzonder, Virginia Keane, had de kroeg ook verlaten met de groep, maar was toen niet naar de brug gegaan. Ze had een stevig alibi en geen van de anderen beweerde dat ze wel aanwezig was geweest. Rechter Savage ondersteunde zijn hoofd met zijn hand. Voor hij terugging naar de rechtszaal schreef hij nog snel een briefje op een vel papier met briefhoofd: Lieve Hilary, omdat ik geen adres van je heb, kan ik alleen maar hopen dat je ouders dit zullen doorsturen of aan je doorgeven. Ondanks het feit dat hij het al minstens honderd keer had geschreven in zijn slapeloze gedachten, liep hij toch vast toen hij het op papier wilde zetten. Ik begrijp er zelf de psychologie niet van, schreef hij, of de ware aard van de schade die is toegericht. Ik wil alleen maar zeggen dat, wat ik ook heb gedaan en gezegd, ik in wezen nog steeds de persoon ben die jij altijd dacht dat ik was. De dingen waar we het over hadden dateren van tijden geleden. Ik wil samen met jou leven en met Tom en Sarah. Heb je trouwens gehoord dat Martin dood is? Toen ik het hoorde besefte ik hoezeer ik ernaar verlangde om jou bij me te hebben om erover te praten.

Liefs aan Tom. Weet dat ik van je hou.

Dan.

Toen de juryleden eindelijk hun plaatsen weer innamen verzocht rechter Savage hun om het niet-schuldig uit te spreken voor de verdachte Stuart Bateson.

21

Daniel Savage had lang geloofd dat je mensen kon herkennen aan de manier waarop ze pianospeelden. Maar kon je dan ook herkennen voor wie ze speelden? Dat vroeg rechter Savage zich af terwijl hij achter zijn krant zat met een glas whisky, en Max in de woonkamer aan het studeren was. Zijn vrouw had een bijzonder soort virtuositeit. Het was de virtuositeit van precisie, van beheerste opwinding. Dat is Hilary, dacht Daniel vaak, dat contrast tussen energie en beheersing. Doe niet zo flauw, zei ze altijd. Doe niet zo flauw, deed Sarah haar na. En ze zou het evengoed kunnen zeggen om je aan te sporen tot het uiten van heftige emoties, als om ironisch te doen op het moment dat je je eraan overgeeft. Ze wilde die emoties, en deed er vervolgens ironisch over. Ze vond ze onaangenaam. Ze hadden de liefde bedreven in het lege huis, heel teder, maar daarna was het heel onverstandig geweest om te gaan praten over wat hem bezighield. Als ze gingen wandelen, herinnerde hij zich, liep ze haastig voor hem uit, met rechte rug; draaide zich om en sommeerde: Kom op! Dan stond ze weer tijden stil om langs de kant van de weg bramen te plukken die ze in een papieren zak stopte als ze niets beters bij de hand had, die meteen kapotscheurde. Of ze begon te praten met iemand bij de bushalte en wist niet meer dat je bestond. Ze was vrolijk, geduldig, charmant, en ook intolerant tot op zekere hoogte. Ik ben verslaafd geraakt, dacht Daniel, terwijl hij zat te luisteren naar Max die pianospeelde, aan het moeilijke leven met Hilary. Hoewel ze misschien niet moeilijker is dan een andere vrouw, of man trouwens. Nu lijd ik aan ontwenningsverschijnselen. En Max speelt ook anders, dacht hij. Je kon horen dat hij vandaag niet voor haar speelde.

Al luisterend probeerde Daniel zich op zijn krant te concentreren. Een man verkleed als vrouw had zijn psychiater en diens vrouw vermoord in een drukke Londense winkelstraat. Ik drink weer te veel, dacht Daniel, en schonk zichzelf een nieuwe whisky in. Max speelde heel anders. De moordenaar stond niet te boek als travestiet. Nadat hij de man had vermoord was hij achter de vrouw aan gegaan, die hij nog nooit eerder ontmoet had, had haar in een winkel neergeschoten, had zichzelf vervolgens in de dames-wc opgesloten, en na twee uur onderhandelen met de politie had hij zichzelf doodgeschoten. Het was alsof er een golf van muziek over weelderige oevers spoelde. Daniel keek op. De jongen speelde alsof er niemand zat te luisteren.

Vrouw van moordenaar staat voor raadsel. Zo luidde een kop. Die vrouw had de politie verteld dat ze niet wist dat haar echtgenoot een vuurwapen had. De moordenaar was een succesvolle architect, maar gepensioneerd. De vrouw was zijn derde vrouw. Nog opmerkelijker was dat ze niet wist dat haar man een psychiater bezocht. Daniel ging naar buiten, de achtertuin in. Het nieuwe gras was nu lang en dun. Een paard graasde in de wei achter de heg. Ik ga het niet maaien, dacht hij, voordat ze terugkomen. Eigenlijk wist hij niet eens of Hilary een grasmaaier had gekocht. Ik verwachtte een schandaal en tumult, dacht hij, en dramatiek, maar niet deze leegte. De hele dag op de rechtbank, en dan een leeg huis. Je dacht dat je werk je leven vulde, maar ineens blijkt de tijd te kruipen. Wat zou Tom op die piano zitten beuken! Get back Joe! Hilary stuurde of bekritiseerde hem niet zoals ze met haar andere studenten deed. Wat werd ze opgewonden als ze hem voetbal zag spelen. Geef een pass, Tom! Een pass! Je speelt veel te houterig, zei ze altijd tegen Sarah. Je bent te voorzichtig. Ineens stormde rechter Savage de kamer weer in.

Max! De jongeman stopte. Daniel zag zijn gezicht van een soort lege vervoering overgaan in beleefde aandacht. Zijn handen verlieten het klavier en vielen slap langs zijn lijf. Max? Ja? Wat is er, meneer Savage? Max, wanneer heb jij Sarah eigenlijk voor het eerst gezien? Een briesje waaide binnen en deed de muziekbladen ritselen. Op tafel stonden nog steeds bloemen van twee weken geleden. Ik weet het niet zeker. Max aarzelde. Afgelopen winter. Ja, voor Kerstmis. En ze was blaadjes aan het uitdelen? Ja. In Zijn Naam? vroeg Daniel, voor uw Verlossing? Dat klopt, zei Max half glimlachend: Ze hield me staande op straat. En ik veronderstel dat ze heel intens bezig was?

De jongeman draaide zich om op zijn kruk om rechter Savage beter aan te kunnen kijken. Hij leek blij met de conversatie. Ja, inderdaad. Toen we begonnen te praten, zei ze dat ze in feite veel onzekerder was dan ik, over God. Ze zei dat ze alleen maar blaadjes uitdeelde om te zien of ze echt geloofde. Wat ik heel grappig vond. Daniel was getroffen door dit beeld van zijn dochter. Hij merkte dat hij nog steeds met de krant in zijn handen stond en vouwde hem op. Juist, zei hij. En toen heeft ze je meegenomen naar een van haar moeders concerten? Ja, ik zei haar dat ik pianospeelde. Ze zei dat als ik met haar meeging naar een kerkdienst, er na afloop een concert was. Ik denk dat er iets van Satie bij was, ik weet niet meer wie dat speelde, en daarna speelde mevrouw Savage Ravel. Sarah heeft je dus aan haar voorgesteld? Ja. En wat voor relatie denk je dat ze hadden, Sarah en haar moeder?

Daniel had heel snel gesproken, bijna bruusk. Het zou wel duidelijk zijn dat hij al te veel gedronken had. Hoe bedoelt u? Max' gezicht straalde totale openheid uit. Hoe bedoel ik dat, vroeg Daniel zich af. Elke avond kwam hij thuis van zijn werk en het eerste wat hij deed was een glas inschenken. Ik weet niet goed hoe ik het bedoel, zei hij. En nog een. Zeg gewoon maar wat je indruk was van hoe ze zich gedroegen bij die kennismaking. Wat vond je van hen? Nou, zei Max, mevrouw Savage was erg opgewonden. Dat is normaal na een optreden. Hij aarzelde. Ik denk dat Sarah na een paar minuten is verdwenen. Ik herinner het me niet meer, ze moet zijn weggelopen, en toen begonnen we te praten over mogelijke lessen. Ik speelde al een tijdje niet meer en ik wilde weer serieus beginnen.

Heb je Sarah nog gezien de laatste dagen? Weer klonk Daniel bruusk. Ik heb wel gebeld, zei Max. Toen er hier niet werd opgenomen, heb ik Carlton Street geprobeerd. Daniel probeerde te begrijpen wat deze sympathieke jongeman dacht. Hij moest het toch vreemd vinden dat Daniel alleen zat met broodkruimels op de tafel, vuile glazen, verwelkte bloemen. Mevrouw Savage had me niet verteld dat ze wegging, weet u. De lessen zouden normaal doorgaan. En dus heb je Sarah gebeld? Inderdaad, maar toen kreeg ik natuurlijk haar huisgenoot aan de lijn. Waarom natuurlijk? Max leek in de war: Natuurlijk? Nou, ik bedoel, u hebt toch gezegd dat ze op vakantie zijn? Hij denkt dat ik dronken ben, zag Daniel. Eigenlijk heeft zij me verteld dat Sarah was vertrokken met haar moeder. Heeft dat Koreaanse meisje je dat verteld? Ja. Max voelde zich steeds minder op zijn gemak. Waar zijn ze eigenlijk naartoe? Hoe oud ben je? vroeg Daniel. De uitzonderlijke wellevendheid van de jongen wekte grofheid op. Vijfentwintig, zei hij. Vijfentwintig? Mag ik je een brutale vraag stellen, Max? De jongeman haalde zijn schouders op. Als u dat wilt.

Rechter Savage zat nu op de bank. Hij had zijn benen gespreid. Hij hield zijn glas met twee handen vast, zijn ellebogen rustten op zijn knieën. Sarah had de flat verlaten en was vertrokken met Hilary. Hoe onwaarschijnlijk zou die afloop kortgeleden nog hebben geleken. Hij probeerde een nonchalante houding aan te nemen, zoals hij ook deed als hij een rechtbankverhaal vertelde bij een dineetje. Max, ik zit momenteel een zaak voor waarin een aantal mensen van min of meer jouw leeftijd ervan wordt beschuldigd een steen van een brug over de ringweg te hebben gegooid. Dat weet ik, daar hebben we het al over gehad. O ja? Die avond toen ik u naar het ziekenhuis heb gereden, weet u nog? O ja, nou, wat ik je wilde vragen, Max, kun je je voorstellen waarom ze dat gedaan zouden hebben? Max was verbaasd. De jongen kon niet begrijpen waarom dit een brutale vraag zou zijn. De rechter legde uit: Je moet weten dat de statistieken uitwijzen dat de daders van dergelijke misdrijven bijna altijd voor in de twintig zijn. En dat is inderdaad ook het geval met deze verdachten. Max schudde zijn hoofd. Er zijn drie stelletjes, zei Daniel, bij de negen verdachten. Max keek op: O, zijn er ook meisjes bij?

Buiten was het nu donker. Daniel stond op, deed een lamp aan, trok de gordijnen dicht. Verbaast je dat, dat er meisjes bij zijn? Hij schrok van een plotselinge beweging, maar het was alleen maar een nachtvlinder buiten tegen het raam. Ik sta stijf van de zenuwen, dacht hij. Ik ging er kennelijk van uit dat er bij vandalisme alleen maar jongens betrokken zouden zijn, zei Max. Maar dit is geen vandalisme. Daniel ging zitten. Deze mensen staan niet te boek als vandalen, Max. Daarom wilde ik het jou vragen. Ze wonen allemaal thuis bij hun ouders. Net als jij. Ze hebben allemaal werk. Ze hebben in feite fatsoenlijke banen. Ze hebben allemaal een mobieltje. Ze hangen voortdurend met elkaar aan de lijn. De ochtend na de misdaad waren er iets van tachtig telefoontjes tussen hen. Maar goed, ik wilde je dit ideetje eens voorleggen.

Hij zweeg. Het was eigenlijk bijzonder indiscreet van hem om over een nog lopende zaak te spreken. Maar wat maakte het uit. Ja? Max keek plichtsgetrouw. Er is een psycholoog, moet je weten, die een verklaring heeft afgelegd over de verhoudingen binnen de groep, en die wees op het feit dat geen van de betrokken stelletjes, geen enkel, een normale, eh, een normale seksuele relatie had. O, zei de joodse jongen. Ze vormen wel zo'n beetje koppels, maar hun echte solidariteit lijkt op de groep van adolescenten gericht, hoewel ze nauwelijks nog adolescenten genoemd kunnen worden als je begrijpt wat ik bedoel. Ja en nee, zei Max. Nou, waar ik naartoe wil is dat de psycholoog oppert dat deze, eh, afwijking zo je wilt, deze voorrang van de groep op het stel, iets te maken heeft met het misdrijf. Wat denk je daarvan?

Ik... begon Max. Daniel wachtte. Nou, ik begrijp niet hoe, zei Max. Hij probeerde te lachen: Psychoanalisten denken altijd dat alles met seks te maken heeft. Dat is waar, gaf Daniel toe. Aan de andere kant is er in dit specifieke geval op nog geen vijftig meter van de brug vanwaar de steen is gegooid, ik denk dat we er zelf onderdoor zijn gereden, een plek waar prostituees staan. Je weet wel. Je hebt ze waarschijnlijk zelf gezien. Ja, zei Max. Ik heb zelfs gehoord dat de politie overweegt om de pers te vragen de namen te publiceren van de mannen die voor ze stoppen. O ja? vroeg rechter Savage. Is dat zo? Daar had hij niets over gehoord. In elk geval moeten die prostituees te zien zijn geweest toen die steen gegooid is. Wat ik zou willen weten is of jij denkt dat iemand van jouw leeftijd, Max, uit pure seksuele frustratie, uit onvermogen om iets te beginnen in het leven, als het ware, zoiets krankzinnigs zou doen om indruk te maken op de prostituees, of een signaal af te geven aan zijn vriendinnetje? Begrijp je? Of aan een ander lid van de groep. Er was kennelijk een soort ruzie aan de gang tussen twee mannelijke leden.

Max was perplex. Toen vroeg hij op de man af: Maar doet dat er iets toe, meneer Savage? Daniel voelde weerstand. De minzaamheid van de jongen was verdwenen. Wie kan het schelen waarom ze het hebben gedaan? Zolang er maar genoeg bewijs is dát ze het waren. Ze keken elkaar aan. Een goede vraag, zei Daniel. Dit was natuurlijk ook Minnies bezwaar geweest destijds. Als we weten dat hij haar heeft verkracht, wat kan het ons dan schelen wat hij erbij dacht?

Of misschien doet het er wel toe? vroeg Max iets behoedzamer.

Hij wilde niet stom lijken. Op het moment dat hij dat vroeg kwam Daniel tot het vernederende besef dat hij niet wist waarom hij deze rare discussie was begonnen. Ik ben dronken, zei hij tegen zichzelf. In een proces – hij probeerde te denken – om in een proces tot een veroordeling te komen, Max, moet de openbare aanklager een bewijslast samenstellen, een overtuigend verhaal opbouwen zo je wilt, en natuurlijk moet dat een sluitend verhaal zijn. Dat begrijp ik, zei de jongen. Ze noemen dat de bewijslast, maar het is maar zelden echt bewijs, natuurlijk. Er is bijna niets wat je echt kunt bewijzen, zoals op de manier waarop je een experiment kunt doen om een wetenschappelijke formule te bewijzen. Wettig bewijs is een overtuigend verhaal, een serie overtuigende verbanden tussen dingen die onweerlegbaar bewijs lijken: in dit geval de steen, de brug, een auto bestuurd door een van de groep met sporen van stenen in de kofferbak, de negen jongelui met hun mobieltjes, twee min of meer elkaar bevestigende verklaringen tijdens een eerste verhoor door de politie, die later weer zijn ingetrokken. Juist, stemde Max in. Juist, dat begrijp ik.

En verhalen, vervolgde Daniel, zijn tegenwoordig vooral psychologisch, begrijp je. Ze moeten psychologisch zijn. Wanneer mensen een verhaal vertellen denken ze psychologisch. Ze denken, wat voor brein zit er achter deze verzameling feiten? Eigenlijk wist Daniel niet eens zeker of hij dit geloofde. Ja, zei Max. Terecht of ten onrechte natuurlijk. Dus als de jury vindt dat de psychologie van het verhaal van de aanklager krankzinnig is, wil dat zeggen dat ze zich geen voorstelling kunnen maken van dat brein, en de verdediger zal er natuurlijk alles aan doen om het krankzinnig te laten lijken, of minstens verdacht. Hoe overtuigend het bewijs ook is, in termen van wie heeft wie waar en wanneer gezien, de jury kan op dat punt nog steeds besluiten niet tot veroordeling over te gaan. Of op z'n minst aarzelen. Ze vinden dat het niet klopt. Die kerel kan dat niet gedaan hebben. Daar had ik niet aan gedacht, zei Max.

Maar het probleem is, besloot Daniel, dat zoveel dingen die gebeuren, zelfs gewone dagelijkse dingen, helemaal niet lijken te kloppen. Dat zal wel niet, zei Max weifelend. En ze zijn trouwens zo ingewikkeld. En daarom overdrijven mensen misschien sommige dingen en bagatelliseren ze weer andere dingen wanneer ze over hun leven beginnen te praten. Of zelfs wanneer ze een verklaring afleggen bij de politie. Om er vorm en verhaal aan te geven. Ja. Max zat voorovergebogen met zijn jonge lijf, zijn handen ineengeslagen. Ja, dat kan ik wel volgen, ik weet waarom mensen dat doen. Het is iets esthetisch. Maar toen hij de knappe jongeman bekeek, bedacht Daniel dat hij slechts een repertoire van houdingen liet zien die wellicht goed overkwamen. Hij heeft een heel scala van leuk overkomende houdingen. Dit gesprek heeft geen zin, dacht rechter Savage. Waarom zit ik in vredesnaam zo door te zeuren?

Het punt met psychologen is dus – hij probeerde af te ronden – dat ze, wanneer alle overdrijving en zo is weggehaald, heel goed zijn in het overbruggen van de kloof tussen wat is gebeurd, de verschillende feiten, en het mysterie van het brein dat het heeft laten gebeuren. Hoewel dat duidelijk niet officieel hun job is, zou je in feite kunnen zeggen dat het hun geheime opdracht is, als je begrijpt wat ik bedoel. Hun functie. Uiteraard afhankelijk van of ze een verklaring afleggen voor de aanklager of de verdediging. Een psycholoog kan de jury geruststellen door aan te geven dat een ander brein zus of zo gehandeld zou kunnen hebben. In dit geval komt er dus iemand naar voren met dat verhaal van stenen gooien als reactie op seksuele frustratie. En ik wilde alleen weten wat jij daar persoonlijk van dacht.

Max schudde zijn hoofd. Het is fascinerend, zei hij voorzichtig. Hij beet op zijn lip. Ik bedoel, ging Daniel blindelings door, ik bedoel dat je zou kunnen zeggen dat Sarah, bijvoorbeeld, een heleboel stenen naar haar vader had gegooid, niet soms? Max zweeg. Begrijp je wat ik bedoel? Max zat stil. Daniel deed een laatste dronken poging om de verdediging van de jongen door te prikken. Denk bijvoorbeeld eens, zei hij scherp, aan de manier waarop je haar, Sarah, hebt ontmoet. Daar loop je een beetje over straat aan het einde van de lente, begin van de zomer. Je komt een jonge vrouw tegen, fris, aantrekkelijk denk ik, sexy zelfs, heb ik gelijk of niet? Iemand die je zou kunnen zien als een mogelijk vriendinnetje, zou ik zeggen. We dromen allemaal van dat soort dingen, niet soms? Maar in plaats van haar vrolijk het hof te maken, breng je de meeste tijd door met de moeder van het meisje die ruim vijfentwintig jaar ouder is.

De stem van rechter Savage was erg hard gaan klinken. Hij wilde de man een beetje verstand bijbrengen. Maar Max antwoordde meteen: Nou, dat is omdat ze pianoles geeft. Daniel zuchtte. Juist, zei hij. De woede verliet hem. Hij stond op. Ja natuurlijk, je zult wel gelijk hebben. Toen verkondigde hij: O, ze zijn trouwens naar Cornwall. Het besluit kwam nogal op de valreep. Hilary zei dat ik je moest zeggen dat het haar speet, maar dat het de enige manier leek om Sarah uit die flat te lokken. Je weet nog wel dat we problemen hadden. O, zo, zei Max. Zijn blik was weer afgedwaald naar zijn partituur. Daniel was getroffen door het feit dat zelfs hij er niet echt onder leed. Hij pakte de krant, spreidde hem uit op tafel en tilde heel snel de rottende bloemen uit de vaas. Hij rolde ze op in het nieuwsblad en bleek toen tot zijn verbazing oog in oog te staan met de psychiater die vermoord was door zijn patiënt de architect. Hij barstte in lachen uit. Eigenlijk Max... De jongen zat weer in de aanslag om te gaan spelen, maar wachtte. Maar weet je – Daniel pakte de bloemen stevig in – haar huisgenoot is ook niet onaardig als je de bloemetjes eens wilt buitenzetten. Max keek verbijsterd. Sarahs huisgenoot, met wie je hebt gesproken. Koreaans, klein. Midden twintig. Waarschijnlijk een echt kofferdier, zou ik zeggen. Pardon? Een kofferdier, Max, goed in bed. Dat soort uitdrukkingen krijg je af en toe te horen op de rechtbank. O, zo, zei de jongen.

22

Daniel reed in een impuls naar Carlton Street. Ik ga orde op zaken stellen, waren de woorden die door zijn hoofd bleven gaan. Hij reed heel hard door een bruisend verlichte stad. Ik sta al in de lift. Ik ga orde op zaken stellen. Een krachtige uitdrukking. Maar hij kreeg zijn sleutel niet in het slot. Wat is er met die sleutels? Hij probeerde het nog eens. Nu ging het licht uit. Ze heeft de sloten veranderd, besefte hij. Deze flat is niet meer van ons. Christine heeft de sloten laten veranderen. Ik haat Christine, dacht hij. Wist hij. Hij drukte op de bel. Hij drukte op het knopje en hield het ingedrukt. Bleef het ingedrukt houden. Het is laat om nog op bezoek te komen, de mensen zullen slapen, maar hij moest orde op zaken stellen. Er klonken voetstappen. Hij hoorde dat er een ketting werd losgemaakt. Wij hadden geen ketting. Iemand is bang. Gerinkel. Iemand is bang om de deur open te doen. De deur ging niet open. Hij wachtte. Doe open! De voetstappen verwijderden zich. Rechter Savage duwde tegen de deur die probleemloos openzwaaide in een grotachtige woonkamer. Sarah! Haar gestalte trok zich terug in een donkere nachtjapon. Sarah! Hij strompelde naar haar toe. Waarom zijn mijn benen zo zwaar? Ik word oud, dacht rechter Savage. Ik ben niet jong meer. De gestalte draaide zich om in een deuropening. Minnie Kwan was stromend bloed. Haar gezicht was opgelost in bloed. Maar het brandde ook. Het stond in vuur en vlam. Het werd verteerd door rode vlammen. Je hebt me laten sterven, zei ze, en Daniel werd wakker.

Hij lag in bed na te genieten van zijn droom. Een nachtmerrie kan leuk zijn als hij eenmaal voorbij is. De rilling van horror werd bijna meteen genot. Ik heb haar juist niet laten sterven, dacht hij. Waarom had hij het tegenovergestelde gedroomd? Waarom werd je wakker uit zo'n verschrikkelijke droom en voelde je je zo zelfgenoegzaam? Ik heb geen nachtmerries over in elkaar geslagen worden, bedacht hij. Ik heb geen spijt van wat ik heb gedaan.

Nu hij zo'n sterk en zeker gevoel had zichzelf te zijn, stond rechter Savage midden in de nacht op en pakte een vel papier. Hilary, schreef hij, als je een besluit genomen hebt, laten we dan iets afspreken zodat ik Tom en Sarah kan zien. Hij voelde zich objectief. Ik zal niet langer voor mijn huwelijk vechten, dacht hij. Het was eerder een feit dan een beslissing. Er zit geen vonk meer in me, verkondigde hij, nogal vreemd. Hij schreef. Natuurlijk krijg jij het huis. Ik zal niet moeilijk doen over geld. Ik zal verhuizen. Ik hou wel van je, besloot hij. Dan.

Hij adresseerde de brief aan haar ouders en in dezelfde vreemde zelfgenoegzame en zelfs serene bui die de nachtmerrie had veroorzaakt, ging hij weer in bed liggen en doezelde weg. Eindelijk kon hij de toekomst zien. Wat raar om je zo rustig te voelen! Ik zal ergens een klein appartement zoeken in de stad. Ik ga mezelf helemaal aan de rechtbank wijden. Rechter Savage legde zijn handen achter zijn hoofd en sloot zijn ogen. Ik word de allerbeste rechter, de aller-, allerbeste. Ik geef er al mijn energie aan, aan het efficiënt en eerlijk runnen van een rechtbank. Ik schrijf belangrijke artikels waarin ik vergaande hervormingen voorstel. Iemand moest de kwaliteit van de rechtsvervolging verbeteren in dit land. Iemand moest een manier vinden om tijd en geld te besparen zonder iemands rechten te ondermijnen. Het zou voldoening schenken om het hoogtepunt van het gerechtelijke systeem te hebben bereikt. De kinderen zijn te oud om van me te worden weggehaald, besliste hij. Tom en Sarah zullen altijd mijn kinderen zijn. Ze zijn te oud om aan iemand anders te denken als hun vader. Toen dacht hij: als er echt een schandaal uitbreekt, zou ik juridisch adviseur kunnen worden. Raciale kwesties. Daar is altijd vraag naar.

Het zou moeilijk zijn om te beschrijven hoe gelukzalig kalm, hoe uiterst vastbesloten en sereen rechter Savage zich voelde, alsof hij op zijn rug in een comfortabele kano een vriendelijk mentaal stroompje afdreef door de zachte late zomerochtend buiten de stad. Het verre geblaf van honden drong maar nauwelijks door de mistsluier die over hellingen met natte stoppels hing. Het is allemaal voorbij, dacht hij. Achter de rug. Als ik alleen leef, hoef ik mezelf niet meer te kwellen met de mysteries van de mensen om me heen, wat ze misschien willen, wat mijn verhouding tot hen is. Hij voelde zich vreemd postuum tegenover zichzelf staan, alsof hij afscheid nam van het leven van iemand die dood was. Ik zal Christine niet eens vragen waarom ze het Sarah heeft verteld, dacht hij. Die vrouw is de kluts kwijt, besloot rechter Savage. Hij herinnerde zich pastoor Shilling. Zelfs als ik met haar naar bed ga, glimlachte hij, zal ik het haar niet vragen. Hij grinnikte. Je ontzegt een vrouw de toegang tot je bed niet alleen maar omdat ze de kluts kwijt is. Met wie zal ik naar bed gaan nu ik niet langer getrouwd ben? Als ik met Kathleen Connolly naar bed ga, dacht hij, dan ga ik alleen met haar naar bed. Ik zal haar geen professionele vragen stellen of op wat voor manier dan ook indiscreet zijn over lopende zaken. Het is een aantrekkelijke vrouw. Ik zal vermijden over haar zieke kind te praten. Werken, en af en toe een verzetje, besloot hij. En ik hoef nooit tegen iemand te liegen. Nooit te zeggen waar ik ben, wanneer ik thuiskom. Er zullen geen aparte vakjes in mijn leven zitten, geen valse bodems. Dat was doodvermoeiend geweest. Ik zal de kinderen steunen, besloot hij nogal plechtig, zonder al te veel over hun leven te willen weten, zonder mezelf te kwellen, of ze nou succes hebben of niet. Ze kunnen doen wat ze willen. Ze mogen evangelist worden en met een pygmee trouwen. Ik bemoei me er niet mee. Ik wacht wel af.

Wat een gelukzalig beeld was dat! Daniel Savage leek zichzelf te hebben losgemaakt van de harde aarde. Ik zal een en al begrip en tolerantie zijn, dacht hij. De verantwoordelijkheden van een rechter zijn genoeg voor een man, besloot hij. Ik heb haar niet laten verdwijnen of sterven, kwam de gedachte weer boven. Dat heb ik niet gedaan. Dat gedeelte van mijn identiteit ben ik tenminste trouw gebleven. Dat is het voornaamste. Ik heb haar niet gevonden met een gezicht stromend van het bloed. Weer zag hij de gang, de bloederige, brandende, gezichtsloze gedaante en was niet geschokt. Integendeel, hij doezelde juist zacht weg op de aangename verkeerdheid van die nachtmerrie. Het was eigenaardig dat de droom zich afspeelde in de flat die vroeger zijn thuis was. Nu heb ik geen thuis meer, dacht hij. Dubbele levens spelen zich thuis af. Nu hoef ik geen orde op zaken meer te stellen. Niet eens in de zaak van de stenengooiers. Ik ben maar de scheidsrechter, zei hij tegen zichzelf. Ik zal een soort wetspriester worden die het sacrament der gerechtigheid behoedt, besloot

Daniel Savage. Ik kan misschien soms eens bij Frank langsgaan op zaterdagmorgen. Ga ik langs bij zijn kraam. Dat was een aantrekkelijke gedachte. Hij en zijn vergeten broer zouden samen kletsen bij 's mans marktkraam, alle oude wrok vergeten. Alle relaties zullen ontdaan worden van wrok, zei rechter Savage hardop. Hij zei het nog eens. Zelfs Hilary. Eenmaal gescheiden, zou hun relatie ontdaan zijn van wrok. Ja, ja, dat zal spoedig gebeuren. Hij stelde zich voor dat ze allemaal samen iets zouden drinken. Misschien bij de rivier. Ik en Frank en Hilary. Misschien Christine ook. Ik neem een roeiboot met Tom. Zijn relatie met Sarah zou ook ontdaan worden van pijn. Ik zal haar nooit meer slaan. Er zouden geen gênante gesprekken meer zijn van het soort dat hij gisteravond met Max had gehad. Dat doe ik niet meer want ik zal niet meer proberen het onbegrijpelijke te begrijpen. Het was eigenaardig hoe zo'n nachtmerrie, een banale nachtmerrie eigenlijk, een simpele herschikking van verschillende angsten, zo'n enorme verandering van houding teweeg kon brengen, zo'n diep gevoel van welbehagen. Dit verhaal heeft een gelukkig einde, dacht rechter Savage. Plotseling zag hij het traject ervan heel duidelijk. Hij was overtuigd. Het was stom je te laten verleiden door die moeilijke langetermijnrelaties met vrouw en kinderen. Je stelt jezelf een doel, en dan word je erdoor overweldigd. Je hebt jezelf uitgeput, besloot hij, zo zit dat, door twee of meer personen tegelijk te zijn, Hilary's man, je eigen man, de gerechtsman. Een dubbelleven, nee een driedubbel leven. Het was stom om waardering te zoeken, stom om jezelf te vernederen. Onbetrouwbaarheid is uitputtend, besloot hij. Toch was het ook niet nodig om Martins nihilistische pad te volgen. Integendeel. Dit is gelukzalig, dacht hij. Hij zou nieuwe interesses krijgen. Frank leek volmaakt gelukkig met zijn nieuwe vriend en zijn antiek. Ik zal mezelf zo nu en dan een amoureus avontuurtje permitteren, zei rechter Savage tegen zichzelf, gelukzalig drijvend op de vroege ochtendnevel. Een tikje chiquer en discreter dan een Braziliaanse tippelaarster. Een plichtbewuste rechter is per slot van rekening een waardevol lid van de samenleving. Hij verdient z'n avontuurtjes. Hij kan het zich permitteren. Of ik werk het rondje oude vriendinnen nog eens af. Dat was een mogelijke optie. Zelfs Minnie. Hij had het meisje niet zomaar laten vallen, wat hij ook had kunnen doen. Een vriendelijk nachtje samen was niet onvoorstelbaar. Nu staat het je vrij om iedereen te helpen die je wilt en ook om iedereen te versieren die je wilt. Zolang ze niet in een jury zitten. Dat leken zijn twee vaste karaktertrekken te zijn, behulpzaamheid en geilheid. Een moraalridder met eetlust! Rechter Savage lachte hardop. Hij voelde zich goed. Ik moet van mijn instructie van die stenengooierszaak ook weer zo'n exemplarische voorstelling maken, dacht hij, ik moet heel duidelijk zeggen wat er op het spel staat. Je kunt een vrouw niet herleiden tot een massa geronnen bloed zonder gezicht.

We waren in de Tally Ho tot een uur of tien. Dat heb ik al gezegd.

Welnu, ik vraag of u het wilt herhalen, meneer Sayle. Kunt u de jury alstublieft nog eens vertellen wie u precies bedoelt met we?

Nou, Sasha was er en John en...

Wilt u de achternamen ook geven, alstublieft, meneer Sayle.

Ik heb dat allemaal al verteld.

Meneer Sayle, ik vraag u om het nog eens te vertellen. U bent verhoord door uw advocaat die u heeft verzocht uw versie van het verhaal te vertellen. Nu verhoor ik u als advocaat van de eisende partij over die versie, die naar mijn mening een hoop leugens is.

Sedley weet hoe hij moet choqueren, zag Daniel, door plotseling in de aanval te gaan zonder enige verandering in tempo of toon. Maar hij vond het armzalige advocatuur. Het gevaar bestond dat de jury niet meeging.

Goed, Sasha Singleton was er, Jamie Grier, Ryan Riley, Stuart Bateson en Ginnie Keane. We waren met z'n zessen.

Sedley kruiste de namen pijnlijk langzaam aan.

Stuart Bateson heeft ontkend dat hij erbij was. Heeft hij u verteld waarom hij het heeft ontkend?

Dat zult u hem moeten vragen.

Meneer Sayle, ik heb u niet gevraagd waarom hij het heeft ontkend, maar of hij er tegen u over heeft gespoken.

Ik spreek niet met een leugenaar, zei Sayle ferm. Wat mij betreft bestaat hij niet. Hij was erbij.

Bedoelt u dat u boos op hem bent omdat hij afweek van een afgesproken verhaal?

Er is geen afgesproken verhaal. Hij heeft de waarheid niet verteld omdat hij bang was dat men dan misschien zou denken dat hij het gedaan had. En dat was niet zo.

Maar dat is speculatie.

Wat? Pardon?

U speculeert op het waarom van wat hij gezegd heeft. U weet het niet.

Ik weet het wel, zei Sayle. Dat is zo klaar als een klontje.

Meneer Sayle, alle namen die u noemt van de mensen die met u het café hebben verlaten zaten oorspronkelijk bij de verdachten, met uitzondering van Ginnie Keane. Is ze met jullie meegekomen naar de brug of niet?

Ginnie ging ergens anders naartoe.

Goed. We komen later nog wel op Ginnie terug. Dus jullie waren met z'n zessen toen jullie het café verlieten; een van die zes gaat alleen weg, maar in de tussentijd belt u verscheidene anderen op.

Zoals ik heb gezegd.

U had een gsm?

Ja.

Ik neem aan dat elk lid van de groep wel een mobieltje had?

Ja, dat heb ik gezegd.

Meneer Sayle, kunt u het hof uitleggen op welke manier de telefoonnummers van de groep waren opgenomen in het geheugen van elk mobieltje?

David Sayle had geen probleem met dit verzoek: Elk van ons had een soort nummer in de groep, en dat was ook het nummer dat je had in het geheugen van ieders mobieltje.

Meneer Sayle, viel rechter Savage hem in de rede, heeft u kauwgom in uw mond?

Ik ben bang van wel, edelachtbare.

Kunt u die uit uw mond doen alstublieft, meneer Sayle? En wel onmiddellijk.

David Sayle stak zijn vingers in zijn mond, stopte toen. De bode bood hem een zakdoekje aan.

Dank u, meneer Sayle.

Dus als we dat met die nummers goed begrijpen... begon Sedley.

Ja, bijvoorbeeld, Sasha Singleton is twee, wat betekent dat als je nummer twee ingedrukt houdt op welk toestel ook, automatisch Sasha gebeld wordt.

Aha, ik begrijp het. En wiens idee was dat?

Het mijne.

En waarom werd dit gedaan?

Ik vond het prettig te voelen dat we een groep waren, dat we allemaal dikke vrienden waren.

Schitterend. Waarschijnlijk was dit de soort saamhorigheid die je ook waardeerde in de kerk.

Ja. Ik zat wel graag bij de jeugdvereniging.

Maar dat was voor onder de twintig jaar.

Dat klopt, hoewel sommige van de mensen die ernaartoe gaan wel een beetje ouder zijn. Ik bedoel, het is geen strenge regel.

Dank u. Nu, wie was nummer een op die mobieltjes, meneer Sayle?

Pardon?

Ieder lid van de groep had een nummer en dat was ook hun nummer in het geheugen van de mobieltjes. Wie was nummer een?

Ik.

En waarom?

Sayle haalde zijn schouders op. Omdat het mijn idee was denk ik.

En niet omdat u de leider was van deze, eh, hechte groep vrienden?

Niet echt.

Niet echt, wil dat zeggen een beetje wel, of dat sommige mensen dachten dat u het was, maar dat u het in feite niet was?

Sayle begreep het niet.

Rechter Savage zei: Ik denk dat de raadsman bedoelt dat 'niet echt' niet zo'n duidelijk antwoord is als ja of nee. Was u of was u niet de leider van de groep?

Sayle aarzelde. Hij had een eerlijk, open en vlezig gezicht. Nee, zei hij.

En uw vriendin Sasha Singleton stond als nummer twee in het geheugen?

Dat heb ik net gezegd.

En was zij de leider van de groep?

Nee, absoluut niet.

Aha, absoluut niet. En welk nummer had de heer Riley?

Ryan heeft vijf.

Niet helemaal de volgorde waarin u wordt voorgeleid, mijmerde Sedley hardop. Het was een onnodig commentaar, maar de advocaten van de verdediging waren zo verstandig om geen bezwaar te maken. Een jurylid grinnikte. David Sayle leek het weer niet te begrijpen.

En was de heer Riley de leider van de groep?

Nu glimlachte de verdachte breed. Helemaal niet.

Kunt u uitleggen wat daar zo leuk aan is, meneer Sayle?

Sayle haalde diep adem en zweeg toen.

Kunt u uitleggen waarom u mijn vraag over de heer Riley zo leuk vond?

U moest hem eens kennen; Ryan is niet het leiderstype, zei Sayle. Van niks.

Wie was dus de leider?

Sayle haalde zijn schouders op.

Kunnen we alstublieft ophouden met die spelletjes, meneer Sayle, u weet heel goed dat u de leider van die groep was, die trouwens alleen gevormd is opdat u er leider van kon zijn, en de waarheid is dat u alles besloot en bepaalde wat de groep deed, waar de avonden werden doorgebracht en hoe het geheugen van de mobieltjes er moest uitzien. U leefde in een extase van macht en eigendunk, of niet?

Dat is niet waar, zei de verdachte meteen. Hij aarzelde. Ik stelde alleen af en toe iets voor. Zo'n beetje. Ik heb meer ideeën. Vaak is het moeilijk om te verzinnen wat je hier kunt doen. Er is niet veel, hè? Voor jonge mensen. Na een pauze voegde hij eraan toe: Omdat er een groep is hoeft er toch nog geen leider te zijn. Hij ging haastig door: Het was meer dat ze op mij vertrouwden als we iets deden, dan dat ik over iedereen de baas speelde. Als er een groep is, dan is dat omdat mensen graag op elkaar vertrouwen. Dat is in de kerk ook zo, zei hij, ze vragen me vaak om toernooien en uitstapjes te organiseren en zo. Omdat ik ideeën heb.

Meneer Sayle, ik moet u verzoeken om uw antwoorden kort en terzake te houden. Laten we teruggaan naar de avond in kwestie: wat heeft u om tien uur 's avonds op 22 maart buiten voor het café Tally Ho, waar u, laat eens kijken hoeveel, ja, drie glazen bier had gedronken, zegt u, Caffreys-bier, om precies te zijn – wat heeft u voorgesteld aan de leden van deze groep waarvan u niet, beweert u, de leider bent, maar, laten we zeggen, de man van de ideeën?

Sayle zuchtte. Ik zei, laten we de anderen bellen en ergens afspreken. Dat was normaal.

En de anderen waren?

Sayle ratelde de namen af.

Of misschien wilt u ons hun nummers geven?

4, 7, 8 en 11.

U schijnt de nummers heel goed te kennen, meneer Sayle.

Het was een grapje dat we onder elkaar hadden.

Mij klinkt het onheilspellend paramilitair in de oren, merkte Sedley op.

Edelachtbare! Sayles advocaat stond op. Ik maak bezwaar. Dit is een persoonlijke opmerking van de ergste soort.

Bezwaar aanvaard, zei Daniel. Hij had vaak gemerkt dat de Queens's Counsel veel vaker dan de gewone advocaten van dit wapen gebruik probeerde te maken. Meneer Sedley, zei hij droog, u weet vermoedelijk wel dat u uw gedachten tegenover de verdachte beter kunt uiten als directe vragen in plaats van ongepast commentaar te leveren.

U hebt gelijk, neemt u me niet kwalijk, edelachtbare. Sedley stopte even, alsof hij belangrijke gedachten op een rijtje zette: Is er, meneer Sayle, niet iets paramilitairs aan de manier waarop jullie aan elkaar denken als nummers eerder dan namen? Paramilitair, herhaalde hij.

Ik begrijp het verschil niet, zei Sayle, tussen militair en paramilitair.

Wat handig omzeilde hij hiermee de vraag! De jury had er plezier in. Onverwacht kwam Sayle over als een hele gewone en vriendelijke jongen, en Sedley als een man die op pompeuze wijze zijn hogere opleiding etaleerde.

Laat ik het dan anders zeggen. Maakte dat gebruik van nummers deel uit van een algemene gewoonte jezelf betrokken te zien bij oorlogsspelletjes?

Helemaal niet, zei Sayle verstandig.

En toch, meneer Sayle, wat u voorstelde aan de leden – hij keek in zijn aantekeningen – 4, 7, 8 en 11 van uw groep was dat ze u op de brug zouden ontmoeten waar Malding Lane de ringweg kruist.

Dat klopt.

Waarom?

Pardon?

Meneer Sayle, alstublieft. Mijn stem is misschien niet een van de luidste, maar ik weet zeker dat u mijn vraag gehoord hebt. Ik vroeg, waarom, waarom daarheen?

Sayle gaf geen antwoord.

Waarom zouden 4, 7, 8 en 11 de nummers 1, 2, 3 of wat ook willen ontmoeten op een druk viaduct? Was er iets leuks te doen? Was er eten en drinken voorradig? Was er muziek?

De jongeman staarde de zaal in.

Waarom zou iemand er in vredesnaam mee instemmen om samen te komen op zo'n plek? Je kunt het toch nauwelijks een geschikte plek voor een babbel noemen, hè, meneer Sayle? Of om de nachtelijke hemel te bewonderen?

De verdachte zei niets.

Meneer Sayle, in uw verklaring tegenover de politie beweert u dat toen u en de anderen bij de brug aankwamen, met twee auto's en een motor, een auto vanuit de ene richting en een uit de andere richting, u een ongeluk zag dat al was gebeurd. Klopt dat?

Ja, dat zeg ik steeds. We kwamen bij de brug aan, u weet wel, waar er zo'n bocht is en de weg een beetje stijgt, en net als we boven aankomen zien we die kinderen de helling afrennen.

Alstublieft, meneer Sayle, daar komen we zo meteen op. Wat ik u nu wil vragen is waarom jullie überhaupt naar die brug zijn gegaan. In uw verklaring tegenover de politie zegt u dat de groep, en ik citeer, 'daar regelmatig afsprak'. Wat ik van u wil horen is waarom. Waarom koos u die brug om af te spreken?

Sayle, gekleed in een donker pak met das, zijn schouderlang blond haar in een paardenstaart gebonden, leek voor het eerst totaal sprakeloos. Was het mogelijk, vroeg Daniel zich af, dat hij naar de getuigenbank is gekomen zonder dat hij deze vraag verwacht had?

Was het om stenen naar auto's te gooien?

Nee! Dat heb ik al honderd keer gezegd.

Waarom dan wel?

De verdachte zat met zijn vingers te friemelen, verplaatste zijn gewicht van de ene naar de andere voet. Waarom had hij niet gewoon schuld bekend? vroeg rechter Savage zich af terwijl hij naar de jongeman keek. Berouw tonen, toegeven dat je een glas te veel gedronken hebt, iets zeggen als: ik kan niet geloven dat ik dat heb gedaan, ik wil ervoor boeten. In dat geval zou hij waarschijnlijk niet meer dan zes jaar krijgen, waarvan hij er dan vier zou moeten uitzitten. En in plaats daarvan werd hem nu die onmogelijke vraag gesteld. Waarom gingen jullie naar de brug? De jury, die eerder blijk had gegeven van sympathie, keek geconcentreerd toe. De drie rijen van de publieke tribune, vooral kennissen en vrienden van de verdachte, waren duidelijk opgewonden.

Sayle zei niets.

Meneer Sayle, kwam Daniel tussenbeide, als u eenmaal hebt besloten een getuigenis af te leggen dan moet u antwoord geven op alle vragen die u worden gesteld. U hebt niet alleen gezworen de waarheid te vertellen, maar de hele waarheid.

De jongeman keek uitdrukkingsloos de rechtszaal in naar de publieke tribune. Hij deed zijn mond open en sloot hem weer. Er ging een hele minuut voorbij.

Meneer Sayle. Daniel zette zijn ernstigste rechtersstem op. De vraag waarom u die brug over de ringweg hebt gekozen in de nacht en rond de tijd van het misdrijf in kwestie, is een belangrijke vraag en die moet u beantwoorden.

Meneer Sayle – Sedley knikte naar de rechter en begon opnieuw. Hij klonk als iemand die verplicht is een even vermoeiende als essentiële taak te ondernemen. Laat ik mijn verzoek zo duidelijk mogelijk herhalen: kunt u het hof uitleggen waarom u en uw groep graag afspraken op de brug waar Malding Lane de ringweg kruist?

Weer bleef het lang stil. Toen spreidde Sayle zijn vingers, greep de leuning vast en zei: We gingen met de prostituees praten.

Sedley werd erdoor overvallen. Hier werd in geen enkele verklaring van welk lid van de groep ook gewag van gemaakt. Noch had Sayle erover gesproken tijdens het eerste verhoor door zijn eigen advocaat. De raadsman legde zijn handen tegen elkaar als in gebed, schommelde heen en weer met zijn vingers tegen zijn lippen. Om met de prostituees te praten, herhaalde hij. Nu zal hij moeten improviseren, dacht rechter Savage. Om met de prostituees te gaan praten, meneer Sayle! Sedley koos voor een stijgende toon van ongeloof, maar hij was aan het vastlopen. De jonge verdachte kwam hem in alle onschuld te hulp: Er zijn altijd een paar meisjes die daar zakendoen, u weet wel, op de ringweg op de parkeerplaats bij de brug. We gingen altijd met hen praten.

Ach zo. En waarom, mag ik vragen?

Ik vind dat heel normaal, eigenlijk, zei Sayle. Veel mensen praten met prostituees.

Is dat zo?

Natuurlijk. Kijk maar eens om u heen, zei Sayle. Hij was gegeneerd, maar uitdagend.

U beweert dus, laat me eens even kijken of ik het juist heb, meneer Sayle, u vertelt de rechtbank dus dat u het normaal vindt om een avond door te brengen in de kroeg en dan samen te komen met een groep zorgvuldig genummerde vrienden om naar een drukke weg te rijden en met prostituees te praten. Hadden die ook nummers?

Ik zei dat u maar eens om u heen moest kijken.

Ik kijk om me heen, antwoordde Sedley. En wat ik zie is een groep jongelui die terechtstaat voor een zeer serieus misdrijf. Misschien wilt u ons wel vertellen waar u het met deze dames van lichte zeden over had.

Het leven, zei Sayle. Over van alles. Soms namen we een paar blikjes bier mee of een snack of zo. We praatten over waar ze vandaan kwamen, waarom ze in het leven zaten. Het zijn voornamelijk buitenlanders, weet u.

Zeer boeiend, meneer Sayle. En uw vriendin, Sasha, zag geen...

Juffrouw Singleton, zei Sayle met een tikje ironie.

Juffrouw Singleton zag geen bezwaar in deze geheel normale interesse van u in de dames van de nacht?

Sasha praat ook graag met hen, zei Sayle. Ze weten veel van het leven. Iedereen wordt zo in beslag genomen door zijn eigen kleine stukje wereld. Maar zij zien iedereen.

Inderdaad, inderdaad, meneer Sayle. Ik zie dat drie glazen Caffreys de filosofische geest niet vervlakken. Maar laten we het even duidelijk formuleren – u vertelt de rechtbank dus dat u regelmatig de brug bezocht om een paar aardige prostituees bier en hamburgers te brengen?

Dat klopt.

En stenen?

Wat? Pardon?

En stenen? U brengt deze vriendelijke vrouwen, het cement van onze samenleving en bron van wereldse wijsheid, bier, hamburgers en stenen. De kofferbak van uw auto lag er vol mee, meneer Sayle.

De beschuldigde zuchtte. Ik heb uitgelegd dat die troep in Jamies auto te maken had met de bouw waar zijn oom mee bezig was.

Ach ja, natuurlijk. Ik was meneer Griers klussende oom vergeten, wat dom van me. Op hem komen we nog terug. Maar voorlopig kunt u misschien uitleggen waarom u het tot op heden nog nooit over deze innemende soirees met onze lokale courtisanes hebt gehad, in geen enkele eerdere verklaring.

Sayle aarzelde. Hij zoog op zijn lippen: zijn manier van doen bestond uit een vreemde afwisseling van strijdlust en meegaandheid, en elke eigenschap werd zo herkenbaar en overtuigend opgevoerd dat het moeilijk was om de man echt in te schatten. Waarschijnlijk gewoon een doorsneejongen.

Meneer Sayle, ik vraag u waarom u nooit hebt gezegd dat u en uw vriendin, om nog maar te zwijgen over de andere leden van de groep, op zaterdagavond prostituees gingen bezoeken. Wat moeten we ons daarbij voorstellen? Probeerde u hen over te halen een zondig leven te verlaten en de volgende ochtend met u mee naar de kerk te gaan?

Tuurlijk niet.

Meneer Sayle, u hebt de politie geen detail bespaard wat betreft uw kerkbezoek, maar u hebt nagelaten deze bezoekjes aan prostituees te noemen. Kunt u zeggen waarom?

Sayle gaf geen antwoord.

Er is niets mis mee, meneer Sayle, om te proberen een gevallen vrouw uit een zondig leven te redden. Zelfs de nobelste van onze negentiende-eeuwse premiers, William Gladstone, was actief en persoonlijk betrokken bij een missie om de dames van de straat te redden. Het verwondert me derhalve dat u dat niet meteen tegen de politie hebt gezegd. Het verwondert me dat u geen gloedvol relaas hebt verteld over de zieltjes die u gered hebt. Of is het eerder de waarheid, meneer Sayle, dat u dit slimme antwoord pas twee minuten geleden hebt bedacht, op het moment dat u in een nauw parket was gebracht?

Sedley is het spoor bijster, dacht Daniel. Al dat agressieve gedoe en die ironie brachten hem nergens. De verdediging was zo verstandig geen bezwaar te maken, ook al had dat gemakkelijk gekund.

Ik probeerde niemand te bekeren, zei Sayle.

Aha. U probeerde hen niet te bekeren. Dan zullen we dus geen getuigenis kunnen horen van een charmante jongedame van hoe u haar uit de muil van de hel hebt gered.

Sayle zei: Ik weet eigenlijk niet waarom we met hen gingen praten. We hebben wel lol gehad. Het gaf ons iets te doen.

Meneer Sayle, laten we de genoegens die u al dan niet gehad hebt door met vrouwen van lichte zeden te praten buiten beschouwing laten, en laat me mijn vorige vraag nog eens herhalen: waarom hebt u niets tegen de politie gezegd van deze reden om naar de brug te gaan? Of tegen uw eigen raadsman, in wiens verhoor dit feit ook niet boven water is gekomen?

Na weer een lange stilte, zei David Sayle kleintjes: Om eerlijk te zijn, ik wilde niet dat mijn moeder het te weten kwam.

Niet alleen zorgde deze opmerking voor gegiechel in de rechtszaal, maar ze werd ook op zo'n manier gezegd dat ze helemaal echt leek. Een ongelukkige dikke vrouw op de eerste rij van de publieke tribune had haar handen voor haar gezicht geslagen. Het hele verhaal is ineens veranderd, voelde rechter Savage. Geef iets gênants toe en de mensen geloven je, zelfs al is het misschien niet waar. Tien minuten later, toen hij de deur van zijn werkkamer sloot, stond hij tegenover de jonge secretaresse Laura. In haar handen had ze een exemplaar van de avondkrant. Mysterie rond aanval op Savage, luidde de kop.

23

Dan, hallo. Er was een ergerlijke en onwaarschijnlijke intimiteit in de stem van de politieman gekropen. Je hebt mijn bericht dus gekregen? Zo hoorde hij niet tegen een rechter te praten. Ja. Daniel was sprakeloos. Goed zo. En je hebt de krant van vanavond gezien, veronderstel ik? Ja. Je weet niet hoe ze aan dat verhaal komen? Nee. Wie zou hun dat verteld kunnen hebben? Ik sta te trillen, merkte Daniel. Ik ben helemaal niet klaar voor een schandaal. Hij zei: Mijn vrouw. Dat denk ik niet, zei Mattheson meteen. Ik heb haar namelijk net aan de telefoon gehad. Ik weet zeker dat het niet je vrouw is geweest. O. Mattheson had Hilary's nummer. Mijn dochter misschien. Mattheson zei niets. Rechter Savage hoorde stemmen op de achtergrond. De politieman belde met zijn mobieltje. Mijn broer Frank wist iets, zei hij. Om een of andere reden kreeg hij Christines naam niet over zijn lippen. Hij had Martin alles verteld. Had Martin op zijn sterfbed de tijd of de energie gehad om het door te vertellen aan zijn vrouw? Juffrouw Kwan zou het toch zeker niet zelf doen? opperde hij. Dan – de politieman klonk laatdunkend – ik geloof dat juffrouw Kwan naar haar familie is teruggegaan. Ik betwijfel of ze er enig belang bij zou hebben haar mond open te doen tegenover de pers, nu ze weer bij haar familie woont. Pardon? Het meisje is terug naar haar familie, Dan. Drie dagen geleden geloof ik.

Daniel voelde zich verloren. Zijn leven had schipbreuk geleden op de tweeslachtigheid waarmee een jong meisje tegenover haar origine stond. Eerst had ze zichzelf losgesneden. Nu was ze weer teruggegaan. Het was voor niets geweest. Trillend zei hij: Maar het verhaal is erg nauwkeurig. Ik bedoel, ze hebben het niet uit de lucht geplukt. Het moet iemand zijn die iets weet. Er staat niets in over dat gedoe met de jury, merkte Mattheson op. En dat zou het meest schadelijk zijn, daar zou je aan ten onder kunnen gaan. Nee, dat staat er niet.

Rechter Savage had nauwelijks tijd gehad om daaraan te denken. Lag er een waarschuwing in 's mans stem? Wie zou de zaak doorspelen aan de politie, vroeg de politieman, zonder dat te vermelden, aangenomen dat ze het wisten?

Daniel merkte dat hij opkeek van de telefoon om te zien of er iemand mee zat te luisteren, een belachelijk gebaar daar hij in zijn eigen kamer zat met de deur dicht. Er staat wel dat ze Koreaans was, zei hij. Eigenlijk Aziatisch, Dan. Aziatisch. Neem me niet kwalijk, ik kan me niet concentreren. Dat is normaal, zei de politieman. Na een korte stilte vervolgde hij met een diepe zucht: Oké, oké, dus iemand heeft dat verhaal opgepikt, waarschijnlijk in de vorm van een gerucht, en heeft het aan de avondkranten doorgespeeld, en om allerlei redenen vond de hoofdredacteur het betrouwbaar genoeg om publicatie te riskeren. Ze weten dat een rechter er absoluut geen behoefte aan heeft om het hoog te spelen met een aanklacht wegens smaad, zelfs als het niet waar is. Toch? Je moet het eens als volgt bekijken: je bent eerst behandeld als een held, nu ben je rijp voor een schandaal. Zo is het leven. Drager van lintje pleegt buitenechtelijke seks, etc. Anderzijds – hij zweeg even – anderzijds, Dan, zijn het alleen maar geruchten, en wordt er niet gesuggereerd dat jijzelf iets onwettigs hebt gedaan. Toch? Er is geen aantijging die tot een aanklacht zou kunnen leiden. Het is een persoonlijke aanval en ik denk dat we dat niet mogen vergeten. En wat we ook niet mogen vergeten, wat die overval betreft, is dat jij je aanvallers nooit gezien hebt. Je hebt het misschien helemaal verkeerd met te veronderstellen dat die lui je hebben aangevallen. Met alle respect, en ik begrijp waarom je het ons zo verteld hebt, maar jouw versie van de gebeurtenissen heeft me eigenlijk nooit helemaal kunnen overtuigen. Er was een korte stilte aan de lijn. Waarom niet? vroeg rechter Savage zich af. Waarom was hij niet overtuigd? Het leek zo klaar als een klontje. Eigenlijk, Dan, probeerde ik je te bereiken om te zeggen dat we Craig Michaels hebben opgepikt. We zullen hem de komende achtenveertig uur aan de tand voelen. Hij is al eerder veroordeeld voor geweldpleging en voor aanzet tot rassenhaat. Dat zou het officiële uitgangspunt kunnen versterken.

Rechter Savage wist niet hoe hij moest reageren. Goed, besloot Mattheson. Nou Dan, je zult ongetwijfeld een heleboel journalisten met allerlei vragen over je heen krijgen de komende twee dagen. Je bent waarschijnlijk wel op de rechtbank morgenochtend? Daniel vertelde hem dat alle rechtzaken morgenochtend twee uur waren uitgesteld om advocaten en de staf de gelegenheid te geven naar de begrafenis van Martin Shields te gaan. Ik zal een woordje zeggen, zei hij. O ja? Arme meneer Shields. Er was een stilte terwijl Mattheson dit verwerkte. Ja, bij nader inzien zal ik zelf ook wel even langs moeten gaan. In elk geval Dan, kan ik me niet voorstellen dat een man met jouw ervaring problemen zal hebben met een paar vragen van lastige journalisten. Toch is het misschien niet onverstandig om een minuutje of twee te gaan zitten en te bedenken wat je gaat zeggen. Alleen om duidelijk te maken dat je niets zult bevestigen. Intussen sturen we een auto naar je huis zodat ze niet aan de bel blijven hangen. Ja, stemde Daniel in. Op zijn bureau lag een krant met een grote foto van hemzelf met opvallende ooglap. Eronder de kop: Werd zwarte Romeo in elkaar geslagen door vriendje van ex-vriendinnetje? Een afrekening? vroeg een andere kop. In een hoek een tekening van een hoofd met een rechterspruik tussen twee open dijen. Daniel vroeg: En de Kwans? Inspecteur Mattheson snoof. Hij leek geheel ontspannen. Als de hogere machten iets op het spoor zijn, dan brengen ze ons, gewone stervelingen, daar geen verslag over uit. Het zal wel om drugs gaan, denk ik. Kan zijn, zei de politieman. En Dan? Ja. Nog iets. Ja? Mattheson leek iets grappig te vinden. Achter de wolken schijnt de zon, grinnikte hij, weet je? Dat zeggen ze, zei Daniel. Hij voelde zich bewaakt. Er was een situatie ontstaan, besefte hij plotseling, waarin een strafrechter diep in de schuld staat bij een man die op z'n minst nominaal verantwoordelijk is voor vele zaken die voor zijn rechtbank verschijnen. Bereid je maar voor op een aangename verrassing als je thuiskomt, jongen, zei Mattheson. En meer zeg ik niet.

Toen hij de telefoon had neergelegd, staarde Daniel naar het artikel op zijn bureau. Welingelichte bronnen. Hij had moeite de woorden te lezen die hem beschreven. Herhaalde beschuldigingen. Hij voelde zich lichamelijk ziek. Hoewel het allemaal juist was. Nu ging de telefoon weer. Rechter? Rechter, met Kathleen, Kathleen Connolly. Hij wist niet wat hij moest zeggen. Edelachtbare, ik weet dat het misschien ongepast is dat ik u bel, maar ik wilde alleen maar zeggen hoe belachelijk we het allemaal vinden. Dank je wel, zei rechter Savage. Ze heeft elke dag contact met Mattheson, dacht hij. Dank je wel. Ze noemde hem tenminste niet Dan.

Er stond een politieman naast het hek onder aan de tuin. Er stonden auto's geparkeerd over de gehele lengte van de meestal lege weg. Een aantal mannen en vrouwen stond samen te babbelen. Toen hij aankwam gingen er andere autoportieren open. De politieman gebaarde de doorgang vrij te houden. Camera's flitsten. Nu zit ik er middenin, wist rechter Savage. Het verhaal was weer veranderd. Ik heb het niet meer in de hand. Maar hij was goed in het praten met mensen. Praat met ze, zei zijn instinct. Hij had recht de garage in kunnen rijden, maar in plaats daarvan stopte hij de auto, wuifde de politieagent weg. Tegelijkertijd verscheen Hilary's gezicht bij de voordeur. Hij had het een beetje verwacht. Ik geloof, zei hij tegen een journalist, dat de politie momenteel een man ondervraagt in verband met de aanval op mijn persoon. Dat is alles wat ik weet. Ik heb mijn aanvallers niet echt gezien, ik kan de man dus niet identificeren en kan geen commentaar geven op de geruchten wie deze mensen geweest kunnen zijn.

Nu stond er een dozijn journalisten om hem heen. Er waren twee of drie tv-camera's. Is het waar dat u een verhouding hebt gehad met een tweeëntwintigjarig Aziatisch meisje? De schreeuw leek van achter hem te komen. Rechter Savage was geschokt door de ongemanierdheid. Klinkt spannend, monkelde hij. Hij verhief zijn stem en zei: Als de heer die deze vraag heeft gesteld, graag iets over zijn eigen privé-leven zou willen zeggen, ben ik zeer bereid te luisteren en hem raad te geven. Een vrouw krijste: Hebt u niets te zeggen over de zaak? Hij stond stil en leek na te denken. Een van de dingen die me echt hebben verbaasd, zei hij, is dat toen ik als kind de bijbel las, en Jezus zei: hij die zonder zonde is, werpe de eerste steen, iedereen wegging. Ik weet zeker, glimlachte hij, dat in de onkreukbare samenleving waarin we tegenwoordig leven, een regen van stenen zou volgen.

Rechter Savage was verbaasd dat hij dit had gezegd. En geschrokken ook. Hij had al jaren niet meer aan bijbelparallellen gedacht. Die stenengooierszaak moest het hebben bovengebracht. Betekent dat dat ik het allemaal toegeef? vroeg hij zich af. Hij zei: Wilt u me nu alstublieft naar huis laten gaan? Ik denk dat het eten op tafel staat.

Terwijl hij dit zei verscheen de hond blaffend aan zijn voeten. Wolfje! Hilary kwam het pad aflopen om hem te omhelzen. Sarah verscheen achter haar moeder, een vage glimlach om haar mond. Ze droeg een kort topje dat haar buik bloot liet. Ze had een tatoeage. Haar haar was gegroeid. Tom trok zijn koptelefoon af. Alles voelde onecht aan, vond Daniel. Een beetje zoals toen hij de zaal van de Capricorn was doorgelopen om de Koreanen te ontmoeten, of toen hij over de galerij van de flat in Sperringway was gelopen. Alles gebeurde op afstand. Hij had vaak gemerkt dat getuigen en verdachten opgewonden raakten door de publieke rol die ze in de rechtszaal speelden. Hun poses werden overdreven, hun taal pompeuzer. Dit soort gebeurtenissen verandert ons in marionetten. Mijn leven is voedsel voor camera's geworden, dacht hij. Hij voelde zich vreemd vrolijk. Een van de camera's flitste om een scène van volmaakte solidariteit vast te leggen toen Daniel de omhelzing van zijn vrouw beantwoordde. Ze was knap en tenger in haar mantelpakje. Hij drukte haar tegen zich aan en haar lijf voelde hard aan. Binnen, zodra de deur dicht was, zei ze: Dit is maar tijdelijk, Dan. Ze stonden oog in oog. Maak je maar geen illusies. Sarah keek naar hen. Ik wilde niet dat je eraan onderdoor zou gaan, zei ze. Ze draaide zich om. Tom liep snel naar het barmeubel en schonk zijn vader een whisky in. Er was consternatie in zijn jonge ogen. Ik slaap zolang op de bank, zei Hilary.

Het was halfnegen toen hij uiteindelijk verkondigde: Hier zitten we dus eindelijk allemaal samen in ons nieuwe huis rond onze marmeren open haard met onze vleugelpiano. De eerste keer. Hij had meer dan een uur zitten zwijgen terwijl de anderen rondliepen. Hou je adem in, zei hij tegen zichzelf. Hij had een tijdje zijn ogen gesloten. De gordijnen waren dicht. De telefoon was afgezet. Hij had Hilary zachtjes horen praten op de overloop met haar mobieltje. Tom zat achter zijn computerspelletjes. Het zou leuk zijn mee te spelen. Eigenlijk hield rechter Savage wel van computerspelletjes. Maar hij kon die plek niet verlaten die hij had ingenomen bij de lege haard. Zijn vrouw was druk aan het stofzuigen. Ze wilde absoluut stofzuigen. Ze kwam niet bij hem zitten om de zaak door te praten. Ze maakte het huis weer van haar, dacht hij. Door te stofzuigen. Door een gesprek te vermijden. Kan ik je onder vier ogen spreken, vroeg hij. Waarover? vroeg ze. Laat me eerst die troep opruimen. Er is niets om over te praten, Dan. We moeten gewoon een paar weken liegen. We zeggen gewoon dat het allemaal onzin is. Ik heb er met de inspecteur over gesproken. Hij denkt dat het moet lukken.

Sarah leek haar moeder graag te willen helpen. Het was waar dat het huis een puinhoop was. Ze is zwaarder geworden, merkte Daniel vanaf zijn plaats op de bank. Zijn dochter was alweer veranderd. Ze maakte de badkamer schoon. Niemand kwam met hem praten. Tom was naar boven vertrokken, naar zijn kamer. Met een rood gezicht. Hij houdt van zijn vader, maar hij schaamt zich voor me. Daniel hoorde de computer piepen. Hilary bleef verbeten stofzuigen. Ze is meteen teruggekomen, dacht Daniel. Ze heeft er niet eerst over nagedacht. Ze is halsoverkop teruggekomen zodra het nieuws bekend werd. Dat verhaal was een excuus, dacht hij, om snel zonder gezichtsverlies terug te komen, om haar huis weer te hebben, en nu maakt ze er het hare van. Begrijpelijk, besloot hij. Heeft het zin dat ik helder probeer te denken, vroeg hij zich af. Hij wachtte minstens een uur, rustig op de bank gezeten. Hij besefte dat hij niet op een gewone manier leed. Hij was boos. Uiteindelijk verkondigde hij: Hier zitten we dus allemaal samen in ons nieuwe huis.

Het was halfnegen. Hilary had de stofzuiger afgezet. Daniels stem klonk luid. Zijn vrouw vatte het niet op als een kreet om hulp. Sarah sorteerde wasgoed. Er stonden koffers op de grond. We zouden muziek kunnen maken, de haard kunnen aansteken, zei Daniel. Vooruit. Tom, riep hij. Tom, wil je naar beneden komen en 'Get back' voor ons spelen? De jongen verscheen op de trap. De open ruimte met de trap die naar beneden kwam tussen de haard en de voordeur was aantrekkelijk. Je had gelijk een haard te willen hebben, zei de rechter tegen zijn vrouw. Laten we hem aansteken. Laten we erbij gaan zitten. Zonder naar hem te kijken zei Sarah: Schei uit, papa. Hilary stopte bij de keukendeur. Ze schudde haar hoofd. Zijn we een gezin of niet, vroeg hij. Sarah, zei hij tegen het meisje, dit is de eerste keer dat je hier bent, hè? De eerste nacht dat je hier slaapt. Hij wist zelf niet zeker of hij sarcastisch of smekend klonk. Speel iets, Tom, moedigde hij de jongen aan. Vooruit, als we dan toch bij elkaar zitten, dan doen we het goed. Laten we de haard aansteken.

Hilary legde een hand op de schouder van de jongen. Dan, zei ze. Ze schonk hem een kort vals glimlachje. Dan, schei uit. Als je wilt kunnen we bespreken wat we de komende twee weken precies tegen de mensen gaan zeggen. Ze zweeg, haalde adem: Dat ik een paar weken met de kinderen op vakantie ben geweest en ben teruggekomen vanwege dat belachelijke verhaal, dat je reinste flauwekul is. En dat is dat. Niets meer te zeggen verder.

Bruusk schudde Tom zijn moeders hand af, ging naar de piano en sloeg een paar akkoorden aan. Hij stopte, keek naar hen. Zijn jongensachtige gezicht stond moedeloos. Hij kon er niet in komen. Hij keek naar hen, daarna weer naar de toetsen. Kom op, joh, probeerde Daniel hem te overreden. Je bent alleen een beetje roestig geworden. Of zullen we de haard aansteken? Dan, doe niet zo misselijk! zei Hilary scherp tegen hem. Ze schudde haar hoofd. Schei uit! O ja? vroeg hij. Hij vond het erg de jongen zo te zien. Waarom? Waarom doe ik misselijk? Zijn vrouw gaf geen antwoord. Oké, zei hij, laten we dan misselijk doen tot we erbij neervallen. Laten we ineens over alles praten met iedereen hier, laten we het er allemaal uitgooien, alles, zodat iedereen absoluut voor eens en voor altijd alles weet en dan hebben we dat ook weer gehad. Papa! zei Sarah. Ja? Ze keek hem met stil smekende ogen aan, als een puber die aangeeft dat een ouder over de schreef gaat. Alsjeblieft, papa. Ze wierp een blik op haar moeder.

Luister, jullie vader is te schande gemaakt, begon rechter Savage. Omdat de positie van een rechter ervan afhangt of men hem als absoluut integer beschouwt, zou het best kunnen dat ik verzocht word ontslag te nemen. Begrijp je dat? Tom knikte plechtig. Dit is helemaal verkeerd, dacht Daniel. Maak je geen zorgen, zei hij snel. Of toch niet over de financiële kant: zo nodig kan het huis verkocht worden en ingeruild voor iets minder duurs. Ik vind gemakkelijk ander werk. Ik heb per slot van rekening niets onwettigs gedaan. Nee, hou je mond Tom, wacht even. Ze gaan me niet in de cel zetten. Welnu, je moeder is teruggekomen na twee weken en zegt dat ze me officieel zal steunen in deze crisis, maar wil niet meer met me samenleven als man en vrouw. We weten allemaal waarom en daar wil ik geen ruzie over maken. Ze wil in hetzelfde huis wonen, maar apart. Laten we er nu eens proberen achter te komen wat de anderen willen.

Dan, zei Hilary. Ze keek naar hem. Dan, zo kun je de dingen niet doen. Waarom niet? Je probeert gewoon iedereen te sturen. Dat is niet waar. Hoe kan ik nu iedereen sturen door te vragen wat ze willen? Ik krijg brieven van mijn dochter waarin ze me van hypocrisie beschuldigt, dus ik zal eerlijk zijn. Ik moet de hele dag mensen aanhoren die onder ede staan te liegen, dus laat nu de waarheid maar eens horen. Ik heb er schoon genoeg van. Wat wil jij, Tom? Hij wendde zich met grimmige vrolijkheid tot zijn zoon. Wat zou jij willen dat er gebeurde?

De jongen zat op zijn handen te schommelen op de pianokruk. Ik wil dat het weer is zoals vroeger, zei hij. Hij sprak eerlijk, zonder ondertoon in zijn stem. Waarom kan dat niet? Goed, dat is een voorstel, zei Daniel. Ik steun het. Sarah? vroeg hij. Hilary zat haar hoofd te schudden alsof de hele scène iets was dat jarenlang betreurd zou worden. Je bent onmogelijk, mompelde ze. Sarah leek zich op perverse wijze op haar gemak te voelen. Ze glimlachte naar haar moeder: Ik heb er alleen maar mee ingestemd om mee te gaan naar dit droomkasteel van jullie op voorwaarde dat jullie twee nooit meer bij elkaar zouden komen. Het was alleen maar om je door dat schandaal heen te helpen. Dat is mijn mening. Het is goed om je te helpen, want het zou stom zijn als je je baan verloor en niemand meer geld had. Maar er moet iets veranderen. Daniel keek naar Hilary. Ze ontmoette zijn blik. Het was weken geleden dat ze elkaar nog hadden aangekeken. Jullie hebben dat dus onder elkaar afgesproken? Ze zei niets. Antwoord met ja of nee, eiste hij, hebben jullie samen afgesproken dat het afgelopen is tussen ons? Dan, protesteerde Hilary, je zit verdorie niet op de rechtbank!

Daniel Savage stond op en brulde: Ja, dat zit ik wel! Ik ben altijd op de rechtbank. Ik sta altijd terecht. Papa! smeekte Tom. Hebben jullie dat samen afgesproken of niet? Ik denk dat we een dokter moeten bellen, zei Hilary. Demonstratief had Sarah haar hoofd laten zakken en was begonnen te strijken. Sarah had altijd geweigerd huishoudelijk werk te doen. Nu vouwde ze kleren op. Ze wees met het strijkijzer in zijn richting en zei: We hebben het prima gehad de laatste paar weken, papa. Iedereen voelt zich beter. Op die voorwaarde heb ik Carlton Street verlaten. Dat ik bij mama zou blijven. Opkijkend naar haar vader zei ze: Ik ben weer aan het pianospelen, papa.

Hilary zei: Ze gaat haar herexamens doen in november, Dan. Tom keek van dochter naar moeder. Hij huilde. We wonen hier dus allemaal samen, zei Daniel, en we doen net alsof we een gezin zijn terwijl de pers zijn best doet om me kapot te maken. Twee maanden, drie misschien. En aan het eind gaan we uit elkaar. Hilary mompelde: Je hebt mij op zoveel manieren kapotgemaakt, Dan. Tijdens het spreken brak haar stem. Hij wist dat dit zou gebeuren. Ze werd overweldigd door haar emoties. Je zei in je brief dat het allemaal eeuwen geleden was... Ze was niet meer in staat door te gaan. Tom leek wanhopig. Hij balde zijn vuisten, ontspande ze weer. Losjes verklaarde Sarah: We hebben bij Christine gelogeerd.

Dit was dus de scène die Daniel altijd had gevreesd. Mijn hele leven, besefte hij scherp, is gebaseerd geweest op het vermijden van deze scène. Maar nu het dan gebeurde was hij alleen maar verbaasd over de details, over hoe het allemaal in zijn werk ging. *Bij Christine.* Zijn jullie dáár geweest? Ik dacht dat je bij je... Hij kon het niet verwerken. Maar hoor eens, ik ben bij Christine langs geweest toen Martin was gestorven. We zaten boven toen jij binnenkwam, zei zijn dochter. Ze glimlachte als een kind dat zich heeft weten te verstoppen toen papa haar naar bed wilde sturen. Haar donkere ogen stonden warm. Je dochter is pervers, besloot hij. Mijn eigen vlees en bloed. Ze was gemeen.

Hilary zei voorzichtig: Christine heeft me verteld over jullie twee. Dat was echt de laatste druppel. Ik krijg een brief van je waarin je zegt dat het allemaal eeuwen geleden is, ik sta op het punt om te zeggen: oké, laten we het nog eens proberen, en dan hoor ik dat het pas een paar dagen geleden was. En daarna... Daarna kon ik niet...

Nu ging Sarah ook bij zijn vrouw staan. Hilary had nu aan elke zijde een kind, Sarah inmiddels een paar centimeter groter dan zij, soepel, mooi, vol zelfvertrouwen, Tom mollig en beduusd, niet in staat op te kijken. Daniel vroeg: En wat heeft ze je precies verteld? Dat je haar altijd kust en liefkoost als je langskomt. Ze is gek, zei Daniel. Het was waanzin dat ze dit stonden te zeggen. Hij keek naar zijn gezin. Zijn dochter had een hand rond haar moeders nek gelegd. Huilend zei Tom: Niet huilen, niet huilen, niet huilen. De enige discretie waar je op kunt hopen, besloot rechter Savage, komt van een hoer.

En ik veronderstel dat ze je verteld heeft, hoorde hij zichzelf plotseling zeggen, dat ze me gevraagd heeft een toespraak te houden op de begrafenis van haar echtgenoot morgen? Heeft ze je dat verteld? Dat ik goed ben voor een speech en een knuffel. Ja, zei Hilary. Ja, en ik vind dat je het moet doen, Dan. Jij en Martin waren goede vrienden.

Door de gedachte aan Martin Shields' dood kon ze haar tranen stelpen, opkijken en redelijk klinken. Maar waar slaat dat op? vroeg hij. Waar slaat dat op, dat ze je het eerst vertelt en me vervolgens vraagt of ik een begrafenisspeech wil houden? Ze mag je graag en ze bewondert je, zei Hilary. Ze mag me graag en kraakt me af tegenover mijn vrouw, waar slaat dat op? Waar slaat het op, riposteerde Hilary, om eerst met mij naar bed te gaan en dan telkens met haar te vrijen als je langsging? Ze zei dat je het duidelijk had gemaakt dat je een verhouding met haar wilde beginnen op het moment dat ze Martin had verlaten om naar Carlton Street te verhuizen. Ze zei dat ze dacht dat je Sarah snel uit het appartement wilde krijgen zodat je kon langskomen.

Daniel sloot zijn ogen. Zijn stem klonk gespannen. Ik heb haar twee keer gekust, zei hij. Nee, sorry, drie keer. Laten we zeer precies zijn. Ik heb haar een keer gekust tien jaar geleden. Toen ik dronken was en wij ruzie hadden. Ik heb haar de afgelopen maanden twee keer gekust omdat ze me erom smeekte. Ze zat zo in de put om wat er met Martin gebeurde. O, ze heeft je erom gesmeekt, spotte Hilary. Ze gebruikte dezelfde stem als haar echtgenoot wanneer hij ergens mee spotte. Soms leek het of hij met zichzelf ruziemaakte. Arme, arme Daniel, spotte ze, zo gewend om alles te kussen wat op z'n weg komt, dat hij niet weet hoe hij weerstand moet bieden. Sarahs ogen straalden. Maar het doet er toch niet toe hoe vaak het is gebeurd, Dan? Dat doet er heel veel toe, schreeuwde Daniel. Zie je dan niet dat ik uit haar buurt blijf juist omdat ze zo roofzuchtig is en ik zo slecht weerstand kan bieden. Schei uit, schreeuwde Tom. Schei uit met ruziemaken! Hij hield zijn handen over zijn oren. Nee, sorry Tom, we moeten dit uitpraten, ging Daniel door. Maar een stem in zijn binnenste zei hem dat hij uitgeput was. Zijn ene oog keek een beetje wazig. La-la-la! begon Tom hard te zingen met zijn handen tegen zijn oren. La-la-la-la! Hou je kop, zei Sarah. La-la-la-la-la!

krijste Tom. Laat ze het uitpraten, gilde het meisje.

Het was even stil. Nee, Tom heeft gelijk, het wordt me te veel, kondigde Daniel Savage aan. Ineens was hij vastbesloten. Stil, Tom. Ik ga geen ruzie meer maken. Ik hou van jullie allemaal, hoorde Daniel Savage zichzelf zeggen – en terwijl hij sprak voelde hij dat het definitief was – , ik heb jullie gemist de laatste paar weken, echt, ik vroeg me voortdurend af waar jullie waren en wat jullie aan het doen waren, maar dit is hopeloos. Jullie hebben geen vertrouwen meer in me. Laten we er dus een eind aan maken. Laten we er een eind aan maken. Toen zei hij het nog eens. Laten we er een eind aan maken, jongens. Tom rende op hem af. De jongen begroef zijn gezicht in zijn schoot. Daniel schoof hem opzij. Ik ga weg, zei hij. Ik moet gaan.

Tien minuten later, ademloos gevangen in de dramatiek van het moment, kwam hij naar beneden met een paar spullen in een koffer. Zijn gezin zat apathisch te wachten. Waar ga je heen? vroeg Hilary. De sloten zijn veranderd op Carlton Street, zei ze. Daniel stond stil bij de deur. Hij schudde zijn hoofd: Ik vermoed dat Minnie terug is naar haar familie, zei hij. Ik heb alles gedaan om haar tegen te houden, meldde Sarah. Daniel keek naar Tom. Hij schudde zijn hoofd tegen de jongen en vertrok.

24

Waarom was rechter Savage de begrafenisrede gaan uitspreken voor zijn oude vriend Martin Shields zoals hem gevraagd was? Was het uit verzet of uit inertie? Nou, het heeft geen zin om je te verstoppen, zei Frank. Dan weten ze dat je hem begint te knijpen. Anderzijds kon wat de meest intense vriendschap van zijn leven was geweest, niet langer positief beschouwd worden. Martin was op het laatst koud en minachtend geweest. Ze waren vreemden geworden. Zijn vrouw, ook een oude vriendin, had geprobeerd hem te verleiden, en had toen zijn vertrouwen beschaamd. We vervreemden allemaal van elkaar, dacht Daniel. Hoe meer we onszelf blootgeven. Zelfs de beslissing om hun flat in Carlton Street te kopen leek nu onheilspellend. Alsof ze zich bewust in ons leven wilden binnenwurmen, zei rechter Savage tegen zijn broer. Hij was meteen naar hem toe gereden na de woordenwisseling thuis. Hij mocht van Frank op de bank slapen. Hij pakte een versleten laken. Sommige mensen kunnen hun klep gewoon niet houden, jonker. De dame was jaloers op je leuke kinderen, je nieuwe baan. Jaloers omdat jij er maar op los neukt. Iets wat zij niet had en ook niet zou krijgen. En dan ben je niet eens blank ook.

Daniel wist zeker dat deze verklaring niet juist was. Frank vouwde een sloop open, met een blikje bier in zijn hand en een bungelende sigaret in zijn mondhoek die hem deed loensen. Hij was niet geschoren. Ik zou maar niet aan een samenzwering denken, broertje, waarschuwde hij. Arthur zat aan tafel het raderwerk van een oude klok te oliën en grinnikte. Frank is een meester in samenzweringstheorieën, zei hij met zijn beleefde Amerikaanse stem. Er wordt tegen niemand zoveel samengezworen als tegen Frank. Hij weet zeker dat de gemeente ons van onze standplaats wil verdrijven.

Frank lachte: We voelen ons allemaal belangrijker met een paar vijanden. Maar toch, Dan, echt waar, heb je jezelf dit op de hals gehaald, jonker. Je neukt dat spleetoogje, en dan wil je moralistisch doen over haar welzijn, speel je de echtgenoot en gezinsman en belangrijk publiek figuur en wil je links en rechts de koffer induiken. Je biecht het zelfs allemaal op aan die moraalridder van een Martin Shields, pepert hem nog eens goed in dat het zijn neus mooi voorbijgaat en suggereert dat als hij niet gauw wakker wordt, je zijn vrouw ook nog eens een beurt zal geven. Fantastisch! Pa zou onder de indruk zijn geweest. Frank lachte. Je weet nog wel hoe woedend hij altijd was dat hij geen oorlog meer had om in te vechten, en bij voorkeur aan minstens zes fronten? Je strijdt dus maar door met bulderende kanonnen, tot op een dag de veronderstelde waterdichte tussenwand het begeeft en HMS Savage slagzij begint te maken. Bepaald niet *De ondergang van de Mary Deare*, verdomme. Aan de andere kant van de kamer barstte Arthur in lachen uit. Hetgeen niet wil zeggen – Frank had er plezier in – dat we ons standpunt over zeeslangen en spookschepen moeten herzien.

Toen hij op zijn horloge keek zag Daniel dat het pas halfelf was. Het leven had een punt bereikt waarop de meest gedenkwaardige veranderingen in de tijd van een paar televisieprogramma's leken plaats te vinden, en louter vrolijkheid veroorzaakten bij zijn broer met wie hij zich net weer verzoend had. Drinkend uit zijn blikje voelde hij zichzelf er ook van verwijderd, de angst voorbij.

Toch, ging Frank door, zou er tijd genoeg moeten zijn om de reddingsboten te pakken en dan is er nog niets gebeurd, weet je. Je kunt altijd de politiek ingaan als je de zak krijgt, de kiezers zijn dol op een kandidaat die neukt. Dat is toch zo, Art? Daar kom je mee in de kranten. Een travestiet is nog beter. Daniel merkte dat hij glimlachte. Hij vond het prettig bij Frank te zijn. Hij vond het leuk om jonker genoemd te worden en broertje. Het grappige is dat ik er alleen maar op los kan neuken als ik Hilary heb om me tegen te houden. De twee andere mannen deelden een lange glimlach. Ze schudden hun hoofden naar elkaar en zeiden perfect tegelijk: Die-hetero's-ook-wat-moet-je-ermee! Arthur klapte. Het leek een charmante man. Daniel ging slapen en vroeg zich af of er bij alles wat hem overkomen was, iets serieus zat. Tom, dacht hij. Tom.

Ik zal niets tegen Christine zeggen, besloot rechter Savage. Ze stond in onberispelijk zwarte kant gekleed voor de poort van een neogotische gevel. Ze droeg zelfs een hoed met een kantachtige sluier. Ze speelt de weduwe, dacht Daniel. Hij had verkozen niet naar de kranten te kijken. Ik ga niet lezen wat ze over me zeggen. Was dat angst of moed? Het spijt me zo van al je problemen, Dan, zei Christine, en strekte haar armen naar hem uit. Het is zo lief dat je gekomen bent. Ze omhelsde hem alsof er niets gebeurd was. Zijn wang streek langs het kant van haar sluier. Ik kijk de kranten niet in, had hij gedacht, en ik zal haar niets vragen. Dit was per slot van rekening de begrafenis van haar man. Ze moest de weduwe spelen. Waarschijnlijk mag ze me echt graag, besloot hij. Hij moest zijn energie sparen. Maar de vrouw schokte van de snikken. Ze hield hem stevig vast. Hij heeft zichzelf vermoord, Dan, huilde ze zachtjes. Als je eens wist. Als je eens wist. Haar lichaam trilde tegen het zijne. Hij heeft zichzelf vermoord. Hij heeft zich laten sterven. Hij heeft me laten toekijken. Ze hield Daniel stevig vast en hij maakte zich zachtjes los.

Hij ging op de eerste rij zitten. De kist werd binnengedragen en de volle kerk zong 'Blijf mij nabij'. Hoe konden ze? dacht Daniel. Hoe kon je zingen: wanneer het duister daalt? Martin zelf had minachting gekregen, zei Daniel tegen zichzelf, voor waar hij vroeger in geloofd had. Der hulpelozen hulp, zongen ze. Het was ergerlijk. Hulpeloos is hulpeloos. Schiet op, mompelde hij. Martin was zelf gaan geloven dat al die sociale functies je reinste theater waren. Daniel wist dat zeker. Tom komt er wel overheen, dacht hij. We zullen vaak afspreken. Hij zal me gaan begrijpen, zal zien hoe het allemaal kon gebeuren. Alle getrouwde mannen weten hoe het kan gebeuren. Gij die eeuwig zijt, blijf mij nabij. Niemand is eeuwig, glimlachte Daniel. Misschien geloofde Martin in het christendom, dacht Daniel, op dezelfde manier als hij in de rituelen van het gerechtshof geloofde: een traditie die je in staat stelde door te gaan. De getuigeneed stelt je in staat door te gaan. De rituele gebaren zetten het raderwerk in beweging. Tranen en leed zijn nu niet bitter meer, zong de congregatie. Deze psalm is je reinste kitsch, dacht Daniel. Als iemand eenmaal een eed heeft afgelegd kun je vervolgen alsof ze verplicht zijn de waarheid te zeggen. Terwijl ze dat eigenlijk niet zijn. Je weet dat ze dat niet zijn. We wikkelen ons in pure kitsch, dacht hij, wanneer we er niets aan kunnen doen. Waarschijnlijk zag iedereen dat.

Hij zat op de eerste rij waar hij vaak had gezeten tijdens concerten, waar hij graag zijn gedachten liet afdwalen terwijl de muziek hoog opsteeg in de pseudo-gotische gewelven. Mijn gedachten dwalen altijd af in de kerk. Daar waren kerken misschien voor bedoeld: een ruimte voor de geest om te dwalen. Hij had ergens gelezen dat pseudo-gotiek alleen maar zo populair was geworden voor kerken omdat de negentiende-eeuwse kerkelijke overheden ontdekt hadden dat de stijl minder kostte dan neoklassieke ontwerpen. Houd, Heer, uw kruis hoog voor mijn brekend oog, zongen de mensen. Er lag een zwijmelende genotzucht in de stemmen. Wat voel ik me totaal afstandelijk. Wat ben ik op het ergste voorbereid! Hij barstte haast in lachen uit. Dit is de ergste klucht die je kunt bedenken, dacht hij. Een openbare lynchpartij is er maar een kleinigheid bij. Maar toen de kist wat onhandig op de schragen werd gezet, leek het toch belangrijk dat zijn vroegere vriend erin lag, in die gelakte doos. De problemen die de mannen hadden met het neerzetten deden een zeker gewicht vermoeden. Het was ernstig. Het is verschrikkelijk ernstig, dacht hij, dat mevrouw Whitaker nog steeds in coma ligt, zelfs al is haar man een nul en weet David Sayle het charmant te brengen. Mattheson zou nooit proberen, besefte rechter Savage plotseling, om Craig Michaels voor het gerecht te slepen, omdat hij weet, móét weten, dat ik onder ede de waarheid zou zeggen. Dat zou ik doen. En dat wéét hij. Dat ik in de rechtszaal, onder ede, de waarheid zou zeggen. Hij voelde zich enorm opgelucht door deze gedachte.

Er volgden nog andere gezangen, maar Daniel deed niet mee. De tekst was stom en tegelijkertijd was er het probleem dat zijn stem zou breken van emotie als hij eenmaal begon te zingen. Als ik mee zou zingen, zou ik overmand worden door emotie, besefte Daniel Savage, zelfs al weet ik dat de tekst stom is. Achter hem hoorde hij stemmen overmand door emotie. Aan zijn linkerkant zaten Martins ouders. De moeder zong door haar tranen heen. Ze vindt het fijn overmand te zijn door emotie, dacht hij. Misschien weet zij ook wel dat de tekst stom is. Toen, nadat de predikant had gevraagd: O dood, waar is uw prikkel, werd Daniel zelf uitgenodigd de kansel te beklimmen, om een paar woorden te zeggen, zei de geestelijke, over onze broeder gestorven in de Heer. Rechter Savage stond op en liep naar voren, en toen hij zich omkeerde, op dezelfde plaats waar het orgel gezet werd bij de concerten die zijn vrouw zo naarstig organiseerde, merkte hij dat hij een van de vijf of zes niet-blanken was in een vrij grote congregatie. De juridische professie is nog steeds overwegend blank. Er ging een lichte huivering door de kerk. En dat geldt ook voor de politie. Ze zullen des te aandachtiger luisteren vanwege die krantenartikels, wist hij. Hij had niets voorbereid.

Ik heb niets voorbereid, begon hij. En dat is ongebruikelijk voor een advocaat. Er werd flauw geglimlacht. Ik zal het dus kort houden. Hij zag Hilary achterin zitten. Ik ben niet gelovig, zei hij, en ik denk dat Martin Shields dat ook niet was op het einde. Sarah zat links naast haar, Tom rechts. Ze waren niet in het zwart. Toch, vreemd genoeg – hij vermeed hun gezichten – lijkt de kerk nog steeds de enige geschikte plaats om over een vriend te spreken die zojuist is gestorven. Ik ben natuurlijk voor Hilary gekomen, begreep hij.

De congregatie, veel mensen die hij kende van de rechtbank, notarissen en bodes en klerken, zaten geconcentreerder te luisteren dan ze gewoonlijk zouden doen. Daniel was een goede spreker en hun collega Martin Shields was jong gestorven. Je spreekt moeiteloos, zei men. Je bent zo overtuigend. Er waren mensen van het roeiteam dat ze ooit hadden gevormd. Er waren mensen van de tennisclub. Je hebt een natuurlijk overwicht, zei men. Ze vinden het des te verbazingwekkender omdat ik niet blank ben, dacht Daniel vaak. Ze waren in het zwart. Jane was er en ja, nog een paar andere vrouwen met wie hij naar bed was geweest. Allemaal kwamen ze hun respect betuigen, allemaal in het zwart. Hij had nooit problemen om vrouwen te overtuigen. Iedereen zal de kranten gelezen hebben, dacht hij. Ze zijn dol op dat mengsel van macht en kwetsbaarheid. Ik hou van je. Hoeveel mensen hadden hem dat gezegd? De machtige man betrapt op neuken. Hij zei: Onze vriend en collega Martin Shields is jong gestorven. Toen werd hij afgeleid doordat zijn dochter zat te huilen. Je moet optreden, besloot hij. Je staat voor een publiek.

Martin Shields was mijn vriend, vanaf mijn kindertijd tot een jaar geleden. Mijn beste vriend. Ik hoef de aanwezigen niet te vertellen hoe briljant hij was als advocaat. Wat mijzelf betreft, ik ken niemand die zijn beroep zo serieus opvatte. Ondanks vele aanbiedingen om zich op lucratievere terreinen te begeven, bleef Martin bij het strafrecht omdat hij er heilig in geloofde. Hij geloofde heilig dat elke verdachte een zo eerlijk mogelijk proces verdient en dat er niets ergers bestond dan een mens zijn vrijheid ontnemen.

Deze opmerking werd instemmend begroet. Daniel zweeg even. Ik moet deze speech niet gebruiken om wat voor opmerking ook te maken waarvan men zou kunnen denken dat ze met mijn eigen dilemma te maken heeft, dacht hij. Eindelijk was hij alert. En hij voelde dat het niet maken van zo'n opmerking zijn eigen dilemma juist ten goede zou komen. De pers was er. Mattheson was er, zag hij, en Kathleen Connolly, en de hele oude rechter Carter, hoofd van de disciplinaire commissie. Altijd ziek.

Op de rechtbank ging Martins voorkeur uit naar de verdediging, vervolgde Daniel, zoals bij ons allemaal, denk ik, maar hij trad ook graag op als aanklager. Hij geloofde erin zoals nog maar weinigen dat doen. Hij geloofde dat het verlies van het gevoel van veiligheid, wat een slachtoffer van een misdaad overkomt, bijna net zo belangrijk is als het verlies van vrijheid. Hij begreep dat er geen vrijheid kan zijn zonder gevoel van veiligheid, zonder dat we het gevoel hebben in alle rust onze gang te kunnen gaan. Weer werd er instemmend geroepen. De verdediging, zei Daniel, verdedigt een mens, de openbare aanklager verdedigt ons allemaal. Hij werpt de eerste steen, zelfs al is hij zelf een zondaar. Dat is zijn onaangename taak. Martin was briljant in beide taken.

Weer pauzeerde rechter Savage, haalde adem. Hij legde een hand in zijn nek. En net zoals hij een prima advocaat was, was de Martin die ik gekend heb ook een zeer trouwe echtgenoot, en wat mijzelf betreft moet ik zeggen een zeer trouwe vriend. Hij was altijd bereid te luisteren. Hij heeft me meer raad gegeven dan wie ook die ik gekend heb. En sommige raad was goed. Hier werd zacht om gelachen. Er zijn er maar weinig die geen goede raad kunnen gebruiken. Weer werd er zacht gegniffeld. Of ik er goed gebruik van heb gemaakt is iets anders. Er werd geglimlacht. De mensen eten uit je hand, had Hilary ooit gezegd. Zelfs als je niet zo je best doet.

Ongeveer een jaar geleden heb ik het contact met Martin verloren, vervolgde rechter Savage. Misschien hebben velen van u dat wel gehad. We weten allemaal dat hij niet goed was dit laatste jaar, sinds zijn ongeluk. Hij is gestopt met zijn werk op de rechtbank. Hij verzonk in een depressie, een negatieve geestestoestand die misschien samenviel met het begin van de naamloze ziekte waaraan hij uiteindelijk gestorven is. We weten niet wat het was. Het lijkt nutteloos erover te speculeren. In elk geval zagen we elkaar niet meer. Ik moet bekennen dat ik niet wist dat hij een dodelijke ziekte had. Ik vond hem alleen maar veranderd en mistroostig. Ik had kritiek op hem. Wanneer we elkaar wel zagen, waren de dingen die hij zei verontrustend en pasten niet bij hem. Hij heeft me herhaaldelijk verteld dat het leven een klucht was. Hij zei dat hij liever naar een soap keek dan naar de rechtbank te gaan. Tijdens onze twee of drie laatste gesprekken, deed hij alles wat mij waardevol lijkt en ooit ook waardevol voor hem was geweest af als zijnde een verschrikkelijk wrede parodie. Ik was boos op hem. Ik voelde dat onze vriendschap voorbij was.

Het publiek was verbaasd, en dus aandachtig. Christine, zag Daniel, was wit weggetrokken.

Ik weet dat dergelijke overpeinzingen gewoonlijk niet bij grafredes horen. Ik zou me Martin graag herinneren zoals hij was voor hij het geloof verloor in wat hij deed. Toch lijkt het belangrijk om eerlijk te zijn op een moment als dit. Ik moet u dus vertellen dat ik het moeilijk vond om iets tegen zijn manier van redeneren in te brengen, ook al sprak hij vanuit zijn ziekte. Daniel zweeg even. Misschien was zijn ziekte nog welsprekender dan zijn gezondheid. In elk geval heb ik geen andere keuze dan me die Martin ook te herinneren, net als de vriend met wie ik schaakspeelde, en squash, en die ik graag bezig zag op de rechtbank. Ik kan u niet vertellen hoe vaak ik een paar minuten in een rechtszaal ben binnengeglipt, in de hoop dat ik Martin bezig kon zien. Hij was broer en mentor voor me. Nu hij hieraan terugdacht voelde Daniel zich ontroerd. Het was waar. Het was een groot deel van zijn leven. Maar als een fase eenmaal voorbij is, wat maakt het dan nog uit? Hij zweeg even. Zoals ik al zei, geloofde Martin op het einde niet meer in wat voor vorm van geloof ook. Toch lijkt de kerk en in het bijzonder deze kerk waar zowel hij als ik zijn getrouwd, vele jaren geleden – hij keek om zich heen – nou ja, toch lijkt het de enige gepaste plek waar je in het openbaar een paar woordjes kunt zeggen over een gestorven vriend. Hij aarzelde. Of om het anders te zeggen: wat Martin zelf ook mocht beweren, leven en dood lijken ons nog steeds ernstig genoeg om naar de begrafenis te komen van een man van wie we hielden. Ik zou het niet anders kunnen zeggen. Laten we hem niet vergeten.

Daniel keerde naar zijn stoel terug. Alsof er niets buiten de gewone gang van zaken was gebeurd, zette de eerwaarde Cornwell meteen het gebed in: O barmhartige God, Vader van onze Heer Jezus Christus, die de verrijzenis is en het leven... Toen hij later voor de kerk stond te wachten tot de kist in de lijkwagen geschoven zou worden, bleek Daniel naast de oude rechter Carter te staan. Maar zijn blik zocht zijn gezin. Weet je echt niet, kraste de oude man, waarom Shields ermee gestopt is? Nee, zei Daniel. Ik ben mijn gezin kwijt, dacht hij. Rechter Carter zwaaide lichtjes heen en weer en zei niets.

25

Rechter Savage schreef een brief naar het paleis, waarin hij meldde dat hij tot zijn spijt zijn lintje niet kon aannemen. Op de rechtbank leek Sedley geen vooruitgang te boeken met de acht verdachten die nog steeds het toebrengen van zwaar lichamelijk letsel ten laste werd gelegd in het incident dat Elizabeth Whitakers leven had verwoest. Het bewijs tegen de groep jongelui was en bleef overwegend indirect, terwijl het koor van ontkenningen luider en luider begon te klinken. De eerwaarde mevrouw Gosse beschreef David Sayle als de meest veelbelovende van de jongelui van St Barnabus en een geboren jeugdleider. De jury was perplex. Als hij met prostituees ging praten, zei de eerwaarde mevrouw Gosse, en ze leek een intelligente vrouw, dan was dat ongetwijfeld vanuit een lovenswaardige nieuwsgierigheid, een bereidheid om zich niet te laten leiden door vooroordelen. Ze wees erop dat hij geen seksuele betrekkingen met hen had. En zeker in dit opzicht en in andere leek David Sayle niet op rechter Savage die, nadat hij deze getuigenis had gehoord, naar de ringweg terugging en na twee avonden drie of vier parkeerplaatsen te hebben bezocht, ten slotte zijn Braziliaanse meisje terugvond, als ze Braziliaans was. Ze nam hem mee naar hetzelfde huis, maar een andere kamer. Opgewonden door het enorme risico dat hij nam op een dag dat hij meer dan één beledigende brief had ontvangen, probeerde Daniel de ontmoeting bewuster en hartelijker te laten verlopen dan het ongeval met hoge snelheid dat hun eerste ontmoeting was geweest. Het meisje ging er tot op zeker punt in mee. Ze haalde haar kauwgom uit haar mond. Even giechelde ze toen hij een gezicht trok. Geef me het nummer van je mobieltje, zei hij. Rechter Savage heeft nu zelf een mobieltje. Mobieltje is een prachtig woord, had hij gedacht in de uiterst onevenwichtige geestelijke staat waarin hij het ding had gekocht. Identiteit loste bruisend op als een vitaminepil in water. De rechter was opgetogen, maar onderging ook momenten van paniek.

De meesten van haar klanten waren blank, antwoordde het meisje hem. Toen zei ze: Maar jij lijkt Engelser dan de rest. Ze had het contrast gezien tussen zijn kleur en zijn klasse. Het deed hem plezier. Ze zijn jaloers op de donkere geheimen van je lijf, zei hij. Hij maakte een grapje. Of misschien niet. Hij had al eerder gemerkt hoe je een echo van romantiek kon bereiken door openlijk te doen alsof. Ze vrezen dat ze naïef zijn, zei hij tegen haar met diepe zachte stem, en dus komen ze op jouw donkere mysterie afrennen. Ze begreep het niet. Ik amuseer me eventjes, besloot hij, hoewel de brieven die hij begon te krijgen de laatste dagen zijn mond droog van angst maakten. Vuile zwarte bastaard! Blijf van onze vrouwen af! Hij liet ze vallen zodra hij zag dat het om een belediging ging. Opgeblazen zwarte pooier, ga jezelf naaien. Mijn moeder was een Braziliaanse, zei hij tegen de prostituee. Ik heb een Engelse opvoeding, maar het genie zit in de genen. Hij trok zijn wenkbrauwen op om grappig te doen. Weer leek het meisje het niet te hebben begrepen, maar ze wilde hem wel haar mobiele nummer geven en hij mocht haar strelen. Wat was ze prachtig jong! De toebemeten tijd was een kwartier. Een naam voor in mijn mobieltje? vroeg hij. Sue, zei ze. Hij wist dat hij nooit aan haar zou kunnen denken als Sue.

Toen hij haar terugbracht naar de ringweg, vroeg rechter Savage: Komen er mensen bij je alleen om te praten? Natuurlijk, lachte ze. Ze zei: Maar dan komt Gabriel en hij wegjagen. Met veel plezier deed ze hem na: Niet neuken, dan oprotten, kleine witte lulletjes. Ze was een dartel ding met lange benen en ze hield haar handtas op een vertederende manier stevig vast terwijl ze wegliep over het verlichte gravel. Je lul stevig vast zul je bedoelen, lachte Frank. Hij schudde zijn hoofd bewonderend. Je bent krankzinnig, Dan. Daniel voelde de trots van het kleine broertje dat eindelijk de oudere broer in de schaduw heeft gesteld.

Intussen, tot zijn eigen grote verbazing, en ondanks alle aantijgingen in de pers, is rechter Savage niet geschorst of verzocht om ontslag te nemen, noch heeft hij een reprimande gekregen. Nog niet. Het lijkt of hij onkwetsbaar is. Je bent altijd onkwetsbaar geweest, zei Frank. Paleis, collega's en kranten dringen er bij hem op aan zijn standpunt te veranderen inzake het lintje. Je zou het moeten aannemen, Dan, zegt een stem uit Londen hem, al is het alleen maar uit naam van de andere niet-blanke advocaten. Met schitterende hoogdravendheid maakt *The Times* de overdenking dat het land moet kiezen tussen onrecht doen aan een individu op basis van geruchten, en ervoor zorgen dat het publiek zijn respect voor de gerechtelijke overheden blijft behouden. De redacteur denkt dat het een echt dilemma is. Maar het klimaat is ten gunste van Savage. Zijn autoriteit op de rechtbank lijkt onverminderd, ondanks een paar blikken. De impact van zijn charisma lijkt juist toegenomen. Na een leven beducht te zijn geweest voor samenzwering, of misschien gewoon voor een instinctief sluiten der blanke gelederen, ziet hij nu dat de *Guardian* de roddelpers aanvalt omdat ze de ten dode opgeschreven mythes over zwarte bestialiteit probeert te doen herleven. Men moet niet vergeten, vertelt de *Guardian* zijn lezers nogal streng, dat rechter Savage zijn achternaam heeft gekregen van zijn adoptieouders en niet van zijn biologische voorvaderen.

Heb je het gelezen, vraagt Sarah hem aan de telefoon. Hij zit op zijn kantoor en neemt dossiers door, maar vraagt zich tegelijkertijd af waarom je, als je naar een prostituee gaat, teruggaat naar dezelfde, waarom je affectie zoekt? Je veroorzaakt een stofstorm, zegt rechter Savage tegen zichzelf, en zoekt naar wortels. Mama en ik knippen alle artikels uit, zegt zijn dochter. Meteen verlangt hij naar huis, naar een woonkamer met een tafel en een schaar en lijm. Heb je gezien dat *Cosmopolitan* je geprezen heeft omdat je niet de show hebt opgevoerd van solidariteit in het gezin? Nee, bekende Daniel. Hij hield de telefoon voorzichtig vast alsof hij zou breken. Hoe gaat het met je? vroeg hij. Goed. Ik zit weer op school voor mijn herexamens. Dat is fantastisch, zei hij. Ik wist dat je dat zou zeggen, lachte ze. Maar ook zijn dochter vroeg om goedkeuring, voelde Daniel. Na me uit huis te hebben geschopt, wil ze nu mijn goedkeuring. Hoe is het met Tom? vroeg hij. Nog altijd een klier, zei ze. En mama? Het bleef even stil. Druk met haar lessen? Sarah aarzelde. Mama geeft geen lessen, ze is een beetje depressief. Maar Max komt toch nog wel langs? Nee, zei Sarah. Waarom niet? Mama zegt dat ze hem niet meer wil zien. Maar waarom niet? Ze gaf hem graag les. De stem van zijn dochter werd vaag en afstandelijk. Ze zegt dat ze hem al alles geleerd heeft wat ze hem kan leren. Wat doet ze dan? Zelf spelen waarschijnlijk. Nee, ze speelt helemaal niet. Daniel wist niet hoe hij verder moest gaan. Het was hun eerste contact sinds hij weg was gegaan. Maar jij bent gelukkig, vroeg hij. Ja, zei ze. Goed. Ga je nog naar de Gemeenschap? vroeg hij. Nee, zei ze. Dat was allemaal nogal stom.

Weer volgde er een lange stilte. Toen vroeg ze: Papa? Haar stem was veranderd. Ja? Minnie heeft gebeld. O? Zijn jullie bevriend geraakt? Zoiets. Ik ben haar gaan opzoeken, in haar flat. In Sperringway? Ja. Dat is leuk, zei hij. Ze vroeg of ik iets wilde beloven: dat we haar naam niet zouden noemen in die verhalen die nu naar buiten komen. Ze zei dat ze haar ouders een hoop leugens had verteld. Daniel zei: Of haar naam genoemd gaat worden of niet hangt af van wie die geruchten doorspeelt aan de pers en hoeveel ze weten. Dat zal wel, zei Sarah. Ze vroeg: Wie zou het zijn, papa? Hij dacht na. Het was positief, dacht hij, dat ze hem papa noemde. Hij vond het prettig dat Hilary Max in de ban had gedaan. Ik heb wel gedacht dat het Christine zou kunnen zijn, zei hij. Sarah zei niets. Wat denk je, vroeg hij, heb je een idee?

Papa, fluisterde ze. Wat is er? O niets. Toen verkondigde ze met een charmant meisjesachtige verandering van stem: Ik heb iemand, papa. Heb iemand? Een vriend, domoor. Meteen reageerde hij op haar vrolijkheid. En mag ik vragen wie? Dit was waarom ze gebeld had, besefte hij. Dat mag je, giechelde ze, maar je krijgt geen antwoord. Maar je bent gelukkig? – ér, zei het meisje, gelukkigér. Het ziet ernaar uit dat ik weer een dochter heb, besloot Daniel toen hij de telefoon neerlegde. Het maakte dat hij graag met Hilary zou spreken. Onze twintigjarige huwelijksdag is over twee weken. Toen zag hij in: wie het ook was die de informatie aan de pers gaf, hij probeert mijn leven kapot te maken als man, als gezinsman. Maar alleen dat. Vier verhoudingen waren boven water gehaald, maar er was geen sprake van meisjes uit de jury of professioneel wangedrag. Door niets te ontkennen, zei *The Times* en door niemand een proces aan te doen, heeft rechter Savage laten zien dat hij niet bang is dat deze verhalen aan de grote klok worden gehangen en dat hij derhalve niet chantabel is. Zo gezien, hoe betreurenswaardig het ook voor de betrokkenen mag zijn, is zijn scheiding van zijn vrouw heilzaam. Hij bevindt zich niet in de kwetsbare positie van de man die een zandkasteel verdedigt. Hij heeft zijn onafhankelijkheid verklaard. Het juridische systeem kan het zich slecht permitteren mannen van dit kaliber te verliezen, mannen die in staat zijn om eerst een brutale overval te overleven, en vervolgens meedogenloze onthullingen over hun privéleven. Rechter Savage vroeg zich in gemoede af wie hem niet de nekslag zou willen toebrengen met Minnies verhaal, nadat deze zijn best had gedaan om hem kwaad te berokkenen, en met dit paradoxale resultaat werd geconfronteerd.

Wie, vroeg Sedley, was de leider van de groep?

Na zichzelf te hebben aangegeven bij de politie na vijf dagen weg te zijn gebleven, stond Janet Crawley nu in de getuigenbank.

Niemand, zei ze.

Het werd vervelend. Er waren acht verdachten die ondervraagd moesten worden en daarna nog eens; eerst door hun eigen advocaat, vervolgens door elk van de andere advocaten van de verdediging mochten die dat nuttig achten, en ten slotte nog eens door de aanklager. Een totaal van drieënzeventig verhoren als elke raadsman of -vrouw gebruik zou willen maken van elke gelegenheid, en nog zonder rekening te houden met de andere getuigen die konden worden opgeroepen. Onvermijdelijk deed Sedley het meeste werk. Laat me de vraag anders benaderen, zei hij voor wellicht de honderdste keer. Welke man uit de groep was de grootste bluffer, en leek er het meest op uit om zijn mannelijkheid te bewijzen?

David, zei ze meteen.

De heer Sayle, zei Sedley.

Gelukkig waren niet alle advocaten eropuit om op te staan wanneer ze maar konden. De advocaten van Davidson en Simmons in het bijzonder volgden de tijdbesparende strategie van zo min mogelijk zeggen, en rekenden erop dat er aan het einde van het proces bijna niets specifieks zou zijn gezegd over hun cliënten, zodat de jury zich niet in staat zou achten hen voor een ernstig misdrijf te veroordelen. Daniel zelf had vaak moeite moeten doen om zijn cliënten ervan te overtuigen dat hij hun een betere dienst bewees door zijn mond dicht te houden dan door getuigen te ondervragen, omdat je per slot van rekening nooit goed wist wat deze of gene getuige zou zeggen. Het stond vast, daar waren de verdachten het tenminste allemaal over eens, dat Simmons op de plek van het misdrijf was gearriveerd op een motor met Janet Crawley achterop, terwijl Davidson de auto had bestuurd waar ook Stuart Bateson en Gill Crawley in waren gekomen. Beide voertuigen, hun bestuurders en passagiers, waren ter plekke aangekomen waar ze Sayle, Singleton, Grier en Riley op de brug hadden aangetroffen.

En zouden we kunnen zeggen, probeerde Sedley, dat er een zekere vijandelijkheid was tussen de mannelijke leden van de groep?

Ik begrijp niet wat u bedoelt.

Juffrouw Crawley, door uw afwezigheid hebt u onvermijdelijk veel gemist van wat er tijdens dit proces al gezegd is. Het is echter voor u niet belangrijk om te weten wat ik bedoel, maar om mijn vragen te beantwoorden. Laat ik precies zijn: is het waar dat meneer Sayle en meneer Grier een soort wedstrijd deden om indruk te maken op de meisjes?

Ik zie niet in, zei Janet Crawley kregelig, waarom ik vragen zou moeten beantwoorden over ons privé-leven. De advocaat van het meisje stond op. Edelachtbare... Meneer Sedley, vroeg Daniel, kunt u ons uitleggen waarom deze vragen relevant zijn voor dit proces? Edelachtbare, begon Sedley, zoals ik vanaf het begin al gezegd heb, is dit een proces over een groepsmisdrijf en bovendien één waarbij de dynamiek van de groep betrokken mensen zowel ingewikkeld als belangrijk is. Ik probeer aan te tonen dat de motivering voor het misdrijf in die groepsdynamiek besloten lag, in de verhoudingen tussen de verschillende leden van de groep. Na overweging zei rechter Savage: Ik wil u een paar minuten geven, meneer Sedley, om te zien of deze lijn van vraagstelling ergens toe leidt.

Sedley pauzeerde om zich te concentreren. Juffrouw Crawley, gevoeligheid en trouw tegenover vrienden zijn zeer bewonderenswaardige kwaliteiten, maar kunnen soms misleidend zijn. Laat me het probleem benaderen op een manier die het voor u wellicht gemakkelijker maakt antwoord te geven.

Het meisje keek naar hem. Het was een klein, gespannen, agressief schepsel met een hard en knap gezicht met scherpe ogen en felle lippenstift.

U maakt deel uit van wat meneer Sayle heeft beschreven als een hechte groep. Op welke leeftijd vormt zo'n groep zich volgens u?

Weet ik niet. Een jaar of vijftien, zestien.
En op welke leeftijd zou die normaal gezien uiteenvallen?
Begin twintig, denk ik.
U bent begin twintig.
Klopt.
Jullie groep is niet uiteengevallen.
Nee.
Waardoor zou een groep als die van jullie uiteen kunnen vallen?
Edelachtbare, de advocaat van het meisje stond weer overeind. Niet alleen wordt de verdachte een serie irrelevante vragen gesteld over haar privé-leven, maar ze wordt nu ook aangezet tot je reinste speculatie. Voorzover ik weet is ze geen specialist in sociale mores.
Ik zal de vraag anders formuleren, gaf Sedley toe. Juffrouw Crawley, hebben u en uw vrienden ooit gesproken over het soort dingen waardoor groepen als die van jullie uiteenvallen?
Ja.
En zijn jullie tot een conclusie gekomen?
Nou, mensen gaan trouwen, hè, zei Janet Crawley. Een stelletje gaat helemaal op in elkaar en stapt eruit.
Is dat waarom Ginnie Keane niet aanwezig was op de brug die nacht van 22 maart?
Ik moet weer bezwaar maken, edelachtbare. De verdachte wordt verzocht te speculeren.
Meneer Sedley...
Heeft Ginnie u verteld waarom ze niet naar de brug is gekomen?
Ze was met haar vriendje, ja, als u dat bedoelt.
En het vriendje hoort niet bij de groep?
Nee.
Heeft Ginnie u verteld wat zij en haar vriendje aan het doen waren toen jullie op de brug waren?
Het meisje lachte: Wat denkt u dat ze aan het doen waren?
Ik heb geen idee.
Dat zal wel.
Heeft ze gezegd dat ze de liefde hebben bedreven?
U zegt het, zei het meisje. Ze leek het tegelijkertijd leuk en onaangenaam te vinden.
Wanneer er hechte paartjes worden gevormd, dan valt een groep

uiteen, suggereerde Sedley heel snel. Zijn jullie tot die conclusie gekomen toen jullie over dat soort dingen hebben gepraat?

Dat zou je wel kunnen zeggen.

Wie was daar het meeste op tegen?

Wat?

Wie wilde de groep koste wat kost bijeenhouden?

Ze gaf geen antwoord.

Sedley voelde dat hij ergens kwam. Daniel was bang dat hij de man te veel ruimte liet. Maar plotseling spoorde het verhoor met zijn eigen intuïtie.

David Sayle had geen seks met zijn vriendin, hè, juffrouw Crawley, ook al waren ze al een paar jaar samen.

Ze aarzelde.

Juffrouw Crawley, in een verhoor door de politie, hebt u gezegd...

Oké, nee, dat had hij niet, dat hadden ze niet.

En dat wisten jullie allemaal.

Nee, ik wist het omdat Sasha me dat verteld had. We waren net zussen.

Aha, dan heeft ze u ongetwijfeld ook verteld waarom hij het niet deed, of zij het niet deden.

Edelachtbare, weer maak ik bezwaar...

Maar Janet Crawley gaf al antwoord: Het is waar dat hij zo z'n ideeën had over dat we bij elkaar moesten blijven als groep. Hij wilde ook dat we naar de jeugdvereniging kwamen.

Sayles advocaat aarzelde, ging toen weer zitten.

Meneer Sayle had ook zo z'n ideeën over seks, niet?

Edelachtbare! Nu stond ze weer overeind.

Ja, mevrouw Wilson.

Edelachtbare, het lijkt eerder bewonderenswaardig dan onnatuurlijk voor een jongeman om geen seks te hebben met een meisje met wie hij niet getrouwd is, en geheel in overeenstemming met zijn overduidelijke godsdienstige roeping. Ik begrijp echt niet hoe mijn hooggeleerde collega uit deze onthouding een soort perversiteit kan afleiden. Mag ik in het algemeen stellen dat deze hele manier van vragen stellen me zeer irrelevant lijkt met betrekking tot de zaak?

Mevrouw Wilson, de aanklager heeft niets gezegd over perversiteit. Voorlopig sta ik hem nog toe door te gaan.

Juffrouw Crawley, had de heer Sayle een bijzonder standpunt aangaande, of laten we zeggen tégen seks?

Het meisje haalde adem. Dat zou je wel kunnen zeggen.

Een aantal van jullie moet toch gedacht hebben dat de heer Sayle een beetje, eh, getikt was, om met prostituees te gaan praten en niet naar bed te gaan met zijn vriendin.

Ze haalde haar schouders op. Natuurlijk vonden we dat.

En wie, in deze groep van elf, ik dacht toch dat de nummers op de mobieltjes tot elf gingen, wie was er het felst gekant tegen de heer Sayle?

Ik begrijp niet wat u bedoelt.

Juffrouw Crawley, is het ooit in uw hoofd opgekomen dat u zelf weleens het slachtoffer zou kunnen zijn van de obsessie van de heer Sayle om de groep bij elkaar te houden?

Soms vond ik hem wel een beetje maf.

Was er iemand in de groep die David Sayle volslagen geschift vond en een tiran?

Ze gaf geen antwoord.

Iemand die alleen maar bij de groep kwam omdat hij misschien in de buurt van een van de meisjes wilde zijn?

Rechter Savage was onder de indruk van het rendement dat Sedley vanuit een puur psychologische en algemene invalshoek wist te halen. Maar zoals steeds bestond het gevaar dat een groot deel van de rechtbanktijd voorbij zou gaan en dat er niets tastbaars zou worden bewezen of aangetoond. Het was zijn taak om te voorkomen dat dit zou gebeuren. Griffiers hadden terecht een hekel aan rechters die hun processen eindeloos lieten doorgaan. Over een paar minuten zou hij Sedley moeten dwingen om terzake te komen.

Was er iemand anders – ik zal zo duidelijk mogelijk zijn – die een oogje had op Sasha Singleton?

Het meisje hield haar lippen opeengeperst. Ze sloeg haar armen over elkaar.

Juffrouw Crawley, kan ik stellen dat een van de andere mannen in de groep de heer Sayle regelmatig bespotte om indruk te maken op juffrouw Singleton?

Janet Crawleys blik was nu strijdlustig geworden. De lippenstift was verdwenen van haar onderlip.

In uw eerste verklaring, juffrouw Crawley, waarvan u later beweerde dat die onder dwang was afgelegd...

Edelachtbare...

Meneer Sedley, u moet uw getuige de tijd geven om te antwoorden, u kunt niet zomaar doorgaan met het opbouwen van een web van gevolgtrekkingen zonder dat we een duidelijk antwoord hebben gehoord van de getuige.

Natuurlijk, edelachtbare. Mijn verontschuldigingen.

Had meneer Grier belangstelling voor juffrouw Singleton?

Ja, zei het meisje meteen.

Wisten jullie dat allemaal?

Dat zag je van op een kilometer afstand.

Had...

Als u het wilt weten, verkondigde de getuige, dan was Jamie de echte mafketel en niet Dave.

Zodra het meisje deze informatie vrijwillig had verschaft, merkte Daniel beweging op onder de verdachten. Hun glazige verveling veranderde in een ongerust gedraai. Er werden blikken gewisseld. Janet Crawley was gevlucht, en had zich daarna pas kort voor het tijd was voor haar eigen getuigenis bij de politie aangegeven. Was dat gepland? De jury zat te staren. Uiteindelijk zouden zij moeten beslissen wat er was gebeurd.

Met Jamie bedoelt u meneer Grier.

Klopt.

Waarom was hij een mafketel?

Hij was tot alles in staat, Jamie.

Ontmoette hij juffrouw Singleton buiten de groep?

Het meisje keek naar Sedley en er vloog een plotselinge sluwheid over haar gezicht. Ja, zei ze. Toen meende rechter Savage dat de wrok het eindelijk van de angst had gewonnen. Of misschien was ze steeds van plan geweest het zo te spelen? Mensen kunnen zo sluw zijn. In elk geval zou de krant de volgende ochtend de getuigenis van het meisje als volgt samenvatten: Grier ontmoette Sasha Singleton al een tijdje buiten de groep maar slaagde er niet in haar ervan los te maken, noch van haar gehechtheid aan David Sayle, die een respectabel deel van het meubilair was geworden in de meer dan respectabele familie van het meisje en met wie ze lang was verloofd. De Sayles en de Singletons waren effectief bij elkaar gekomen en hadden beloofd een flat te kopen voor het stel als ze gingen trouwen. Bij minstens drie eerdere gelegenheden, terwijl de Crawleymeisjes met Davidson en Simmons zaten te vrijen in de auto's op een rustige parkeerplaats tussen de bomen voorbij de brug, en Sayle en Singleton naar beneden gingen naar de parkeerplaats, om te praten met de prostituees, hadden Grier, Ryan Riley en Stuart Bateson stenen van de brug op de rijweg gegooid, beweerde juffrouw Crawley, dicht bij waar de anderen stonden te praten met de zwarte meisjes. Hierdoor was David Sayle naar boven gerend om ze te doen stoppen. Janet Crawley beweerde dat ze in de nacht van 22 maart Grier duidelijk had horen zeggen: Ik blijf stenen naar beneden gooien tot Sasha eerlijk toegeeft hoe graag ze me pijpt. Juffrouw Crawley had voorts beweerd dat zij en Davidson terug naar de brug waren gelopen om te zeggen dat ze weggingen. Ik keek op en zag dat Dave (Sayle) een grote steen in zijn hand had, echt een hele grote steen, en dat hij hem op Jamie wilde gooien, die een stuk kleiner is. Sasha schreeuwt: Niet doen, en Dave draait zich woedend om en gooit de steen van de brug. Toen hoorden we een klap en piepende remmen. De getuigenis van juffrouw Crawley, zei de krant, gaf aanleiding tot zo'n tumult in de rechtszaal onder de verdachten en hun familie op de publieke tribune, dat rechter Savage verplicht was de zitting te onderbreken en te verdagen. De krant was niet in staat te melden dat de rechter meteen daarna, alsof hij high was door de emotionele lading opgewekt door dit rechtbankdrama, de stad uitreed om de confrontatie aan te gaan met de verse weduwe: mevrouw Shields.

26

Het was altijd een opluchting om het strakke stramien van het centrum te verlaten voor de zachtere, verleidelijkere topografie van het platteland. Een stramien belooft eenvoud, had rechter Savage vaak gedacht, en toch was eenvoud precies wat je niet kreeg in de stad, noch als autobestuurder noch als minnaar. Ik zal de waarheid uit Christine krijgen, zei hij tegen zichzelf, hoe moeilijk het ook zal zijn.

Denk maar niet dat je me een kruisverhoor kunt afnemen, zei ze. Het huis stond prachtig pittoresk te zijn in de herfstschemering. Het huis van de familie Shields is puur Brits, lachte Hilary altijd, het beste en het slechtste ervan. Wat zie ik de dingen vaak door Hilary's ogen, dacht hij. Een hoop warmrode baksteen verrees een beetje scheef uit een zee van groen gras naast de trage diepe stroom van de rivier. Niemand deed open toen rechter Savage aanbelde. Niet aan Hilary denken, dacht hij. Hij belde nog eens. Rond dit tijdstip werd er gewoonlijk een licht aangestoken of gingen de gordijnen dicht. Rechter Savage wist dat de achterdeur soms open werd gelaten. Hij liep om en duwde tegen de klink van een kale deur. Gesloten. Hij hield zijn gezicht voor de ruit en tuurde met zijn ene bruikbare oog naar binnen. Toen begreep hij dat het huis leeg was. Hier werd niet meer in geleefd.

Maar hij bleef vastbesloten om het uit te praten, nu, om de waarheid uit haar te krijgen. Zelfs al wist hij dat hij zichzelf beloofd had dat hij het niet zou doen. Hij had zichzelf beloofd dat hij niet naar waarheden op zoek zou gaan, behalve op de rechtbank. Toch was het juist op de rechtbank dat de getuigenis van het meisje hem een soort koortsachtig verlangen naar onthulling en besluit had bezorgd. Met de juiste vragen zou er misschien een geheim veertje losspringen. Rechter Savage had het altijd opwindend gevonden hoe er tijdens een proces een moment kwam, of in sommige processen toch, waarop alles ineens helemaal anders begrepen kon worden, en op een of andere manier leek zo'n nieuw inzicht altijd superieur aan het oude. Janet Crawley heeft op z'n minst een uitstekend verhaal verteld. De jury is misschien wel overtuigd. Maar Christine ging in de verdediging. Je kunt me niet dwingen je iets te vertellen, protesteerde ze, wel soms? Ze glimlachte. Ondanks haar recente verlies had haar stem al haar vroegere vuur en plagerige zijdeachtigheid terug. Ik sta niet onder ede, Dan. Kennelijk, dacht Daniel, zegt elke vrouw of dochter van een advocaat dat.

Zelfs met snel rijden was het halfnegen voor hij de ringweg was overgestoken en het stadse stramien naar Carlton Street was gevolgd. Ja, ik ben verhuisd, lachte ze, snel hè? Ze ontving hem in haar ochtendjas. Haar haar was net gewassen en met henna geverfd. Wat neemt die vaak een bad, dacht hij. Ik ga nooit meer terug naar St Gwen's, zei ze. Goddank hebben we dit huis gekocht. Die avond toen hij met Max was langsgekomen, was ze ook in ochtendjas geweest. Misschien was ze geobsedeerd door reinheid. Heb je al gegeten? vroeg ze. Hij zei: Christine, ik wil weten waarom je Sarah verteld hebt wat je hebt verteld.

Hij vroeg haar mee uit eten. Ze aarzelde, ging zich toen aankleden. Hun oude flat was al opnieuw ingericht, zij het provisorisch. Er stonden een paar oude meubelen uit het buitenhuis. Ik kon daar niet blijven, zei ze luchtig. Ze pakte haar handtas en hij ving een zweem parfum op. Ik ben eigenlijk een stadsmens, zei ze. Het was fout om daar te gaan wonen. Het was een sterk parfum, een zoet maar niet opdringerig geurtje. Nou, dit is leuk, zei ze toen ze in de auto stapte. Wat heerlijk om uit eten te gaan, zei ze. O, wat lief van je, Dan! Ik wil het echt weten, Christine, herhaalde hij. Ze had de zonneklep boven haar hoofd naar beneden gezet om zichzelf in het spiegeltje te bekijken. Ik maak me zorgen dat mijn moedervlek groter wordt, zei ze hardop. Christine... Ik laat me toch niet intimideren, Dan, zei ze zoetjes. Ik sta niet onder ede, hoor. Na een korte stilte, vroeg ze: Waar woon je trouwens momenteel?

Hij begon haar over Frank te vertellen. Het opnieuw ontdekken van zijn broer, zei hij tegen haar, was het enige goede dat uit de hele toestand was voortgekomen. Het lijkt erop dat ik eerst gecompromitteerd moest worden voor we met elkaar overweg konden. Ik weet wat je bedoelt! Christine giechelde bijna. En nu slaap je dus op de bank in een armoedig rijtjeshuis? Kan me niet schelen, zei hij vlak. En het is niet armoedig. Ik kan gemakkelijk naar een hotel gaan als ik dat wil. Toen hij haar vertelde dat Frank in antiek deed, was ze meteen geïnteresseerd. Echt? Denk je dat hij St Gwen's kan leegruimen voor me? Sommige meubelstukken zullen heel wat waard zijn. Dat zal hij fantastisch vinden, zei Daniel. Als je hem kunt vertrouwen. Nou, en kan ik dat? Of hij te vertrouwen is, bedoel je? Daniel aarzelde. Ze zei: Martin heeft Frank nooit gemogen, weet je. Hij vond het zo'n man die altijd profiteert van anderen en het leven nooit serieus neemt. Dit leek hem meteen niet eerlijk. Daniel voegde eraan toe, voorzover je iemand kunt vertrouwen. Martin had altijd een streng oordeel over iedereen, zei ze. Daniel kon niet uitmaken of ze er met emotie aan terugdacht of dat ze gewoon zei wat ze dacht. Je zou eens moeten horen wat hij allemaal over jou gezegd heeft. O ja? Hij vond je zwak en onevenwichtig, zei ze. Hij vond dat je niet genoeg zelfrespect had. Ze sprak achteloos, met haar hoofd een beetje schuin terwijl ze haar haar losschudde. Waarom, vroeg rechter Savage heel rustig, heb je Hilary gezegd dat ik je heb gekust? O, heeft ze dat gezegd? Christine glimlachte. Dat was niet belangrijk. Ze fronste een beetje en tuitte haar lippen. Ik heb ook gezegd dat ze terug moest gaan naar je, zei ze. Heeft ze dat gezegd? Ik dacht eigenlijk niet dat een paar dingetjes meer zoveel verschil zouden maken zoals jullie ervoor stonden. Ik wilde haar laten inzien dat het gewoon iets was wat jij doet, ik bedoel een natuurlijk lichamelijk iets, en dat die slippertjes niet belangrijk waren voor jou. Ik heb gezegd dat ze er veel spijt van zou hebben als ze je zou verlaten, weet je? Ik bedoel, ik weet dat ik er goed aan heb gedaan om Martin niet te verlaten. Ik hoef tenminste nergens spijt van te hebben. Als in een soort roes voegde ze eraan toe: Ik ben tot het einde gebleven.

Ze gingen eten in een Chinees restaurant dat Christine van vroeger kende. Laten we eens kijken of het er nog is, had ze voorgesteld. Ze leek het naar haar zin te hebben. Hij merkte nauwelijks wat hij zat te eten met alle plannen die zich bleven vormen en weer oplosten in zijn hoofd. Frank belde hem op zijn mobieltje. Alles goed, jonker? vroeg hij. Het eten staat al zo'n uurtje koud te worden. Ik dacht dat je je misschien weer in elkaar had laten slaan. O, wat lief van hem!

riep Christine uit. Wat broederlijk! Ze klapte in haar handen. Ik ga hem vragen of hij het huis wil leegruimen. Je moet me zijn nummer geven. Ze rommelde met haar agenda en voegde er hoofdschuddend aan toe: Ik heb nooit gedacht dat Martin goed mensen kon beoordelen. Het was stom om jou zwak te noemen. Ze had haar eten zorgvuldig uitgekozen. Haar echtgenoot kan net zo goed al jaren dood zijn, dacht Daniel. Ze depte haar lippen en vroeg opgewekt: Wil je echt teruggaan naar Hilary? Tegelijkertijd zei rechter Savage: Vertel me eens over je plannen.

Christine zei dat ze zodra ze weer helemaal hersteld was, werk wilde zoeken bij een liefdadige instelling die haar in contact zou brengen met de realiteit en mensen. Ze moest onder de mensen komen, ze voelde zich een kasplant. En als St Gwen's eenmaal verkocht was, had ze ook geen salaris meer nodig. Ze dacht dat ze terug kon gaan naar Save the Children. Ze had er vroeger geld voor ingezameld. Ze zag er eventjes ernstig uit. Ik wil bij mams in de buurt zijn, dat arme mens. Ze is ziek geweest, weet je. Het goede aan vrijwilligerswerk is dat ik altijd vrij kan zijn om mams te helpen of vakantie te nemen of wat ook. Ze voegde eraan toe: Ik ben hard aan een verzetje toe.

Ze hielden zich met hun schotels bezig. Daniel voelde zich koortsig. Hij hoorde zichzelf zeggen: Die begrafenis van afgelopen week heeft me aan het denken gezet over kerk en christendom. Hmm, o ja? Ze geeuwde met haar hand voor haar mond. Ik ben doodop, Dan, sorry. Ik bedoel, als alles achter de rug is en de emoties vallen ineens weg, dan voel je je totaal, totaal uitgeput. Maar hij had bijna dat punt bereikt waarop hij zich door niets of niemand meer zou laten stoppen. Jij en Martin, zei hij, waren vroeger toch erg christelijk? Ze zat voorovergebogen om zich op haar eetstokjes te concentreren en ze keek op, met haar gezicht van tafel afgewend. De glimlach leek spottend. En Sarah heeft natuurlijk ook zo'n christelijke periode achter de rug, weet je nog wel, meteen nadat Hilary en ik weer bij elkaar waren.

Ja-a, zei ze.

En nu zit ik in een proces waarvan de hoofdverdachte, een erg vreemd figuur, een bijzonder trouwe kerkganger is. Hmm, en? vroeg ze. Weer knipperde ze met haar lange wimpers. Daniel probeerde vat te krijgen op wat hij nu eigenlijk wilde zeggen. Bij elk geval, probeerde hij, lijkt er iets onheilspellends aan te hebben gezeten. Het ging vooraf aan een catastrofe, als je begrijpt wat ik bedoel. Alsof de verbintenis met religie een alternatief was dat is mislukt, begrijp je, een poging om aan iets anders te ontkomen dat ze hadden voorzien en vreesden. Ze probeerden christelijk te zijn in de hoop iets anders te kunnen vermijden, maar dat konden ze uiteindelijk niet. Martin duikt in die depressie, Sarah schrijft obscene dingen op haar eindexamen. Zeer waarschijnlijk heeft die verdachte inderdaad een steen op de weg gesmeten. Hoewel ik hier natuurlijk niet met je over zou moeten praten.

Nou – Christine zuchtte – ik begrijp er niet veel van. Ze stopte een deegrolletje in haar mond, sloot haar ogen en slikte het door, zei daarna iets terwijl ze haar mondhoek depte. Ze leek veel gezichtsuitdrukkingen te hebben, zowel geraffineerd als kwetsbaar. Denk je niet dat je er te veel achter zoekt? Het was stil in het restaurant en de dienster boog zich plechtig over hen heen met meer schotels. Per slot van rekening heb ik nooit het idee gehad dat het christendom mij in de steek heeft gelaten, glimlachte ze. Ik hou nog steeds van mijn glimmende kerkbank en het Oude en Nieuwe Testament. Ik denk dat het goed is om naar de kerk te gaan, hoewel ik niet denk dat er nog iemand echt gelooft dat hij naar de hemel gaat. Voor de derde of vierde keer liet ze een schril lachje horen.

Over religie gesproken, ging hij door, je bent toch Sarahs meter? Natuurlijk, gaf Christine toe, maar dat is toch alleen maar een heerlijke formaliteit? Hilary heeft altijd heel duidelijk gemaakt dat zij Sarah niet eens wilde laten dopen, dat ze het alleen maar deed vanwege jouw verslaafdheid aan conventies. Ik kon dus niet het gevoel hebben dat ik een serieuze taak op me nam. Hilary is altijd erg antichristelijk geweest, hè?

Daniel was dat vergeten. Hilary had het inderdaad vervelend gevonden, herinnerde hij zich nu, dat hij zo'n hele ceremonie wilde terwijl ze er geen van beiden in geloofden. Tom is toch helemaal niet meer gedoopt, vroeg Christine. Daniel zei nee. Hij was dit deel van hun leven vergeten. Op onze leeftijd is er zoveel dat je niet meer paraat hebt. Hilary had gelijk gehad, dacht hij. Als je niet naar de kerk gaat, zei ze, behalve wanneer er een orgelconcert is, wat heeft het dan voor zin om je kinderen te dopen? Wees toch consequent, Dan, had zijn vrouw aangedrongen. In de war gebracht, zei rechter Savage: Nu, goed, het punt is dat na de dienst, na de begrafenis, die oude rechter Carter me vroeg of ik echt niet wist waarom Martin gestopt was met zijn praktijk. Vroeg hij dat? Christine keek niet op. En ik zei nee. Maar ik dacht dat hij iets suggereerde, dat er iets was wat ik had kunnen weten, maar niet wist. Nu keek ze wel op en ze glimlachte vrolijk. Ik ben dol op Chinees eten, zei ze. Het ruikt zo heerlijk. Ik vind het echt fantastisch Dan, en het is toch verschrikkelijk dat deze fantastische zaak bijna leeg is terwijl alle trouwe Britse kerkgangers in het Angus Steak House zitten of in een kitscherige bistro. Vind je ook niet?

Wil je dat ik vannacht bij je blijf? vroeg hij. Hij had de auto op Carlton Street geparkeerd. Zijn stem klonk diep en vast. Terwijl hij op haar antwoord wachtte, zei hij: Trouwens, je kunt er altijd van uitgaan dat dit plekje 's nachts vrij is, omdat er een transportwagen met diepvriesproducten staat tot elf uur of kwart over elf, die dan om een of andere reden wegrijdt en dan kun je voor de deur parkeren. Wat ben je toch een ongelooflijke man! protesteerde ze. Je bent verschrikkelijk! Ze klonk als een meisje dat voor de eerste keer oneerbare voorstellen krijgt van een beestachtige vreemdeling. Je bent niet te geloven, Savage! Je kunt toch niet vragen of je vannacht mag blijven. Zoiets doe je niet! Toch was het maar tien minuten geleden, bedacht Daniel, dat de dienster de sake in hun vingerhoedglaasjes had geschonken, en Christine haar haar langs zijn oor had laten strijken en had gefluisterd. Je moet eens kijken hoe de bodem van je glas verandert als ze inschenkt. Het keurige Chinese meisje, een en al formele glimlach, schonk het glas vol tot de rand, en plotseling, door een of andere breking van het licht, deed de heldere vloeistof het tot voor kort dikke kleurloze glas van de bodem veranderen in een kleine afbeelding van wat? Toen hij zijn goede oog bij het glas bracht zag hij door de vloeistof heen dat het een vrouw was die haar hand tussen haar dijen stak. Leuk hè? Christine grinnikte een erg mannelijke grinnik. Haar stem kon heel plotseling omslaan van een kreetje naar een gedonder. Wat heb jij? vroeg hij. Ze giechelde en legde een hand op haar boezem. Zo te zien nogal een flink achterwerk! Die oosterse volkeren zijn dol op dat soort dingen, lachte ze. Is het niet leuk? Seks op de bodem van een glas. Maar daar hoef ik jou niets over te vertellen, denk ik! Ze giechelde weer. Ad fundum die billen, zei ze, en dronk haar glas leeg. Daniel keek. Het glas was weer gewoon glas, het figuurtje verborgen in de dikke bodem. Is het niet enig? riep Christine. En nu ze een kwartier later samen in de geparkeerde auto zaten, protesteerde ze: Die man klaagt dat ik zijn huwelijk heb geruïneerd, dat het mijn schuld is dat hij niet terug naar zijn vrouw kan en nu wil hij met me naar bed, terwijl mijn echtgenoot nauwelijks een week dood is! Wil je dat ik blijf of niet? vroeg hij. Ze dacht na: Kunnen we niet alleen een beetje zoenen en knuffelen? Ze wendde zich naar hem. Hij kuste haar heel gedecideerd. Hij was zeer, zeer gedecideerd en toen ze hijgde: O, Dan, op een manier die alweer duidelijk vals was, vroeg hij: Wat houdt ons tegen? Trillend begon ze aan haar haar te frutselen. Je mag bovenkomen om een beetje te babbelen, zei ze.

Op de bank kusten ze weer. Hij wist niet of hij zich opgewonden voelde omdat zijn handen op haar borsten lagen of omdat hij zeker wist dat hij binnen luttele tijd de waarheid uit haar zou krijgen. Maar ze brak de kus af. Iets drinken? Ze stond op. Het bekende gebaar van het gladstrijken van de rok. Whisky, alsjeblieft. Nee, thee, zei ze. Maar... Thee! riep ze. Hij kwam achter haar staan terwijl zij de ketel opzette. Hij streelde de achterkant van haar nek met zijn lippen. Ze draaide zich om, om zich los te maken, ging een pakje sigaretten halen. Hebben jullie al afspraken gemaakt over wanneer je de kinderen ziet? Nee. Waarom niet? Hij haalde zijn schouders op. Ze inhaleerde de rook en vroeg: Zal ik je eens zeggen waarom niet? vroeg ze. Ik denk dat ik het zo ook wel te horen krijg, zei rechter Savage. Je hebt nog geen afspraken gemaakt omdat je nog steeds niet geaccepteerd hebt dat het voorbij is. Kan zijn, zei hij. En je wilt alleen maar dingen van mij horen, lieve Daniel, omdat je diep in je hart hoopt dat er daardoor weer iets mogelijk wordt met Hilary, dat je iets anders zult vinden, dat je iemand anders de schuld kunt geven, en dat je weer opnieuw kunt beginnen. Ze zette haar hoofd schuin, blies rook uit en zette haar schelste kleinemeisjesstemmetje op om te vragen: Heb ik gelijk? Kan zijn, herhaalde hij. Ze legde haar sigaret neer, pakte zijn handen en ging tegenover hem staan. Het water kookte. Hmm, zei ze. Toen liet ze hem los, deed een stap terug en sloeg hem hard in zijn gezicht. Een onverwachte en geheel klinische klap. Ze lachte. O, je zou je eigen gezicht eens moeten zien! Ze keerde zich om om de ketel af te zetten, draaide zich weer om en begon hem koortsachtig te kussen. Ze beet in zijn nek. Ze wil merktekens achterlaten, zei hij tegen zichzelf. Hoe vaak had Daniel Savage zichzelf ervan overtuigd dat hij een vrouw verleid had, om dan tot het besef te komen dat híj de prooi was. Maar hij had dat nooit erg gevonden. Ze trok hem mee naar de slaapkamer en kleedde zich snel uit. Ze ging op bed zitten om haar schoenen uit te trappen, maar hield haar ondergoed aan. Dit is mijn oude vriendin Christine, zei hij tegen zichzelf, Martins vrouw. Hij ging naast haar liggen. Midden in een kus stopte ze weer. Opnieuw ging ze een pakje sigaretten halen, ging zitten met haar rug tegen de naakte muur. De kamer was geel door de straatverlichting. Ik heb je niets te vertellen, zei ze abrupt, terwijl ze rook uitblies. Je bent een domme schooljongen. Hij stak een hand uit om haar aan te raken. Laat me met rust! Ze droeg een kanten slipje, een glanzende bh met robuuste baleinen. Ze giechelde: Je zult wel denken dat je je vrouw neukt, hier in deze kamer. Maar ik heb niets te vertellen. Niets, geen geheimen, geen reden waarom Martin gestopt is met werken. Ze begon te schreeuwen: Hij is gewoon opgestapt! Ik weet niet waarom. Hij is ziek geworden.

Rechter Savage voelde zich nu belachelijk, naakt als hij was. Je liegt, zei hij. Hij zocht zijn broek. Ik zal verder niet aandringen, maar je liegt. Dat weet je zelf ook, dat heb je zo ongeveer op de begrafenis gezegd. Waarom heb je het tegen Sarah gezegd? vroeg hij. Ze leunde voorover en legde haar hand op zijn schouder. Kunnen we al die lelijke dingen niet gewoon vergeten en elkaar een heerlijke kus geven? Weer deed hij zoals gevraagd. Ze kusten. Ze kuste hem nu heel teder, maar heel bewust. Ze laat haar mond smelten, dacht hij. Ze stopte even en zei: Wat een heerlijke, heerlijke huid heb je, Daniel Savage, je bent zo donker en zo sexy! Ze huiverde, theatraal, en kuste hem weer. Vaak, wist hij, moest je allerlei soorten beproevingen doorstaan voor je een vrouw echt had. Maar toen zijn hand tussen haar dijen wilde glijden, verstarde ze. Tot zijn grote verbazing bleek ze geheel gladgeschoren te zijn. Ze duwde hem weg en sprong uit bed. Thee! kondigde ze aan. O, ik moet er verschrikkelijk uitzien. Alles zit in de war. Melk? Suiker? Ik moet onder de douche. Ze kwam terug met een dienblad en zei: Dan, de waarheid is dat ik geen seks doe met vreemden. En helemaal niet met kleine jongetjes. Ze glimlachte: Maak je geen zorgen, er zijn altijd nog genoeg twintigjarige Aziatische grietjes. Ik vond het trouwens niet erg netjes van je om het kind aan Sarah voor te stellen. Hij kleedde zich nu snel aan en begon zijn sokken aan te trekken. O, ga niet weg, Dan, zei ze, laten we thee drinken en wat babbelen. Toen werd het zwart voor zijn ogen. Hij stond op en sloeg het dienblad uit haar handen. Rotwijf! schreeuwde hij. Ze gilde. Ze had zich verbrand. Ze bleef gillen, boog zich over haar knieën. Daniel was bang dat hij haar pijn had gedaan. Ga onder de douche, ga onder de douche. Hij trok haar overeind en snelde naar de badkamer, draaide de kraan open. Ga eronder. Nu stond ze onder de douche met haar ondergoed aan te huiveren, ze richtte de koude straal op de bovenkant van haar been. Zo beter? Ja, zei ze. Ze zuchtte. Daar stond hij in zijn oude badkamer. Hier was niets veranderd. Je moet me vergeven, Daniel – ze lachte nerveus – nee, zo erg is het niet, maar ik ben dat soort dingen gewoon niet gewend. Je weet wel. Ik heb het nog nooit gedaan. Arme Martin, begon ze te jammeren onder het koude water. Het spijt me, zei hij. Alles in orde? Op weer een andere toon vroeg ze: Waarom kom je niet onder de douche? Ze draaide de warme kraan ook open. Wat? Kom eronder, het water is heerlijk. Ze strekte haar armen uit. Weer deed hij wat ze vroeg. Hij trok zijn kleren uit. Ze hield haar ondergoed aan. Ze fluisterde in zijn oor: Je hebt zelf gevraagd of je vannacht mocht blijven! Ze pakte zijn lid in haar hand. Vertel me over alle vrouwen die je hebt gehad, zei ze. Vertel me erover. Vertel me erover. Terwijl ze zichzelf droogwreef, zei ze: Wat Sarah betreft, ik weet niet waarom ik het haar verteld heb, ik heb het gewoon gedaan. Sorry, maar zo ben ik nu eenmaal. Ik ben niet te vertrouwen. Toen hij 's morgens vroeg wegging wist hij dat hij zich nog nooit zo vernederd had gevoeld.

27

Juffrouw Crawley, gisteren hebt u beschreven hoe de heer Sayle een steen vanaf de brug op de ringweg heeft gegooid, een steen die een auto heeft geraakt die in de richting van de brug reed en die het ongeval heeft veroorzaakt dat tot dit proces heeft geleid, is dat correct? Het meisje zei ja. De publieke tribune zat vol kwade gezichten: Sayles kennissen en die van Grier. De verdachten keken vurig, mogelijk strijdlustig. De juryleden waren allemaal zeer alert sinds de opwinding van gisteren. Twee of drie luisterden met een potlood in de aanslag.

U hebt beweerd – Sedley zette zijn bril recht en raadpleegde een vel papier bedekt met een kriebelig handschrift – dat de steen is gegooid ten gevolge van een ruzie tussen de heer Sayle en de heer Grier over hun relatie met juffrouw Singleton. Is dat correct?

Ja.

U hebt gezegd dat de heer Sayle op het punt leek te staan om de heer Grier aan te vallen met de steen, maar hem in plaats daarvan op de weg gooide toen juffrouw Singleton hem smeekte te stoppen. Is dat correct?

Ja.

Sedley liet zijn papieren zakken en keek naar het meisje. Was hij ook de hele nacht op geweest, vroeg Daniel zich af. De raadsman had wallen onder zijn fletse ogen. Weer zette hij zijn bril recht.

Waar had de heer Sayle de steen vandaan, juffrouw Crawley?

Het meisje leek na te denken.

Weet ik niet.

Kunt u me vertellen waar elk lid van de groep was op het moment dat de steen werd gegooid?

David en Jamie waren er vlakbij, bij de reling.

Dat wil zeggen de heren Sayle en Grier.

Ja. Sasha Singleton stond bij hen, achter David. Sayle. Ik en de heer Simmons kwamen de brug oplopen om te zeggen dat we weggingen.

Jullie kwamen aanlopen vanaf de stadskant van Malding Lane.

Ik begrijp u niet.

Alsof jullie uit de stad kwamen.

Ja.

Hoe ver waren jullie van het gebeuren af?

Weet ik niet. Misschien van hier tot aan die muur.

Juffrouw Crawley, onderbrak rechter Savage, uw getuigenis wordt opgenomen. Zou u daarom alstublieft de afstand bij benadering kunnen aangeven, in plaats van te verwijzen naar de afmeting van deze zaal, wat geen betekenis zal hebben voor de mensen die de band op een andere plek zullen beluisteren. Om u te helpen, zou ik zeggen dat de lengte van deze zaal ongeveer tien meter is.

Het meisje fronste haar wenkbrauwen. Oké, tien meter.

Tien meter, herhaalde Sedley. En u zegt dat u de heer Grier vlak voor het fatale ongeluk hebt horen zeggen, en ik citeer uw woorden van gisteren: Ik stop pas met stenen gooien als Sasha eerlijk toegeeft hoe graag ze me pijpt.

De woorden vielen wonderlijk uit de toon komende van Sedleys droge lippen. Niemand glimlachte.

Klopt. Ik weet niet of hij dat precies zo gezegd heeft, maar zo ongeveer wel.

Juffrouw Crawley, de ringweg is een drukke weg, hè?

Ja meneer.

Het was de eerste keer dat ze hem meneer noemde. Sedley zei er niets van.

En een drukke weg betekent veel lawaai.

Klopt, het is er lawaaierig. Een soort geraas.

Een soort geraas, herhaalde Sedley. En toch kon u vanaf tien meter afstand, boven dat gebrul uit, horen wat de heer Grier zei tegen de heer Sayle.

Het meisje haalde diep adem maar gaf geen antwoord.

Juffrouw Crawley, u kunt zich misschien voorstellen dat ik, als advocaat van de eisende partij, dankbaar zou zijn van een verdachte te horen dat een andere verdachte het misdrijf heeft begaan, maar toch moet ik u er nu wel op wijzen dat uw getuigenis vol inconsequenties zit, waarvan er vele mijns inziens het gevolg zijn van uw leugens. Is dat het geval?

De rechtbank wachtte.

Is dat wat?

Sedley vroeg: Juffrouw Crawley, u hebt gezegd dat het eerste verhoor dat de politie u heeft afgenomen en waarin u de heer Sayle onder heel andere omstandigheden als stenengooier hebt aangewezen, vol onjuistheden zat.

Ja, zei ze. Zoals ik al heb gezegd, ze hadden me onder druk gezet.

Sedley haalde diep adem: Hebt u het gevoel dat u nu ook onder druk wordt gezet?

Ja, dat denk ik wel. De rechtbank en zo.

Moet ik dan aannemen dat u nu ook weer onwaarheden vertelt?

U mag denken wat u wilt, zei ze snel, u was er niet bij.

Juffrouw Crawley, blijft u erbij dat u kon horen wat de heer Grier tegen de heer Sayle zei op tien meter afstand, op een brug over een drukke weg?

Misschien was ik dichterbij, zei ze. Ik weet het niet meer.

Rechter Savage begon zijn geduld te verliezen. Juffrouw Crawley, de kwestie van de afstand is belangrijk. U staat onder ede om de waarheid te zeggen.

Ik moet rusten, zei het meisje vlak. Ik heb hoofdpijn. Ik kan me niet concentreren. Of ik val flauw of zo.

Rechter Savage schorste de zitting. Hoe gaat het met je? vroeg hij. Hij had het nummer in een impuls gedraaid. Goed, zei Hilary. Sarah zei dat je in de put zat. Ik sta niet te dansen van vreugde. Sarah klonk opgewekt, probeerde hij. Ik heb veel steun aan haar gehad. Jullie kunnen het dus wel vinden samen? vroeg Daniel. We hebben het altijd kunnen vinden, antwoordde zijn vrouw. Nou, dat doet me plezier. Ze zei zelfs dat ze een vriendje heeft. Dat leverde een korte stilte op. Het eerste dat ik ervan hoor, zei Hilary. O, nou ja, dat heeft ze mij verteld. O ja, en jij gelooft haar? Waarom zou ik niet, vroeg hij. Wie is het dan? vroeg Hilary. Ze wilde niet zeggen wie het was. Dat wil ik geloven. Daniel liet het erbij. En hoe is het met Tom? Tom is van streek, zei ze. Meteen voelde hij dat haar stem openhartiger klonk. Wat is er dan? vroeg hij. Ze werd boos: Wat bedoel je, wat is er dan, doe niet zo stom, wat er is, is dat zijn vader er niet is. Hij zegt niets. Hij zit de hele dag voor de televisie. Mag ik hem zien? Wie houdt je tegen? Ik zal hem vanavond bellen, zei hij. Bel maar wanneer je wilt. Hilary, probeerde hij, ik heb dit niet gewild, en zelfs nu... Nou, je hebt het gekregen, zei ze. Het gesprek verschilde totaal van de gesprekken die hij vanuit het Cambridge Hotel had gevoerd. Hij wachtte even. Luister eens, ik mis jullie allemaal. Hij wist dat hij eerlijk was. Hilary, ik hou van je. Bestaat er geen manier om... Wat betekent dat, ik hou van je? vroeg ze. Wat het betekent? Vooruit, vertel eens wat het betekent als je dat zegt. Hij dacht: ik moet nu geen dom sentimenteel antwoord geven. Het wil zeggen, zei hij en aarzelde, het wil zeggen dat ik mezelf alleen maar kon begrijpen als persoon, toen ik bij jou was. Ik weet niet of... Toen je bij mij was bedroog je me, dat begrijp ik, ja. Maar Hilary, ik heb toch gezegd dat dat allemaal voorbij is, dat was een vreemde fase, soms denk ik dat het te maken had met de dood van papa en... Je was bij Christine vannacht! krijste zijn vrouw. Wie heeft je dat verteld? Christine, ze is hier. Toen zei Daniel: Christine is de persoon die met de pers heeft gesproken, Hilary. Ze is vergif. En elk woord dat ze gezegd heeft is waar! zei zijn vrouw.

Hilary gooide de telefoon erop. Daniel belde meteen terug. Als ik met mijn gedachten bij mijn gezin ben, dan kan ik ze niet met rust laten. Nee, het is niet waar, zei hij zodra ze had opgenomen. Dan, in godsnaam! Wat ze tegen hen gezegd heeft is niet waar, Hilary. Daniel, het kan me niet schelen... Weet je waarom ik naar haar toe ben gegaan gisteravond? Om met haar naar bed te gaan, antwoordde zijn vrouw prompt. Heeft ze dat gezegd? Inderdaad. Wat belachelijk, zei hij. Je schijnt wel een indrukwekkend curriculum te hebben. Hij wist dat ze dit sarcasme imiteerde van films die ze op tv had gezien. Hij zei: Het is belachelijk omdat iedereen kan zien dat Christine niet in staat is om met iemand naar bed te gaan. Haar vrouwelijkheid houdt op bij haar parfum en kantjesjurken. Zie je dat dan niet? Het zou me niet verwonderen als ze nooit seks met Martin had gehad. Ze is geen vrouw van vlees en bloed zoals jij, ze is gestoord! Hij wist dat zijn vrouw dit wilde horen. Jij hebt het moeilijk gehad met de combinatie van kinderen en een carrière. Zij heeft geen van beide gehad. Ze stelt helemaal niks voor en ze is nog gek ook. Dat is vermoedelijk de reden van Martins depressie, waagde hij. Dat ze niet wilde neuken.

Hilary liet haar stem dalen. Hij merkte dat ze ergens naartoe liep met de draadloze telefoon. Naar wat ze mij heeft verteld, zei ze zachtjes, was Martin de echte gestoorde. Je had eens moeten horen wat er allemaal uit is gekomen.

Rechter Savage voelde de mogelijkheid om onder een hoedje te spelen. Hun huwelijk was altijd het sterkst geweest als ze hun vrienden en kennissen konden bekritiseren. Hij zei: Oké, laat ik je dan vertellen waarom ik haar ben gaan opzoeken gisteravond. Het bleef stil aan de andere kant van de lijn, maar er kwam ook geen weigering. Ik heb haar iets verteld dat niet waar was, expres, om te zien of het in de kranten zou verschijnen. Ik heb haar verteld dat ik een avontuurtje heb gehad met... Hij noemde een beroemde televisiepresentatrice. Een nieuwslezeres nog wel.

Plotseling begon zijn vrouw hysterisch te lachen. Het was verontrustend, maar rechter Savage bleef doorpraten. Ik heb gezegd dat we elkaar in Londen hebben ontmoet toen zij een reportage maakte over een conferentie, en dat ik haar op mijn kamer had uitgenodigd. Je hebt altijd gezegd dat je haar wel zag zitten, zei Hilary. Plotseling klonk ze luchthartig. Daniel kon zich niet herinneren zoiets gezegd te hebben. In elk geval heb ik haar dat verhaal op de mouw gespeld, dus als dat in de kranten verschijnt, dan weten we waar het vandaan komt, en het zal in alle toonaarden ontkend worden, denk je niet? Je kunt je niet voorstellen dat iemand die zo bekend is bij het grote publiek zo'n roddel accepteert, en dan zullen de mensen misschien ook beginnen in te zien dat al dat nieuws flauwekul is. Zijn vrouw zei: Tot op dit moment zijn alle verhalen in de krant waar geweest, Dan. Plotseling moe zei ze: Ik zal Tom zeggen dat je hem vanavond belt.

Hij had een kwartier schorsing gegeven. Nu belde hij Mattheson en wachtte tot de man een ander gesprek beëindigd had. Ik weet wie er met de pers heeft gesproken, zei hij. O ja? De politieman luisterde maar leek sceptisch. Nou, we zullen zien of het verhaal bovenkomt, maar ik betwijfel of de krant de moed zal hebben om zo'n grote naam te publiceren, dat soort laster kan hun enorm duur komen te staan. Daniel voelde zich stom dat hij daar niet aan gedacht had. Hij was rechter en hij had niet gedacht aan de wettelijke gevolgen. Hij vroeg wat er was gebeurd met de verdachte, Craig, of hoe heette hij. We hebben hem voorlopig vrijgelaten, zei Mattheson. Hij wilde er duidelijk niet over praten. Daniel begreep niet of hij te maken had met een standaardprocedure of met een man die er zijn eigen agenda op na hield. Ik zou alleen willen zeggen, Dan, besloot Mattheson het gesprek nu, dat je beter uit de buurt van dat Koreaanse grietje kunt blijven. Waarom zeg je dat? Het is maar een waarschuwing, zei de politieman. Hij grinnikte. Nu ik eraan denk, hoe minder we elkaar spreken, en hoe minder jij erover spreekt, hoe beter het is. Vooral daar je er tot op heden schitterend mee weg lijkt te komen. Dan heb je mijn brievenbus niet gezien, zei Daniel.

Toen was hij weer rechter Savage. Hij zette zijn pruik op. De zaalwachter klopte drie keer op de zware deur. Iedereen stond op, hij ging zitten, iedereen ging zitten. Juffrouw Crawley stond op en kwam naar de getuigenbank. Goed dan, ik was er vlakbij, zei ze meteen. Ze beefde. Het kostte rechter Savage nu geen moeite zich te concentreren. De waarheid over die stenen is, dat David, meneer Sayle, geloofde dat ze alleen iemand zouden raken als God dat wilde. Er ontstond rumoer. Rechter Savage gaf het bevel dat twee leden van het publiek zouden worden verwijderd. De verdachten waren stil. Ze keken niet naar elkaar. Vier politieagenten gingen nu bij hen zitten in de beklaagdenbank. Ja, gaf Janet Crawley toe, we wisten allemaal dat er met stenen gegooid zou worden als we op de brug waren. Zelfs al was het er maar een op een avond. Het was iets tussen meneer Sayle en meneer Grier. Het was een soort afsluiting van de avond. Ik weet niet. Het was iets tussen hen.

Sedley stond te wachten. Keert u terug naar de versie die u bij uw eerste verhoor aan de politie hebt gegeven, juffrouw Crawley? De advocaat deed zijn uiterste best om neutraal te blijven. Hij wil deze woordenvloed gewoon laten doorgaan. Met haar harde, knappe gezicht, brutale ogen, strakke lippen, zou je denken dat het meisje de laatste van de verdachten was die zou doorslaan. Als de groep bij elkaar was gebleven, dat wist rechter Savage zeker, was het zeer waarschijnlijk niet tot een veroordeling gekomen. Er was ruimte voor gerede twijfel. Sedley begon alles nog eens met haar door te nemen. Hoe vaak waren er al eerder stenen gegooid en wie had ze gegooid, wie had ze meegebracht naar de brug? Waarom komt de waarheid boven? vroeg Daniel zich af. En waarom precies op dat moment? Hartstikke vaak, zei het meisje. Kunt u alstublieft iets specifieker zijn, vroeg Sedley. Je had moeten horen wat er allemaal uit is gekomen, had Hilary gezegd. Grier was een woesteling, zei Janet Crawley. Haar stem klonk zacht alsof ze in trance sprak. David zei dat de stenen alleen iemand zouden raken die niet puur was, omdat iedereen uiteindelijk krijgt wat hij verdient in deze wereld. Zodra het meisje de getuigenbank had verlaten vroeg haar advocaat om schorsing, ongetwijfeld om haar situatie in ogenschouw te nemen. Maar toen het hof weer samenkwam verzocht hij niet om een herhaling van de tenlastelegging. Ze pleitte nog steeds onschuldig.

28

Chloe Cummings, de tv-presentatrice, werd niet genoemd in de kranten, tenzij met betrekking tot het zich voortslepende verhaal over haar zieke kind uit een eerder huwelijk. De jongen lag te sterven aan leukemie. Op zaterdagochtend nam Daniel zijn eigen zoon mee om voetbal te spelen in een buitenwijk ten zuiden van de stad, en reed daarna met hem naar de markt op Doherty Street. Het was een opwindende wedstrijd. De jongens waren nu veertien en velen waren al volgroeid. De herfstlucht hing vol herinneringen. We gaan op één lijn naar voren of helemaal niet, schreeuwde een grote zwarte verdediger alsmaar. Op één lijn! Tom lag op de loer tussen grotere voeten. Heel af en toe brak hij uit in z'n eentje, werkend met zijn ellebogen. Klojo, schreeuwde hij, en vlak na rust trapte hij een slordig ingegooide bal in. Hij stak zijn armen in de lucht, werd omringd door zijn teamgenoten. De geel-zwarte shirtjes krioelden dooreen, zwarte jongens, blanke jongens en een Aziatische. Daniel keek toe in de koele septemberlucht.

Vlak achter het veld stonden oude mannen over de reling geleund van de galerijen rond hun flats. Het was Sperringway. En later, toen hij Tom naar de stad bracht, ving rechter Savage zonder dat hij het had verwacht of zijn route bewust had gekozen, een glimp op van de onwaarschijnlijke Sue op haar parkeerplaats. Ze leunde tegen de zijkant van een busje en praatte met de bestuurder. Ik hoor hier thuis, dacht Daniel glimlachend. Ik ben vanbinnen en vanbuiten een inwoner van deze stad.

Maar nu wilde Tom langs McDonald's. Als ik een milkshake had gekregen voor elk doelpunt dat ik heb gemaakt, was je blut, pochte hij. Daniel parkeerde de auto. Mama zei dat je in de put zat, zei hij tegen zijn zoon over het tafelblad heen. De jongen keek kauwend op. Hij had een lichtere huid dan Daniel of Sarah, maar dezelfde donkere ogen. Nu leken ze vrij van pijn. Ze straalden van jeugd. Geen tijd om in de put te zitten met al dat huiswerk dat we krijgen, gromde hij. En we trainen nu drie keer per week. Schitterend, zei Daniel. De spelleider zei dat er talentenjagers van de grote jeugdteams naar ons zouden komen kijken dit jaar. Schitterend, herhaalde Daniel. En Sarah? vroeg hij. Jezus, daar krijg ik iets van! riep Tom met volle mond. Dagen aan een stuk aan het kletsen met mama, je weet wel – hij maakte een babbelbeweging met een hand – alsof er geen einde aan komt. Babbel babbel babbel. Maar nu is ze meestal weg, godzijdank. Nooit thuis.

Misschien heeft ze een vriendje, zei Daniel luchtig. Het was prettig met zijn zoon te zijn; met Tom leek zijn vaderrol zo duidelijk, iets wat met Sarah niet het geval was. Vriendje! Als dat zou kunnen, lachte de jongen. Een vriendje, Sarah! En daarna nog nadrukkelijker: Als dát zou kunnen, graag! Hij mepte met een vuist in de lucht, hield wat overbleef van zijn hamburger in de andere hand. Zijn stem klonk irritant luid.

Maar waarom zou ze geen vriendje kunnen hebben? Ze is knap om te zien. O blurps, zei Tom. Tom, doe niet zo kinderachtig, ze is heel leuk. O nee, hield hij vol. Tom, dat is ze wel, neem het maar van me aan. Tom snierde: Dat is alleen maar omdat jij oud bent, pap, jij neemt met alles genoegen. Daniel staarde naar de jongen, maar die zat onschuldig door te knabbelen, alsof zijn opmerking niets beledigends had. De rechter gebaarde met zijn hoofd. Er zaten drie meisjes aan de tafel aan zijn linkerkant. Vind je die knap? vroeg hij. Tom kauwde. Komisch verdraaide hij zijn ogen zonder zijn gezicht om te draaien, fronste zijn wenkbrauwen. Toen zei hij heen en weer zwaaiend op zijn stoel: Kan er voor een avondje wel mee door!

Hij giechelde. Het mooie meisje keek op. Ik zie overal schoonheid, dacht Daniel. Stel je niet aan, Tom, zei hij. De jongen kauwde zijn laatste hap weg, stopte zijn handen onder zijn oksels en verdedigde zichzelf: Trouwens, mama zegt altijd dat ze dat nooit zal krijgen. Wat? Dat Sarah nooit een vriendje zal krijgen. Zegt mama dat? Ja. Niet waar. Wel waar, papa! Maar waarom dan? vroeg Daniel. Tom veegde zijn mond af, lachte: Weet ik veel!

De jongen roerde in zijn milkshake en vervolgde: O, maar er is ook goed nieuws. Mama heeft gezegd dat ik mag stoppen met pianospelen. O, en wat is daar goed aan, ik dacht dat je het leuk vond. Hallo, pa! Waar heb jij gezeten? Weer had rechter Savage het gevoel dat hij een betoverd woud probeerde binnen te dringen. En toch kunnen ze je er niet buiten houden, schoot het plotseling door hem heen, want je maakt deel uit van de wirwar. Waarom zou ik in hemelsnaam naar de markt willen, klaagde Tom. Ik zal een dolk voor je kopen, probeerde Daniel. Er staat altijd wel iemand met dat soort tweedehands artikelen. Papa, ik interesseer me al zo'n drie eeuwen niet meer voor dolken. Het bleek dat er meer dan één kraam was waar gebruikte computerspelletjes werden verkocht.

Het was een warme en heldere middag, en het was minder druk op de markt dan het 's ochtends zou zijn geweest. De grond rond de fruitkramen lag bezaaid met kistjes en rotte druiven. Halverwege de straat, buiten de Westward Ho, zat een groep jongelui rond twee zwarten die op drums zaten te slaan. Arabische vrouwen schoven treuzelend voorbij in hun sluiers. Het was een zacht en dwingend ritme. Tom was niet geïnteresseerd. Ze liepen door de groep heen. Met ontblote borst, een pint bier tussen zijn harige tepels, zat een oude blanke arbeider op een laag muurtje naar de massa te kijken. Er waren schaduwgangen tussen de kraampjes in, en een felle schittering van zonlicht op de windschermen en de luifels.

Weet je, toen ik hier voor het eerst kwam, vlak na de universiteit, zei rechter Savage tegen zijn zoon, was ik zowat de enige niet-blanke in de omtrek. Ik herinner me zelfs dat de mensen naar me keken. Tom was niet onder de indruk. Hij vroeg brommend: En, is het nu beter of erger? Het is anders, zei Daniel.

Over de mensenmassa heen golfde het ritme van de drums aan en af. Toen liepen ze voorbij een kraam waar oosterse gordijnen werden verkocht. Daniel was op zijn hoede. Waarom had Mattheson gezegd dat hij geen contact met Minnie moest zoeken? Heb ik ooit gezegd dat ik haar terug wilde zien? Hij kocht een ijsje voor Tom, ging er toen ook een voor zichzelf halen.

Mijn neefje! Kijk eens aan! Frank brak een gesprek af met een man die een spiegel in een zware lijst vasthield. Tommie jongen! Tom stond schaapachtig achter zijn ijsje, verlegen door die uitbundige oom met een sigaret in de ene hand en een vod in de andere. Hilary had een hekel aan rokers. Tommie jongen! Jezus, je bent écht groot geworden! Het joch is verlegen, zei hij tegen de klant. De laatste twee keer dat we elkaar gezien hebben was op een begrafenis. Zo is het toch, hè Tom? Raar dat je niet kunt zeggen 'de twee laatste keer'. Nou, het is dertig pond, te nemen of te laten, Reg. Hij hief zijn hoofd op alsof hij tegen een menigte sprak. Te nemen of te laten. Ik ga niet onder de catalogusprijs want anders zouden mijn oude klanten zich bedrogen voelen. En jijzelf ook. Drie keer raden waar Art is, zei hij tussen neus en lippen door tegen Daniel. De klant, voorzien van dikke brillenglazen en nog dikkere wenkbrauwen, zei dat hij er twintig wilde geven, maar niet meer. O, alsjeblieft, Reg, doe niet zo hufterig! Die is gaan kijken wat er bij Mart staat. Daniel keek op. Ja, ik had Madame Bovary-Shields vanochtend aan de telefoon, wat een stem, een en al geflirt en gekir, ze bedankte me bijzonder hartelijk dat ik naar de begrafenis was gekomen. Ik dacht: ik kan beter Art sturen of ik zit de hele dag herinneringen op te halen. Dertig, herhaalde Frank tegen zijn klant. Geen cent minder. Nee, geen rooie cent! Reg herinnert zich nog rooie centen. Dat is toch zo, jonker? Nog steeds met een verlegen glimlach en zijn hoofd schuddend alsof hij medelijden had, stond Tom bij een tafel op schragen in een doos met oude brieven te bladeren. O, trouwens, Reg, je vraagt het je vermoedelijk af – Reg is een oude klant, vertrouwde hij Daniel toe – dit is mijn broer Daniel, ja, broer; Dan, dit is Reg, een regelmatige klant en een harde pingelaar aan een kraam waar nooit gepingeld wordt. Ha, ha! Reg, ik blijf bij de catalogusprijs, maat. De koningin houdt niet van draaierij! Hij deed een vrouwenstem na. Reg grinnikte welwillend ongelovig naar Daniel. Je broer? Die gelooft ons verdomme niet, hè Dan? Frank sloeg rechter Savage op zijn schouder, knipoogde, stak weer een sigaret op. De prijzen staan op die lijst daar, schreeuwde hij tegen een vrouw die een kistje bekeek. Hij blies rook uit. Mijn geadopteerde broer – dat is beter –, onlangs gescheiden van zijn wettige dinges, en die momenteel voor de nodige rompslomp zorgt door op de bank te slapen van de anders zo vlekkeloze Savageresidentie; maar hij heeft beloofd weldra te vertrekken, niet, Dan? Ja, binnen in het donker, mevrouw, in het schemerige heiligdom, daar hangt de prijslijst. Daar ja, precies. Die komt alleen maar eens kijken wat de stand is, bromde hij.

Maar Reg, sjofel en met bril, schermde zijn bleke ogen af voor de felle zon, en begon er perplex uit te zien. Bent u niet... piepte hij, neem me niet kwalijk, maar heb ik u niet ergens gezien? Hij beet op een oude onderlip.

Mijn god, hé jonker, hij heeft je herkend! Ja, dat is pure Regency, schat. Je bent beroemd, Dan. Reg herkent je! De herkenningsscène. Ja, echt, mevrouw. Dat beloof ik u. Neem maar iemand mee om het te controleren, als u er niet zeker van bent, dat wil zeggen, als het er nog is als u terugkomt. Driehonderd is geen cadeau, mevrouw, maar we moeten op een of andere manier rijk zien te worden. Hij lachte. Ja, mijn oude zwarte broertje, rechter Savage. Weer sloeg hij hem op de schouder. Alias Don Giovanni. Laten we weggaan, papa, fluisterde Tom. Aangenaam kennis met u te maken, meneer. Reg zette de spiegel neer om zijn hand te schudden, een eer om u te ontmoeten, meneer, ik heb u op de televisie gezien. En terwijl hij dat deed, precies op het moment dat hij de spiegel neerzette naast de kraam van Frank Savage, ving Daniel in de oude en vergane zilverlaag, een glimp op van zijn dochter. Ja, toen de spiegel op de grond stond ving hij duidelijk een glimp op van Sarahs hoofd en schouders, alsof ze onhandig vanuit een lage hoek was gefotografeerd. Was zij het? Hij had zijn hand al uitgestoken naar Reg, maar draaide zich afgeleid om, in de wetenschap dat het onbeleefd was, en daar stond ze, op nog geen vier meter afstand, kleibeeldjes te bekijken, karikaturen van bekende figuren gemaakt door een commune van ex-verslaafden. Daar was ze! Maar er was vooral ook een grote hand met ringen die zacht op haar strakke achterste in jeans rustte, een man met zijn stevige harige onderarm om haar heen in een gebaar van teder seksueel bezit. Het was maar een seconde, een glimp, maar Daniel nam het beeld in zich op voor toekomstige overpeinzingen, een solide pens en een klein blond paardenstaartje van ongewassen haar.

Neem me niet kwalijk – hij draaide zich weer om – maar het is nogal gênant om herkend te worden. Aangename kennismaking, Reg. En vertrouw deze man voor geen cent. Als je eens wist hoe wij opgevoed zijn! Weer draaide hij zich een seconde om en ving even een glimp op van een ruw gezicht. Hoe oud? Maar nu controleerde zijn ene oog snel of Tom niet keek. Ja, ik heb u op het nieuws gezien, zei Reg, niet geïntimideerd door de afleiding van de ander. Hij wist niet meer waarom. Hij babbelde door. Tom stond nog steeds over de oude brieven gebogen. Ik heb die knul een computerspel beloofd, zei zijn vader eindelijk.

Een uur later parkeerde rechter Savage de auto op de heuvel onder aan de oprit onder het nieuwe huis. Tom ging ervandoor. De hond was aan een bank vastgebonden die onder het raam van de zitkamer was verschenen. Hij blafte en trok aan zijn riem. Hilary zat gehurkt bij een grote pot witte bloemen. Ze had een schaar in haar hand. Alles goed? vroeg ze zonder op te kijken. Daniel had het gevoel dat hij net zo goed een doodgewone echtgenoot kon zijn die terugkwam na een uitstapje. Heb je gewonnen, Tom? riep ze. Hij was weg. Drie nul, grinnikte Daniel, hij liet zijn stem dalen. Ik vind dat hij er prima uitziet. Nu keek ze op. Ze fronste haar wenkbrauwen. Nou, misschien wil hij zich zo voordoen voor jou. Daniel haalde zijn schouders op. Hoe kan ik dat weten? Ze was laconiek: Omdat je hem hier niet meemaakt, kun je dat inderdaad niet weten.

Het was een zachte middag, een weldoende middag. Misschien kunnen we een kopje thee drinken, opperde hij. Geen whisky? vroeg ze. Nee, eigenlijk niet. Ik drink niet zoveel. Het was waar. Ze had weer gehurkt om nog een paar dode bloemen af te knippen. Misschien ben je gelukkig, zei ze stijfjes. Nu keek ze op met een aangenamere glimlach, duwde een haarlok terug met haar pols. Ze ging de keuken in en draaide de kraan open. Ik sta te popelen om dat nieuwtje over Martin te horen, zei Daniel. Achter haar stond het raam open dat uitkeek op hun stukje gazon, de stenen muur, de velden erachter waar een paard in de verte zijn hoofd ophief en hinnikte. Het leek zo veel lichter en aantrekkelijker dan toen hij er alleen was geweest. Tom is niet te harden de hele week, zei ze, als je het wilt weten. Hij is zelfs gestopt met pianospelen. Hij weigert nog iets te spelen. Daniel verkoos niet te antwoorden.

Ze zette zwijgend thee. Toen lachte ze en zei dat ze gek werd van de hond omdat hij de hele tijd met ratten kwam aanzetten. Niet te geloven, maar er moeten ratten zitten in de greppels achter het hek. Grote lelijke. Niet te geloven. Elke keer als hij ontsnapt komt hij er met een terug. Vraag alsjeblieft niet hoe het met mij gaat, zei ze snel toen ze een of andere blik in zijn ogen had gezien. Ze boog voorover om in te schenken.

Kom op dan met dat lelijks over Martin, zei hij vrolijk. Hij was vastbesloten vrolijk te zijn. Ze glimlachte zo'n beetje in haar kopje. O, beter van niet. Maar waarom niet? Ik heb Christine moeten zweren dat ik het niet zou zeggen. Daniel was uit het veld geslagen. Hilary, je zou toch nooit... Maar dit is een nieuwe situatie, zei ze. Ze keek op met een harde blik. We staan nu niet meer samen tegenover de hele wereld, hè Dan? Samen tegenover de wereld was een uitdrukking van vroeger. Hij keek naar haar. Ze droeg een keurige kreukelbroek en een wit bloesje dat toonde hoe stevig, maar niet dik haar lijf was. Was ze vermagerd? O, kom op, zei hij. Nee. Ze was sardonisch. Godsamme, Hil... Trouwens, gaf ze toe, terwijl ze zich omdraaide om de suiker te pakken, waren ze zeker niet erger dan wij, nu ik de tijd heb gehad om erover na te denken. Hij schudde zijn hoofd. O, en dat beroemde verhaal van je stond niet in de krant hè, zei ze. Over die Chloe dinges. Ze grinnikte. Inderdaad, zei hij. Maar ik wacht nog steeds. Het is pas vierentwintig uur geleden. Weet je wat, zei ze jolig, de dag dat dat verhaal in de kranten verschijnt vertel ik je al die vuilspuiterij over Martin.

Tom, ik ga ervandoor! riep hij. De jongen zat achter zijn scherm, zijn spelletjes. Ik ben weg, Tom! Je had dat tweede doelpunt moeten zien dat hij gemaakt heeft. Ik heb er zoveel gezien, zei ze. Dag papa, riep de jongen van boven. Blijf maar, riep Daniel terug.

Ze liepen door de woonkamer. Wat had ze die aantrekkelijk ingericht voor hem toen hij ziek was, toen ze aan zijn bed had gezeten. Wat hadden die schilderijen en borduurwerken er levenloos uitgezien toen hij hier alleen was. Hij treuzelde wat bij de piano. Ze wordt zenuwachtig, dacht hij. Hij merkte dat ze haar gewicht van de ene naar de andere voet verplaatste, een oude gewoonte. Ze wacht tot ik wegga. Maar hij was vastbesloten om deze ontmoeting goed te laten eindigen. Ik kan niet geloven dat we zo gemakkelijk samen kunnen zijn, zei hij. Zo onverschillig, bedoel je, corrigeerde ze. Nee, niet onverschillig... Voor mij wel, Dan. Hoe meer weerstand ze bood, hoe meer hij wist dat hij zou aandringen. Nog maar een paar maanden geleden, zei hij, nog niet eens, Hil, toen waren we nog zo passioneel, en nu... O Dan, stop ermee, we waren helemaal niet passioneel. Onze passie is al vele jaren geleden gestorven. We zijn te oud voor passie. Nee, dat zijn we niet, zei hij. Hij dacht aan de man bij Sarah. Hoe oud? Waarom vertel ik het haar niet, vroeg hij zich af. We zijn te oud voor passie met elkaar, verbeterde Hilary. Nu heb je naar Sarah geluisterd, protesteerde hij. Je hebt altijd gezegd dat ze een wig tussen ons probeerde te drijven. Het bleef even stil. Hij had haar geërgerd. Tom heeft me verteld dat ze je zover heeft gekregen dat je Max ook hebt gedumpt, zei hij.

Pardon?

Je hebt Max toch gedumpt? En dat kan alleen maar door Sarah komen. Je was dol op die jongen. Nee, ik heb... maar Hilary Savage barstte in lachen uit. Ze schudde haar hoofd en ging zitten. Nee, zo krijg je me niet, Dan. Daar trap ik niet in. Ik heb hem niet gedumpt. Ik ben gewoon met al mijn lessen gestopt omdat ik de inventaris eens moest opmaken. Het is geen gemakkelijke tijd geweest. Sarah vond het fantastisch, hield hij aan. Geen idee, zei Hilary.

Er speelt dus niemand piano, probeerde hij. Nee, zei ze, momenteel niet. Het lijkt zonde met... Schei uit, Dan. Ze keken elkaar aan. Ik heb het gevoel dat ik iedereen kan verleiden behalve jou, biechtte hij plotseling op. Ga dat dan maar doen, zei ze. Wie houdt je tegen? Hij aarzelde: Vind je het erg als ik het bij jou blijf proberen? Ja, zei ze. Dan moet ik huilen als je weg bent. Toen hij naar buiten ging, vroeg hij: Heb je de haard al aangestoken? Hilary gaf geen antwoord.

Wat later, toen hij de trap naar de derde verdieping beklom, dacht hij nog steeds na over deze ontmoeting, over die totale weigering van elke soort van intimiteit van zijn vrouw, toen Frank boven aan de trap verscheen. Hij was opgewonden. Ben jij dat, jonker? Dan? Kom hier eens even naar kijken. Hijs die zwarte kont van je naar boven.

Arthur had ze gevonden, vastgeplakt onder de tweede lade van de Georgian commode in Martins slaapkamer. In twee verschillende mappen, zei hij. Op het kleverige blad van Franks keukentafel, tussen glazen Verduzzo en hompen cake, lag een dozijn foto's van jonge kinderen, jongens en meisjes, in obscene houdingen. De meeste waren oosters, Indiaas, of zwart. De gezichten waren weggekrast.

29

U hebt verschillende tegenstrijdige versies gehoord van wat er is gebeurd op de avond van 22 maart. Nu is de tijd gekomen om al die getuigenissen af te wegen en uit te maken of elk van de beschuldigden volgens wettig en overtuigend bewijs schuldig is aan de tenlastelegging. Het is mijn plicht u bij te staan in die opdracht.

Aldus zou rechter Savage zijn samenvatting beginnen in het proces van de staat tegen Sayle en kompanen. Maar dat moment was nog vier dagen verwijderd, vier dagen en vier nachten waarin de rechter, naar het scheen, geen moment sliep. Noch at. Collega's merkten dat hij er afgetobd uitzag. Het is een verlate reactie, zei Kathleen Connolly tegen zichzelf, want er was de laatste dagen niets schadelijks in de pers verschenen over rechter Savage. Die fase was voorbij. Hij had het overleefd. Maar met die lap voor zijn oog, zijn afhangende schouders en verkreukelde kleren leek hij niet in optimale staat te verkeren om de overtuigende samenvatting te leveren die vereist was bij een ingewikkeld proces als dit. En wat de zaak nog ingewikkelder maakte was dat mevrouw Whitaker stierf in de nacht van zaterdag 15 september. De eisende partij was zo verstandig om geen wijziging van de tenlastelegging te vragen. Zwaar lichamelijk letsel was al ernstig genoeg. Maar zouden de beschuldigden later kunnen betogen dat haar dood de mening van de jury had verhard? Het was algemeen bekend dat een jury eerder bereid was te veroordelen als er een sterfgeval bij was. Toch leek er in dit late stadium geen alternatief dan door te gaan. Naar het scheen was de vrouw zondagochtend vroeg gewoon gestopt met ademen. Dit was dezelfde nacht dat rechter Savage rond drie uur overeind was geschoten op de bank in Franks flat, klaarwakker en doodsbang, alsof hij uit een jarenlange slaap was gerukt, en had uitgeroepen: Ik voel me door en door bedrogen.

Door en door bedrogen, verkondigde hij. Rechtop zittend huiverde hij, hoewel het niet koud was. Zijn hart klopte snel. Het was alsof de woorden hem waren aangereikt en dat hij er nu zin aan moest geven. Maar wat voor zin had het om je bedrogen te voelen terwijl je zelf al het bedrog had gepleegd? Nu herinnerde hij zich de foto's. Dat was vast niet de vuiligheid die Hilary hem verzwegen had. Die foto's waren zoveel meer dan wat zijn vrouw vuiligheid zou hebben genoemd. Hij stond op en begon door de woonkamer te lopen. Hilary heeft me buitengesloten, verkondigde hij. Ik voel me door en door bedrogen, zei hij. Ik zou dat met haar nooit gedaan hebben.

Om verwarring te voorkomen, zou rechter Savage vier dagen later tegen de jury zeggen, zal het de moeite waard zijn, voor u deze tegenstrijdige verhalen in beschouwing neemt, om de feiten nog eens door te nemen waarover alle partijen het eens zijn, feiten waarmee een bevredigende versie van de gebeurtenissen zal moeten stroken.

Hij begon langzaam voor te lezen: Op 22 maart van dit jaar om 22.52 uur werd een personenauto geraakt door een steen toen de wagen onder de brug door reed waar Malding Lane de ringweg kruist. Hij keek op. Dit is een onbetwistbaar feit.

De inslag van de steen op de auto die zo'n zeventig kilometer per uur reed, en dus binnen de op de ringweg gestelde maximumsnelheid van vijfenzeventig per uur bleef, heeft tot het coma en uiteindelijk tot de dood geleid van mevrouw Elizabeth Whitaker. Dit is een onbetwistbaar feit.

De acht verdachten geven allemaal toe dat ze op de brug zijn geweest in de nacht van het incident en dat ze de beschadigde auto in de berm hebben zien staan vóór de aankomst van ambulance en politiewagens. Ze hebben de slachtoffers van het ongeluk geen hulp geboden, noch ziekenhuis of politie gebeld. Dit is een onbetwistbaar feit.

Gegevens van de telefoonmaatschappij Orange tonen aan dat er op 23 maart tussen 6.30 en 9.00 uur 85 telefoontjes zijn gepleegd tussen de acht mobiele telefoons van de verdachten. Een dergelijke intensiteit van telefonisch verkeer is nog nooit geregistreerd tussen deze telefoons. Dit is een onbetwistbaar feit.

Rechter Savage leek uitgeput. Waarom herhaalde hij die zin zo hardnekkig? Dat was niet gebruikelijk bij een samenvatting. Toen hij opkeek van zijn aantekeningen was zijn ene goede oog bloeddoorlopen.

Tot zover, zei hij tegen de jury, de onbetwistbare feiten. Het is allemaal, zoals u zult hebben gemerkt, indirect bewijs, waarmee ik bedoel dat het niet hetzelfde is als de getuigenis van een onafhankelijke ooggetuige die de dader het misdrijf heeft zien plegen. Een dergelijke getuigenverklaring hebben we niet in deze zaak. Er is wel een getuige die een groep jongeren heeft gezien op de brug rond het tijdstip van het misdrijf, en die twee van de verdachten heeft herkend. Maar hij heeft niet gezien dat er stenen zijn gegooid. Niemand heeft het misdrijf zien gebeuren. Het is u als jury echter toegestaan om uit de bewezen en door iedereen geaccepteerde feiten, andere feiten te concluderen die nodig zijn om de bewijslast te completeren, of juist om de onschuld van de beschuldigden vast te stellen. Wat ik bedoel is: het feit dat het bewijs indirect genoemd wordt, wil absoluut niet zeggen dat het onbelangrijk is als bewijs. De smeerlap, had Frank gesist boven de foto's. Hij schudde zijn hoofd. Misschien heeft iemand anders ze daar verstopt, zei Arthur redelijk. Misschien wist hij niet eens dat ze er waren. Het bewijst niets. O, maar het klopt toch allemaal! riep Frank. Denk je niet, jonker? Hij draaide zich om naar Daniel, een golf wijn morsend. Het klopt! Art, als je Martin gekend had zou je het begrijpen! Het verklaart alles. Die vent was ziek. Het is van hem, Daniel! Dat moet wel. U moet echter wel bedenken, zou rechter Savage de jury zeggen, dat zelfs het meest overtuigende indirecte bewijs vaak voor meerdere interpretaties vatbaar is, hoe onwaarschijnlijk die aanvankelijk ook mogen lijken. Het is met deze waarschuwing in gedachten dat u de verschillende afwijkende versies moet beschouwen van de feiten die u hebt gehoord, versies die gezien kunnen worden als verschillende pogingen om de gegevens te verklaren die, ik herhaal, onbetwistbaar zijn: het gooien van een steen, de inslag in de auto, de aanwezigheid van deze negen jonge mensen op de brug. Het is ook belangrijk, waarschuwde hij, dat u inziet dat uw al dan niet aanvaarden van een bepaalde versie invloed zal hebben op de positie van elke verdachte.

Huiverend en stijf rechtop gezeten op de bank, uit zijn slaap gerukt in de vroege uurtjes van die zondagochtend na zijn middag met Tom, het gesprek met zijn vrouw, de schok door de foto's, besefte rechter Savage dat er iets nieuws was gebeurd in zijn leven, dat er iets belangrijks was veranderd. Ik voel me door en door bedrogen. Hij zei de woorden hardop. Maar was dat redelijk? Wat angstig zette hij zijn blote voeten op het vuile tapijt. Hij begreep niet hoe hij zo ruw uit zijn slaap had kunnen worden gerukt. Toen hij wakker werd, zat hij al rechtop.

Hij wachtte. In het donker zag hij maar wazig. Hij zag de dingen zonder perspectief. Hij voelde zich kwetsbaar. Misschien is het een droom die ik me zo meteen ga herinneren. Zo'n soort druk was het. Maar er kwam geen droom. In plaats daarvan diende er zich plotseling zeer overtuigend een simpel en uiterst helder inzicht aan: Hilary heeft een andere kijk op ons leven. Hij staarde in het donker. Zijn vrouw was niet hysterisch, zoals ze ooit in het Cambridge Hotel was geweest. Ze was zelfs niet agressief of onaangenaam op wat voor manier ook. Heel kalm, zei hij tegen zichzelf, zelfs verstandig, beschouwt Hilary ons leven samen als voorbij. Mijn huwelijk is afgelopen. Op het moment dat ze op het punt had gestaan om hem als haar droomheld te kronen, de gewonde Savage, de heldhaftige Savage, de sterke morele persoon die eindelijk haar eerste liefde Robert had vervangen, precies op dat moment hadden de omstandigheden haar ertoe gebracht een andere positie in te nemen: ze waren zelfs geen partners meer. We zijn geen partners meer, verkondigde hij. Hoewel ik helemaal niet veranderd ben. Ze zegt niet dat er nóóit iets geweest is, dacht hij, ik heb óóit van je gehouden, zoals ze vroeger had gezegd, terwijl ze op zijn borst bonkte in de foyer van het Cambridge Hotel. Die zin kon zo gemakkelijk weerlegd worden. Ze zei, zo eindigt het verhaal altijd: We worden niet oud samen. Het lijkt nog steeds niet mogelijk, dacht Daniel. Ik ben dood voor Hilary, verkondigde hij luid en het klonk nogal vreemd in het schemerige, door straatlantaarns verlichte appartement van zijn broer. Ze heeft zich afgesloten voor me.

In zijn onderbroek ijsbeerde hij over het smerige tapijt. Hij zag zijn vrouw hurken bij de vaas met witte bloemen. Tom was naar zijn kamer gegaan. Ze knipte de verwelkte bloemen af. Hij begon te beseffen dat hij nu geen thuis meer had. Christine had gelijk toen ze zei dat hij het nog niet besefte. Je slaapt hier op de bank als een weggelopen puber, als een tiener die een weekje bij zijn broer logeert.

Christine heeft je dat gezegd. Christine is niet helemaal slecht, dacht hij. Zelf beseft ze nog niet dat Martin dood is. Hoe zou ze dat ook kunnen? Hoe kun je in een paar uur tijd bevatten dat iemand met wie je je leven hebt doorgebracht, gecremeerd is? Ik ben dood voor mijn vrouw, dacht Daniel. De dode zachtheid van Christines lichaam was hoogst verontrustend geweest. Het vlees van zijn vrouw was stevig, robuust, gezond. Het heeft voortaan niets meer met mij te maken.

En Frank zag hem ook liever vertrekken. Je hebt Frank weer ontdekt, je hebt je verzoend met een groot deel van je verleden. Dat was een grote opluchting geweest. Toch wil je oudere broer, en dat is begrijpelijk, niet dat je eeuwig op die bank blijft slapen. Frank is aan het veranderen, dacht Daniel, van een puberale rebel, een man die nooit volwassen is geworden, in een succesvolle, zij het nogal irritante volwassene met een goedlopende zaak. Frank aanvaardt je omdat je uit de gratie bent, dacht hij, maar hij moet zich concentreren op zijn bedrijf. Daar zit Arthur achter, dacht Daniel. En het is het gevolg van de dood van zijn vader, van zijn moeders zwakheid. Onze ouders zijn er niet meer.

Toen spoedde rechter Savage zich naar de keuken en pakte de foto's weer op. Het plakband waarmee de twee dunne mappen tegen het hout waren geplakt, was bruin van ouderdom. Kun je de ouderdom van plakband bepalen? Ik weet niets van Martins leven, dacht hij. Hij kon zich geen zaak herinneren die afhing van de ouderdom van plakband. De man was een regelmatig kerkganger geweest tot zijn auto-ongeluk. Hij staarde naar een meisje dat plaste. Een chocoladekleurig lichaam. Hij schudde zijn hoofd. Het gezicht was weggekrast. De huid van het kind glansde, het glanzende email van jonge, donkere huid. Het waren grote foto's, groter dan de foto's van de nachtvlinders. Hij deed het keukenlicht aan. Hij staarde. Hij bracht ze tot op twee centimeter van zijn oog. Hoe kon je een kind identificeren, zonder het gezicht? Weet ik een speciaal kenmerk van mijn dochters lichaam? vroeg hij zich af. Martin had de gezichten weggekrast. Ze waren verdwenen. Het bewijs is geheel indirect, bedacht hij, maar het lijkt redelijk aan te nemen dat Martin verantwoordelijk was voor het wegkrassen. Het kind zat te plassen op een duidelijk volwassen lid in erectie. Christine zou het zeker niet gedaan hebben, dacht hij. Die zou de gezichten niet hebben weggekrast en de foto's hebben verborgen. En zelfs als ze dat had gedaan, zou ze het niet aan Hilary hebben verteld. Nee, het enige vaststaande feit van deze foto's, zei Daniel tegen zichzelf – ze waren van A4-formaat –, verandert alles wat ik weet over Martin. Hij herinnerde zich het rare meisjesachtige gedrag van Christine in bed, zijn ongemakkelijke gevoel bij haar schrille stem, de geschoren huid tussen haar dijen. Wat had dat allemaal te betekenen? Sarah had gehuild op de begrafenis. Het had hem verbaasd. Ineens tolden de gedachten door zijn hoofd. Weet u niet waarom hij is gestopt met werken, had de oude rechter gekrast. En het auto-ongeluk. Op weg met onbekende bestemming. Ik moet zoveel verbergen, zei Christine op de begrafenis. Ze huilde. Er had een sardonische uitdrukking in rechter Carters blik gelegen. Waarom hadden de Shields besloten de flat in Carlton Street te kopen? De mogelijke verbanden tussen deze gebeurtenissen worden tot in het oneindige vermenigvuldigd door het opduiken van een dozijn foto's in A4-formaat van naakte kinderen in obscene houdingen. Alleen materie, had Martin gesteld. Wat was hij oprecht geweest toen hij zich over de tafel had gebogen, de bierviltjes. Zijn enige eerlijke moment van de hele avond. Ik heb een man verdedigd die een kind op een fietsje had doodgereden. Was het de ringweg? Het was een openbaring, had hij beweerd, niet iets waar je op komt door redeneren, Dan. Jij bent er nog niet klaar voor, Dan, zei hij. Hij had gelachen. Had hij iets willen opbiechten? Deze foto's zijn een openbaring, dacht Daniel. Zo niet een biecht. Waarom had Martin ze niet vernietigd?

We moeten niet betrapt worden met die foto's, had hij meteen tegen Frank gezegd. Een nachtvlinder fladderde onder het kale peertje van de keuken. De wereld is vol nachtvlinders. Even onschadelijk als ergerlijk. Er was ook een vlieg die op de plakkerige tafel was gaan zitten. Dit soort foto's vereist een boel uitleg. En nu leek het erop dat hij Hilary ook niet kende. Ze zou voor hem nooit meer de persoon zijn die ze die zaterdagmiddag bij dat haardvuur was geweest. Door die weigering om in de toekomst zo te zijn, begon ook het verleden te veranderen. Het vuur doofde en ging uit. Het ging uit in het verleden. Het heeft geen zin om het verleden te ontkennen, zei rechter Savage tegen zichzelf, om te doen alsof het nooit heeft bestaan. Het zal uit zichzelf wel veranderen. Zo'n beslissing als vandaag, dacht hij, verandert iemands identiteit tot in de kern. En met terugwerkende kracht. De geschiedenis was veranderd. Zou hij haar de foto's laten zien? Zou hij ze Hilary laten zien? Hij wist zo goed als zeker dat dat niet de zogenaamde vuiligheid was waarover Christine haar had verteld. Dat stelde waarschijnlijk niets voor. Zou hij naar zijn vrouw rennen, duidelijk verbijsterd over deze belastende foto's? Ik heb niets begrepen van de kern van Martins wezen. Hij zou Hilary de foto's kunnen laten zien. Samen de confrontatie met Christine aangaan. Kijk deze foto's eens! Christine, we eisen de waarheid. Zou haar dat tot iets dwingen? Wie zijn die kinderen? zouden ze vragen. Ze zouden naar de politie kunnen gaan.

Hoogst opgewonden rende rechter Savage naar het fornuis en begon de foto's te verbranden. Elke foto zo groot als een A4'tje. Hij zette een pit open, stak hem aan, hield de foto's een voor een boven de vlammen. Hij keek toe hoe jonge lichamen krulden en verbrandden. Verbrand ze, dacht hij. Weg ermee. Tom en Sarah zullen het best zonder jou kunnen redden, dacht hij. Ik zal ze regelmatig opzoeken. De kamer – maar wat belachelijk te denken dat het Tom kon zijn! – stonk van de rook en hij ging gauw een raam openzetten, terwijl hij de foto's een voor een bleef verbranden. Hij verzamelde de as met een hand. Hij ademde zwaar. Denk aan alle schade die je nu vermijdt, zei hij tegen zichzelf, door er een eind aan te maken. Zijn mond was droog. Niet mee doorgaan. Hilary heeft gelijk dat ze er een punt achter zet, besloot hij. Opnieuw beginnen.

Maar toen hij weer op de bank zat en nog steeds niet kon slapen, dwaalden Daniels gedachten heen en weer over de as van hun leven, de ruzies, de verzoeningen, het bij Hilary zijn en het bedriegen van Hilary, het bij Hilary zijn dóór haar te bedriegen – weer een rare gedachte – , twee voortdurende toestanden die samenkrulden als rook en vuur, of twee twijgen die brandend ineenkronkelden en nu waren opgebrand. We zijn nu opgebrand, verkondigde hij. En de opeenvolging van al dat branden van het begin tot het einde, de heftige ontbranding, de laaiende vuurzee, de kleine snelle vlammetjes, de vonken en kleurige steekvlammen, de knisperende sintels die steeds weer onverwacht levendig opflakkerden – wat laaide het weer op en vonkte en vlamde het op in het donker! – , al dat branden ging hem te boven, ging elk begrip te boven, maar was op een of andere manier twintig jaar lang doorgegaan, het vuur gevoed en aangewakkerd door winden waarvan je niet wist waar ze vandaan kwamen, een bries die waaide en zichzelf uitblies, hoe kon je weten of begrijpen waarom je vrouw plotseling de liefde wilde bedrijven, dacht ze aan Max, deed Max haar aan Robert denken, vast niet, ze had in vuur en vlam gestaan van de opwinding, daar in het lege huis, tot de kolen ineens waren opgebrand en de oude sintels uit elkaar geharkt.

Uit elkaar geharkt, verkondigde rechter Savage. De woorden voelden koel aan. Ze brachten verkoeling. Nog kon hij niet slapen. Het ging niet alleen om hen twee, zei hij nu tegen zichzelf, maar om een hele wereld die in brand had gestaan, die gebrand had op een manier die hij zich niet kon voorstellen, op een manier die niemand in de hand had. Om een brand onder controle te hebben bouw je een huis en zet je er een Zweedse gietijzeren haard in met een Regency-schouwmantel. Maar het was al voorbij toen ze dat gedaan hadden. De vlammen waren al aan het doven. Hij voelde dat hij nu niet meer zou kunnen slapen. De wereld was zelfs nooit in de verste verte wat je dacht. Frank en Martin en Hilary en Christine. Ze werden aangestoken door branden waar je nooit van had gedroomd. Jij ook, dacht hij, hebt misschien vuren aangestoken waar je heel weinig van weet: in Janes leven, in dat van Minnie, misschien zelfs in dat van Martin. Heb ik met Martin niet gesproken over onzichtbare ketens? Nee, ik heb er over opgeschept. Hij was bewust provocerend geweest. Als je met een vrouw vrijt, had hij tegen Martin gezegd, dan word je gekoppeld aan een keten van verbanden waar je niets van weet. Dat was het opwindende. Het verlies van de beheersing, de geheime links. Maar het was eerder een brand dan een keten. Alles wat je doet ontsteekt elders een vlam, misschien jaren later. Hoe diep zou zijn verhouding met Jane zijn ingebrand in het hart van die stomme Crawford. Er waren ook andere vrouwen geweest. Hoe langer hun huwelijk duurt, dacht Daniel, hoe meer haar verhouding met mij zal doorsmeulen. Het was een brandend web van vuur. Kon Crawford die verhalen aan de pers hebben doorgespeeld? Ja! Waarom heb ik daar niet aan gedacht? Daniel heeft nog andere vrouwen gehad, heeft Jane haar stomme echtgenoot op een avond misschien verteld. Ik was er maar een van de velen, Gordon. Als je oud bent neem je genoegen met alles, had Tom gegniffeld. Daniel ging weer rechtop zitten. Natuurlijk zijn de kinderen erbij betrokken! Een arme vrouw op een ver continent bedrijft de liefde met een oude man, wellicht om den brode. Twee droge stokjes worden tegen elkaar gewreven. Of misschien is het een puber, aangetrokken door het vuur van een eerste ervaring. De prostituee neemt hem in haar armen. Hij moet zijn onschuld verliezen, hij is Toms grootvader! Een vlam wordt aangestoken. De ogen van de jongen fonkelden van een donker en nonchalant leven. Als je oud bent neem je met alles genoegen, snierde hij.

O waarom kan ik niet slapen! riep Daniel luid. Waarom? Door de foto's te verbranden, ben ik bezeten door hun geheimen, besloot hij. Martins kwaadaardige geheimen. Ik ben bezeten. Hij sprong van de bank. Zo'n op en top Britse vriend! Het tapijt lag vol kruimels. Ik heb een hekel aan onheilspellende gedachten! Martin dacht in dat soort termen. Had hij het opgebiecht aan zijn moeder, aan dat frêle oude vrouwtje dat had zitten huilen in de woonkamer? Christus! Daniel keek rond in de donkere kamer. Het was vreemd dat hij zichzelf niets te drinken inschonk. Je zou iets over die brandende gedachten kunnen schenken, dacht hij. Een whisky. Frank heeft wel ergens whisky staan. Hij was bang dat het vuur juist zou oplaaien. Wat knettert een slapeloos brein in het stille donker van de vroege uurtjes. Was dat het moment waarop Martin zijn tuin in ging om de nachtvlinders te fotograferen? In de vroege uurtjes. De wereld van materie verstomt en het brein knettert en brandt.

Maar uiteindelijk is het goed dat je verbrandt, mompelde rechter Savage. Wat heeft het leven voor zin als mensen elkaar niet zouden aansteken? Wat een angstaanjagend idee om niet verbrand en verteerd te worden. Om stil te zitten en naar soaps te kijken, om je brandende brein te laten blussen door kleffe soaps. Het was goed, dacht hij, dat een huwelijk uitgeput raakte, jou uitputte. Mij. Wat verschrikkelijk om voor altijd zacht en fris te zijn met een gewassen en geparfumeerde huid en de geslachtsorganen van een kind. Was dat het geval met Christine? Ze was niet verteerd. Wat als ze nog maagd was, vroeg Daniel zich af. Was zoiets mogelijk?

Daniel Savage stond besluiteloos op, ijsbeerde door de woonkamer van zijn broer. Er was een zekere zachte doodsheid aan Christine, een geparfumeerde mummificatie. Zelf door niets verteerd en met een echtgenoot die is opgebrand door tegenstrijdigheden, hunkert Christine ernaar dat er iets zou gebeuren. Vastbesloten om een vuurtje aan te steken, spreekt ze met je dochter over de avontuurtjes van haar vader. Een vonk. Christine is een pyromaan, zei hij tegen zichzelf. Dat is duidelijk. Zelf door niets verteerd, zou ze hen die ze kende verbranden. Van de rokende as rent ze terug naar haar zondagsschool. Ik ga werken voor Save the Children, zei ze. Een halve baan. Maar Daniel was woedend op zichzelf dat hij zoiets dacht. Speculeren is een ziekte, een onuitroeibare koorts! Ik moet altijd interrumperen als de verdediging begint te speculeren. Nog steeds even paranoïde, lachte Frank. Hij had gelijk. Maar Frank had die rare strepen in zijn rug gekerfd toen ze samen op school zaten. Hoe kun je niet paranoïde zijn als mensen zoiets met je doen? Hoe kon je niet denken dat je in zekere zin belangrijk was, als mensen je zoiets wilden aandoen? Nu zijn we bloedbroeders, zei Frank, alsof hij door het kerven van die wonden een soort liefde tussen hen kon doen ontbranden. Tientallen jaren later hadden drie mannen die hij niet kende hem bijna doodgeslagen.

Rechter Savage ging naar de gang, pakte zijn aktetas, ging terug naar de keuken, knipte het licht aan en smeet dossiers en een notitieblok op tafel. Hij sloeg ze open op het vuile tafelblad en begon meteen aantekeningen te maken voor de instructie van de jury. De staat versus Sayle en anderen. Hij spande zijn ene oog in. Het licht was niet goed. Er waren nog minstens twee dagen proces te gaan en er moest nog een verdachte worden gehoord. Maar de zaak is nu duidelijk genoeg, dacht hij. Het bewijs ligt er wel, besloot hij. Je kunt de grote lijnen al schetsen. Maak die samenvatting. Werk biedt houvast, zei Daniel Savage tegen zichzelf. Dat geluk heb ik tenminste. Ik heb iets wat houvast biedt. Mijn werk. Crawford, dacht hij, was iemand die misschien wel iets wist van zijn avontuurtjes in het algemeen, maar niet over het meisje van de jury in het bijzonder. Het zou Crawford geweest kunnen zijn. Hij forceerde zijn oog in het gele licht. Het was vijf uur 's morgens. Werk is een traag, beheerst branden op een verstandig fornuis, zei hij tegen zichzelf. Hij schreef:

Het eerste, het meest bepalende en wellicht het gemakkelijkste dat u moet beslissen, leden van de jury, is of de steen die de dood van mevrouw Whitaker heeft veroorzaakt, al dan niet gegooid is door een van de acht verdachten. De heer Sayle, de heer Grier, juffrouw Singleton en de heer Riley hebben allemaal beweerd dat ze, toen ze in de auto van de heer Grier op de brug bij Malding Lane aankwamen uit de richting van de stad, drie kinderen hebben gezien, tussen de twaalf en zestien jaar oud, schatten ze, die in de tegenovergestelde richting wegrenden, het beboste terrein op achter de brug. Ze veronderstellen dat deze kinderen het misdrijf hebben gepleegd. Er is geen onafhankelijke getuige gevonden om deze verklaring te staven.

Dit was helemaal niet de goede toon voor een instructie, zei Daniel Savage tegen zichzelf. Waarom schreef hij dit zo? Maar wat maakte het uit. Het ging erom zich te concentreren, te denken. Niet aan andere dingen denken. De vorm kon later nog veranderd worden.

Drie van de verdachten, de heren Riley, Grier en Simmons, hebben gezegd meer dan eens op de brug te zijn benaderd door een buitenlander, een journalist naar ze dachten, die geld bood aan de persoon die een auto zou raken met een steen. Ze denken dat deze man de kinderen die ze gezien hebben ertoe aangezet kan hebben. Twee onafhankelijke getuigen hebben deze verklaring bevestigd. Beide getuigen, moeten we bedenken, waren voormalige leden van deze groep, en hoewel niet aanwezig op de brug op 22 maart, kunnen ze toch verondersteld worden in een speciale relatie te staan met de verdachten, en hun getuigenis dient derhalve met de nodige voorzichtigheid beschouwd te worden. Er is hier ook sprake van een zekere discrepantie, in die zin dat de drie verdachten en de twee getuigen het er in de getuigenbank allemaal over eens waren dat de man blank was en van middelbare leeftijd en een Oost-Europees accent had, maar dat een van de twee getuigen, tijdens haar eerste verhoor door de politie, de man omschreef als jong en van Indiase of Pakistaanse afkomst.

Naast deze twee verklaringen zijn er ook nog twee eerdere politieverhoren waarin twee verdachten onafhankelijk van elkaar hebben verklaard dat de steen effectief gegooid was door een van de verdachten. Deze verhoren bevatten echter aanzienlijke discrepanties met betrekking tot de leden van de groep die verantwoordelijk waren voor het gooien van stenen, het aantal gegooide stenen en de houding van de andere leden van de groep die geen stenen hebben gegooid tegenover de leden die dat wel hebben gedaan. De opmerkingen zijn later ingetrokken en er werd beweerd dat ze zijn gemaakt onder extreme druk van de politie. Een van de verdachten heeft hier in de rechtszaal echter een verklaring afgelegd die we mogen beschouwen als een iets genuanceerdere en ingewikkeldere versie van haar eerste verklaring. Deze verklaring bevat echter wederom een aantal ernstige discrepanties, en dient in elk geval met de grootst mogelijke voorzichtigheid behandeld te worden omdat er elementen in voorkomen die als eigenbelang beschouwd kunnen worden ten koste van andere leden van de groep.

Rechter Savage stopte even. Hij had heel snel zitten schrijven in de keuken van zijn broer in de vroege uurtjes van zondagochtend, zich uiteraard geheel onbewust van het feit dat een paar kilometer verderop het slachtoffer van het misdrijf in kwestie juist een paar minuten geleden was gestopt met ademen. Hij begon zich wat beter te voelen en zette zijn pen weer op het papier:

Gedurende het hele proces, en dit is een van de meest problematische punten voor u om over te beslissen, dames en heren van de jury, is er nog geen enkele getuigenis afgelegd door de verdachten of door welke andere getuige ook, die een verklaring geeft voor de aanwezigheid van zo'n grote steen op de brug, een steen, zoals we weten, van een soort die niet wordt aangetroffen in de bossen rond de brug, of binnen een straal van een paar kilometer. Toen de politie de ringweg diezelfde nacht aan een onderzoek onderwierp, werden twee soortgelijke stenen gevonden binnen een afstand van vijftig meter van de brug. De aanklager heeft op het indirecte bewijs gewezen van de aanwezigheid van fragmenten van een soortgelijke steensoort achter in de kofferbak van de auto gebruikt door Sayle en Grier om naar de brug te komen, en voert aan dat de stenen in de auto waren geladen met de expliciete bedoeling ze van de brug te gooien. Het is grotendeels op basis van deze indirecte bewijslast dat de aanklager alle versies van de verdachten van de gebeurtenissen van de avond heeft verworpen, inclusief die van juffrouw Crawley, door te benadrukken dat alle leden van de groep evenzeer betrokken waren bij het roekeloze gedrag dat uiteindelijk zwaar lichamelijk letsel heeft veroorzaakt. De heer Grier echter, zoals we weten, heeft de aanwezigheid van stukjes steen achter in zijn auto verklaard door te stellen dat hij met zijn oom een rotspartij aanlegde in diens tuin waarbij soortgelijke stenen gebruikt werden. Er is vastgesteld dat deze rotspartij, waarvoor inderdaad dergelijke stenen zijn gebruikt, aangelegd was in mei 1998, dus bijna een jaar voor het onderhavige misdrijf. Het is echter niet onmogelijk dat stukjes steen vele maanden in de kofferbak van een auto blijven liggen.

Zittend in Franks keuken, zag rechter Savage al hoe hij op dit moment met zijn ene oog van zijn aantekeningen zou opkijken, en even een blik zou werpen op zijn onbeduidende jury met de irritante, onaantrekkelijke, onbezonnen jonge vrouw op de voorste rij. En na met zijn zwijgen de aandacht te hebben gevestigd op wat hij zou gaan zeggen, zou hij vervolgen: De eerste vraag die u uzelf moet stellen, is derhalve: vormt de indirecte bewijslast tezamen met het feit dat twee verdachten, alle discrepanties en ingetrokken verklaringen ten spijt, belastende ooggetuigenverslagen hebben afgelegd, voor u het *wettige en overtuigende bewijs* dat de steen door een van de verdachten is gegooid? Indien u daar niet van overtuigd bent, kunt u het hierbij laten en moeten de verdachten worden vrijgesproken. Indien u er echter absoluut van overtuigd bent en zeker meent te weten dat de steen inderdaad door een van de verdachten is gegooid, dan dient u over te gaan tot de moeilijker taak van het bepalen wie wat heeft gedaan, wie wie geholpen heeft, en in het algemeen wie verantwoordelijk is voor wat. Op dit punt aangekomen dienen we te beschouwen welk bewijs we hebben voor elk van de verdachten...

Rechter Savage legde zijn pen neer. Hij had snel en zonder aarzeling zitten schrijven, en deze agressieve vastberaden hersenactiviteit in de stille kamer, had het brein tevreden en kalm achtergelaten, als verkoeld en gelenigd door zijn eigen heftige vaart. Hij was bijzonder wakker, zat krachtig en rustig te wachten als een goed afgestelde motor die stationair stond te draaien in de vroege uurtjes van een stille straat. De bijna-paniek van een uur geleden was veranderd in bijna-welbehagen. Dit is een verduiveld complexe zaak, dacht hij, en toch had hij er vertrouwen in dat wat er op het spel stond, opgedeeld kon worden in een reeks besluiten, en dat elk besluit redelijk genomen kon worden op basis van de aangedragen bewijzen. Hij kon de juryleden laten zien hoe ze dat moesten doen, hij kon hun uitleggen hoe ze tot een reeks oordelen in overeenstemming met de Engelse wetgeving konden komen.

Maar wat als dezelfde expertise toegepast zou worden op zijn eigen leven? Wat als een deskundige rechter een jury zou instrueren op basis van de bewijslast van zijn eigen leven? Meteen voelde Daniel Savage zich ongemakkelijk en betrokken zijn gedachten. Hoeveel getuigen zouden moeten worden opgeroepen, hoeveel beslissingen zouden er genomen moeten worden over de toelaatbaarheid van bewijs? Hij riep zichzelf bruusk tot de orde. Je leven is geen misdrijf, zei hij. Er is geen aanklacht tegen je. Het is dus onzin om er in gerechtelijke termen aan te denken. Waarom blijf ik aan mijn leven denken als aan een misdaad? De expertise van de rechter die zijn instructie geeft, dacht hij, is in de loop der eeuwen ontwikkeld in de meest hechte symbiose met het strafrecht en de wetten van Engeland en Wales. Het is een expertise die de rechter toestaat de jury te instrueren hoe ze beslissingen moet nemen met betrekking tot daden die dit land als illegaal beschouwt. Het is geen algemene wijsheid, bracht hij zichzelf in herinnering. Je kunt deze techniek niet toepassen op een huwelijk of een vriendschap.

Maar in plaats van te kalmeren door deze bedenking, kwam rechter Savage weer overeind en begon door de kamer te ijsberen. Als het hier over een misdrijf ging, wat voor misdrijf was het dan? Bestond er een misdrijf dat een heel leven kon definiëren? Daniel voelde dat er iets begon te dagen. De laatste jaren was hij mentale activiteit steeds meer als iets fysieks gaan ervaren, iets net zo waarneembaar als de wind wanneer je een hoek omslaat, of als het eerste gerommel van de donder in de verte dat je doet opkijken van je schrijftafel, dat de gezichten van de jury naar het raam doet kijken. Welk misdrijf?

Het was tien voor vijf. Het wordt dag, dacht hij. Hij trok een broek en een trui aan en verliet de flat. Het misdrijf een meisje uit de jury geneukt te hebben? Hij rende de trap af en bleef staan op straat. Het was heel stil in deze vermoeide wijk. Hij haalde diep adem en voelde zich rustiger. Het misdrijf een vuur te laten uitgaan? vroeg hij zich af. Hij was nu rustiger. Ik heb het vuur van mijn huwelijk laten uitgaan. Bestonden er geen oude religies waarin het een misdaad was om een vuur uit te laten gaan? Om maar te zwijgen van *The Lord of the Flies*. Het laatste boek dat hij aan Tom had voorgelezen. Ik loop gewoon in mezelf te kletsen, zei rechter Savage kalm tegen zichzelf, vrolijk zelfs, terwijl hij over de geel verlichte stoep wandelde langs de onregelmatige blokken van geïmproviseerde straten, verloederde huizen en lage, prefab discountwinkels.

Hij haalde diep adem. Ja, hij had er haast plezier in. Ik loop te kletsen. Ik heb er goed aan gedaan ermee naar buiten te komen. De slapeloze maakt dat de nacht bestaat. Dat had hij ergens gelezen. Maar toen stopte hij. Er was de misdaad tegenover Sarah. Welke misdaad? Hij schudde zijn hoofd. Dames en heren van de jury, het rijk zal proberen aan te tonen dat het ongelukkige gedragspatroon van juffrouw Savage van de laatste maanden het gevolg is van misdrijven die nog omschreven en gedefinieerd dienen te worden, maar die onbetwistbaar zijn begaan door haar wettige voogden en ouders. Hij glimlachte. Er was altijd iets raars geweest met Hilary en Sarah, o, al heel lang, een vreemde uitputtingsslag van aantrekken en afstoten. Maar dat is geen misdaad. Dat hoort bij een gezin. Als er niets vreemds is, is het geen gezin, dacht Daniel, is het geen leven. Martin heeft géén foto's genomen van je dochter die op hem pieste. Het feit dat ze heeft gehuild op zijn begrafenis wil niets zeggen. Iedereen huilt op een begrafenis. Ikzelf heb ook gehuild op begrafenissen van mensen die ik nauwelijks kende. Dat is geen misdaad. Toen begreep hij eindelijk dat hij schuldig was aan onbegrip. Je hebt niets begrepen, zei rechter Savage tegen zichzelf met kalme wreedheid. Niets. De uitspraak van de jury zou unaniem zijn.

Hij liep door de straten. De stad spreidt zich uit en verandert en je kunt haar niet bijhouden. Maar de huizen die worden afgebroken zijn niet de oudste. Sommige vaste punten blijven. Het grootste deel van de wereld verandert dus rond een aantal vaste punten, het onbetwistbare bewijs blijft. Maar niet in dit gedeelte van de stad. Nu lag er puin aan zijn linkerkant en er stonden drie panelen waarop een artistieke weergave van utopische winkelcentra te zien was. In dit deel van de stad ligt alles voor het grijpen. Golfplaten en de huiselijke ernst van gesloten gordijnen voor de ramen. Dit is een Indiase wijk, dacht Daniel. De ijzeren hekken die een bouwwerf afsloten waren beplakt met affiches in Indiase talen. Wie begreep daar iets van? In de gangen van het gerechtsgebouw hingen ook affiches in Indiase talen. Rechter Savage kon alleen maar aannemen dat ze hetzelfde betekenden als de affiches in het Engels die ernaast hingen.

Het bewijs was indirect, maar overtuigend. Het klopt allemaal, had Frank gezegd. Martin was dus een pedofiel. Maar hij had ook vaak pedofielen vervolgd. Dat hebben we allemaal gedaan. En even effectief. Mijn kinderen zijn vaak bij hem thuis geweest, dacht Daniel. Dat zegt niets. Zijn vrouw Christine had geen kinderen en wilde graag babysitten in de tijd dat Hilary en ik 's avonds nog uitgingen. De laatste keren dat Hilary en ik samen zijn uitgegaan, dacht hij, namen we Tom altijd mee, maar Sarah nooit. We zijn naar concerten gegaan met Tom. Er stond een Mariabeeld met het kindje Jezus in een nis naast een voordeur, een vreemde verschijning in een Indiase wijk. Ze zijn de beste maatjes, zei Tom over zijn moeder en Sarah. En een kabouter op een fietsje in de voortuin. Ze straft je omdat je haar moeder bedrogen hebt, had Martin gezegd. Ze hangen erg aan elkaar, had Martin nog eens gezegd. Als hij iets geweten had van Martins problemen, zou Daniel hem dan hebben kunnen helpen? Een jaar geleden hebben we een groot huis gekocht en ingericht, zei rechter Savage tegen zichzelf, om er gelukkig te zijn. Je hebt er iets over geschreven in je agenda. Het was een heldere dag. Een dag waarop je meende dat je de dingen bijzonder helder inzag. Maar in feite had je niets begrepen. De jury zou binnen een paar minuten tot een oordeel komen. Je moet nu een plek vinden om te wonen, besloot hij in de koude straten terwijl het licht grijs werd tussen een wirwar van verkeerslichten en reclameborden. Aan deze kant van het park gingen winkels open en iemand liet een dikke hond uit. Rechter Savage raapte een krant op, ging in een café zitten en vernam uit de koppen dat de politie weer zo'n honderd illegalen had gearresteerd. Er zal nooit een tekort aan werk zijn voor een rechter, dacht hij.

30

Dat klotemobieltje van je! Frank was razend. Om halfzeven. Om halfzeven godverdomme! Daniel verontschuldigde zich. Arthur stond tegen een deurpost geleund, kalm glimlachend zoals steeds. Aan sorry heb ik niks! Neem dat rotding gewoon mee als je een wip gaat maken! Daar zijn mobieltjes toch voor, niet soms? En als je bang bent dat ze het pikken laat je het in de auto liggen. Frank, het spijt me. Twee keer, ging hij door. Twee keer! Om halfzeven. Toen ben ik opgestaan en heb ik het afgezet. Nadat ik het eindelijk had gevonden. Het zat godverdomme in je tas! Idioot! herhaalde Frank. Rozig en gezet stond hij met zijn badhanddoek om, een sigaret in zijn ene hand en een asbak in de andere. Rechter Savage zei maar niet dat hij geen wip was gaan maken. Was Frank jaloers? Arthur trok zijn blonde wenkbrauwen op. Arthur heeft iets ongelooflijk geruststellends, dacht Daniel. De man leek op de achtergrond te wachten tot alle negatieve energie was uitgewerkt. Hij heeft Frank gered. Ik vertrek vandaag, zei hij. Goed zo, zei Frank. Heb je iets gevonden? vroeg Arthur. Nee, zei Daniel.

Zijn mobieltje vertelde hem dat het nummer van de beller niet was opgeslagen. Waar zijn mijn papieren, vroeg hij toen. Ik heb wat aantekeningen gemaakt. De tafel is om aan te eten, beet Frank hem toe. Hij blies rook uit met een spottend glimlachje op zijn gezicht. Arthur kwam tussenbeide. Ik heb ze gevonden, zei hij. Hij haalde vijf velletjes papier voor de dag die duidelijk eerst waren verkreukeld en daarna gladgestreken. Er zaten bruine plakkerige vegen op. Tja, sorry jonker, zei Frank. Hij droop van het sarcasme. Sommige woorden waren onleesbaar geworden. Maar het was uiteindelijk niet door dit ongelukje met de vuilnisemmer dat rechter Savage de spaarzame notities voor zijn instructie opnieuw moest schrijven, maar door de verklaring de volgende maandagmorgen, van de laatste getuige, Gillian, de zus van Janet Crawley. De toon was trouwens toch niet goed geweest. Maar eerst moest de zondag nog afgewerkt worden.

Terwijl de anderen zaten te ontbijten, pakte Daniel een telefoonboek en belde het Cambridge Hotel. Minstens een week, zei hij. Eenmaal aangekleed leek Frank vriendelijker. Wil je ons even helpen, Dan, met het verhuizen van een paar kasten? Na Arthurs bezoek gisteren, had Christine toegezegd dat ze een paar stukken mochten hebben voor hun kraam, in ruil voor de verhuizing van het grote oude buffet naar Carlton Street. Je weet maar nooit, joh, of we niet een paar verschrompelde hoofdjes vinden, gepekelde kleuterklootjes, of wat ook. En daarna drinken we er een. Er staat een prachtig stel Victoriaanse haardijzers, zei Arthur enthousiast. Pook 'r met de pook, zei de pokerspeler met een pokerface, lachte Frank. En denk maar niet, zei hij tegen Daniel, dat ik me schuldig voel over die stomme aantekeningen van je, want dat doe ik niet. Ik heb er een hekel aan wakker gemaakt te worden. En ik heb een hekel aan de stank van verbrande foto's. Je bent hartstikke gek. God weet hoe je vrouw het zo lang met je heeft uitgehouden.

Daniel belde Hilary. Iemand heeft naar mijn mobieltje gebeld om halfzeven. Nou, ik niet, zei ze. Hé, Tom, Sarah, hebben jullie papa gebeld? Hij hoorde hun stemmen nee roepen. Toen onderging hij ineens, zo intens alsof hij er lijfelijk bij aanwezig was, de huiselijke intimiteit van het gezinsontbijt, de geur van melk en koffie en kinderen vroeg op de ochtend. Waarom heb je dan niet zelf opgenomen? vroeg Hilary. Waar was je? Ik had het ding in de auto laten liggen, loog hij. Heeft een van de kinderen zin om vandaag met me op stap te gaan? Deze keer had ze kennelijk haar hand over de microfoon gelegd. Er was een restje vrolijkheid in haar stem toen ze zei: Nee, ze hebben alle twee een vol dagrooster. Ze zijn geen vijf jaar meer, voegde ze eraan toe. Iets in haar stem trof hem en hij hoorde zichzelf plotseling zeggen: Hilary, ik blijf denken dat er iemand anders is. O mijn god! Maar ze klonk toegeeflijk. Dat is omdat je altijd denkt dat iedereen net zo is als jij! Ze klonk niet boos. Ik dacht dat het misschien Max was, dat je met je lessen gestopt was opdat je hem ergens anders dan thuis kon ontmoeten. Nu moest hij de telefoon van zijn oor afhouden, zo schril klonk haar gelach. Arme Max, bekende ze. Ze voegde eraan toe: O als het stof is gaan liggen, Dan,

dan moeten we eens een paar rekensommetjes maken. Ze klinkt heel beheerst, besefte Daniel. Toen hij de telefoon neerlegde, hoorde hij een hond blaffen.

Het idee was, zei Gillian Crawley, dat we elkaar altijd konden bellen, wanneer we maar wilden, weet je, zodat we ons nooit alleen zouden voelen.

Misschien had men verwacht dat het proces snel afgelopen zou zijn na de verklaring van Janet Crawley, maar nauwelijks had haar zus Gillian in de getuigenbank plaatsgenomen voor verhoor, of Daniel wist dat er iets te gebeuren stond. Haar raadsman had een verontschuldigende blik op zijn gezicht. Nooit beginnen met afronden voor het einde, zei Daniel tegen zichzelf. Nooit midden in de nacht werken. Tijdverspilling. Op dit moment was het twee nachten geleden dat hij nog had geslapen. Het stof gaat nooit liggen, dacht hij, of toch nooit alles. Uiteindelijk, had Frank gelachen, nadat hij naar de keuken was teruggegaan op zondagochtend, heeft een vrouw toch geen vent meer nodig als ze het huis heeft en de kinderen? Hij kauwde op een hap toast. Ze zijn erg materialistisch, vind je ook niet, Art? Art heeft interessante ideeën over vrouwen, Dan. Ik bedoel, ofwel ze neuken met iedereen zodat ze van elk een beetje poen kunnen vangen, zoals dat Braziliaanse mokkeltje van je op de ringweg, of ze zweren bij monogamie zodat ze alle poen van een vent kunnen nemen. Waar of niet? Ik heb altijd een rothekel gehad aan Hilary, voegde Frank eraan toe. Dat was wederzijds, verzekerde Daniel hem.

Het idee was, beweerde Gillian Crawley – haar advocaat had haar gevraagd waarom ze naar de brug gingen –, dat alleen als we naar de brug gingen, en alleen als er genoeg van ons gingen, nou, dat we dan allemaal konden zoenen en vrijen met wie we wilden, wij onder elkaar, in de auto's op de parkeerplaats in het bos bij de brug. En niet méér dan een beetje zoenen en vrijen, weet je? Ik weet niet wanneer het precies is begonnen, het is langzaam gegroeid in de groep. Eigenlijk een traditie. Er waren mensen vóór ons geweest die weer waren weggegaan en soms was er een nieuwe die voor het eerst meekwam en die dan met iedereen moest zoenen. En dat was Janet, mijn zus, twee maanden geleden. Begrijpt u me? De brug was een plek om te vrijen. Daarom gingen we er eigenlijk naartoe, en daarom zijn de anderen gestopt met gaan, wanneer ze bijvoorbeeld vaste verkering wilden, of wanneer iemand niet wilde vrijen met alle anderen, en daarom hadden we afgesproken dat we het niet zouden vertellen. Het was iets waar je je aan moest houden.

Juffrouw Crawley, zei haar raadsman ernstig – de man had nauwelijks een woord gezegd gedurende het proces – kunt u de rechtbank uitleggen wat er is gebeurd op de avond van 22 maart?

Jamie, de heer Grier, had een paar stenen in zijn auto, zei ze snel. Ze was groter dan haar zus, en minder aantrekkelijk. De pluk haar die ze uit haar gezicht streek was muisgrijs.

Waarom?

Dat weet ik niet.

Maar u moet toch een idee hebben?

Nee, echt niet.

Had hij al eens eerder stenen van de brug gegooid?

Kleine stenen, zei ze.

Waarom?

Ze haalde diep adem. Een paar maanden daarvoor, ik weet niet, iets langer geleden misschien, ik bedoel voor de avond dat alles gebeurd is, waren drie meisjes van de groep opgehouden met naar de brug te komen. 'Bridgen', noemden wij het.

Neem me niet kwalijk, maar beweert u dat dat een reden was voor de heer Grier om met stenen te gooien?

Haar raadsman was een corpulente, oudere man met snor, zowel vaderlijk als ernstig. In tegenstelling tot haar strijdlustige jongere zus, zag de oudere Gillian er bang en breekbaar uit. Een nerveuze sluwheid deed haar mond vertrekken en maakte haar stem gespannen. Rechter Savage keek naar haar afgebeten nagels terwijl haar vingers zich spanden en ontspanden rond de reling van de getuigenbank, en vroeg zich af of ze die opzettelijk zo zichtbaar tentoonspreidde.

Nou, wat ik wilde zeggen was dat er meer jongens waren dan meisjes.

En dus?

Dus begon Jamie zich te vervelen als hij, eh, niemand had. Dus raapte hij soms stenen op, kiezelstenen eigenlijk, kleiner nog, en gooide ze op de weg. Omdat hij de pest in had. Ik bedoel, hij zorgde er wel voor dat iedereen hem zag. Vooral Dave, de heer Sayle. Hij wilde laten zien dat hij flink baalde.

Ah, om te laten zien dat hij baalde.

Ja. Ze aarzelde. En om Dave bang te maken.

Juffrouw Crawley, ik weet zeker dat sommige leden van de jury dit moeilijk te begrijpen zullen vinden. Op wat voor manier zou de heer Grier de heer Sayle bang maken door met stenen te gooien?

David, de heer Sayle, voelde zich altijd verantwoordelijk, weet u, voor ons allemaal. Hij vond zo'n geheim genootschap wel tof. Hij wilde dat we allemaal gelukkig zouden zijn. Hij vroeg steeds of we het allemaal naar onze zin hadden. Het was zo'n beetje zijn gemeenschap, weet u. Nou, en hij schreeuwde tegen Jamie. Hij was bang voor wat er zou gebeuren als de heer Grier een auto zou raken. Hij was boos. Hij wilde niet dat men zou weten dat we naar de brug gingen om te vrijen.

Juffrouw Crawley, vertelt u ons alstublieft wat er is gebeurd op de avond van 22 maart.

Het meisje zuchtte. Ze waren op de brug aangekomen. Ze hadden allebei geparkeerd op de open plek naast de weg en het bos. Ze waren uitgestapt en hadden wat gekletst. Ze hadden de autoradio's aan. Allebei hard op dezelfde zender. Ze hadden over de balustrade geleund en naar de auto's gekeken die voor de prostituees op de parkeerplaats stopten. Er waren twee zwarte meisjes, legde ze uit. Het is zo'n vijftig meter verder. Er loopt een pad het talud af en het bos in. We stonden daar gewoon een beetje te roken en naar de muziek te luisteren. Dat deden we meestal. Iemand die iets wilde hoefde een ander gewoon maar aan zijn mouw te trekken en hem te zoenen. Maar als de ander daar niet zo'n zin in had dan begreep je dat en hield je na een tijdje op.

De raadsman hield zijn stem perfect neutraal: Kunt u de rechtbank uitleggen hoe jullie die avond uiteen zijn gegaan?

Nou. Gillian Crawley slikte. Weer veegde ze een haarlok van haar mond. Haar gezicht was bleek en gewoontjes, maar niet onaangenaam. Nou goed, er wilde nooit iemand vrijen met Ryan Riley. Tenzij misschien een beetje op het einde. David zei dat dat alleen maar eerlijk was. Dave en Riley waren speciale vrienden. Begrijpt u? Ze deden veel samen. Ryan volgde David overal. Als een hondje.

Juffrouw Crawley, vertelt u de dingen alstublieft zo zorgvuldig mogelijk in de juiste volgorde.

Haar zus Janet was met Simmons meegegaan, zei ze. Zoals gewoonlijk. Ze had me een paar dagen tevoren gezegd dat ze wilde stoppen met 'bridgen' en zijn vaste vriendinnetje worden maar dat hij niet wilde. Hij vrijde zoveel mogelijk met iedereen.

Juffrouw Crawley...

Nou, je had dus Janet met Simmie, ik met Stu, de heer Bateson. Ik en Stu gingen vaak uit samen, vroeger toch, en sinds kort hadden we weer contact. Maar toen we in de auto zaten, die van de heer Grier, de grootste, omdat de stoelen voorin neergeklapt kunnen worden, was er een grote ruzie op de weg tussen Sasha en Dave en Jamie.

Dat zijn de verdachten juffrouw Singleton, de heer Sayle, de heer Grier.

Klopt.

En wat was de reden van die ruzie?

Nou, we hadden de radio hard aanstaan in de auto, en er was ook het lawaai van de ringweg, en die is erg lawaaierig, en dus hebben we niks gehoord, ook al hadden we alle raampjes openstaan, want het was heel zacht weer en het was beter om de auto niet helemaal te laten beslaan. We zaten trouwens ook niet te luisteren.

Jullie hebben de ruzie dus meer gezien dan gehoord?

Dat klopt. Je kon ze zien schreeuwen tegen elkaar, dat kon ik uit mijn ooghoek zien over de schouder van de heer Bateson heen. Jamie had heel veel gedronken.

En wat gebeurde er toen?

De heer Sayle liep het pad af naast de weg waar de prostituees bij staan. Ik zag hem lopen.

Aha. Is dat iets wat hij vaker deed?

Ja.

Gaat u alstublieft door.

Nou, Sasha wilde de auto in met de heer Grier. Ik zag dat ze aan zijn mouw trok.

En waarschijnlijk had de heer Sayle daar bezwaar tegen?

Dave? O nee! Gillian Crawley schudde haar hoofd. Voor het eerst glimlachte ze. Nee, iedereen kon met iedereen meegaan op de brug en Dave was de eerste om dat allemaal aan te moedigen. Ik bedoel, het was zijn idee.

Gaat u alstublieft verder.

Nou, Sasha, eh, juffrouw Singleton en Jamie Grier begonnen ruzie te maken, zonder de heer Sayle erbij. Toen begon hij te schreeuwen.

Hij wie? Wie begon te schreeuwen?

Jamie, hij begon te schreeuwen tegen Sasha, en we konden hem nu een beetje horen omdat hij naar de auto kwam lopen. Ik bedoel, het was zijn auto, en hij zei dat we eruit moesten en de stoelen recht moesten zetten en dat Sasha nu met hem mee moest gaan of anders nooit meer. Hij zei dat het allemaal... neem me niet kwalijk. Ze zweeg en keek rond.

Ja? Wat zei meneer Grier?

Hij zei dat het allemaal, eh, maar een beetje kinderachtig geflikflooi was.

De heer Grier kwam dus naar de auto en stond erop dat juffrouw Singleton met hem meeging?

Dat klopt. Toen heeft iemand Sasha gebeld, denk ik, haar mobieltje, want ze stond daar maar de hele tijd aan de telefoon, ik weet nog dat ze een hand over haar oor legde vanwege het verkeer, terwijl Stu en ik uit Jamies auto stapten. Ze moet minstens vijf minuten hebben staan praten want Jamie was echt boos aan het worden en stond gezichten naar haar te trekken en maakte van die knipgebaren met zijn vingers om duidelijk te maken dat ze het gesprek moest afbreken, en wij zetten intussen de stoelen omhoog. Zoals ik al zei, hij was een eind op weg. Door dat drinken.

Juffrouw Crawley, we doen allemaal ons best om uw verslag te volgen, maar kunt u ons nog eens even vertellen waar iedereen zich bevond op dat moment.

Gillian Crawley zag er ongerust uit, alsof ze doodsbang was dat men haar niet zou geloven. Ik ben bang van hen, zei ze. Ze knikte bruusk in de richting van de beklaagdenbank achter haar.

Het was doodstil in de rechtszaal.

Rechter Savage interrumpeerde: Juffrouw Crawley, u hebt gezworen de waarheid te vertellen, de hele waarheid en niets dan de waarheid.

Kunt u ons vertellen waar iedereen zich op dat moment bevond, herhaalde de raadsman.

Ik zei: Janet was met Simmons in Simmons auto. Aan de andere kant van de brug. Van de stad af. Riley en Davidson stonden bij de balustrade naar de weg te kijken. Stuart Bateson was bij mij en we waren de stoelen aan het rechtzetten van de auto van Grier omdat we dachten dat hij weg wilde gaan. Dave was er niet, die ging altijd met de prostituees praten. Dat vond hij leuk, maar soms was er een pooier bij hen die er pissig van werd. Sorry. Boos. Sasha was aan de telefoon. Ik herinner me dat ze lachte. Weet u, Ginnie Keane belde ons vaak als we op de brug waren om te vragen met wie we op dat moment aan het vrijen waren omdat de heer Sayle geprobeerd had haar over te halen om iedereen te zoenen en ze daarna niet meer gekomen was. Jamie was echt razend en sloeg met zijn vuist op de auto. Het is de auto van zijn vader.

Gillian Crawley praatte nu erg snel en ademloos. Haar raadsman wisselde een blik met rechter Savage die onaangedaan bleef.

Sasha stopte met telefoneren en zei dat als hij zo verrot bezitterig ging doen hij het kon vergeten. Zoiets. Ze ging Riley halen. Riley is zo'n beetje de *loser* van de groep. Maar Dave mocht hem wel. Jamie schreeuwde: Als je dat doet gaat er iets gebeuren. Hij deed de kofferbak open en pakte er een grote steen uit en droeg die naar de weg. Het is nogal een lolbroek, en je weet nooit of Jamie iets serieus bedoelt. Hij schreeuwde, en dat konden we horen omdat hij erg hard schreeuwde en we vlakbij stonden: Wie een auto raakt mag dit wijf hebben en dan is het gedaan met die teringzooi. Ik weet niet of hij de stenen expres had meegenomen. In elk geval gooide hij er meteen een naar beneden zonder zelfs maar naar de auto's te kijken. Sasha was doodsbang en rende weg om Dave te halen. Die kwam aanrennen en Jamie gooide nog een steen. We stonden op de rijweg, herinner ik me, op de brug, want er kwam een auto hard voorbijrijden, ik bedoel over de brug, en we moesten aan de kant gaan. David zei: Je bent dronken, Jamie. Dat was toen mijn zus uit de auto stapte, de Golf, met Simmie, het was Johns auto, John Davidson. En toen zei Jamie: Ik blijf stenen gooien tot ze je vertelt hoe graag ze me pijpt in jouw bed. We konden dat horen doordat we op nog geen twee meter afstand stonden. Als jij in de kerk zit, schreeuwde hij. Tegen Dave, bedoel ik. Jamie bleef schreeuwen en Dave een mietje noemen. En toen heb ik iets gemist want toen ging mijn mobieltje en ben ik weer in Jamies auto gaan zitten zodat ik kon praten.

Wie heeft u gebeld? vroeg de raadsman.

Het was Ginnie Keane, zei Gillian Crawley. Net zoals ze Sasha had gebeld, belde ze nu naar mij.

En waarom belde ze naar u?

Ze – Gillian Crawley aarzelde – ze lag in bed met haar vriendje. Ze belde ons allemaal op om te vragen wanneer we eens zouden stoppen met dat geflikflooi en serieuze seks zouden hebben in een bed. Ginnie is zestien. Ze is jonger dan de rest. Toen hoorde ik het ongeluk, er was een soort klap, en iedereen zei wegwezen. Wegwezen. Ik weet niet wat er echt is gebeurd.

Weet u hoe laat dat telefoontje was?

Het meisje schudde haar hoofd. Ik herinner me wel wat er op de radio was. Het was The Offspring. My friend's got a girlfriend and he hates that bitch. Ik vond het vervelend dat Ginnie zat te praten en ik wilde luisteren. Ik vond het een toffe song.

De verdediging richtte zich tot de jury: Edelachtbare, de beklaagde heeft me gisteren van dit telefoontje op de hoogte gesteld. Ik heb meteen contact opgenomen met de betreffende telefoonmaatschappij en verschillende radiozenders, waarna ik de zaak heb besproken met mijn hooggeleerde collega Sedley die zo vriendelijk was om toe te zeggen dat hij geen bezwaar zou maken tegen de inbreng van dit bewijs. In feite – hij consulteerde zijn aantekeningen – werd het telefoontje geregistreerd als beginnend op 22.48 op 22 maart en eindigend om 22.52 uur. Inmiddels heeft Yeah Channel, een lokale zender, bevestigd dat de song genoemd door juffrouw Crawley de voorlaatste song was voor hun programmawisseling om 23.00 uur die avond. U herinnert zich nog dat de heer Whitaker een noodoproep heeft gedaan vanaf de zijkant van de weg om 22.55 uur.

Dit leek allemaal te kloppen. Maar wie had naar Daniel Savages mobieltje gebeld zondagochtend vroeg? En waarom leek zijn leven nu op een steeds strakker aangetrokken net van telefoongesprekken of discussies over telefoongesprekken of natrekkingen van telefoongesprekken, allemaal per mobieltje, terwijl hij nog maar een paar maanden geleden had gezworen dat hij nooit een mobieltje zou kopen, zo overbodig leken ze toen. Nog maar een paar maanden geleden had Hilary gezegd: We hadden de telefoon nooit in de slaapkamer moeten zetten. En diezelfde avond had ze in het bijzijn van Max gezegd: In het nieuwe huis staan we niet meer in de telefoongids, hè Dan? Dit was allemaal begonnen met een telefoontje, dacht Daniel. Uit het niets. Zelfs al was het huwelijk toen al opgebrand, het was een gelukkig huwelijk. Het was eigenlijk gelukkiger opgebrand dan niet. Hij was bijzonder gelukkig geweest, dacht hij, die avond, toen hij naar Hilary had gekeken die zich over de oven boog om er de cake uit te halen, terwijl op de achtergrond de telefoon ging. Nadat hij zijn vrouw had gebeld om te vragen of zij hem had gebeld, belde hij Max. Het was nogal vroeg voor een zondagochtend.

Ik zal hem halen, zei een mannenstem kortaf.

Dag meneer Savage, zei de jongeman.

Ik hoop dat ik je niet wakker heb gemaakt?

Nee, helemaal niet. Wat is er?

Omdat hij Max niet eens zijn mobiele nummer had gegeven had Daniel niets redelijks te zeggen. Hij sloot de deur van Franks flat achter zich en bleef in het trappenhuis staan.

Ja? vroeg Max.

Ik maak me zorgen over Hilary, zei Daniel. Ik veronderstel dat je gehoord hebt dat ik momenteel niet bij haar woon.

Dat spijt me zeer, meneer Savage.

En nu hoor ik dat je geen les meer bij haar neemt.

Dat klopt, zei Max.

Het is nogal triest, omdat ik dacht dat dit juist iets was wat haar op de been zou houden.

Het is vriendelijk dat u dat zegt, zei Max hartelijk.

Maar goed, ik heb haar zojuist gesproken en ze klonk zo panisch dat ik dacht dat het misschien een idee was als je contact met haar zou opnemen, ik bedoel als je er tijd voor hebt.

Het was even stil. Max zei: Dat kan ik niet doen, meneer Savage. Het spijt me.

Daniel wist niet wat hij moest zeggen. Hij was twee verdiepingen naar beneden gelopen en begon nu weer omhoog te lopen, zijn stappen echoden in het trappenhuis. Max' stem had zo ernstig en vastbesloten geklonken dat er duidelijk iets achter zat. En tegelijk ook uiterst afwerend tegenover verdere vragen.

Het spijt me dat ik niet behulpzamer kan zijn, zei Max nu op z'n formeelst. Hoe gaat het met de muziek, vroeg Daniel. Max legde uit dat hij er wat minder aan kon doen vanwege de drukte op zijn werk. We zijn een nieuw computernetwerk aan het installeren. Hij moest weer allemaal nieuwe software leren kennen. Doe de groeten aan je ouders, zei Daniel. Als de jongen dacht dat het ironisch bedoeld was, liet hij het niet merken.

Ik heb het nummer maar aan twee of drie mensen gegeven, hoorde hij zichzelf totaal misplaatst zeggen tegen de jonge secretaresse Laura. Dus ik dacht dat jij het misschien geweest was. O, meneer Savage! De jonge vrouw verborg niet dat ze wakker was gebeld. Sorry, maar ik was aan het uitslapen. Daniel kreeg een opdringerig beeld voor ogen van hoe Jane altijd de telefoon opnam in bed. Hij verontschuldigde zich. Hij herinnerde zich hoe ze, terwijl ze samen in een hotelbed lagen, telefoontjes van Crawford aannam, knipogend naar Daniel terwijl ze sprak. Het spijt me verschrikkelijk, ik vroeg me gewoon af wie het geweest kon zijn, zei hij. Geeft niks hoor, meneer de rechter, zei ze. Boven stak Arthur zijn hoofd om de deur. We gaan vertrekken, riep hij. We hebben de transportwagen maar tot de middag.

31

Daniel had niet geslapen. Zelfs het verplaatsen van de kleine meubelstukken putte hem uit. Ik moet echt niet alleen zijn, dacht hij. Een scherpe pijn schoot door de kant van zijn gezicht met het beschadigde oog. De buffetkast was een slagschip. Toen kwam Christine aan rond twaalf uur. Ze waren bijna klaar. Wat zal ik met de as doen, vroeg ze. Ze was zwaar opgemaakt. Daniel begreep het eerst niet. Die van Martin natuurlijk! Die zou donderdag klaarstaan, hadden ze gezegd. Ze had een donzige perzikkleurige jurk aan. Maar wat kunnen ze nog klaarzetten? zei ze schril alsof ze gechoqueerd was. Maalsel, zei Frank rustig. Ze vermalen de beenderen, schat. Ze keek hem aan, haar wenkbrauwen gefronst door de schok. Meestal zetten de mensen een urn in de tuin, ging Frank door. O, maar ik verkoop het huis, riep Christine. Ik heb geen tuin meer! De mannen droegen de laatste kleine voorwerpen naar buiten. Er is alleen een kozijn in de flat, protesteerde ze. Ik neem aan dat je Dans oude flat kent? Ik kan zijn as toch niet in het kozijn zetten!

Deze nerveuze frivoliteit is obsceen, dacht Daniel. Hij droeg de beroemde haardijzers naar buiten. Ze zit vast onder de drugs, besloot hij. Wat zal ik ermee doen, vroeg ze nog eens. Hij wist niet wat hij moest zeggen. Het zal net die pot basilicum lijken uit Byron, bleef ze maar doorgaan. Keats, zei Arthur. Christine barstte in tranen uit toen de bestelwagen vol was geladen. Ze bleef aan Daniel hangen. Blijf bij mij vannacht, mompelde ze. Alsjeblieft. Hij was uitgeput door de slapeloosheid. Hij schommelde tussen wazige desoriëntatie en een schitterende, spraakzame luciditeit. Ze fluisterde de woorden, maar niet zo zacht dat de anderen het niet konden horen. Het was meer alsof zijzelf niet wilde weten wat ze zei. Ga niet naar een hotel, Dan, blijf bij me vannacht.

To-night! Tonight is the night! zong Frank zodra ze wegreden.

Vannacht gaat het gebeuren met een op maat gesneden, recordbrekende, zeewaardige Panamese vaarboom, alstublieft, lachte hij. In wat voor moerassen verzeil jij, Daniel Savage, in wat voor jungle. Daniel in de leeuwenkuil, lachte Arthur. Ze zou de as in de dierentuin kunnen uitstrooien, lachte Frank. Die kleine Georgian ladekast is een juweeltje, zei Arthur. Een knaller, zei hij. Hij wreef in zijn handen. Daniel had hem nog nooit zo opgewonden gezien. Toen ze over de ringweg reden, zagen ze dat de brug waar Malding Lane de weg kruiste, op dat moment werd versierd met bloemen, met kransen, met een spandoek waarop stond Vaarwel Elizabeth. Ze zal dood zijn, besefte hij. De mensen zijn week geworden, vond Frank, die niet onder de indruk was. Week in het hoofd. Elke dood is hun eigen dood tegenwoordig. Lady Di-syndroom. Hier naar links voor de kroeg, Art, riep hij. We gaan, man. We leveren het slagschip later wel af. Links uit de flank! Arthur remde hard. De meubels verschoven. De bestelwagen reed een rustige straat in met een ouderwetse biertuin. En het was daar, zittend aan een houten tafel voor de Belgrave dat de telefoon weer ging, rechter Savages mobieltje. O, let maar niet op ons, nobele jonker Juan! riep Frank. Ik ben ten einde raad, fluisterde Minnie. Dan, help me!

Bel de politie, zei hij tegen het meisje. Hij wilde niet luisteren. Ik ben in gezelschap, Minnie. Hij was hard. Hij had niet geslapen. Hij had de hele ochtend geholpen om het naargeestige meubilair uit te zoeken in het naargeestige huis van zijn dode vriend. Martin was dood. Martin wilde die troep, ik niet, zei Christine. Is het niet naargeestig? Ze hadden niets gevonden toen ze de laden uit het buffet hadden getrokken. Maar Daniel had zich vooral die hele ochtend gezien door Franks ogen. Ik ben belachelijk in Franks ogen, dacht hij meer dan eens terwijl ze het meubilair verzetten. O, maar jij bent altijd een doetje geweest, had zijn broer gezegd. Hij woelde teder door Daniels wollige haar, zittend aan de grijze houten tafel voor de Belgrave. To-night, to-night! Bijna iedereen zou Daniel zover krijgen om hun klusjes op te knappen, zei hij tegen Arthur toen de Amerikaan terugkwam met de glazen bier. Lijkt me uitermate vermoeiend, glimlachte Arthur op zijn vriendelijke manier. Hij schudde zijn hoofd. To-night! Altijd een doetje geweest, herhaalde Frank. Hij woelde door zijn broers haar toen het mobieltje overging. Ik ben ten einde raad, zei het meisje.

Het is een soort formule die ze toepast, dacht Daniel. Of vrouwen in het algemeen. Hij dacht helemaal niet na. Hij wist het nummer van het politiebureau op Broughton Drive uit zijn hoofd. Ik kan niet bellen, zei ze. Bel toch maar. Hij gaf haar Matthesons naam. Als er wordt opgenomen zeg je dat je inspecteur Mattheson wilt spreken, oké? Je mag zelfs zeggen dat ik gezegd heb dat je moet bellen. Rechter Savage. M-a-t-t-h-e-s-o-n, hij spelde de naam. Toen hij heen en weer over de stoep liep met het mobieltje tegen zijn oor, zag hij dat de twee homo's achter hun bier een geweldig plezier hadden. Alsjeblieft, Dan, zei het meisje zachtjes. Laat me het alsjeblieft uitleggen. Hij was uitgeput. Het ging veel verder dan de slapeloze nacht. Ik ben in gezelschap, zei hij. Zo'n doetje, lachte Frank. Ik vertelde Art juist over die druïdetekens die je me toen in je rug hebt laten kerven. Ja, met een mes, Frank schudde zijn hoofd. Ik had zo'n kleine scherpe dolk. Martin heeft me tegengehouden. Ik was nogal wild in die tijd. Ik had hem wijsgemaakt dat hij Engelser zou zijn als hij van die druïdetekens op zijn rug had. Daniel herinnerde zich dat niet. Ieder ander zou me hebben gezegd op te rotten, lachte Frank. Het was nu nog slechts een grillige herinnering. Bel de politie, zei Daniel tot besluit van het gesprek, als je echt in de problemen zit, Minnie, bel dan de politie. Ik kan je zelf niet helpen.

In een opslagruimte achter Doherty Street doorzochten ze grondig twee dekenkisten en drie kasten zonder iets te vinden. De foto's van gisteren waren verbrand. Martin is weg, dacht Daniel. Wat ik voor mezelf kies, zei hij altijd, kies ik voor de hele mensheid. Hij had ervoor gekozen te sterven. Ik heb al de foto's van die nachtvlinders verbrand, zei Christine toen ze de buffetkast kwamen afleveren op Carlton Street. Er waren er duizenden, mopperde ze. Haar stem klonk weer theatraal schel. Duizenden! Ik heb de tuinman gezegd dat hij ze moest verbranden. Ik hoop dat de koper hem aanhoudt. Willen jullie thee? Het is zo'n aardige oude baas, zei ze. Ik wil er niets meer mee te maken hebben, vertrouwde ze Arthur toe. Ik ga de as niet in de tuin zetten. Hij zocht een stukje karton om onder een houten poot te schuiven. De kast wiebelde. Niets! Ze mocht de Amerikaan wel. Verdomme, zei hij. En nu paste er een lade niet. Hij zat op zijn hurken. Net zoals ze eerst Max wel mocht, herinnerde Daniel zich. Waren ze niet samen vertrokken de dag dat hij thuiskwam? Was Hilary daarom met de lessen gestopt? Laat mij eens proberen, zei hij tegen Arthur. De jongeman veegde zijn zweet af met een rode zakdoek. In een poging de lade op zijn plaats te krijgen, liet rechter Savage hem op zijn voet vallen. Hij huppelde van de pijn door zijn vroegere eetkamer, hetgeen voor grote hilariteit zorgde. Toen gingen ze in zijn vroegere keuken zitten om Christines sterke zwarte thee te drinken. Klaar, zei Frank. Dat was het. Eenmaal terug op de flat van zijn broer rond vijf uur, pakte rechter Savage zijn tas in en zijn aktetas en liep de trap af. Sorry van vanochtend, lachte Frank. Met het verkeerde been uit bed gestapt. Hij stond zwaarlijvig en berouwvol bij de afbladderende voordeur, terwijl Daniel in zijn auto stapte. Tot ziens.

Rechter Savage reed naar het Cambridge Hotel. Ik had een ander hotel moeten nemen, zei hij tegen zichzelf, terwijl hij omhoogliep vanuit de ondergrondse parkeergarage. Maar hij en Martin hadden gestudeerd in Cambridge. Hij en Hilary hadden een knallende ruzie gehad in de foyer van dit hotel. Net voorbij de draaideuren stond hij even stil met zijn tassen. Hij voelde dat hij toen van haar had gehouden, toen ze tegen hem had gekrijst in de foyer van dit hotel, toen ze met haar vuisten op zijn borst had geslagen. Je bent afgepeigerd, zei hij tegen zichzelf. Zijn hoofd tolde. Altijd een genoegen om u weer terug te zien, meneer Savage, zei de man aan de receptie. Het woord heer kwam in hem op. De oude receptionist is een heer. Hij nam jassen aan en droeg tassen. U bent weldra Sir Daniel, geloof ik, zei de heer. Daniel hielp hem niet uit de droom.

Op zijn kamer keek hij naar een programma over de vogeltrek. Natuurprogramma's fascineerden Hilary. Bijna het enige goede aan Engeland zijn de natuurprogramma's, had ze ooit gezegd. Ze had er een handje van om over Engeland te spreken alsof ze niet Engels was, hoewel ze haast nooit naar het buitenland gingen. Daniel voelde zich niet prettig in het buitenland. In Engeland was hij Engels, maar in Frankrijk was hij alleen maar zwart. Ik zal als een blok in slaap vallen, zei hij hardop terwijl hij een biertje uit de koelkast pakte. Dit is niet eens een crisis, lachte hij. Gewoon een zondagavond om door te komen.

Maar ik ben ten einde raad, zei Minnie. Ze had nog eens gebeld toen hij onder de douche stond. Ten einde raad. Hij was onder de douche vandaan gesprongen, uitgegleden op de tegelvloer en stond nu naakt en druipend op het bleekroze tapijt voor de spiegel. Wie had hij gehoopt dat het zou zijn? Het is hopeloos, zei Minnie. Ik heb drie keer gebeld, naar die Mattheson, en hij zei dat hij me terug zou bellen. Dat heeft hij niet gedaan.

De douche had Daniels hoofd niet opgefrist. Het kostte hem moeite het te begrijpen. Ze houden me hier vast, ik kan niet weg, zei ze. Een doetje, had Frank gelachen. Heb je gehoord, zei Minnie, dat ze gisteren een inval hebben gedaan. Het is ingewikkeld. Ze hebben heel veel arrestaties...

Het gesprek werd afgebroken. Alleen maar materie, dacht rechter Savage, starend in de spiegel. Je wordt niet mooi oud, Savage, zei hij tegen zichzelf bij het zien van zijn naakte lijf, een bierflesje in de ene hand, een mobieltje in de andere. Hij had ervan gedroomd vriendelijk en beschaafd ouder te worden naast een haardvuur met een vrouw en kinderen en een hond. Je mocht dan wel slechts materie zijn, toch droomde je dit soort dingen.

Ze heette Sue, zei hij een paar uur later. Ze heeft me haar mobiele nummer gegeven, maar er wordt niet opgenomen. Sue. Donkere huid, beschreef hij. Ja, net als ik ongeveer. Min of meer. Ik denk dat ze Braziliaans is. Sue, lachten de meisjes. Sue! Och, schei toch uit! Vijftig meter verderop was de brug met de bloemen die wit en rood opvlamden op het ritme van de koplampen, een grote berm van brandende bloemen langs de ringweg. Maar ze noemen mij ook Sue, giechelde een klein Indiaas meisje. Wat is er mis met mij? Ik ook, zei een andere stem. Ik heet ook Sue. Wat is er mis met mij? Hij vond niet dat er iets mis met hen was. We heten allemaal Sue, giechelden ze. Maar hij kon ze dan ook nauwelijks zien in de verblindende koplampen en de duisternis van de parkeerplaats. Vaarwel Elizabeth, zei het spandoek op de brug. De meisjes stonden bij elkaar te giechelen in hun korte rokjes. Het was twee uur 's nachts. Politie! riep iemand. Rechter Savage tolde rond. Grapje. Hij was haast omgevallen door zo snel te draaien. O, Sue, gedraag je! krijste een stem. Gedraag je! Ik zou eigenlijk helemaal niet mogen rijden, dacht Daniel, toen hij voorzichtig naar het huis reed waarheen ze hem had meegenomen. Het is een schandaal dat ik rijd, dacht hij. Wat is er mis met de andere meisjes, meneer? vroeg de Latijns-Amerikaanse man. Met alle respect, meneer. Hij was zeer beleefd. Na enig aandringen, haalde hij zijn schouders op: Van sommige meisjes wilde de politie zien of ze illegaal het land waren binnengekomen. Ze hebben een razzia gehouden.

Rechter Savage reed over de ringweg. De politie had de verblijfsvergunningen van de prostituees gecontroleerd. Ze waren illegale immigranten aan het arresteren. Hij sloeg af bij de eerste stoplichten en parkeerde de auto. Hij rommelde wat met zijn mobieltje, herinnerde zich toen dat het nummer niet was opgeslagen. Het kwam niet op het display. Hij kon haar niet terugbellen. Even zat hij stil, starend naar de huizen. Het kwam hem vertrouwd voor. Waar was hij? Toen wist hij het weer. Hier zat die Gemeenschap waar hij maanden geleden Sarah was gaan ophalen in de tijd dat ze haar haar had verknoeid. Gisteren op de markt had ze er erg knap uitgezien. De Gemeenschap, dacht hij, zou een werkende man van middelbare leeftijd met een religieuze crisis wel met open armen ontvangen. Ze zouden blij zijn dat hij niet blank was. Hij zag zichzelf al hymnes zitten zingen op het getokkel van gitaren. David Sayle was geobsedeerd door een raar idee van gemeenschap, religieuze gemeenschap. De twee woorden gingen kennelijk samen. Het is zo'n hechte gemeenschap, zei Minnie altijd. De Koreanen. Ze behielden hun vreemde religie, hun altaartjes voor overleden familieleden. Twintig minuten later zag hij Christines auto geparkeerd staan op de plek die de diepvrieswagen altijd openliet in Carlton Street. In het leven heb ik de baan van haar man ingenomen, en nu heeft zij onze flat. Ik vermoord je als je op die bel drukt, zei Daniel tegen zichzelf.

Terug in het Cambridge om vier uur 's nachts kon hij nog steeds niet slapen. Waarom was hij geen apotheek binnengewipt? Ik heb pillen nodig. Hij zette het mobieltje af ingeval hij wel in slaap zou vallen, dronk een paar willekeurige borrels uit de koelkast, keek naar een film waar hij niets van begreep. Eenogig en klaarwakker, bedacht hij. De gebruikelijke thema's liefde en geld leken roekeloos vertroebeld. Zijn hoofd deed pijn. De telefoon gaat op het scherm, zei hij tegen zichzelf. Niet in de kamer. Maar de film speelde in de Middeleeuwen. Dus nam hij op. Het was zo'n stevig, oud, grijs toestel dat ze alleen nog maar in hotels als het Cambridge hebben. Je hebt me zelf gezegd dat je daar was, zei Minnie. Ze had het al uren geprobeerd. Ik moet je iets vertellen. Ze denken dat ik verantwoordelijk ben, zei ze. Voor wat? Voor alle mensen die gearresteerd worden. Ze denken dat ik gepraat heb. Ik ben bang. Ik heb de politie gebeld maar er is niets gebeurd. Nu was rechter Savage weer klaarwakker. Hij belde meteen naar het bureau in Broughton Street. Ik kan de inspecteur echt niet wakker maken op dit tijdstip, zei de agent aan de balie. Het spijt me. Er is wel een inspecteur van dienst als u die wilt spreken. Het gaat over het Koreaanse meisje zeker? Iedereen weet ervan, dacht hij. Nou, meneer, inspecteur Mattheson heeft alle details genoteerd en hij heeft me gezegd dat ik u moest geruststellen met de mededeling dat hij het allemaal in de hand had.

Toen was het ochtend. Het is maandag. Heb ik geslapen? Hij had de televisie niet afgezet. Het ging over Montenegro. Het was acht uur. Onder de douche schudde hij zijn hoofd ruw van links naar rechts. Wakker worden Savage! Een makkie voor de Servische troepen, zei een ernstige reporter.

Voelt u zich wel goed? vroeg mevrouw Connolly. Hij liep haar toevallig tegen het lijf op het parkeerterrein achter het gerechtshof. Tenzij zij van plan was geweest hem tegen het lijf te lopen. Prima, zei hij, prima. Op zijn kamer belde hij meteen naar Mattheson. De man was aan de lijn bijna voor hij wist dat hij verbinding had. Hallo? Herkende je niet, zei de politieman, je klinkt raar. Natuurlijk, we zijn op de hoogte, alles kits, en we zijn de situatie de baas. Geen zorgen. Daniel werd gefrappeerd door iets Amerikaans in Matthesons mededeling. Een toon van gemakkelijk geruststellen. Geen zorgen, herhaalde Mattheson, maar als je geen moeilijkheden wilt dan zou ik er zo ver mogelijk uit de buurt blijven.

Gelukkig was er Gillian Crawley om hem wakker te maken zodra hij in de rechtszaal zat. In een mum van tijd was zijn brein geweldig geconcentreerd op het proces. Ik kan u naar beneden laten sturen zodat de verdachte een getuigenis kan afleggen in uw afwezigheid, zei hij tegen James Grier. De jongeman was gaan schreeuwen. In de rechtszaal ben ik nooit een doetje geweest, zei Daniel tegen zichzelf.

De oudste van de twee zussen Crawley kwam door het eerste verhoor heen en overleefde later op de ochtend twee kruisverhoren, van Sayles advocaat en die van Grier. Ze had breekbaar geleken in het begin, maar groeide nu in kracht. Ze weigerde een uitspraak te doen over wie de steen nu echt gegooid had. Ze had Ginnie Keane aan haar mobieltje gehad op hetzelfde moment dat ze de woorden van The Offspring probeerde te horen boven het lawaai van de weg uit. Ze vond dat een leuke song. De naam van de song is 'I won't pay', zei ze. Ze had het fatale moment dus niet gezien. Ze had ineens een klap gehoord. De andere advocaten meenden dat het in het belang van hun cliënten was om haar verklaring overeind te laten.

Alle twee de kruisverhoren probeerden het verhaal over het zoenspelletje te ridiculiseren. Vooral Sayles advocaat, de vechtlustige mevrouw Wilson, vroeg haar hoe lang ze haar hersenen had moeten pijnigen om met zo'n belachelijk verhaal voor de dag te komen. Het meisje was niet onder de indruk. Hebt u ooit gezoend, vroeg ze, wanneer de muziek hard aanstaat en het verkeer voorbijraast, ik bedoel zodat je er doof van zou worden soms? En de radio op z'n hardst, en je kunt hem op z'n hardst zetten dóór al het verkeer. Alles loeihard.

Ik ben hier niet om antwoord te geven op uw vragen, zei mevrouw Wilson tegen haar. Ze was een jaar of zestig. De gedachte dat zij zat te zoenen in een auto met de muziek keihard aan, had een paar juryleden aan het glimlachen gebracht. Nou, het is gemakkelijker, zei het meisje.

Gemakkelijker? U moet me verontschuldigen, juffrouw Crawley, als ik het niet helemaal kan volgen.

Ik bedoel, ze was geduldig, als je het met iemand doet die niet, eh, je vriendje is, dan zijn het lawaai en het verkeer opwindend en dan is het, ik weet niet, minder gênant. Vlak bij die weg. Ik bedoel, die avond was ik alleen maar met Stu aan het zoenen om op te warmen voor John.

John Davidson?

Ja. Dat is mijn echte vriendje.

Maar...

Met al het lawaai is het minder gênant, zei ze. Met iemand die niet je vriendje is. Dat was 'bridgen'. Je kon met iedereen gaan. Net als bij een concert. Vanwege het lawaai van de muziek. Alsof je onder een waterval staat. Het is gemakkelijker.

Mevrouw Wilson gaf het op.

Griers advocaat was een zwarte vrouw met een pienter gezicht, een door en door Afrikaanse negerin met een nog chiquer accent dan Daniel. Ze was een briljante raadsvrouw, een geboren actrice, die zwierig heen en weer liep in haar toga. Spottend vroeg ze juffrouw Crawley of dit niet allemaal schoolmeisjesfantasie was, een verhit verzonnen puberverhaal bedoeld om mensen te kwetsen aan wie ze een hekel had om redenen die ze maar beter kon toegeven. Gillian Crawley was zo slim om op een echte vraag te wachten. Daniel was vaak verbaasd over de sluwheid van de minst opgeleide getuigen. Als ik de rechtbank verlaat, zak ik in elkaar, dacht hij. Dan stort ik in. Alleen het mysterie van dit onmogelijke proces houdt me wakker.

Als we uw versie van de feiten moeten geloven, zei de raadsvrouw, dan moeten we veronderstellen dat juffrouw Singleton en de heren Riley, Davidson en Simmons allemaal herhaaldelijk en onder ede hebben gelogen tegen dit gerechtshof, niet – het zwarte vrouwengezicht straalde van intelligentie toen ze opkeek en haar stem verhief – om hun eigen huid te redden, integendeel, maar louter en alleen om de heer Sayle en de heer Grier te beschermen!

Niet Jamie, maar David, zei het meisje snel.

Pardon?

Om de heer Sayle te beschermen, legde het meisje uit. Ze zweeg even. Niemand zou dat toch zeker voor Jamie gedaan hebben?

Het antwoord klonk bijzonder overtuigend omdat het er zo helemaal naast zat. Het meisje was niet te vangen, glipte overal als water doorheen. Rechter Savage trok zijn wenkbrauwen op tegen de knappe zwarte raadsvrouw. Zo pienter als ze was, had ze zich toch laten meetrekken in een ontwikkeling waarin haar volgende vraag slechts een instinctieve reactie kon zijn op de opmerkelijke bewering van de verdachte: Waarom, juffrouw Crawley, hebt u de gelederen dan doorbroken? Wat onderscheidt ú van uw vrienden? Behalve dan een beslist koortsachtige fantasie.

Het meisje keek voor zich uit.

De verdediging wilde de indruk wekken de zaak in de hand te hebben. Juffrouw Crawley, ik heb u gezegd dat het overweldigende minpunt in uw lachwekkende verhaal is dat we moeten geloven dat vijf mensen bereid zijn een gevangenisstraf te riskeren vanuit een misplaatst gevoel van loyaliteit jegens twee van jullie groep. U hebt benadrukt dat die loyaliteit bestaat, op z'n minst tegenover de heer

Sayle, maar tegelijkertijd dat uzelf niet loyaal bent. Waarom is dat? Waarin onderscheidt u zich van de anderen? Waarom vertelt u ons deze 'waarheid' zoals u beweert, terwijl zij dat niet doen?

Eindelijk was er een vraag gesteld die het meisje niet verwachtte of niet wilde beantwoorden.

Hebt u dit ingewikkelde en verhitte verhaal niet verzonnen, ging de verdediging door, omdat het u vrijpleit?

Het gonsde in de rechtszaal. De jury was vastbesloten maar moe. De ogen van een journalist stonden glazig.

Juffrouw Crawley...

Een stem op de beklaagdenbank riep: Zeg het dan, Gill.

Het was Janet Crawley. Een half dozijn advocaten stond te protesteren. Er waren de gebruikelijke bezwaren en vermaningen met het gevolg dat men niet meteen hoorde wat de verdachte zei. Ze had zacht gesproken. Het spijt me, juffrouw Crawley, moest rechter Savage tussenbeide komen, we hebben uw antwoord niet gehoord.

Ik ben zwanger, fluisterde het meisje. Ik ga trouwen met de heer Davidson, en mijn kind gaat niet in de gevangenis geboren worden, voor niemand niet, zelfs niet voor Dave Sayle.

Mevrouw Whitaker was ook zwanger geweest, dacht Daniel zo'n zes uur later. Maar misschien had Sedley er verstandig aan gedaan hier niet op te wijzen. De politieman hielp hem een taxi in. Laat op de middag had de aanklager zijn requisitoir gehouden. Daarna hadden de raadsheren van Sayle, Grier en Singleton hun pleidooi gehouden. Ik denk dat u beter een taxi kunt nemen, meneer, zei de agent. Ze waren opmerkelijk kort van stof geweest, alsof ze de complicaties van de zaak probeerden te ontkennen en de evidenties te benadrukken, al naar gelang hun positie: deze mensen stonden op de brug en gooiden stenen, deze mensen kwamen bij de brug aan nadat er stenen waren gegooid. Hopelijk geen pijn gedaan, meneer, zei hij, terwijl hij het stof van rechter Savages jasje klopte. Laat me een taxi voor u roepen. En Minnie is ook zwanger, zei Daniel tegen zichzelf, en gaf de chauffeur de naam van het hotel. Ik heb mijn best gedaan voor het meisje, dacht hij.

In elk geval was de dag nu voorbij en kon hij slapen. Het is allemaal begonnen, dacht hij, achter in de taxi gezeten met zijn aktetas in zijn handen, omdat een jonge vrouw zwanger is geworden en is gaan dromen over een ander leven voor zichzelf, in een andere gemeenschap. Hij zag de straten voorbijglijden, de bakstenen en het glimmende glas en het lome gedrang van voortgestuwde kooplustigen in Salisbury Street. Hij had toen niet geweten dat ze zwanger was. Daar had hij op haar staan wachten toen ze niet was gekomen. De hoek met Drummond. Hij had een fles champagne gekocht, hem opgedronken met Christine en Martin. Ze hadden het huis verkocht maar Martin was dood. Martin had nooit een kind gehad. Ik moet mijn plicht doen tegenover het kind, zei Gillian Crawley in de getuigenbank ter verklaring van haar merkwaardige getuigenis. Het kan me niet schelen wat we elkaar gezworen hebben, of wat we hebben afgesproken dat we zouden zeggen. De verdachten zaten haar aan te gapen. Daniel legde zijn gezicht in zijn handen in de taxi en lachte.

Ik vond het mijn plicht je even te bellen, zei Kathleen Connolly, toen ik hoorde dat je was gevallen. Toch niets ernstigs, hoop ik? Hij was van de trap gevallen aan de achterkant van het gerechtsgebouw, de aparte ingang voor rechters. Hoe had ze dat gehoord? Hij had zijn hoofd gestoten. Hoe wist ze dat hij in het Cambridge Hotel zat? Ze spraken af met elkaar te dineren. Terwijl hij eigenlijk naar bed had moeten gaan. Mijn babysitter is er niet, vertelde ze hem, maar als je niets op Stevies aanwezigheid tegen hebt, waarom kom je dan niet bij mij? Zo zal ik beter slapen, dacht hij. Hij zou uitgaan en goed eten, rond elf uur terugkomen en gemakkelijk in slaap vallen. Zo gemakkelijk als van een trap vallen. Toen hij de achterdeur uit kwam en boven aan de korte trap stond, was hij in elkaar gezakt. Geen schade, zei hij tegen de politieagent. Hij had zijn hoofd gestoten, zijn knie gestoten. Waarschijnlijk, dacht hij, zal dit ex-vriendinnetje me mijn leven lang zo nu en dan bellen en me zeggen dat ze ten einde raad is, dat ze gevangenzit, dat ze wordt geslagen en wat nog meer. Ze weet dat ik wel moet reageren vanwege de manier waarop onze verhouding is gestart. Hou je erbuiten, had Mattheson gezegd, en alles komt goed. Met het tempo waarin het nu gaat, zei rechter Savage tegen zichzelf, geef je morgen je instructie aan de jury. Je geeft je instructie en je vraagt vakantie aan. Om dringende redenen van privé-aard.

Maar het aperitief bij Kathleen gaf hem een onverwachte stoot energie. Hij begon woordenrijk te praten. Zeg maar Dan, zei hij. Hij sprak over het meisje Crawley, haar merkwaardige getuigenis. Kon ze zo'n ingewikkeld verhaal hebben verzonnen? Dit was indiscreet. Hij sprak over advocatenhonoraria. Hij sprak over de waanzin van het nieuwe wetsvoorstel betreffende de identificatie van spermadonoren. Wat maakte het uit wie de biologische vader was? Hij sprak over Ierland en Montenegro en Martin Shields en de Mishrazaak. Waarom waren ze niet veroordeeld voor onrechtmatige ontvoering? Hij sprak opgewonden, misschien wel geestig. Het bleek dat Stevie helemaal niet kon praten, maar alleen kreunende en grommende geluiden maakte. De jongen kwam houterig aangelopen met zijn armen omhooggestoken als een pop, en wilde Daniels gezicht aanraken. Hij vindt je kleur fantastisch, lachte Kathleen Connolly. Ik denk niet dat we ooit iemand op bezoek hebben gehad die niet blank was. Mensen die hij nog nooit gezien heeft, raakt hij graag aan. De jongen leek zijn best te doen om iets te zeggen. Uh, zei hij. Úh! brulde hij. Dat is geen totaal onbekend fenomeen, lachte Daniel. Ik ben in vorm, dacht hij. Helemaal niet moe. De jongen was gênant. Úh, herhaalde hij. Hij wendde zich naar zijn moeder en slaakte een schelle, hoge schreeuw. Hij vindt je aardig, zei ze.

Het was een klein rijtjeshuis in een wijk die niet kon beslissen of hij bij de betere stand moest gaan behoren of niet. Kathleen Connolly was maar een matige kokkin. Toen hij begon te eten, gaf ze hem ernstig antwoord over een aantal sociale thema's. Ze was het niet met hem eens inzake het slaan van kinderen. O, ik denk echt dat je daar fout zit, zei ze verwijzend naar zijn opmerkingen over het minimumloon. Ik begrijp jouw onderscheid niet tussen het toebrengen van lichamelijk letsel en uitbuiting op de werkvloer; het zijn toch alle twee vormen van geweldpleging? Per slot van rekening, hield ze vol, is het ook meteen afgelopen als je een keer in elkaar geslagen bent, maar het minimumloon is een vorm van geweld die elke dag gepleegd wordt, je hele leven lang. Ze droeg een trainingsbroek en een poloshirt, alsof ze vastbesloten was een omgekeerd beeld te bieden van het kokette jurkje en de hoge hakken die ze op haar werk droeg. Het is nooit voorbij als je in elkaar bent geslagen, zei hij. In je hoofd is het nooit voorbij. Dan, zei ze, sorry, ik heb er niet aan gedacht. Hij voelde meteen met hoeveel plezier ze zo terugkrabbelde. Denk je er veel aan? Toen vertelde ze hem dat ze ervan overtuigd was dat de maatschappij aan het verdrinken was in haar eigen egoïsme. Aan het verdrinken. Ze maakte een fles wijn open, een goedkope wijn, zag hij. Ze zou zelf waarschijnlijk ook niet al te best betaald worden, dacht hij, als rijksambtenaar. Het hele probleem bij rechtsvervolging was de slechte betaling door het rijk. De mensen hadden gewoon geen reden om niet egoïstisch te zijn, vond ze. Bijna iedereen die voor het gerecht verschijnt – ze werd nu heel heftig – is verblind door egoïsme, vind je niet. Waarom zouden de mensen niet egoïstisch zijn? vroeg ze. De enige reden is de wet, en dan nog gaan de meesten vrijuit als ze gepakt worden. Het percentage vrijspraken is waanzinnig, zei ze. Het zou me zelfs niets verbazen als die stenengooiers werden vrijgesproken. Jou wel? Waarom zouden ze niet egoïstisch zijn?

Daniel was uit het veld geslagen. Mensen zijn niet egoïstisch ten opzichte van hun kinderen, zei hij. Toen herinnerde hij zich dat haar echtgenoot meteen was opgestapt toen hij zag dat hun kind gehandicapt was. Plotseling voelde hij zich door alles overweldigd. De energie stroomde weg. Hij was niet van plan haar te verleiden. Ik heb nog nooit iemand verleid, dacht hij. Zachtjes kreunend had Steven voor de televisie gezeten. Toen Daniel opstond om te vertrekken – ik ben zo moe, zei hij – klampte de jongen hem aan, wilde hem omhelzen. Met zijn veertien of vijftien jaar moest hij een grote en loodzware luier aanhebben.

Ik kan je wel terugbrengen naar het hotel, drong Kathleen aan. Dat duurt maar een halfuurtje of zo, ik kan Stevie bij de tv laten zitten en aan de mevrouw boven vragen of ze een oogje in het zeil wil houden. Pas nu begreep rechter Savage dat het huis was verdeeld in flats. Waarom had hij zich dat niet gerealiseerd? Ze had alleen maar de benedenverdieping. Waarom dacht ik dat ze leuker zou zijn, vroeg hij zich af toen Kathleen de kamer verliet en de trap op liep. Hij voelde zich vaag boos. Haar ogen leken slimmer op het werk. Hij hoorde haar met zachte stem praten op de overloop boven. Er stond een foto op het buffet van een groep vrienden in een rubberboot. Ze haastte zich weer naar beneden. Een halfuurtje, Stevie, zei ze tegen de jongen met een plotseling harde, geëmancipeerde stem. Een halfuurtje maar. Stevie klauwde protesterend naar haar. Ze nodigt expres mensen uit om ze getuige te laten zijn van dit soort scènes, dacht rechter Savage. Wie zou nog een versierpoging wagen na getuige te zijn geweest van zo'n scène?

O, hij heeft zich zo goed gedragen, zei ze toen ze in de auto stapten. Dat bleek onverwacht een witte Peugeot 205 convertible te zijn. Onmogelijk om hier een taxi te krijgen op dit uur, herhaalde ze. Je kunt net zo goed een ruimteschip bestellen. Ze deed snel haar veiligheidsgordel om, stopte de sleutel in het contact en keek hem aan. Sorry dat ik het nog eens zeg, glimlachte ze, maar je ziet er echt ziek uit, rechter. Ik heb me zorgen gemaakt over je.

Ze zat naar hem te kijken in het donker van de auto. Ze glimlachte nog een beetje. Nu ze haar best heeft gedaan, dacht hij, met dat schouwspel van haar zoon, dat gepraat over sociale kwesties, het matige eten en de goedkope wijn, gooit ze het ineens over de intieme boeg. Het was in elk geval fantastisch je te leren kennen buiten de rechtbank. Ze draaide de weg op. Me te leren kennen? vroeg hij luchtig. Ik dacht dat iedereen alles over me wist. Soms denk ik dat ze zelfs meer over me weten dan ikzelf. Nou, het is toch niet allemáál zo slecht, lachte ze. Dat weet ik niet, is dat zo? Nee, ik denk dat de meisjes wel graag een man hebben die van tijd tot tijd ondeugend is. Egoïstisch bedoel je, zei hij. Met meisje bedoelde ze zichzelf, merkte hij.

O, dat is niet helemaal hetzelfde, zei ze zelfgenoegzaam. Ik denk niet dat de mensen je egoïstisch vinden. Ze schoot de weg op en reed harder dan hij zich had kunnen indenken, veel harder dan de maximale snelheid. De witte wijzers sprongen vooruit in de gloed van het dashboard. Soms, lachte ze, kun je al ondeugend zijn door te geven wanneer dat niet zou moeten, als je begrijpt wat ik bedoel, of gewoon door te veel te leven. Nu was Daniel alert. Ze had de hele avond boete gedaan met haar zoon, en had nu het recht stoutmoediger te zijn.

Geef een definitie van het verschil, zei hij. Hij lachte. Onvermijdelijk werd hij zelf ook lolliger. Hoewel hij ook elk moment kon flauwvallen. Definieer het verschil tussen ondeugend en egoïstisch. Vooruit. Ze trapte hard op de rem voor een stoplicht. De auto bevond zich op de verkeerde rijstrook. Toen ze naar hem keek zette ze hinderlijk grote ogen op. Hmm. Ze trok een theatraal nadenkend gezicht. Hmm, laat me eens denken. Die vrouw is er tien jaar jonger op geworden in twee minuten, dacht hij. Haar gezicht glansde in het licht van de wijzerplaten van haar kittige auto en haar gefronste voorhoofd was aantrekkelijk meisjesachtig toen ze een antwoord zocht op zijn vraag. Met totale openheid zei ze: Nou, egoïsme is lelijk, Dan. Dat is lelijk. Daniel Savage hield zijn adem in. Maar ondeugendheid – ze strekte haar hand boven de versnellingspook, de palm naar beneden gericht, en schommelde ermee – ondeugendheid is dat niet, of niet altijd. Kan zelfs leuk zijn. Abrupt zei hij: O, trouwens Kathleen, dat wilde ik nog vragen, waarom heeft Mattheson niemand gearresteerd toen ik hem heb verteld wie het waren die me hebben aangevallen? Waarom heeft hij die gasten niet opgepakt? Er kan toch niets lelijkers zijn dan geweldpleging? Ze was helemaal niet van de wijs gebracht. O, dat zou ik niet weten, zei ze meteen. Ik bedoel, de CPS weet toch niet alles wat de politie doet? Ik weet dat ze verschillende verdachten hadden. Ze wilden niet iets doen om er dan achter te komen dat je het bij het verkeerde eind had. Voorzover ik weet, had jij alleen maar verdenkingen.

Daniel draaide zich om en keek uit het raampje. Ze liegt, dacht hij. Hij wachtte. Vind je het niet moeilijk, vroeg ze, om ineens naar een hotel te verhuizen? Met alleen maar een koffer. Ik bedoel... Het was het eerste directe commentaar op zijn huwelijkse staat. Ruw, bijna met Franks stem, zei hij: Nou, de bedden zijn goed en ze hebben een leuke bar. Hij keek haar zelfs niet aan. Zin in een nachtmutsje?

Ze zette de auto heel netjes in een van de ruimtes aan de linkerkant van de ingang en trok de handrem scherp aan. Goed, zei ze. Maar echt een vingerhoedje, zei ze, ik moet snel terug, dat weet je, ik kan Stevie niet lang alleen laten – dit zei ze toen ze door de draaideur liepen –, en toen voelde hij een hand op zijn mouw. Sarah! In een diepe fauteuil in de onscherpe verlatenheid van de foyer van het hotel zat een doodsbleke Minnie Kwan.

32

We hebben, zei rechter Savage, het gehad over...

Hij zweeg. Hier hielden zijn aantekeningen op. Hij wreef over zijn gezicht. Hij had meer notities moeten maken. Hij keek op in een rechtszaal waarin de verwachtingen hooggespannen waren. Hij was van plan geweest om vanochtend, vóór het proces, nog wat aantekeningen te maken. Iedereen keek nu uit naar het einde. Maar dat had hij niet gedaan. De verdachten, hun familie, de jury, de pers, de advocaten, ze wilden allemaal dat het nu snel afgelopen zou zijn. Hij had aantekeningen kunnen maken tijdens de pleidooien van de laatste drie advocaten van de verdediging. We hebben er allemaal genoeg van, dacht rechter Savage, van dit belastende verhaal. Maar ook dat had hij niet gedaan. Niet dat hij geboeid of zelfs maar geïnteresseerd had zitten luisteren naar wat ze zeiden. Ze waren zo verstandig geweest om heel weinig te zeggen. Hun cliënten waren niet de hoofdrolspelers. En het was ook niet omdat hij te moe was, hoewel hij zich moeilijk kon voorstellen dat hij ooit vermoeider was geweest. Maar hij voelde zich geïsoleerd, verlamd. Hij wist dat wanneer dit proces achter de rug zou zijn, wanneer de jury zich eindelijk zou terugtrekken en de verdachten en familieleden hun adem zouden inhouden terwijl de twaalf gezworenen zich door stapels verklaringen werkten om tot acht verschillende veroordelingen te komen – wanneer kortom zijn dagtaak erop zat, hem een groter en laatste proces wachtte. Ik had nooit moeten komen, zei hij tegen zichzelf. Mijn echte plicht was niet te komen. Niet mijn plicht hier vervullen, maar een andere plicht elders vervullen. De gezwollen taal waarmee hij zich tot zichzelf richtte leek een zekere verlichting te geven. Ik had een andere plicht te vervullen, dacht hij. Maar hij was een doetje geweest voor Mattheson. Dan, had de inspecteur gezegd. Met triomfantelijke stem. De telefoon had door een troebele mist gesneden die noch bewustzijn noch slaap was, maar meer een intens netwerk van wazige beelden en kreten en felle kleuren. Jezus! Hij ging overeind zitten. Dan, sorry dat ik je wakker maak. Ik dacht dat je het meteen zou willen weten. We hebben ze allemaal. Allemaal? vroeg Daniel. De Kwans, plus al hun connecties, Dan. En je hoeft ze nooit te zien. We hebben ze vast in verband met een andere aanklacht. Serieuze aanklachten op het gebied van mensensmokkel en prostitutie. Die zitten voor jaren vast en je zult met geen woord genoemd worden.

Allemaal? herhaalde Daniel. We hebben ze allemaal, zei de inspecteur, allemaal. Hij was gelukkig. Behalve het meisje, voegde hij eraan toe, die jongedame van je, grinnikte hij, en haar echtgenoot. Ben Park. Dat is trouwens een valse naam. Park. Ja, we wilden haar wel oppakken voor haar eigen veiligheid en zo, maar ze moet door het net zijn geglipt. We moesten meer dan veertig mensen tegelijk oppakken. Het is me nogal een nacht geweest. Maar we zoeken nog. Die hebben we snel te pakken. De hotelklok wees kwart over vier aan. Ik heb het meisje, zei Daniel. Hij liet zich terugvallen in het kussen, de telefoon tegen zijn oor. O ja? Echt? De politieman was opgetogen. Pak van mijn hart. Waar is ze? Ze is bij mij, zei Daniel. Maar dat was ze niet.

Ze was niet bij mij, mompelde rechter Savage in de rechtszaal tegen zichzelf. Hij had gezegd dat Minnie bij hem was en dat was ze niet. Zodat hij, terwijl de advocaten voor Davidson, J. Crawley en G. Crawley aan het woord waren, alleen maar op zijn notitieblik had geschreven: Opgeofferd om een informant te beschermen. De informant regeert de wereld, dacht hij. Bewust opgeofferd, schreef hij. En nu, op dit belangrijke punt van zijn instructie aan de jury, viel hem plotseling de gedachte in: wat als de uitgelekte verhalen van de laatste weken expres gelekt waren door de politie om iemands aandacht op Minnie te vestigen, en af te leiden van wie het ook was die hun de gewenste informatie gaf. Iemand kuchte. Even was rechter Savage verlamd en kon hij onmogelijk doorgaan. Ik ben verdoofd, dacht hij. Minnie was ook verdoofd geweest. Wat is er aan de hand, had Kathleen Connolly gevraagd. Ze had zich over de bank gebogen in de foyer van het hotel, en had toen naast het meisje gehurkt. Wat is er? Minnie wilde niet antwoorden. Ze schudde haar hoofd. Ik kan nergens naartoe, kreunde ze toen Daniel voorstelde een taxi te bellen. Ik kan niet doorgaan volgens de regels, dacht hij. Een rechter hoort heer en meester te zijn over de procedure.

We hebben het gehad, zei hij en keek eindelijk op, over verdachten die beweren dat de steen niet gegooid is door een lid van hun groep, ondanks hun aanwezigheid op de brug. Door zich het verhaal weer voor de geest te halen kon hij weer denken. Als u die bewering aanvaardt, moet u alle verdachten vrijspreken voor alle aanklachten. We hebben het gehad over het standpunt van de aanklager, gesteund, zoals we hebben gezien, door aanzienlijk indirect bewijs. De aanklager houdt vol dat alle leden van de groep betrokken waren bij een groepsdelict waarbij er stenen op de ringweg zijn gegooid. Als u deze versie aanvaardt, moeten alle verdachten schuldig worden bevonden.

Hij zweeg even. Uiteindelijk had je nauwelijks aantekeningen nodig. Maar nu moeten we de twee complexere verklaringen beschouwen over de gebeurtenissen van 22 maart, die zijn afgelegd door de gezusters Crawley. Het is niet mijn bedoeling – ik zou er niet eens toe in staat zijn, dacht hij – om deze nog eens in detail te bestuderen. Enerzijds bieden ze een volledige motivering, die in de versies van de aanklager en de eerste zes verdachten ontbrak. En een motief kan, zoals gezegd, een belangrijk onderdeel van de bewijslast zijn. Om het simpel te zeggen, deze versies verklaren meer. Anderzijds moet ik u waarschuwen zeer voorzichtig om te gaan met deze getuigenverklaringen, precies vanwege die volledigheid, die uitleg. Een ingewikkelde verklaring over de motivering kan eerder een handig verzinsel zijn dan een bewijs van de waarheid. Wanneer iemand die we kennen iets vreemds doet, vragen we ons af: waarom heeft hij dat gedaan? Dit was helemaal niet de toon voor een instructie, zei rechter Savage tegen zichzelf. Maar misschien niet ongepast. En als we een reden kunnen bedenken, hoe ingewikkeld ook, voelen we ons tevreden. Inderdaad, hoe krommer en complexer en hoe minder flatterend de reden is, hoe tevredener we ons voelen omdat we er nu van overtuigd zijn dat we die persoon kennen, omdat we zo slim zijn geweest zijn motieven te kunnen achterhalen. Maar tenzij we sterke bewijzen hebben die ons idee staven, kunnen we het natuurlijk net zo goed helemaal verkeerd hebben. Wat ik bedoel is dat u niet onder de indruk moet zijn door de verhaalwaarde van deze nogal verschillende versies. U moet alleen bekijken of de ene versie of de andere waar is. U moet u ook niet laten beïnvloeden door de motieven van de verdachte Gillian Crawley. Ze beweert dat ze heeft besloten het verhaal op te biechten omdat ze zwanger is en niet wil dat haar kind in de gevangenis geboren wordt. U moet inzien dat zo'n wens, uit wanhoop geboren misschien, iemand heel goed kan brengen tot het uitvinden van een zeer ingewikkeld verhaal. En daar het andere verhaal van Gillian Crawleys zus komt, kunt u zich afvragen of haar, Janet Crawley bedoel ik, eerste besluit om de gelederen te doorbreken niet eveneens gemotiveerd was door zorgen over haar zusters zwangerschap.

Dit is echt verschrikkelijk warrig en hopeloos onprofessioneel, dacht rechter Savage. Een paar advocaten zaten hem aan te staren. Toch, zuchtte hij, gegeven dat u de getuigenissen met de nodige voorzichtigheid benadert, kunt u tot de conclusie komen dat het ene of het andere verhaal, dat van Janet Crawley of dat van haar zus Gillian, inderdaad de waarheid is. In dat geval moet u uzelf afvragen: wie wordt nu verantwoordelijk voor wat? Wie moet schuldig worden bevonden en wie moet worden vrijgesproken van welke aanklacht?

Weer probeerde hij uit alle macht zijn hersens erbij te houden. U zult zich herinneren dat in de versie van Janet Crawley de heer Grier twee stenen heeft gegooid die geen auto's hebben geraakt – twee zulke stenen zijn inderdaad door de politie gevonden, dicht bij de brug – terwijl de steen die wél een auto heeft geraakt wild en vanuit een diepe frustratie was weggegooid door de heer Sayle, nadat hij verkozen had er de heer Grier niet mee aan te vallen. Indien u vast overtuigd bent van de waarheid van dit verhaal, dan moet u beslissen of de heer Grier schuldig is omdat hij de eerste twee stenen heeft gegooid, of dat hij speciaal gemikt heeft om auto's te vermijden, daar het zijn eerste bedoeling was de heer Sayle te ergeren. In welk geval de heer Grier niet schuldig is, terwijl de heer Sayle dan schuldig wordt aan het toebrengen van ernstig lichamelijk letsel door roekeloos gedrag. Dit was zeer wankel, dacht Daniel. Maar het hele geval ging hem boven het hoofd. Wanneer we daarentegen de versie aanvaarden van de oudere zus Gillian Crawley, zitten we nog meer in de problemen, omdat juffrouw Crawley ons vertelt dat ze niet gezien heeft dat de steen echt gegooid is, maar heeft begrepen dat het gooien het gevolg moet zijn geweest van de botsing tussen de heer Sayle en de heer Grier. Dit verhaal spreekt de verteller vrij, zonder expliciet iemand anders te beschuldigen. Sommige mensen vinden dit misschien alleen maar ingenieus. Maar als u tot de conclusie zou komen dat dit waar is, dan moet u voor uzelf uitmaken of het überhaupt mogelijk is tot een standpunt te komen waarop u er zonder enige vorm van twijfel zeker van bent dat de ene of de andere man, of beide mannen, schuldig zijn aan het toebrengen van zwaar lichamelijk letsel. Sloeg dat nog ergens op? Maar hoe kon hij helder zijn na afgelopen nacht? Waar gaat ze slapen? had hij zijn dochter zacht gevraagd. Bij jou, glimlachte Sarah. Bij wie anders? En de hele tijd, besloot rechter Savage, moet u voortdurend dat essentiële, dat ene absoluut onbetwistbare en vaststaande feit in gedachte houden: er is een vrouw zwaargewond geraakt ten gevolge van het gooien van een steen van een brug. En de essentiële vraag? Kunnen we, op basis van de getuigenissen voorgelegd aan deze rechtbank, zeker weten wie er verantwoordelijk was voor het gooien van die steen, en in hoeverre dit een groepsdelict was begaan door alle verdachten? Toen hij de jury verzocht zich terug te trekken, vroeg rechter Savage zich af of hij zelf ooit door wettig en overtuigend bewijs zeker zou weten wie er verantwoordelijk was voor Minnies dood, of om wat voor soort verantwoordelijkheid het ging? Haar vader, haar broers, Mattheson, hijzelf, zijn dochter of zelfs zijn vrouw?

Mam heeft zowat een rolberoerte gehad, had Sarah gezegd. Ze nam haar vader apart in de foyer van het hotel. Compleet door het lint. Zijn dochter leek het bijzonder leuk te vinden. Ze had een kort strak rokje aan. Felle lippenstift. Haar ogen stonden helder. Een rolberoerte! Het was nog maar een paar weken geleden, dacht Daniel, dat Hilary hem over Sarahs hysterische woedeaanvallen had verteld. Dit is mijn dochter, gebaarde hij naar Kathleen Connolly. Sarah, Kathleen Connolly. De oudere vrouw verstijfde in gegeneerde formaliteit. Aangename kennismaking, glimlachte Sarah veelbetekenend. Kathleen verstijfde nog meer. Daniel wist niet wat hij moest doen. Je mobieltje staat af, pap, zei het meisje. Daarom heb ik haar naar hier gebracht. Ik heb geprobeerd te bellen. Mam weigerde haar binnen te laten. Ze ging compleet door het lint!

Het Aziatische meisje zat op de bank in de foyer met een glazige blik naar de muur te kijken. Ze zag er ziek uit. Een groepje zakenlui kwam rumoerig binnen. Daniel wist ineens weer hoezeer het echode in de foyer van het Cambridge. De zakenlui hadden gedronken. Ik ga er maar beter vandoor, lachte Kathleen nerveus. Ik heb je vader teruggebracht naar zijn hotel, zei ze onnodig. De mannen stommelden rumoerig de lift in. Hij heeft een lelijke smak gemaakt bij het verlaten van de rechtbank, ging Kathleen Connolly door. Leuk u te hebben ontmoet, glimlachte Sarah. Haar glimlach zei: Geen zorgen, ik vind het leuk de vrouwen van mijn vader te ontmoeten. Kathleen Connolly haastte zich naar de deur toen Daniel haar inhaalde. Dat is het meisje, zei hij. Het meisje, begrijp je? Kathleen fronste. Ze blijft maar bellen om te zeggen dat ze in de problemen zit, dat haar ouders gewelddadig zijn, en ga zo maar door. Ik heb het Mattheson al honderd keer gezegd. Ik wil er niet bij betrokken raken. Hij zegt dat hij het in de hand heeft. Maar ze blijft maar bellen. Nu verschijnt ze al bij ons huis. Kennelijk is mijn vrouw overstuur geraakt.

Toen zei hij: Misschien kan jij met haar praten. Kathleen Connolly keek twijfelachtig. Met je vrouw? Met het meisje! Ze heet Minnie. Probeer erachter te komen wat we voor haar kunnen doen. Ik weet niet hoor, zei Kathleen Connolly. Tegelijkertijd leek ze in de verleiding te komen. Er lag een zachte glans in haar ogen. Haar mond werd weker. Ze was ineens niet meer het gegeneerde schepsel dat betrapt was toen ze met een collega een hotel inging. Goed, zei ze, ik zal het proberen. O nee – Sarah schudde haar hoofd – ze wil toch niets zeggen, het heeft geen zin. Zijn dochter was naast hen verschenen, versperde de weg. Ik ben nu al een paar uur bij haar, pap. Ze is er vreselijk aan toe. Ze wil niets zeggen. Mam ging door het lint. Sarah glimlachte breed naar haar vader. Ze wilde niet dat die vrouw het probleem zou oplossen.

Terwijl ze bij de draaideur stonden en het Aziatische meisje zes meter verderop zat te bibberen op de bank met haar hoofd in haar handen, en niet naar hen keek, merkte rechter Savage plotseling dat hij meer geïnteresseerd was in de woede van zijn vrouw dan in de praktische vraag wat er met het meisje moest gebeuren. Kon zo'n woede niet betekenen dat Hilary nog steeds iets zag in hun huwelijk? Kathleen trok hem opzij. Ze hield zijn arm vast en fluisterde: Uit wat ik begrepen heb van inspecteur Mattheson, zijn ze de mensen die je hebben aangevallen vannacht aan het arresteren, die Koreaanse familie weet je wel, samen met verschillende anderen. Dat zat er al maanden aan te komen. Wat ik wil zeggen is: je kunt niet aanbieden om het meisje mee naar huis te nemen. Dat wordt hommeles.

Met haar handen tegen haar zij gedrukt schommelde Minnie Kwan heen en weer. Kathleen ging naar haar toe. Ze trok haar broek een eindje op en hurkte. Moet je naar het ziekenhuis, vroeg ze vriendelijk. Haar stem had een licht Iers accent. Heen en weer schommelend schudde het meisje haar hoofd. Kathleen keek op. We moeten de politie bellen. Nee, hijgde Minnie. Nee! Kathleen was perplex. Wil je meekomen naar mijn huis? Het is maar tien minuten met de auto. Ik heb een logeerbed. Niemand weet waar je bent. Weer schudde het meisje haar hoofd. Ik ben doodsbang, mompelde ze. Waar moet ze slapen vannacht? vroeg Daniel aan zijn dochter. Bij jou, glimlachte Sarah. Ze zei dat ze met niemand anders mee wilde gaan. Ze weet zeker dat ze bij jou veilig is.

Minnie wilde ook geen aparte kamer nemen. Weet je zeker dat je niet naar een ziekenhuis wilt? Ze schudde haar hoofd. Maar wat is er dan? Ik voel me gewoon rot, zei ze ten slotte. Door de baby, fluisterde ze. Nu bood Kathleen aan om Sarah naar huis te brengen, maar op dat moment merkte Daniel een man op die door de draaideuren kwam, een grote man die tegen het glas duwde, aarzelde, en naar hen toe kwam lopen. Waarom komt hij me bekend voor? Dat paardenstaartje, dat buikje, die brede glimlach. Een jaar of veertig, dacht Daniel. Dit is Trevor, zei Sarah opgewekt. De man droeg sportschoenen, een spijkerbroek, een tweedjasje over een wit T-shirt. Trevor, papa. Ze gaven elkaar een hand. Ik vermoed dat we hier een drama hebben, zei hij charmant. Aangenaam kennis met u te maken, meneer Savage, heb natuurlijk veel over u gehoord. Hij had een warme en volle stem. Sarah straalde. Trevor werkt bij Max, fluisterde ze tegen haar vader, alsof dat de man veiliger maakte. We hadden het er juist over wie wie naar huis ging brengen, zei Daniel. Goed, ik denk dat ik de honneurs zal waarnemen. Trevor wreef in zijn handen: Dat heeft de dame tenminste gezegd aan de telefoon. Vreselijk lief van je, riep Sarah. Vooruit dan maar, zei Trevor. Wil er nog iemand anders mee? Nee? Zeker weten? Nou, goedenavond samen. In nauwelijks een minuut tijd waren de twee verdwenen, de man liet zijn autosleutels rond een vinger draaien, het meisje legde een arm rond zijn middel toen ze de draaideuren instapten, wat een kleine worsteling opleverde want de deur was te klein voor twee tegelijk. Het geluid van gelach echode door de foyer van het Cambridge Hotel.

Daniel keek hen na. Wat ga je doen, fluisterde Kathleen. Iets ernstiger zei ze: Dan, ik denk dat ze naar het ziekenhuis moet. Ik zal een ambulance bellen, kondigde Daniel aan. Nee! gilde Minnie. Een luide en gênante kreet in de holle foyer. Het gaat wel, zei het meisje. Ik ben alleen bang en geschrokken. Het was even stil. Weer kwam er een groep mannen binnen die naar de lift liep. Kon hij haar dwingen te gaan? vroeg Daniel zich af. Hij probeerde de situatie in te schatten. Het gaat wel, herhaalde ze, alleen wat geschrokken. Ik heb een nare ervaring gehad. Bang geworden. Wil je een kop thee, vroeg Kathleen. Weer schudde Minnie haar hoofd. Ze hield haar handen tegen haar zijde gedrukt. Ik heb alleen een bed nodig, zei ze. Alsjeblieft. Ze sprak met opeengeklemde kaken. Daniel zuchtte: Met de reputatie die ik de laatste tijd heb, denk ik niet dat het veel verschil zal uitmaken.

Hij zei Kathleen gedag en wachtte tot de foyer leeg was. De oude receptionist negeerde ijverig wat er gebeurde. Een hotelreceptionist, dacht Daniel, protesteert niet wanneer een rechter en nationale bekendheid een jong meisje meeneemt naar zijn kamer. In de lift steunde Minnie zwaar op hem. Ik moet gaan liggen, fluisterde ze. Ze hebben me gewoon een pak rammel gegeven. Stelt niks voor. Het bed was niet eens een echt tweepersoonsbed. Meer een bed voor op huwelijksreis, of een weekendje weg. De jonge vrouw ging liggen met haar jas aan. Waarom? vroeg hij. Hij wachtte. Hij voelde kleine stootjes van adrenaline, van hypersensitiviteit, gevolgd door momenten waarop hij gemakkelijk had kunnen flauwvallen.

Ze had haar ogen gesloten. De politie heeft een vrachtwagen met immigranten tegengehouden. Ze moeten het hebben geweten. Dat is al de tweede keer. Mijn broers denken dat ik heb geklikt. Ze wisten het van jou en mij. Al die verhalen in de krant. Ze denken dat ik dingen verklik. Dus heb ik gisteren de hele dag opgesloten gezeten in de flat. Eerst had ik mijn mobieltje nog. Dat wisten ze niet. Toen was de batterij leeg. 's Avonds kwamen er twee mannen die me in elkaar hebben geslagen. Ik kende ze niet. Bens moeder was er niet. Ik zei dat ik niets had doorverteld. Minnie schudde haar hoofd, huilend. Vanmiddag word ik wakker en is iedereen weg. Ik heb de deur moeten intrappen.

Hij dekte haar toe, trok een stoel bij om naast haar te zitten, streek over haar haar. Ze zag er grauw en opgezwollen uit. Het is tenminste voorbij, zei hij. Wat bedoel je, vroeg ze. Hij aarzelde: Als ze weg zijn gegaan, als iedereen is verdwenen, dan is dat omdat ze bang waren om gearresteerd te worden. En je kunt nu toch niet meer terug. We vinden wel iets voor je.

Het meisje huiverde, keek naar hem. Ze leek achterdochtig. Hij liep naar de kast en haalde er een extra deken uit. Ik kan thee zetten, bood hij aan. Of je kunt iets drinken uit de minibar. Hij wist niet goed wat hij tegen haar moest zeggen. Ze zei: thee. Voorzichtig scheurde hij de zakjes Twining's open en haalde er de theebuiltjes uit. Hij zette de waterkoker aan. Ik zou de politie moeten bellen, bleef hij denken. Maar zijn aversie tegen Mattheson was te groot. Hij voelde zich gegeneerd omdat het meisje naar hem was gekomen. Mattheson had expliciet gezegd dat hij uit de buurt moest blijven. Ik ben te moe om verstandige beslissingen te nemen, dacht hij. Morgenochtend dan maar. Kon hij Hilary maar om raad vragen. Werktuiglijk wond hij de koordjes rond de oren van twee roze theekopjes. Morgen zou hij kunnen nadenken. Minnie hield het kopje met twee handen vast. Ze leek nu wat gemakkelijker te liggen, een beetje overeind met haar hoofd tegen het kussen. Ze vroeg: Ben je weggegaan thuis? Ja. Hij zat in een ongemakkelijke fauteuil aan de andere kant van het bed. Er was geen plaats voor zijn voeten. Ben je gelukkig? Nee. Hij draaide zich een kwartslag om, stootte zijn knieën tegen het bed. Ze nipte van haar thee, keek naar hem. Je zei altijd dat je op het punt stond ermee te stoppen. Waarmee? vroeg hij. Ze kon zelfs een beetje glimlachen. Wat was dat woord ook weer dat je ervoor gebruikte? Ik weet het niet. Voor wat? Don – donji – donju. Donjuanisme? Ja. Je zei: Zo kan het niet doorgaan! Ik moet stoppen met dat donjuanisme. O ja? Ze knikte. Hij dacht dat hij dat tegen Jane gezegd had.

Ze nipten van hun thee. Het was voorbij middernacht. De kamer was optimistisch aangekleed met een roze behangetje en roze gordijnen en tapijt en sprei. Met het zwakke licht van een roze lampje naast het bed was er een soort gewonde rust ontstaan, als van langzaam dovende sintels. Ze zaten van hun thee te nippen. Ze zei: Was het mijn schuld? Wat? Dat je vrouw erachter is gekomen. Ben je boos op me? Hij schudde zijn hoofd. Ga maar slapen, zei hij. Je hebt slaap nodig. En ik ook. Morgen is een grote dag. Je ging altijd vroeg naar huis, zei ze. Ik had altijd het gevoel dat je haast had om weer naar huis te gaan. Zijn onbehaaglijke gevoel nam toe. Bel de politie toch! Toen ze zich wat liet zakken slaakte ze een kreet van pijn. Hij was snel bij haar. Alles in orde? Ze hebben me gestompt, hier, en het doet nog steeds pijn. Luister eens, zei hij, met die baby en zo zou je echt beter eens naar je laten kijken in het ziekenhuis. Ik ga een taxi bellen en breng je er nu naartoe. Nee, zei ze. Maar... Morgen, zei ze. Echt, het gaat wel. Ik zou het toch wel weten als het ernstig was, niet soms?

Ze lag nu in het donker. Hij ging naar de badkamer. Hij kleedde zich stil uit, hij dacht dat ze in slaap was gevallen. Hij zou onder de lakens kruipen en zelf ook slapen. Per slot van rekening was dit niet allemaal slecht nieuws. De Kwans zouden worden gearresteerd. Het meisje zou ergens anders ondergebracht worden. Het drama is haast voorbij. Hoe dan ook kan ik mijn leven opnieuw opbouwen, dacht rechter Savage. Hij sloeg het laken aan zijn kant terug. De rustige stem van het meisje vroeg: Dan, zou je de televisie willen aanzetten? Ik kan niet slapen. Ik zal wel in slaap vallen als je de televisie aanzet, heel zachtjes.

Zuchtend pakte hij de afstandsbediening. Waar wil je naar kijken? O, dat maakt niet uit. Toen zei ze: Ik val in slaap van ingeblikte lol. Daniel zapte langs het nieuws, een vuurgevecht. Op de vierde of vijfde zender was er applaus te horen, en een cast van uitsluitend zwarte acteurs zat op drie felgekleurde banken op en neer te springen ondanks de afhaalmaaltijden op hun schoot, grappend en grollend met een zuidelijk Amerikaans accent. Dat is goed, zei ze. Maar ze leek niet te willen kijken.

Maar Daniel vond het moeilijk om niet te kijken. Iemand klaagde dat een dochter laat uit was. Ik zou dat nest een flink pak rammel geven, verkondigde de stem van een oudere vrouw zelfgenoegzaam. Luisterend probeerde de rechter het meisje naast zich niet aan te raken. Toen begon een vroegwijs jongetje aan een lezing over de gevaren van lijfstraffen. Volgde een bulderend gelach. We zullen morgen wel zien, liefje, zei iemand. We spreken dat brutale nest morgen wel. Morgen is alles voorbij, dacht hij. Hij zou de jury zijn instructie geven. Hij kon zich een week ziek melden. Hij wás ziek. Hij kon een flat zoeken. Hoe heb ik het nu, potjandorie! riep iemand. Was het mogelijk dat er nog steeds zo werd gesproken?

Toen zat hij plotseling te praten met Mattheson. Hij was uit zijn slaap getild door de telefoon. Het gerinkel viste hem op als een uitgegooide reddingslijn in een wilde zee, en Mattheson zei: We hebben ze allemaal te pakken, behalve het meisje en haar man. Ik heb het meisje, zei Daniel. De televisie zond nu alleen een felle blauwe gloed uit. Ze is hier bij me. O ja? Dat is schitterend, riep Mattheson. Fantastisch nieuws, Dan. De man noemde hem weer Dan. Dat was niet goed. Nu denk ik dat we dit verhaal echt achter de rug hebben, zei de politieman. Het was toch niet zijn probleem? Rechter Savage zei: Ze beweert dat u niet bent gekomen nadat ze u meermaals had gezegd dat ze haar slecht behandelden. Het was even stil. Mattheson sprak op nuchtere toon. Dan, we hadden twaalf uur tijd nodig. Twaalf uur. Het zou te moeilijk zijn om het uit te leggen. Er zit meer dan twee jaar werk in deze zaak. Het was een enorme operatie. Als we eerder hadden toegeslagen, hadden we het bewijs niet gehad dat we nodig hadden. Het heeft geen zin de mensen op te pakken zonder degelijk bewijs dat overeind blijft in de rechtszaal. Maar als jij haar nu hebt is er niks aan de hand.

Rechter Savage zette de televisie af en ging weer liggen in het donker. Nu en dan schoven er koplampen over de gordijnen. Ze moeten een informant hebben willen beschermen, dacht hij. Het kwam hun prima uit dat de Kwans dachten dat het Minnie was. Hij ging overeind zitten. Vanaf de straat zonden koplampen roze rechthoeken naar binnen die over het behang kropen en over prenten van Engelse tuinen. Het was een monumentale ijdelheid van mij, dacht rechter Savage, te denken dat ik belangrijk was omdat ik een paar dagen in de krant heb gestaan. Er was een prent van Chatterton House: het uitzicht op het meer. Er kwam een licht voorbij, en nog een. Het was een verschrikkelijke vergissing, zei Daniel tegen zichzelf, te denken dat Hilary je niet zou kunnen verlaten, omdat je een te belangrijk onderdeel van haar leven was. Toen bedacht hij dat Minnie niet wakker was geworden toen Mattheson belde. Ze moest wel heel diep slapen. Ze was uitgeput geweest. Maar hij was ook uitgeput geweest. Hij spitste zijn oren om haar ademhaling te horen. Een vrachtwagen trok grommend op. 's Nachts hoor je dat soort dingen beter. De koplampen gleden over een net patroon van heggen en bloemen. Hatfield House. Sedley had gelijk dat Janet Crawley nooit gehoord kon hebben dat iemand iets zei boven een drukke weg op tien meter afstand. Hij stak zijn hand uit en raakte het meisje aan.

33

Rechter Savage was om halftien bij de rechtbank aangekomen. Hij begon zijn instructie rond vier uur en verzocht de jury zich terug te trekken tegen zes uur. Sedley zat zijn hoofd te schudden. Onmogelijk om tot een uitspraak te komen, mompelde een van de verdedigers tegen zijn assistent. Meer dan acht uur, dacht rechter Savage bij zichzelf, terwijl hij met zijn dossiers door de gang liep, acht beschuldigende uren waarin hij niets had gezegd, niets had gedaan. Je ziet er ziek uit, had Kathleen Connolly die ochtend gezegd. Ze had op hem staan wachten bij de rechtersingang. Dit is allemaal verschrikkelijk ongepast. Een rechter zou gescheiden moeten blijven van andere autoriteiten. Hoe is het gegaan? vroeg ze met gedempte stem. Goed, zei hij. Is ze daar nog? Ja, zei hij. Hij zei: Ik vrees dat ik nog wat aantekeningen moet maken voor mijn instructie. Ik loop achter. Natuurlijk. Maar ze bleef nog even wachten onder aan de trap. Hij draaide zich om. Ze droeg een strakke zwarte rok. Ze had haar haar gewassen. Ze hebben ze allemaal gearresteerd, zei ze. Een groot succes. Dat heb ik begrepen, zei hij. Hij wist niet wat hij moest zeggen. De hele tijd ben ik een makkie geweest voor Mattheson, dacht hij. Als je klaar bent vandaag, zei ze, dan kunnen we misschien even bespreken wat we kunnen doen voor dat meisje. Ik bedoel, ze kan niet naar huis.

Daniel aarzelde. Dit was het moment waarop hij iets had moeten zeggen. Hij deed het niet. Hij voelde een toenemende aversie, een bijna fysieke remming om iemand iets te vertellen. Mijn kamer hoeft niet schoongemaakt te worden, had hij de receptie telefonisch gemeld. Te veel rommel. Er liggen overal papieren en ik wil niet dat ze door elkaar raken. Hij hing een bordje met Niet storen aan de deur. En nu, negen beschuldigende uren later, zat hij weer op zijn kamer, achter zijn grote bureau, met dat grote en onmogelijke obstakel voor hem. Het kan me helemaal niet schelen, dacht hij, met welke uitspraak de jury terugkomt in de zaak tegen Sayle en de anderen. Hij ging zitten en pas na vijf of tien minuten bewegingloos achter zijn bureau te hebben gezeten, merkte hij een kleine witte envelop op met Hilary's handschrift: Dan, het kan gewoon niet dat we elkaar niet zouden zien vandaag. Kom langs. Rechter Savage sloot zijn ene goede oog.

Het is ons twintigjarig huwelijk! Om acht uur die ochtend was de telefoon gegaan. Ze wist dat hij altijd opstond voor achten. Ik wilde me verontschuldigen, zei ze. Ik ben gisteren nogal over mijn toeren geraakt toen dat, eh, dat Koreaanse meisje van je opdook. Sorry. Ik had het beter kunnen aanpakken. Sarah zei dat je in de problemen zat.

Daniel had niet geweten wat hij moest zeggen. Toen hij door de gordijnen keek op deze winderige septemberdag, had hij geen idee hoe het verder moest. Het is ons twintigjarig huwelijk, zei Hilary. Ze lachte zenuwachtig. Ik weet dat de omstandigheden beter hadden kunnen zijn, maar ik dacht ik zal toch maar bellen. Dan? vroeg ze. Dan, ben je daar? Ze is dood, zei hij.

Toen hij na Matthesons telefoontje zijn hand had uitgestoken, had hij gevoeld dat haar huid koud was. Hij voelde geen enkele spanning. Hoorde geen geluid. Hij begreep het meteen. Ik ben helemaal gevoelloos, had ze die avond in de foyer gezegd. Ik word maar niet warm, had ze geklaagd in bed. Hij had nog een deken over haar heen gelegd. Daniel raakte haar koude pols aan, deinsde terug en nog voor hij de lichtschakelaar had gevonden wist hij dat ze dood was. Waar was dat stomme ding! Hij trok de lamp van het nachtkastje en zocht op de muur naar het knopje voor de kamerverlichting. Haar mond stond open. Haar gezicht was grijs en uitdrukkingsloos. De glazige ogen staarden naar het plafond waar het licht achter een roze glasplaat brandde.

Hij sprong uit bed, verstijfde toen besluiteloos naast het lijk. Hij wist meteen dat het een lijk was. Minnie, zei hij zachtjes. Minnie, riep hij. Minnie. Hij bracht zijn mond bij haar oor en brulde: Minnie! Ze bewoog niet. Hij rende de badkamer in, vulde het glas met water, gooide het in haar gezicht. Iemand bonsde op de muur achter het hoofdeinde. Even begreep hij het niet. Het meisje had niet bewogen. Toen bonsden ze weer. O christus. Hij trok een arm onder de dekens vandaan en voelde haar pols. Hij wist dat er geen polsslag was. Het lichaam begon al te verstijven. Dit is als in zovele dromen, dacht hij. Hij wist dat hij niet droomde. Impulsief duwde hij het kleine hoofd achterover en drukte zijn mond op de hare. Hij blies. De lippen waren stijf en rubberachtig. Hij blies hard. Hij rook iets. Je zult die koude aanraking van die lippen nooit vergeten, die geur. Hij haalde zijn mond weg en duwde met zijn twee handen op haar borst. Er was een zwak gegorgel te horen. Hij drukte zijn mond weer op de hare en blies weer. Maar nu trok hij zich meteen terug. Je weet dat ze dood is. Het gezicht was geelgrijs, de bruine ogen stonden glazig. Ze is al uren dood. Weer meende hij het geluid van een druppelende vloeistof te horen. Hij sloeg de dekens terug. Ze was nog in jeans, een ruime zwangerschapsjeans. Tussen haar benen was de stof doorweekt. Het laken was zwart. Geschrokken trok hij haar trui en blouse omhoog tot haar middel. De huid was asgrauw en vlekkerig. Ze heeft uren liggen bloeden, besefte hij. Inwendig. Ze is dood en haar kind is dood. Het kind van Elizabeth Whitaker had het overleefd. Deze baby is dood, dacht hij. Je had haar naar het ziekenhuis moeten brengen. Hij rende naar de telefoon. Hij had het nummer van het ziekenhuis niet. Bel 999. Maar nu legde hij de telefoon neer. Hij draaide de drie nummers, en legde toen snel de telefoon neer.

Waarom heb ik 999 niet gebeld, of Mattheson, vroeg hij zich af, nu hij 's avonds achter zijn bureau zat met het vreemde briefje van zijn vrouw in zijn handen. Hoe kon zijn vrouw hem uitnodigen na wat hij haar die ochtend had verteld? Wát? had ze gevraagd. Ze is dood. Minnie. Ze moet een bloeding hebben gehad. Toen ik wakker werd was ze dood. Maar, is ze in jouw kamer? Ja, zei hij. Dat had Hilary zich kennelijk niet gerealiseerd. Sarah had het haar niet verteld. Het bleef even stil. Dan, heb je een dokter gebeld? Er is niets wat een dokter kan doen, de eerste de beste idioot kan zien dat ze dood is.

Het was een van die zeldzame momenten waarop zijn vrouw niet wist wat ze moest zeggen. Je moet iemand bellen, zei ze ten slotte. Mattheson, zei ze. Dit betekent het einde voor me, zei hij. Dat begrijp je wel. Hilary zei niets. Maar dat is niet wat me bang maakt, ging hij door. Hij voelde dat hij niet bang was. Hij voelde dat het een onwaardig antwoord was. Dat is het niet, herhaalde hij. Wat dan, vroeg ze. Ik weet het niet. Ik kan het niet aan. Ik bedoel, erover te moeten praten. Het steeds opnieuw te moeten vertellen. Ik heb zo met haar te doen. Je weet dat mijn baan stom is, begon hij. Ik vind het niet erg om mijn baan kwijt te raken. Het is stom. Het gaat om het gebeuren. De camera's en de pers en de schijnwerpers. Was dat wat Martin niet had aangekund? vroeg Daniel zich af, kijkend naar het gezicht van het dode meisje. Ze was zo'n knap ding geweest. Hij voelde zich geheel verantwoordelijk en diep beschaamd. Ik had iets kunnen doen. Ik kan het niet aan, zei hij tegen zijn vrouw. Ik sterf nog liever, zei hij. Had Minnie geweten dat ze zou sterven? Waarschijnlijk niet. Ze had de doffe pijn van een inwendige bloeding verkeerd geduid. Hij herinnerde zich hoe haar stem was afgezwakt tot een gefluister. Had ze echt welterusten gezegd? Dat had ze niet. Ze was flauwgevallen. Hij had het moeten weten. Maar hij was zelf overmand geweest door vermoeidheid. Niet helder van geest. Ze was zonder te kikken gestorven, veranderd in materie.

Dan! Dan! Hij hoorde zijn vrouw roepen. Ben je daar nog? Dan, zeg iets. Ja, zei hij. Sorry. Luister, Dan, luister je? Ja. Is ze daar nu? Wie? Minnie. Natuurlijk is ze hier, ze... Dan, bel Mattheson, nu meteen! De dingen worden alleen maar erger als je wacht. Bel hem nu op! Mattheson heeft een dubbel spelletje gespeeld, zei rechter Savage. Ik vertrouw hem niet... Dan, bel hem op. Je moet iemand bellen. Misschien kan hij... Het was Mattheson die die verhalen heeft gelekt naar de pers. Hij was... Dan, doe niet zo belachelijk! Hilary's stem klonk hard en streng. Bel hem! Hij staat aan jouw kant. Je moet de politie bellen.

Hij legde de telefoon neer en keek weer naar het meisje. Zachtjes zette hij een vinger op een oog en trok het ooglid naar beneden. Het ging. Hij sloot het andere ook. Haar gezicht was nog nat van het water dat hij had gegooid. Maar waardiger met de ogen gesloten. Hij herinnerde zich wat ze hadden gedaan met zijn dode vader, liep naar de gordijnen, maakte een fluwelen roze embrasse los en bond die om haar hoofd en maakte hem vast onder haar kin om de mond te sluiten. De kaak was stijf en hij moest hard trekken. De embrasse stak fel af bij het grijze gezicht, maar ze zag er waardiger uit met gesloten ogen en gesloten mond. In zichzelf besloten is men waardiger. Dat zag hij nu.

Hij ging naar de badkamer om te douchen. Maar hij stond er nauwelijks onder of hij werd overweldigd door angst, door een vreemd verlangen. Hij stapte eruit en kleedde zich aan. Het was twintig over acht. Hij had Mattheson niet gebeld. Er waren drie of vier handdoeken. Hij vulde het bad met warm water en ging terug naar de kamer. Zoals te verwachten was, lag er een plastic zeil op het matras onder de lakens. Hoe vaak hebben we de liefde bedreven? vroeg hij zich af terwijl hij haar kleren uitdeed. Hij was nooit met haar naar een hotel gegaan. Haar armen wilden niet meewerken. Minstens vier keer. Misschien meer. Hij pakte het nagelschaartje uit zijn reisnecessaire en knipte de dunne trui door. Ze gingen naar het magazijn met de stapels tapijten. De jeans was smerig. Uiteindelijk was dat leuker, minder romantisch. Hij wreef haar ruw schoon met het bovenlaken, haalde toen het onderlaken weg en bond er de vuile kleren in. Ze lag op haar zij, op het plastic. Jane had altijd geklaagd over de plastic zeiltjes die hotels gebruikten. Met Jane ging hij naar hotels. In de badkamer doopte hij een handdoek in warm water. Hij wrong hem zorgvuldig uit, ging toen snel terug naar de slaapkamer en waste het zweet van haar rug en de troep van tussen haar benen. Hij maakte een andere handdoek nat. Hij veegde haar ledematen schoon, haar kleine borsten, haar buik. De stijfheid van haar buik was beangstigend. Minstens vier keer, zei hij tegen zichzelf, in het magazijn van haar vader, waarschijnlijk een dekmantel voor god mag weten wat. Ze zullen tenminste niet kunnen zeggen dat ik het meisje niet gewassen heb.

Hij belde niet naar Mattheson. Zal de jury morgen de hele dag nodig hebben? vroeg Laura met haar hoofd om de deur. Een eeuwigheid, zei hij. Daniel wachtte. Zijn bureau lag vol dossiers met informatie over misdaden en vergrijpen die mensen hadden gepleegd, over hun alibi's en bekentenissen. Snelle voetstappen klonken door de gang. De muren stonden vol mappen. En elk van de vijf rechtersverblijven was net zo volgestouwd met mappen en in de kelder van het gerechtsgebouw waren nog meer kamers volgestouwd van vloer tot plafond, plank na plank na plank, met de immens gecompliceerde details van misdaad na misdaad na misdaad en alle langdradige bureaucratie en krankzinnige bedenksels die elk proces omgaven in het eindeloze antagonisme van waarheid en leugen. Zeker negentig procent van wat er in de Saylezaak was gezegd was niet waar. Voordat het ten slotte werd gereduceerd tot een microfiche. Terwijl negentig procent van wat waar was, niet was gezegd, of niet eens was bedacht. Minnie was gereduceerd tot materie terwijl ik naast haar sliep, dacht rechter Savage. Maar ze wilde niet oplossen. Hij had haar gewassen, maar hij kon haar niet wegwassen. Ik wil haar niet wegwassen, besloot hij. Minnie was een aardig meisje.

Waar wacht ik nog op, vroeg hij zich plotseling af. Hij wist het niet. Misschien op iemand die me raad kan geven. Op een telefoontje van Kathleen Connolly, een klop op de deur. Ja, weer wacht ik op iemand die me raad kan geven, net zoals Hilary en Martin me altijd raad hebben gegeven. Ik wacht op iemand voor wie ik een doetje ben, zoals ik altijd een doetje ben geweest voor Frank, en voor Mattheson. En Christine. Hij stond plotseling resoluut op, verzamelde zijn spullen en haastte zich naar buiten.

Voelt u zich beter vanavond, meneer? vroeg de politieman bij de achteringang. Rechter Savage glimlachte half. Dank u, zei hij. Hij vond zijn auto waar hij hem de vorige ochtend had achtergelaten, reed naar het centrum van de stad door een dikke druilregen, stopte even bij een apotheek, en reed toen naar de ondergrondse parkeergarage naast het Cambridge. Hij had het altijd prettig gevonden dat je met de sleutelkaart van de kamerdeur ook het Cambridge Hotel binnen kon komen vanuit de lift in de ondergrondse parkeergarage, en zo meteen naar boven kon gaan zonder gezien te worden door de receptie. Ik heb het altijd prettig gevonden om niet gezien te worden, dacht hij.

De lift stopte op de derde verdieping. Hij haastte zich door een bochtige gang voorbij witte deuren en beige muren. De smalle loper was ook beige en er was een zwak geluid te horen van televisies in de kamers. Achter hem, toen hij het eind van de gang bereikte, hoorde hij een deur open- en dichtgaan, een moeder betuttelde een kind. Toen zag hij dat het bordje met Niet storen van de deurklink was verwijderd. Hij staarde naar de deur. Ongerust stak hij de kaart in het slot en duwde de deur open. De kamer was donker en fris. De gordijnen waren gesloten, maar door het gebulder van het verkeer wist hij dat het raam erachter was opengezet. Het was druk in de stad zo vroeg op de avond.

Hij slikte en bereidde zich voor op wat komen ging. Een groen lampje in glimmend koper gaf aan waar de sleutelkaart ingestoken moest worden om de elektriciteit aan te zetten. Alle lampen sprongen tegelijk aan. En de tv. Het beeld flikkerde en zoemde. De kamer was schoon en leeg. Het bed was opgemaakt en opengeslagen. Er lag een chocolaatje op het kussen. Hij keek ontsteld rond. Meneer Savage, welkom in het Cambridge Hotel. Er is een bericht voor u. De woorden gloeiden op het tv-scherm. De afstandsbediening lag op het nachtkastje. Hij drukte op Berichten. Van inspecteur Mattheson, bericht ontvangen om 12.38 uur. Geen zorgen, Dan. Alles geregeld.

Hij ging zitten op het schone bed en begon te beven. Ze hadden haar verwijderd. Evenals de beslissing die hij moest nemen. Hij wist meteen dat het een verloren zaak was. Ze was weg. Pas nu begreep hij hoe intens hij naar een zeker gevolg verlangde, hoe erg ook. Ik moet gestraft worden, zei hij tegen zichzelf. Hij schudde zijn hoofd. Het hele gebeuren is me uit handen genomen. Hij herhaalde de woorden keer op keer. Uit handen genomen. Ik ben niet opgetreden. Toen keerden zijn ogen weer terug naar het scherm. Geen zorgen. De woorden gloeiden in rustgevend blauw.

Abrupt stond rechter Savage op en trok de tv-kabel uit de muur. De stekker bungelde aan zijn hand. Wat stom allemaal. Hij trok zijn jasje uit en voelde het zware gewicht van zijn mobieltje in een zak. Het had de hele dag uitgestaan. Hij zette het aan. U hebt vier binnengekomen berichten. Hij deed zijn stropdas af, sloot de deur, drukte op de vereiste knopjes. Hoe is het ermee, oude jongen? Franks stem. Kathleen Connolly zei dat ze een heerlijke avond met hem had gehad en dat ze wilde dat de omstandigheden iets minder traumatisch zouden zijn geweest. Dan, luister, zei Hilary, als je je ertoe in staat voelt, kom dan langs. Je zult wel in alle staten zijn. Toen een stem die hij niet herkende. Meneer Dan, kraakte de telefoon. Met Sue. Meneer Dan, mijn vriend zegt dat u mij zoekt. Als u wilt, ik werk vannacht. Dag, meneer Dan.

Daniel Savage staarde naar de telefoon. Hoe kwam ze aan zijn nummer? Had hij haar mobieltje gebeld met het zijne? Diep nadenkend kleedde de rechter zich uit. Mijn handen beven. Ze hadden haar weggehaald. Hij controleerde nog eens of de deur op slot zat. Even stond hij stil met zijn voorhoofd tegen het glimmende hout.

Alles is me uit handen genomen. Zet de telefoons af. Zet alles af. Snel, snel. Rechter Savage scheurde de zak open die ze hem in de apotheek hadden gegeven, nam een forse dosis in en ging aan haar kant van het bed liggen om te slapen.

DANKWOORD

Dit boek heeft niet de pretentie een exacte voorstelling te geven van het Engelse recht, maar een aannemelijke. Mijn dank gaat uit naar Nick Syfret voor zijn waardevolle uitleg en suggesties.